DAN BROWN

Angyalok
és
démonok

DAN BROWN

Angyalok és démonok

regény

GABO

A fordítás az alábbi kiadás alapján készült:
Dan Brown: Angels & Demons
A Pocket Star Book published by POCKET BOOKS,
a division of Simon & Schuster, Inc.

Fordította Bori Erzsébet

Kiadja a GABO Könyvkiadó
1054 Budapest, Vadász u. 29.
Tel.: (1) 472-0376
Felelős kiadó: Földes Tamás
Felelős szerkesztő: Solymosi Éva
A kötetet Zajtai Szabolcs tervezte

www.gabo.hu

ISBN 963 9526 26 6

Blythe-nak...

Adatok

A világ legnagyobb tudományos kutatóintézetének − a svájci Conseil Européen pour la Recherche Nucléaire-nek (CERN) − nemrégiben sikerült előállítania az első antianyag-részecskékből álló atomot, az anti-hidrogént. Az antianyag mindenben megegyezik a fizikai anyaggal, kivéve, hogy olyan részecskékből áll, amelyek elektromos töltése pontosan az ellenkezője a normális anyag részecskéinek.

Az antianyag az ember által ismert leghatalmasabb energiaforrás. Százszázalékos hatékonysággal szabadítja fel az energiát (az atommaghasadás 1,5%-os hatékonyságával szemben). Az antianyag nem bocsát ki szennyeződést vagy sugárzást, és egyetlen cseppje egy egész napra biztosítja New York teljes áramszükségletét.

Mindössze egy baj van vele...

Az antianyag erősen instabil. Azonnal begyullad, amint érintkezésbe kerül valamivel... akár csak a levegővel is. Az antianyag egyetlen grammja egy 20 kilotonnás atombomba energiájával rendelkezik − ekkora méretű bombát dobtak le Hirosimára.

Ez idáig csak nagyon kis mennyiségű (egyszerre néhány atomnyi) antianyagot tudtak előállítani. De a CERN most áttörést ért el a legújabb antiproton-lassítóval − ez a fejlett antianyaggyártó berendezés jóval nagyobb mennyiségek előállításával kecsegtet.

Egyetlen kérdés maradt: ez a roppant illékony anyag vajon megmenti-e a világot, vagy belőle készül majd minden idők legpusztítóbb fegyvere?

A szerző jegyzete

A műalkotásokra, síremlékekre, alagutakra és más római épületekre tett minden utalás teljességgel hiteles (ahogy a helyszínek megjelölése is). Valamennyi látható mind a mai napig.

Az Illuminátusok testvérisége szintén létezik.

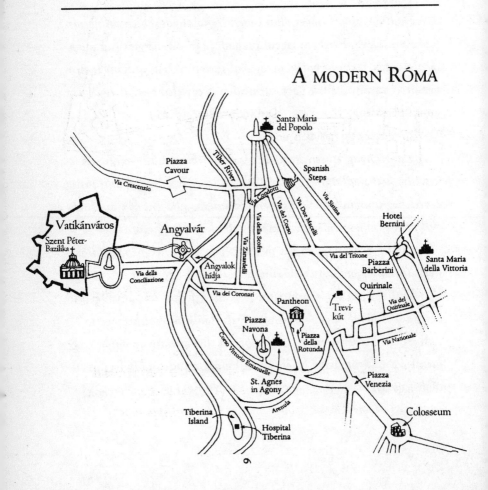

A MODERN RÓMA

A VATIKÁN

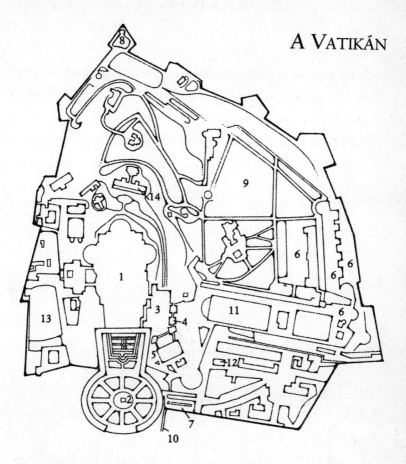

1. Szent Péter-Bazilika
2. Szent Péter tér
3. Sixtus-kápolna
4. Borgia-udvar
5. Pápai hivatal
6. Vatikáni múzeumok
7. A svájci testőrség hivatala

8. Helikopter-leszállópálya
9. Kertek
10. Passetto
11. Belvedere
12. Központi Postahivatal
13. A pápai audiencia terme
14. Kormányzópalota

Prológus

Leonardo Vetra fizikus az égett hús szagát érezte, és tudta, hogy a saját húsa az. Rémülten meredt a fölé tornyosuló sötét alakra. – Mit akar tőlem?

– *La chiave* – válaszolta a reszelős hang. – A jelszót.

– De... én nem...

A betolakodó újra lecsapott, még mélyebbre nyomva a fehéren izzó tárgyat Vetra mellkasába. A megpörkölt hús sziszegő hangot adott.

Vetra felüvöltött kínjában. – Nincs jelszó! – Érezte, hogy megállíthatatlanul zuhan az öntudatlanság felé.

Az alak metszően nézett rá. – *Ne avevo paura.* Ettől féltem.

Vetra minden erejével küzdött az ájulás ellen, de körbezárta a sötétség. Egyetlen vigasza az volt, hogy a támadó soha nem fogja megkapni azt, amiért jött. Egy pillanattal később azonban penge villant az idegen kezében és Vetra arca felé közelített. A penge célra tartott. Gondosan. Sebészi pontossággal.

– Az Isten szerelmére! – sikoltott fel Vetra. De már késő volt.

1

A gízai Nagy Piramis lépcsőinek magasából nevetve kiáltott le neki a fiatal nő: – Robert, siess már! Tudtam, hogy fiatalabb férjet kellett volna választanom! – Varázslatos volt a mosolya.

A férfi igyekezett lépést tartani vele, de kőnehéznek érezte a lábát. – Várj – rimánkodott. – Légy szíves...

Miközben fölfelé kaptatott, elködösült a tekintete. Mennydörgés robajlott a fülében. Utol kell érnem! De amikor újra fölnézett, már nem látta a nőt. Rossz fogú öregember állt a helyén.

A férfi letekintett és fanyar grimaszra húzódott az ajka. Aztán fájdalmas sikolyt hallatott, amely visszhangot vert a sivatagban.

Robert Langdon felriadt rémálmából. Csöngött a telefon az ágya mellett. Kábultan emelte föl a kagylót.

– Halló!

– Robert Langdont keresem – mondta egy férfihang.

Langdon felült az üres ágyban és megpróbált magához térni. – Én... itt Robert Langdon beszél. – Rápillantott a digitális órára. Hajnali 5.18-at mutatott.

– Azonnal találkoznunk kell.

– Ki beszél?

– Maximilian Kohler vagyok. Elemirészecske-fizikus.

– Micsoda? – Langdon nehezen tudott összpontosítani.

– Biztos, hogy engem keres?

– Ön a Harvard Egyetem vallási ikonológia professzora. Három jelképtudományi könyvet írt és...

– Tudja, hány óra van?

– Elnézést kérek. De van itt valami, amit látnia kell. Nem beszélhetek róla telefonon.

Langdon mindent értve felnyögött. Volt már ilyen. Ha az ember vallási szimbólumokról ír könyveket, annak megvan az a veszélye, hogy fanatikusok hívogatják, akik megerősítést várnak tőle az Istentől kapott legutóbbi jeleikre. A múlt hónapban egy sztriptíztáncosnő Oklahomából élete legnagyobb szexuális élményét ígérte be Langdonnak, ha odarepül és igazolja egy kereszt autenticitását, amely csodás módon a nő lepedőjén mutatkozott meg. Langdon *a tulsai lepel*nek nevezte el.

– Hogy jutott hozzá a számomhoz? – Langdon az időpont ellenére megpróbált udvarias lenni.

– A világhálón. A könyve weboldalán.

Langdon a homlokát ráncolta. Fenemód biztos volt benne, hogy a weblapon nem szerepel az otthoni telefonszáma. Ez az ember nyilvánvalóan hazudik.

– Találkoznunk kell – erősködött a hívó.

Langdon most már tényleg bedühödött. – Sajnálom, de én tényleg...

– Ha azonnal elindul, itt lehet...

– Nem indulok sehová! Hajnali öt óra van! – Langdon lecsapta a telefont és visszazuhant az ágyra. Becsukta a szemét és megpróbált újra elaludni. Mindhiába. Az álom élénken megmaradt a fejében. Kelletlenül belebújt a köntösébe és lement a lépcsőn.

Robert Langdon mezítláb járkált elhagyatott viktoriánus otthonában Massachusettsben és az álmatlanság elleni rituális gyógyszerét dajkálta – egy bögre gőzölgő Nestlé Quiket.

Az áprilisi hold fénye beszüremlett a kiugró ablakokon és eljátszott a keleti szőnyegeken. Langdon kollégái gyakran tréfálkoztak azon, hogy a lakása inkább antropológiai múzeumnak tűnik, mint otthonnak. A polcai tele voltak vallásos műtárgyakkal szerte a világból – egy ekuaba Ghanából, egy aranykereszt Spanyolországból, egy szágópálmából faragott idol az égei kultúrából, sőt egy ritka, szövött boccus Borneóból, amely az örök fiatalság ifjú harcosát szimbolizálta.

Ahogy Langdon ott ült a bronz Maharishi-ládán és magába szívta a csokoládé aromáját, az ablaküvegen megpillantotta a tükörképét. Torz volt és sápadt... akár egy kísértet. Egy öregedő kísértet, gondolta, kíméletlenül eszébe idézve, hogy fiatalos szelleme halandó porhüvelyben él.

Noha a szó klasszikus értelmében nem volt jóképű, a kolléganői úgy emlegették a negyvenéves Langdont, mint akinek „eruditív" vonzereje van – deresedő sávok a sűrű, barna hajában, átható kék szem, lefegyverzően mély hang és egy egyetemi sportember határozott, gondtalan mosolya. Langdon a vízilabda-válogatott tagja volt az előkészítőben és a főiskolán, és máig megőrizte úszótestalkatát, azt a feszes, 183 centi magas fizikumot, amelyet szorgosan karbantartott az egyetemi uszodában mindennap teljesített ötven hosszal.

Langdont a barátai egy kissé rejtélyesnek tartották – egy ember, aki megragadt a letűnt évszázadok között. A hétvégeken ott láthatták őt farmerban a campuson, amint a számítógépes grafikáról vagy a vallástörténetről társalog a diákokkal; máskor Harris tweednadrágban és kézzel festett mellényben állt az előkelő művészeti folyóiratok fotóin azokon a kiállításmegnyitókon, ahová előadónak kérték fel.

Noha szigorú tanár volt és erős fegyelmet tartott, szívből lelkesedett azért, amit *a testi-lelki felfrissülés elfeledett művészeteként* aposztrofált. Olyan ragadós megszállottsággal tudta belevetni magát a szabadidős tevékenységekbe, amellyel baráti elfogadottságot vívott ki hallgatói körében. Egyetemi beceneve – a Delfin – egyszerre utalt szeretetre méltó természetére és arra a legendás képességére, hogy lemerülve a medencében a pálya másik térfelére manőverezze át magát egy vízilabdameccsen.

Miközben Langdon magában üldögélt, szórakozottan bámulva bele a sötétségbe, otthona csendjét újra megtörte valami – ezúttal a faxkészülék csipogása. Már ahhoz is kimerülten, hogy bosszankodjék, Langdon fáradt kacajt hallatott.

Istenes emberek, gondolta. Kétezer éve várják a Messiás eljövetelét, és még mindig kitartanak.

Lemondóan visszavitte az üres bögrét a konyhába, és beballagott tölgyfa borítású dolgozószobájába. A most érkezett fax ott hevert a kiadótálcán. Sóhajtva kigöngyölte a papírt és belenézett.

Abban a pillanatban émelygés fogta el.

Az oldalon egy halott ember képét látta. A holttestet levetkőztették, kicsavarodott feje éppen az ellenkező irányba nézett. Az áldozat mellkasán borzalmas égésnyom. Azt az embert megbillogozták... egyetlen szót égettek belé. Langdon jól ismerte azt a szót. Nagyon is jól. Hitetlenkedve bámulta a díszes betűket.

Illuminati

– Az Illuminátusok – Langdon megtántorodott, a szíve hevesen vert. Ez nem lehet...

Lassú mozdulattal, félve attól, aminek tanúja lesz, Langdon 180 fokkal elfordította a faxot. Felülről lefelé is megnézte a szöveget.

Azon nyomban elakadt a lélegzete. Mintha teherautó ment volna neki. Nem akart hinni a szemének. Visszafordította a faxot, és jobbról balra, majd felülről lefelé is elolvasta a szót.

– Illuminátusok – suttogta.

Langdon megdöbbenve rogyott bele egy székbe. Egy pillanatig a legteljesebb zavarodottságban ült ott. Fokozatosan a faxkészülék villogó piros lámpájára irányította a tekintetét. Akárki küldte is ezt a faxot, még a vonalban van... várja, hogy beszéljen vele. Langdon sokáig meredt a villogó fényre.

Azután remegve fölemelte a kagylót.

2

– Most már hajlandó meghallgatni? – kérdezte a férfihang, amikor Langdon végre felvette a telefont.

– Igen, uram, a pokolba is. Várom, hogy magyarázatot adjon.

– Én már korábban is megpróbáltam. – Száraz, gépies volt a hangja. – Fizikus vagyok. Egy kutatóintézetet vezetek. Történt itt egy gyilkosság. Láthatta a halottat.

– Hogy talált meg? – Langdon alig tudott összpontosítani. A faxon látott képen járt az agya.

– Mondtam már. A világhálón. A könyve, *Az Illuminátusok művészete* honlapján.

Langdon megpróbálta összeszedni a gondolatait. A könyve lényegében ismeretlen a mainstream tudományos körökben, de meglehetős figyelem övezi az interneten. Ezzel együtt a hívó állításának nincsen semmi értelme. – A honlapon nincsenek személyes információk – szögezte le Langdon. – Ebben biztos vagyok.

– Itt, a laborban vannak olyan emberek, akik nagyon értenek ahhoz, hogyan lehet adatokat gyűjteni a világhálóról.

Langdon kételkedett benne. – Ez nagyon úgy hangzik, mintha a laborjában jó sokat tudnának a netről.

– Még szép – vágott vissza a férfi. – Mi találtuk fel.

Volt valami a férfi hangjában, ami arra engedett következtetni, hogy nem tréfál.

– Találkoznunk kell – erősködött a hívó. – Ezt nem beszélhetjük meg telefonon. A labor mindössze egyórás repülőút Bostontól.

Langdon állt a dolgozószoba gyér fényében és a kezében tartott faxot elemezte. A képnek ellenállhatatlan ereje volt, alighanem annak a századnak az epigrafikus leleményét képviselte, amelyet egy évtizedes kutatómunkával egyetlen szimbólumban összegzett.

– Halaszthatatlan – sürgette a hang.

Langdon tekintetét fogva tartotta a billog. Illuminátusok,

olvasta újra meg újra. Munkája során a kövületek szimbolikus megfelelőivel – régi dokumentumokkal és történelmi mondákkal – foglalatoskodott, de ez a kép itt mai. Jelen idejű. Úgy érezte magát, mint az őslénykutató, aki váratlanul szembetalálkozik egy élő dinoszaurusszal.

– Vettem a bátorságot, és elküldtem magáért egy gépet – mondta a hang. – Húsz percen belül Bostonban lesz.

Langdon érezte, hogy kiszárad a szája. Egyórás repülőút...

– Elnézést, amiért önhatalmúlag cselekedtem – mondta a hang. – Szükségünk van önre.

Langdon megint megnézte a faxot – ősi mítosz, feketén-fehéren megpecsételve. Félelmetes volt belegondolni. Szórakozottan kinézett az ablakon. A hajnal első fénye már megjelent a nyírfák között a hátsó udvarban, de ma reggel valahogy más látványt nyújtott. A félelem és az izgatottság furcsa elegye szállta meg, és Langdon tudta, hogy nincs más választása.

– Ön győzött – mondta. – Mondja meg, hol várjam a gépet.

3

Több ezer mérföldre onnan két férfi találkozott. Sötét volt a cella. Középkori. Kőfalakkal.

– Benvenuto – köszöntötte az érkezőt a feljebbvaló. Az árnyékban ült, láthatatlanul. – Sikerrel jártál?

– Si – válaszolta a sötét alak. – *Perfettamente.* – Szavai olyan kemények voltak, akár a sziklafalak.

– És nem hagytál kétséget afelől, hogy ki tette?

– Nem.

– Remek. Elhoztad, amit kértem?

A gyilkos szeme úgy ragyogott, mint a fekete olaj. Elővett egy súlyos elektromos eszközt, és letette az asztalra.

Az árnyékban ülő férfi elégedettnek tűnt. – Jó munkát végeztél.

– Megtiszteltetés, ha szolgálatot tehetek a testvériségnek.

– Hamarosan kezdetét veszi a második fázis. Pihenj egy keveset. Ma este megváltoztatjuk a világot.

4

Robert Langdon Saab 900S kocsíján kilőtt a Callahan alagútból, hogy a Boston Harbor keleti végében bukkanjon fel, a Logan repülőtér bejáratának közelében. Langdon az útmutatást követve megtalálta az Aviation Roadot és a régi Eastern Airlines épülete után balra kanyarodott. Háromszáz métert tett meg a bekötőúton, amikor feltűnt a sötétségben egy hangár. Egy nagy 4-es szám volt ráfestve. Langdon beállt a parkolóba és kiszállt a kocsiból.

Az épület mögül egy kék repülősruhába öltözött férfi lépett elő. – Robert Langdon? – kérdezte. Barátságos volt a hangja. Langdon nem tudta azonosítani az akcentusát.

– Én vagyok – mondta Langdon, és bezárta az autót.

– Tökéletes időzítés – mondta a férfi. – Most szálltam le. Jöjjön utánam, kérem.

Ahogy megkerülték az épületet, Langdon feszültté vált. Nem volt hozzászokva a rejtjeles telefonhívásokhoz és a titkos találkozókhoz idegenekkel. Nem tudván, hogy mire számíthat, a szokásos egyetemi öltözékét viselte – félcipő, garbó és Harris tweedzakó. Menet közben a zsebébe süllyesztett faxra gondolt, a képre, amelynek valódiságában még mindig nem tudott hinni.

A pilóta mintha megérezte volna Langdon szorongását.

– Nem tart a repüléstől, ugye?

– A legkevésbé sem – felelte Langdon. – Én a megbillogozott hulláktól tartok. A repüléssel semmi gondom.

A férfi a hangár végéig vezette Langdont. A sarkon befordulva elérték a kifutópályát.

Langdon megtorpant és leesett állal bámulta a betonon parkoló gépet. – Ezzel megyünk?

A férfi elvígyorodott. – Tetszik?

Langdon csak bámult egy darabig. – Hogy tetszik-e? Mi az ördög ez?

Hatalmas gép állt a kifutón. Halványan emlékeztetett az űrrepülőgépre, csakhogy ennek a tetejét leborotválták, amitől tökéletesen lapos lett. A betonon állva úgy festett, akár egy kolosszális tortaszelet. Langdonnak az volt az első benyomása, hogy csak álmodik. A jármű épp annyira tűnt légiesnek, mint egy Buick. Szárnyai gyakorlatilag nem voltak – csak két zömök uszony a géptörzs hátsó részén. A farokrészből egy pár vezérmű állt ki. Ezektől eltekintve a repülő nem volt más, mint egy hüvely – mintegy hatvan méter az elejétől a végéig –, egy ablakok nélküli, puszta hüvely.

– Kétszázötvenezer kiló telitankolva – közölte a pilóta, akár egy újszülött gyerekével büszkélkedő atya. – Folyékony hidrogénnel működik. A köpeny titániumötvözet szilíciumkarbid szálakkal. A tolóerő/súly aránya 20:1; a legtöbb sugárhajtású gép 7:1-et tud. Az igazgató fenemód gyorsan látni akarja magát. Nem szokása a nagyfiút küldeni.

– Ez a dolog repül? – kérdezte Langdon.

A pilóta elmosolyodott. – De még mennyire. – Elindult Langdonnal a gép felé. – Eléggé elképesztő látvány, tudom én, de jobb, ha megbarátkozik vele. Öt éven belül mindenütt ott lesznek ezek a nagy sebességű személyszállítók. A laborunk az elsők között jutott hozzá egyhez.

Ördögien jól menő labor lehet, gondolta Langdon.

– Ez a Boeing X-33 egyik prototípusa – folytatta a pilóta –, de több tucat típus van még: a Nemzeti levegő-űrgép, az oroszoknál a Sebes-jet, a briteknél a HOTOL. Ez a jövő, csak egy kis időbe telik, hogy eljusson a közszolgálati szektorba. Búcsút mondhatunk a hagyományos repülőgépeknek.

Langdon aggodalmasan tekintett föl a gépre. – Azt hiszem, én jobban kedvelem a hagyományos repülőt.

A pilóta leeresztette a hajóhidat. – Erre parancsoljon, Mr. Langdon. Nézzen a lába elé.

Percekkel később Langdon egyedül ült az üres kabinban. A pilóta elhelyezte az első sorban, ő pedig eltűnt a gép orrában. Az egyetlen érzékelhető különbség az ablakok hiánya volt, ami idegessé tette Langdont. Egész életében enyhe klausztrofóbiában szenvedett – egy gyerekkori baleset következményeként, amelyet azóta sem tudott egészen feldolgozni.

Langdon irtózása a zárt terektől nem okozott neki különösebb gondot, mégis mindig frusztrálva érezte magát miatta. Kerülte az olyan teremsportokat, mint a tenisz vagy a fallabda, és boldogan fizetett egy egész vagyont tágas, magas mennyezetű viktoriánus házáért, noha olcsón is lakhatott volna egy egyetemi épületben. Langdon azt gyanította, hogy a művészetekhez való gyerekkori vonzódása onnan ered, hogy jól érezte magát a múzeumok hatalmas termeiben.

Alatta felbőgtek a motorok és a gép törzse megrázkódott. Langdon nagyot nyelt és várt. Érezte, hogy a gép mozgásba lendül. A feje fölött halk countryzene szólalt meg.

Mellette a falon kettőt csipogott a telefonkészülék. Langdon felvette a kagylót.

– Halló!

– Kényelmesen ül, Mr. Langdon?

– Nem egészen.

– Lazítson. Egy óra alatt ott vagyunk.

– Pontosan hol is? – kérdezte Langdon, ráébredve, hogy fogalma sincs, hová tartanak.

– Genfben – válaszolta a pilóta, felpörgetve a motorokat.

– A laborunk Genfben van.

– Genf – ismételte Langdon, kissé jobb kedvre derülve.

– Odafönt New Yorkban. Ott él a családom, nem messze a Seneca-tótól. Nem is tudtam, hogy Genfben fizikai kutatóintézet van.

A pilóta nevetett. – Ez nem a New York-i Genf, Mr. Langdon. Mi a svájci Genfbe megyünk.

Langdonnak egy hosszú percébe tellett, amíg felfogta.

– Svájc? – Érezte, hogy felgyorsul a pulzusa. – Mintha azt mondta volna, hogy egyórányira van a labor!

– Úgy van, Mr. Langdon. – A pilóta kuncogott. – Ez a gép tizenöt Machhal megy.

5

Egy forgalmas európai utcán a gyilkos az embertömegben siklott. Erőteljes férfi volt. Sötét és hatalmas. Megtévesztően agilis. Izmait még feszítette a találkozó izgalma.

Jól ment, mondta magának. Noha az alkalmazója sohasem fedte fel az arcát, a gyilkos megtiszteltetésnek vette, hogy személyesen találkozott vele. Tényleg csak tizenöt napja lett volna, hogy alkalmazója kapcsolatba lépett vele? A gyilkos még jól emlékezett a telefonhívás minden szavára...

– Janus a nevem – mondta a hívó. – Bizonyos értelemben rokonok vagyunk. Közös az ellenségünk. Úgy hallottam, igénybe lehet venni a szolgálatait.

– Az attól függ, kinek a nevében beszél – válaszolta a gyilkos.

A hívó megmondta.

– Maga szerint ez jó vicc?

– Tehát hallotta már a nevünket – felelte a hívó.

– Hát persze. A testvériségnek legendás híre van.

– Mégis kételkedik abban, hogy igazat mondtam.

– Mindenki tudja, hogy a testvérek köddé váltak.

– Ez is a terv része. A legveszélyesebb ellenség az, amelytől senki sem fél.

A gyilkos még mindig szkeptikus volt. – Létezik még a testvériség?

– Mélyebben a föld alatt, mint valaha. A gyökereink mindent átszőnek, amit csak lát... még esküdt ellenségünk megszentelt erődjét is.

– Lehetetlen. Ők sebezhetetlenek.

– Messzire ér a karunk.

– Senki karja nem érhet olyan messzire.

– Nagyon hamar el fogja hinni. Már vitathatatlan bizonyságát adtuk a testvériség hatalmának. Egyetlen áruló tett az igazolás.

– Mit követtek el?

A hívó megmondta.

A gyilkosnak elkerekedett a szeme. – Ezt lehetetlen végrehajtani.

Másnap a világ valamennyi lapja ugyanazzal a főcímmel jelent meg. És a gyilkosból hívő lett.

Most, tizenöt nappal később, a gyilkos szilárd hitéhez a kétely árnyéka sem férhet. A testvériség létezik, gondolta. Ma este kilépnek a föld alól, hogy megmutassák az erejüket.

Ahogy az utcákat járta, ijesztő fény lobogott fekete szemében. A legtitkosabb és legrettegettebb testvériség, amelyet a föld valaha a hátán hordott, vette igénybe a szolgálatait. Bölcsen döntöttek, gondolta. Diszkréciójánál már csak a halállistája volt impozánsabb.

Eddig tisztességgel szolgálta őket. Megölte, akit kellett és leszállította Janusnak a kért eszközt. Most már Januson áll, hogy hatalmát felhasználva a megfelelő helyre juttassa a tárgyat.

Arra a helyre...

A gyilkos azon tűnődött, hogyan képes Janus megoldani ezt a roppant feladatot. Nyilvánvalóan rendelkezik belső kapcsolatokkal. A testvériség hatalma korlátlannak tetszett. Janus, gondolta a gyilkos. Beszélő név, nyilvánvalóan. A kétarcú római istenre utalna, tűnődött... vagy a Szaturnusz holdjára? Nem mintha számítana. Janus felmérhetetlen hatalommal rendelkezik. Ezt már egyértelműen bizonyította.

A gyilkos elképzelte az őseit, ahogy lemosolyognak rá. Ma este az ő harcukat vívta, ugyanazzal az ellenséggel harcolt, akivel ők harcoltak korokon átívelve, a tizenegyedik század óta... amikor az ellenség keresztes hadserege először prédálta a földjét, öldökölte és erőszakolta a népét, tisztátalannak bélyegezve őket, bemocskolta templomait és isteneit.

Ősei kicsiny, de mindenre elszánt hadsereget alakítottak önmaguk védelmére. A sereg oltalmazóként vált híressé szerte az országban – kiképzett gyilkosokból állt, akik a vidéket járva kivégezték az ellenség utukba kerülő embereit. Nemcsak brutális módszereikről váltak ismertté, hanem arról is, hogy mészárlásaikat megünneplendő, drogok keltette kábulatba vetették magukat. A célra kiszemelt, nagy hatású kábítószert hasisnak nevezték.

Ahogy terjedt a hírük, a halálhozó férfiak egyetlen szóval váltak ismertté – hassassinok, ami szó szerint annyit tesz: a hasis hívei. A hassassin a világ szinte valamennyi nyelvén a halál szinonímája lett. Ma is használják ezt a szót, még a modern nyelvekben is... de miként a gyilkolás mestersége, úgy a szó is megváltozott. Ma már asszasszinnak ejtik.

atvannégy perccel később a hitetlenkedő és kissé légibeteg Robert Langdon lelépett a hajóhídról a napsütötte kifutópályára. Élénk szél kapott bele tweedzakója szárnyaiba. A nyílt tér csodálatos volt. Hunyorogva nézte a buján zöldellő völgyet a hósipkás hegycsúcsok ölelésében. Álmodom, mondta magának. Most már bármelyik percben felébredhetek.

– Isten hozta Svájcban – mondta a pilóta, túlüvöltve az X-33-as hátuk mögött robajló motorjait, amelyek házára kicsapódott a nagy energiatartalmú üzemanyag finom párája.

Langdon megnézte az óráját. 7.07-et mutatott.

– Hat időzónán haladt át – közölte a pilóta. – Itt nem sokkal múlt déli egy óra.

Langdon átállította az óráját.

– Hogy érzi magát?

Langdon megdörzsölte a gyomrát. – Mintha purhabot ettem volna.

A pilóta bólintott. – Magassági betegség. 180 ezer méteres magasságban repültünk. Még szerencse, hogy csak egy ugrást jöttünk. Ha Tokióba mentünk volna, akkor végig ilyen magasságban tartottam volna a gépet. Na, akkor tényleg tekeregnének a belei.

Langdon kurtán biccentett és tényleg szerencsésnek érezte magát. Mindent összevetve a repülőút meglehetősen szokványos volt. Eltekintve a csontrepesztő gyorsulástól a felszálláskor, a gép igazán szabályosan mozgott – alkalmanként kisebb turbulenciák, néhány nyomásváltozás, ahogy följebb emelkedtek, de semmi olyasmi, ami arra utalt volna, hogy az észbontó 11 ezer mérföld per órás sebességgel hasították az űrt. Szerelőcsapat rajzott ki a leszállópályára, hogy kezelésbe vegye az X-33-at. A pilóta egy fekete Peugeot szedánhoz vezette Langdont, amely az irányítótorony melletti parkolóban állt. Pillanatokkal később már egy köves úton száguldottak, amely átszelte a völgyet. A távolban épületcsoport halvány körvonalai bontakoztak ki. Az ablakon túl elmosódva rohantak el mellettük a füves síkságok.

Langdon hitetlenkedve figyelte, hogy a sebességmérő 170 kilométer per órára ugrik – több mint 100 mérfölddel mentek! Ez a fickó a sebesség megszállottja, gondolta.

– Öt kilométerre van a labor – mondta a pilóta. – Két percen belül odaviszem.

Langdon hiába tapogatott a biztonsági öv után. Nem lehet inkább három perc, és érkezzünk meg élve?

A kocsi felgyorsult.

– Szereti Rebát? – kérdezte a pilóta, és egy kazettát lökött a magnóba.

Női énekhang szólalt meg. – Csak a magánytól félek...

Itt nem fél senki, gondolta Langdon szórakozottan. A munkatársnői gyakran ugratták, hogy a múzeumba illő műtárgygyűjteménye csak átlátszó kísérlet arra, hogy megtöltsön egy üres házat, amelynek, állították szent meggyőződéssel, csak jót tenne egy asszony jelenléte. Langdon mindig elviccelte a dolgot, emlékeztetve őket arra, hogy már három szerelme volt életében: a szimbólumkutatás, a vízilabda és az agglegénység; ez utóbbi azt a szabadságot adta meg neki, amely lehetővé tette, hogy utazgasson a világban, olyan későn feküdjék le, amikor csak akar, és nyugodt estéket élvezhessen otthon egy brandy és egy jó könyv társaságában.

– Olyanok vagyunk itt, mint egy kis város – mondta a pilóta, kiragadva Langdont az álmodozásból. – Nem csak egy labor. Van itt több áruház, egy kórház, sőt még mozi is.

Langdon gépiesen bólintott, és kinézett az előttük elterülő épületekre.

– Ami azt illeti – tette hozzá a pilóta –, a miénk a világ legnagyobb gépe.

– Tényleg? – Langdon a vidéket pásztázta.

– Ott hiába keresi, uram – mosolygott a pilóta. – Hat emelet mélységben van a föld alatt.

Langdonnak nem maradt ideje kérdezősködni. A pilóta figyelmeztetés nélkül beletaposott a fékbe. A kocsi egy megerősített őrbódé előtt állt meg.

Langdon elolvasta a feliratot: *SECURITE. ARRETEZ.* Hirtelen elfogta a pánik, ráébredve, hogy hol van. – Istenem! Otthon hagytam az útlevelemet!

– Ide nem kell útlevél – nyugtatta meg a sofőr. – Megállapodásunk van a svájci kormánnyal.

Langdon kábultan figyelte, ahogy a sofőr átadja az őrnek a személyazonosítóját. Az őr betáplálta egy leolvasóberendezésbe. A gép zöld jelzést adott.

– Az utas neve?

– Robert Langdon – felelte a sofőr.

– Kihez jött?

– Az igazgatóhoz.

Az őr összevonta a szemöldökét. Megfordult és megnézett egy számítógépes nyomtatványt, összevetve az adatokat a monitoron látható információkkal. Aztán visszajött az ablakhoz.

– Érezze jól magát nálunk, Mr. Langdon.

A kocsi ismét kilőtt, és felgyorsulva további kétszáz métert tett meg a körforgalomban, amely az intézet főbejáratához vezetett. Szögletes, ultramodern üveg-acél építmény tornyosult előttük. Langdon lenyűgözve bámulta az elképesztően átlátható struktúrát. Mindig is szerette az építészetet.

– Az Üvegkatedrális – jelentette be a kísérője.

– Egy templom?

– Ugyan, dehogy. A templom az egyetlen dolog, amivel nem rendelkezünk. Itt a fizika a vallás. Az Úr nevét akárhányszor a szájára veheti – nevetett –, de egy rossz szót se szóljon a kvarkokról és a mezonokról.

Langdon zavarodottan ült a kocsiban, miközben a sofőr éles kanyart vett és megállt az üvegépület előtt. Kvarkok és mezonok? Nincs útlevél-ellenőrzés? 15 Mach sebességgel repülő sugárhajtású gépek? Ki az ördögök lehetnek ezek? Az épület előtt álló gránittömbbe vésett felirat megadta a választ:

(CERN)
CONSEIL EUROPÉEN POUR LA
RECHERCHE NUCLÉAIRE

– Nukleáris kutatás? – kérdezte Langdon, meglehetősen biztosan a helyes fordításban.

A sofőr nem válaszolt. Előrehajolva a kocsi kazettás magnóján állítgatott valamit. – Megérkeztünk. Az igazgató itt várja a bejáratnál.

Langdon felfigyelt egy férfira, aki kerekes székkel hajtott ki az épületből. Hatvanéves múlhatott. Ösztövér volt és tökéletesen kopasz, erőteljes állkapoccsal. Fehér köpenyt viselt, a kerekes szék lábtámaszán pedig egy pár fekete félcipő nyugodott. Még ilyen távolságból is élettelennek tűnt a szeme – akár két szürke kő.

– Ő az? – kérdezte Langdon.

A sofőr felnézett. – Ő bizony. – Elfordult, és baljós mosolyt villantott Langdonra. – Ördögöt emlegettünk.

Nem tudva, hogy mire számítson, Langdon kiszállt a kocsiból.

A kerekes székes férfi megindult Langdon felé és odanyújtotta karmos kezét. – Mr. Langdon? Már beszéltünk telefonon. Maximilian Kohler vagyok.

7

Maximilian Kohlert, a CERN főigazgatóját csak Königként emlegették a háta mögött. Az elnevezésben több volt a félelem, mint a tisztelet ama férfi iránt, aki kerekes székéből uralkodott birodalma felett. Noha kevesen ismerték őt személyesen, a CERN-ben közkézen forgott megnyomorodásának rémisztő története, és nem sokan akadtak, akik a szemére vetették volna a megkeseredését... sem azt, hogy felesküdött a tiszta tudományra.

Langdon mindössze néhány másodperce tartózkodott Kohler társaságában, de már érzékelte, hogy az igazgató az az ember, aki megtartja a három lépés távolságot. Langdon azon kapta magát, hogy szabályosan kocognia kell, ha lépést akar tartani Kohler elektromos meghajtású székével, amely hangtalanul gurult a főbejárat felé. Langdon még sohasem látott ilyen kerekes kocsit – elektronikus eszközök egész tárházával volt felszerelve, amelybe beletartozott egy többvonalas telefon, egy hívórendszer, egy számítógép-monitor, sőt egy kicsi, mozgatható videokamera is. Kohler király mobil parancsnoki központja.

Langdon egy mechanikus ajtón át belépett a CERN hatalmas előcsarnokába.

Az Üvegkatedrális, jutott eszébe, miközben föltekintett a mennyországba.

Feje fölött a kékes üvegtető vibrálni látszott a délutáni napsütésben, geometrikus mintázatú sugarakat vetve a levegőbe és pazar hatást kölcsönözve a térnek. A szögletes árnyékok erekként futottak le a fehér csempés falakon a márványpadlóig. A levegő tiszta, steril illatot árasztott. Egy maroknyi tudós sietett a dolga után, lépteik visszhangoztak a tágas csarnokban.

– Erre tessék, Mr. Langdon. – Már-már komputerizáltnak tűnt a hangja. Az akcentusa épp olyan merev és szabatos volt, mint szigorú arcvonásai. Kohler köhögött, majd megtörölte a száját egy fehér zsebkendőben, miközben Langdonra függesztette halott, szürke szemét. – Siessen, kérem. – A kerekes szék szinte szökellt a járólapokon.

Langdon végeláthatatlan folyosók mellett haladt el, amelyek a központi előtérből ágaztak szét. Minden folyosón nagy volt a nyüzsgés. Úgy tűnt, hogy a tudósok meglepődnek Kohler láttán, és úgy mustrálták Langdont, mintha azon tűnődnének, ki lehet az, aki ilyen vezetőt kapott.

– Szégyenkezve ismerem be – szólalt meg Langdon társalgást kezdeményezve –, hogy azelőtt sohasem hallottam a CERN-ről.

– Nem csoda – válaszolta Kohler. A kurta válasz nyersen célratörőnek hangzott. – Az amerikaiak többsége nem úgy tekint Európára, mint tudományos kutatásban élenjáró földrészre. Csak a bevásárlóövezetet látják bennünk, ami elég különös, ha arra gondolunk, hogy milyen nemzetiségű volt Einstein, Galilei vagy Newton.

Langdon nem tudta, mit feleljen erre. Elővette a zsebéből a faxot. – Ez a férfi a fotón, meg tudná...

Kohler egyetlen kézmozdulattal elhallgattatta. – Kérem. Ne itt. Mindjárt odavezetem. – Kinyújtotta a kezét. – Megkaphatom?

Langdon átadta a faxot, és némán folytatta útját.

Kohler hirtelen balra kanyarodott egy széles folyosóra, amelynek falát díjak és elismerések díszítették. A bejáratot egy különösen nagy plakett uralta. Langdon lassított, hogy menet közben elolvashassa a bronzba vésett szöveget:

• ARS ELECTRONICA DÍJ •

A DIGITÁLIS KORSZAK KULTURÁLIS INNOVÁCIÓJÁÉRT
ADOMÁNYOZVA TIM BERNERSNEK ÉS A CERN-NEK,
A VILÁGHÁLÓ FELTALÁLÁSÁÉRT.

A fenébe, gondolta Langdon a feliratot olvasva. Ez a fickó nem tréfált. Langdon mindig is úgy gondolta, hogy a világháló amerikai találmány. Bár az is igaz, hogy az ő tudása a saját könyve honlapjára és a Louvre vagy a Prado online gyűjteményének alkalmi felkeresésére korlátozódott az öreg Macintosh gépén.

– Az internet – mondta Kohler, majd ismét köhögött és megtörölte a száját – innen indult el, mint házon belüli számítógépes oldalak hálózata. Az volt a célja, hogy a különböző részlegekben dolgozó tudósok megoszthassák egymással napi eredményeiket. Természetesen az egész világ abban a hitben él, hogy az internet amerikai technológia.

Langdon követte Kohlert a folyosón. – Miért nem tisztázzák a félreértést?

Kohler vállat vont, láthatóan hidegen hagyta a dolog. – Jelentéktelen félreértés egy jelentéktelen technológia körül. A CERN jóval több, mint a számítógépek globális összeköttetése. A tudósaink szinte naponta teremtenek csodákat.

Langdon kérdő pillantást vetett Kohlerre. – Csodákat?

A „csoda" kifejezés nem szerepelt a Harvard Fairchild Tudományos Intézetének szótárában. A csodákat meghagyták a hittudományi fakultásnak.

– Mintha kételkedne – jegyezte meg Kohler. – Úgy tudom, hogy vallásos szimbólumokat kutat. És nem hisz a csodákban?

– Bizonytalan vagyok a csodákat illetően – mondta Langdon. Különösen akkor, ha tudományos laborokban állítják elő őket.

– Lehet, hogy nem a csoda rá a megfelelő szó. Csak megpróbáltam az ön nyelvén fogalmazni.

– Az én nyelvemen? – Langdon egyszerre kényelmetlenül érezte magát. – Nem akarok csalódást okozni, uram, de én csak kutatom a vallásos szimbólumokat. Akadémikus vagyok, nem pedig pap.

Kohler hirtelen lelassított, megfordult és kissé ellágyult a tekintete. – Hát persze. Ostoba voltam. Nem kell ahhoz rákbetegnek lenni, hogy elemezzük a tüneteket.

Langdon most találkozott először ezzel a megközelítéssel. Miközben a folyosón haladtak, Kohler helyeslően biccentett. – Az a gyanúm, Mr. Langdon, hogy mi ketten tökéletesen érteni fogjuk egymást.

Langdon valamiért kételkedett ebben.

Ahogy mentek tovább, Langdon mély hangú morajlást érzékelt a feje fölött. A zaj minden lépéssel egyre erősödött, már a falak is visszhangozták. Mintha velük szemben, a folyosó végéről eredt volna.

– Mi ez? – kérdezte meg végül Langdon, de már üvöltenie kellett. Úgy érezte, mintha egy működő vulkán felé közelednének.

– Szabadeséscső – válaszolta Kohler, tompa hangja erőlködés nélkül hasította a levegőt. További magyarázattal nem szolgált.

Langdon nem kérdezett többet. Ő kimerült, Maximilian Kohler pedig láthatóan nem törekedett barátságos fogadásra. Langdon emlékeztette magát arra, hogy miért van itt. Az Illuminátusok. Feltételezte, hogy valahol, ebben a kolosszális épületben van egy holttest... egy holttest a beleégetett szimbólummal, amelynek megtekintéséért 3 ezer mérföldet utazott.

Ahogy közeledtek a folyosó végéhez, szinte fülsiketítővé vált a robaj, a talpáig megremegtetve Langdont. Befordultak a sarkon, jobbra feltűnt egy kilátó galéria. Négy, vastag üvegű portál ágyazódott be az ívelt falba, akár egy tengeralattjáró ablakai. Langdon megállt és belesett az egyik nyíláson.

Robert Langdon professzor elég sok furcsa dolgot látott már életében, de ilyen furcsát még soha. Hunyorított párszor, és azon tűnődött, hogy nem vízionál-e. Egy hatalmas, körkörös fülkébe pillantott bele. Emberek voltak odabent, és úgy lebegtek, mintha nem volna súlyuk. Az egyik integetett és cigánykereket hányt a levegőben.

Istenem, gondolta. Mintha Óz birodalmában járnék.

A helyiség padlóját dróthálló borította, olyan volt, mint egy tyúkketrec rácsa. A dróthálló alatt egy sebesen forgó, óriási fémpropellert lehetett látni.

– A szabadeséscső – mondta Kohler, és megállt, hogy bevárja Langdont. – Terem-ejtőernyősugrás. Stresszoldásra. Ez egy vertikális szélcsatorna.

Langdon elképedve bámult. Az egyik szabadeső, egy kövér nő, az ablakhoz manőverezett. Ide-oda dobálták a légáramlatok, de ő csak vigyorgott és a felfelé tartott hüvelykujját mutatta Langdonnak. Langdon bávatagon mosolygott viszonozva a gesztust, és azon tűnődött, vajon tudja-e a nő, hogy a férfierő ősi, fallikus szimbólumát mutatta fel.

Langdonnak feltűnt, hogy a testes asszony az egyetlen, aki egy miniatűr ejtőernyőt visel. Az ernyő selyme úgy dagadozott a feje fölött, mint egy játékszer. – Mire való az a kis ejtőernyő? – kérdezte Langdon Kohlertől. – Alig egy méter lehet az átmérője.

– Súrlódás – mondta Kohler. – Annyira csökkenti az aero-dinamikát, hogy a légáramlat megemelhesse a testét. – Kohler folytatta útját a folyosón. – Egy négyzetméter anyag csaknem húsz százalékkal lassítja a zuhanó testet.

Langdon bambán bólintott.

Fogalma sem lehetett arról, hogy ez az információ még azon az éjszakán, egy több száz mérföldnyire lévő országban meg fogja menteni az életét.

8

Amikor Kohler és Langdon kilépett a CERN főépületének hátsó kapuján a tűző svájci napfényre, Langdon úgy érezte, mintha hazaérkezett volna. Az elé táruló jelenet az Ivy Leage campusát idézte.

Füves lejtő ereszkedett le egy széles síkságra, ahol elszórt juharcsoportok szegélyezték az utakat és a vörös téglás kollégiumokat. Tudós külsejű egyének könyvkupacokkal a hónuk alatt jártak ki-be az épületekből. Mintha csak hangsúlyozni akarnák az egyetemi miliőt, két hippi dobálta egymásnak a frizbit, miközben Mahler *Negyedik szimfóniá*ja harsogott az egyik hálóterem ablakából.

– Ezek itt a bentlakók kollégiumai – magyarázta Kohler, miközben kerekes széke gyorsan gördült alá a lejtőn az épületek felé. – Több mint háromezer fizikus dolgozik itt. Egyedül a CERN több mint a negyedét alkalmazza a világ gyakorló kísérleti részecskefizikusainak. A legragyogóbb elméket, németeket, japánokat, olaszokat, hollandokat, ami csak létezik. Az itteni fizikusok több mint ötszáz egyetemről és hatvan országból valók.

Langdon el volt képedve. – És hogyan tudnak kommunikálni egymással?

– Természetesen angolul. A tudomány egyetemes nyelvén.

Langdon mindig úgy tudta, hogy a tudomány egyetemes nyelve a matematika, de túl fáradt volt ahhoz, hogy elkezdjen vitatkozni. Kötelességtudóan követte Kohlert az ösvényen.

Félúton egy fiatalember kocogott el mellettük. Pólója a következő üzenetet hirdette: EEE = DIADAL.

Langdon kíváncsian bámult utána. – Mi az az EEE?

– Egyetemes és Egységes Elmélet – vetette oda Kohler. – A mindenre érvényes elmélet.

– Értem – mondta Langdon, pedig semmit sem értett.

– Konyít valamit a részecskefizikához, Mr. Langdon?

Langdon megvonta a vállát. – Konyítok az általános fizikához, a gravitációhoz, meg ilyenekhez. – A toronyugrásban szerzett többéves praxisa alapján mélységes tisztelettel viseltetett a nehézségi gyorsulás félelmetes ereje iránt. – A részecskefizika az atomok tudománya, igaz?

Kohler megrázta a fejét. – Az atomok bolygó méretűek ahhoz képest, amivel mi foglalkozunk. Minket az atommagok érdekelnek. A méretük tízezredrésze az egésznek. – Ismételt köhögése betegségről árulkodott. – Az itteni nők és férfiak azon dolgoznak, hogy válaszokat keressenek azokra a kérdésekre, amelyeket az ember az idők kezdete óta tudni szeretne. Honnan jöttünk? Miből vagyunk?

– És ezek fizikai természetű kérdések?

– Meglepettnek tűnik.

– Az is vagyok. Ezek inkább filozófiai kérdések.

– Mr. Langdon, egykor minden kérdés filozófiai volt. Az idők kezdete óta a filozófiát és a vallást hívták segítségül, hogy töltse ki azokat a réseket, ahová a tudomány nem tudott behatolni. A napkeltét és a napnyugtát egykor Heliosznak és tüzes szekerének tulajdonították. A földrengéseket és az árapályt Poszeidón haragjának. Hamarosan valamennyi isten hamis bálványnak bizonyul majd. Mára a tudomány csaknem minden kérdésre megadta a választ, amit ember csak feltehet. Már csak néhány kérdés maradt, de ezek ezoterikusak. Honnan jöttünk? Mit keresünk itt? Mi az élet és a világegyetem értelme?

Langdon megdöbbent. – És ezekre a kérdésekre próbál válaszolni a CERN?

– Egészen pontosan ezekre a kérdésekre válaszolunk.

Langdon elhallgatott, miközben a két férfi a lakónegyeden haladt át. Útjuk során frizbi szállt el a fejük felett és pontosan előttük ért földet. Kohler nem vett róla tudomást, ment tovább.

Hang szállt feléjük a házak közül. – S'il vous plait!

Langdon odanézett. Egy COLLEGE PARIS feliratú melegítőt viselő, idősebb, ősz hajú férfi integetett neki. Langdon fölemelte a frizbit és szakértő mozdulattal visszadobta. Az öreg egy ujjával kapta el, és párszor megpörgette, mielőtt a válla fölött odahajította volna a partnerének. – Merci! – kiáltotta Langdonnak.

– Gratulálok – mondta Kohler, amikor Langdon végre utolérte. – Egy Nobel-díjassal sikerült játszania, Georges Charpakkal, a sokszálas proporcionális kamra feltalálójával.

Langdon bólintott. Jó napom van.

Három további percbe telt, amíg Langdon és Kohler elérte úti célját: egy nagy, rendezett kollégiumot, amely egy nyárfaligetben feküdt. A többihez képest ez az épület szinte fényűzőnek tűnt. A homlokzat köveibe ezt vésték: C ÉPÜLET.

Képzeletmozgató elnevezés, gondolta Langdon.

De a semleges név dacára Langdon építészeti stílusérzékének kedvére volt a masszív és konzervatív C épület. Vörös téglás homlokzata, díszes ballusztrádja volt, és szimmetrikusra nyírott sövény keretezte. Ahogy a két férfi a bejárat felé közeledett a kikövezett úton, áthaladtak egy, két márványoszlop formázta kapu alatt. Valaki egy öntapadós feliratot ragasztott az egyik oszlopra: *Ez egy ion oszlop.*

Fizikusok graffitije? – tűnődött Langdon az oszlop láttán, magában kuncogva. – Megkönnyebbüléssel látom, hogy még a briliáns fizikusok is tévednek.

Kohler odafordult. – Mire gondol?

– Akárki írta is azt, tévedett. Ez nem egy ion oszlop. A ion oszlopok végig egyforma szélesek. Ez viszont elvékonyodik. A dór oszlop a görög megfelelője. Gyakori tévedés.

Kohler nem mosolygott. – A szerző ezt tréfának szánta, Mr. Langdon. Az ion itt azt jelenti, hogy ionokat tartalmaz. Elektromos töltésű részecskéket. Akár a tárgyak többsége.

Langdon visszanézett az oszlopra és felnyögött.

†††

Langdon még akkor is bambának érezte magát, amikor a C épület legfelső emeletén kilépett a liftből. Követte Kohlert a szépen berendezett folyosón. Váratlanul érte a dekoráció – hagyományos francia gyarmati stílus –, egy cseresznyefa kerevet, porcelán padlóváza és cikornyás faborítás.

– Szeretjük, ha állandó munkatársaink kellemesen érzik magukat – magyarázta Kohler.

Ez nyilvánvaló, gondolta Langdon. – Tehát a faxon látható férfi idefenn lakott? Az egyik vezető tudós volt?

– Pontosan – mondta Kohler. – Nem jelent meg nálam ma reggel egy megbeszélésen, és nem válaszolt a személyhívója. Erre feljöttem ide, hogy utánanézzek, és holtan találtam a nappalijában.

Langdonon hirtelen végigfutott a hideg, mert ráébredt, hogy hamarosan egy halottat fog látni. Soha nem volt különösebben erős a gyomra. Erre a gyenge pontjára művészettörténész hallgatóként jött rá, amikor a tanár közölte az osztállyal, hogy Leonardo da Vinci úgy lett szakértője az emberi testnek, hogy halottakat exhumált és felboncolta az izomzatukat.

Kohler a folyosó legtávolabbi végébe vezette. Innen csak egy ajtó nyílt. – Nevezhetjük akár penthouse-nak – jelentette ki Kohler, letörölve az izzadságcsöppeket a homlokáról.

Langdon megnézte a vele szemben lévő tölgyfa ajtót. A névtáblán ez állt: *Leonardo Vetra.*

– Leonardo Vetra – mondta Kohler – a jövő héten lett volna ötvennyolc éves. Korunk egyik legragyogóbb tudósa volt. Halála nagy veszteség a tudomány számára.

Langdon egy pillanatig úgy vélte, valamiféle érzelem

tükröződik Kohler merev arcán. De amilyen gyorsan jött, olyan gyorsan el is tűnt. Kohler a zsebébe nyúlt és válogatni kezdett egy nagy kulcskarikán.

Hirtelen furcsa gondolat ötlött fel Langdonban. Az épület elhagyatottnak tűnt. – Miért nincs itt senki? – kérdezte. Nem számított erre a nagy némaságra egy gyilkosság helyszínén.

– Az itt lakók a laborokban vannak – közölte Kohler, kiválasztva a kulcsot.

– A rendőrségre gondoltam – magyarázta Langdon. – Már elmentek?

Kohler a kulccsal a kezében mozdulatlanná merevedett.

– Rendőrség?

Langdon tekintete találkozott az igazgatóéval. – A rendőrség. A faxban az állt, hogy emberölés történt. Ki kellett volna hívnia a rendőrséget.

– Dehogy kellett volna kihívnom.

– Micsoda?

Kohler szürke szeme szúróssá vált. – Bonyolult a helyzet, Mr. Langdon.

Langdon érezte, hogy elfogja a rémület. – De... valakinek csak kell tudnia erről!

– Igen. Leonardo nevelt lánya tudja. Ő is fizikus itt a CERN-nél. Egy laborban dolgozik az apjával. Munkatársak. Ms. Vetra ezen a héten terepkutatáson van. Értesítettem az apja haláláról, és ő azonnal visszaindult.

– De azt az embert meggyil...

– Majd lesz hivatalos vizsgálat is – mondta Kohler határozott hangon. – Ám az minden bizonnyal Vetra laborjának átkutatásával jár, és az a hely a kettejük legszemélyesebb területe. Ennélfogva várhat addig, amíg Ms. Vetra megérkezik. Úgy érzem, hogy legalább ezzel a minimális diszkrécióval tartozom neki.

Kohler elfordította a kulcsot a zárban. Ahogy feltárult az ajtó, jéghideg levegő áradt ki a folyosóra és Langdon arcába csapott. Zavarodottan hőkölt hátra. A küszöbön túl egy idegen világ tárult elé. A lakást vastag, fehér köd borította. Füstös gomolyokban kavargott a pára a bútorok körül, és opálos ködbe vonta a szobát.

– Mi a fene... – tántorodott meg Langdon.

– Freon hűtőrendszer – válaszolta Kohler. – Lehűtöttem a lakást, hogy tartósítsam a holttestet.

Langdon begombolta tweedzakóját a hideg ellen. Óz birodalmában vagyok, gondolta. És otthon felejtettem a varázspapucsomat.

9

Borzalmas volt a holttest, amely Langdon lába előtt, a földön feküdt. A néhai Leonardo Vetrát a hátára fordították, meztelenre vetkőztették, és kékesszürke volt a bőre. A nyakcsontjai kiálltak, ahol eltörték őket, a fejét tökéletesen hátracsavarták, hogy a rossz oldalra nézzen. Az arcát nem lehetett látni, nekiszorult a padlónak. A férfi saját, megfagyott vizeletének tócsájában feküdt, fanszőrzetének szálai dermedten meredeztek szét.

Küzdve a rosszullét ellen Langdon az áldozat mellkasára vetette a tekintetét. Noha vagy egy tucatszor megnézte már a szimmetrikus sebet a faxon, a belesütött bélyeg határozottan erőteljesebb volt a valóságban. A felhólyagzott, megperzselt hús tökéletesen adta ki a formát... a hibátlan szimbólumot.

Langdon azon tűnődött, hogy az egész testét átjáró borzongást a légkondicionáló okozza-e, vagy a legteljesebb elképedés az elé táruló látvány jelentőségét illetően.

Szíve hevesen kalapált, amikor megkerülte a tetemet, és felülről lefelé is elolvasta a szót, meggyőződve a szimmetria tökéletességéről. A jelkép még megfoghatatlanabb volt itt, a szeme előtt.

– Mr. Langdon?

Langdon meg sem hallotta. Egy másik világban járt... a maga világában, a saját elemében, egy világban, ahol összeütközik egymással a történelem, a mítosz és a tény, elárasztva az elméjét. A fogaskerekek forgni kezdtek.

– Mr. Langdon? – Kohler várakozóan nézett rá.

Langdon nem pillantott föl. Még mélyebbre merült abban a másik világban, tökéletesen arra összpontosított. – Menynyit tud már a dologról?

– Csak annyit, amennyit alkalmam volt elolvasni a honlapján. Az Illuminátusok azt jelenti, hogy „Megvilágosodottak".
Ez volt az elnevezése egy ősi testvériségnek.

Langdon bólintott. – Hallotta már korábban ezt a nevet?

– Nem, amíg meg nem láttam Mr. Vetra bőrébe égetve.

– És aztán rákeresett az interneten?

– Igen.

– És több száz hivatkozást talált, efelől semmi kétség.

– Több ezret – mondta Kohler. – Az öné azonban harvardi és oxfordi referenciákat tartalmazott, tekintélyes könyvkiadót, valamint a kapcsolódó publikációk jegyzékét. Tudósként megtanultam, hogy az információ pontosan annyit ér, amennyit a forrása. Az ön renoméja hitelesnek tűnt.

Langdon még mindig a holttestre szögezte a tekintetét.

Kohler nem mondott többet. Csak figyelt, nyilvánvalóan arra várva, hogy Langdon némi magyarázattal szolgáljon a történtekre.

Langdon fölnézett és körbepillantott a jéghideg lakásban.
– Nem beszélhetnénk ezt meg valami melegebb helyen?

– Ez a szoba megfelel. – Kohler mintha nem érzékelte volna a hideget. – Beszéljük meg itt.

Langdon a homlokát ráncolta. Az Illuminátusok történelme távolról sem egyszerű eset. Halálra fagyok, amíg megpróbálom elmagyarázni. Ismét a bélyegre nézett, megújult borzadállyal.

Noha az Illuminátusok emblémájáról szóló beszámolók legendásak voltak a modern szimbólumkutatásban, valójában egyetlen tudós sem látta még. Az ősi dokumentumok ambigrammaként írták le a jelképet – az „ambi" kettőst jelent –,

ami arra vonatkozik, hogy kétféle módon olvasható. És jólle-
het az ambigrammák gyakoriak voltak a szimbológiában –
szvasztika, jin és jang, dávidcsillag, egyszerű kereszt –, az az
elgondolás, hogy egy szó is ábrázolható ambigrammaként,
mégis lehetetlennek tűnt. A modern szimbólumkutatók éve-
ken át próbáltak tökéletesen szimmetrikus írásképet alkotni
az Illuminátusok szóról, de csúfos kudarcot vallottak. Sok tu-
dós ennek hatására úgy döntött, hogy a jelkép létezése csak
mítosz.

– Tehát kik azok az Illuminátusok? – kérdezte türelmetle-
nül Kohler.

Igen, gondolta Langdon, kik is valójában? És belekezdett
a történetébe.

– A történelem kezdete óta – magyarázta Langdon – mély
hasadás van a tudomány és a vallás között. Az olyan szóki-
mondó tudósokat, mint Kopernikusz...

– Megölték – szólt közbe Kohler. – A tudományos igazsá-
gok közzétételéért megölte őket az egyház. A vallás mindig is
üldözte a tudományt.

– Igen. De az 1500-as években egy római társaság visszavá-
gott az egyháznak. Itália legfelvilágosultabb emberei közül
néhányan, fizikusok, matematikusok, asztronómusok titkos
találkozókat szerveztek, ahol megosztották egymással aggo-
dalmaikat az egyház téves tanításait illetően. Féltek attól,
hogy az egyház, mint „az igazság letéteményese" az egész vi-
lágon fenyegeti a tudományos felvilágosodást. Megalapították
a földkerekség első agytrösztjét, és elnevezték magukat „Meg-
világosodottaknak".

– Ők voltak az Illuminátusok.

– Igen – mondta Langdon. – Európa legkiműveltebb elméi... akik a tudományos igazság keresésének szentelték magukat.

Kohler mély hallgatásba merült.

– A katolikus egyház persze kíméletlenül üldözte az Illuminátusokat. A tudósok csak a legszigorúbb titoktartási szabályok mellett érezhették magukat biztonságban. Az egyetemi alvilágban viszont elterjedt a hírük, és az Illuminátusok testvérisége egyre több tudóssal gyarapodott, szerte Európából. Rendszeresen találkoztak Rómában, egy ultratitkos barlangban, amelyet az Illuminátusok templomának neveztek.

Kohler köhögött és mocorgott a székében.

– Számos illuminátus – folytatta Langdon –, erőszakos cselekedetekkel akarta felvenni a harcot az egyház zsarnoksága ellen, de a legnagyobb tiszteletnek örvendő tagjuk lebeszélte őket. Ő a béke híve volt, egyszersmind a történelem egyik leghíresebb tudósa.

Langdon biztos volt benne, hogy Kohler ismeri a nevét. Még a laikusok is hallottak arról a sorsüldözött csillagászról, akit börtönbe vetett és kis híján kivégeztetett az egyház, mert azt állította, hogy nem a Föld, hanem a Nap a Naprendszer középpontja. Noha a számításai cáfolhatatlanok voltak, a csillagász mégis súlyos büntetést kapott azért a feltételezésért, hogy Isten nem az ő világegyeteme közepén helyezte el az emberiséget.

– Galileo Galileinek hívták – mondta Langdon.

Kohler felkapta a fejét. – Galilei?

– Igen. Galilei illuminátus volt. De hithű katolikus is. Megpróbálta enyhíteni az egyház állásfoglalását a tudományról, és kijelentette, hogy a tudomány nem aláássa, hanem inkább megerősíti Isten létezését. Egyszer azt írta, hogy amikor a keringő bolygókat nézi a távcsövén át, Isten hangját hallja a szférák zenéjében. Azt tartotta, hogy a tudomány és a vallás nem ellensége egymásnak, hanem szövetségese: két különböző nyelven mondják el ugyanazt a történetet, a szimmetria és az egyensúly történetét... a mennyország és a pokol, az éjszaka és a nappal, a meleg és a hideg, Isten és a Sátán történetét. Tudomány és vallás egyként örvendezik az isteni harmóniának... a fény és a sötétség szüntelen harcának. – Langdon szünetet tartott, és toporgott a lábával, hogy felmelegedjen.

Kohler csak ült a kerekes székében és figyelt.

– Sajnos – tette hozzá Langdon – az egyház nem óhajtotta a tudomány és a vallás egységesítését.

– Hát persze hogy nem – szakította félbe Kohler. – Az egység semmissé tette volna az egyháznak azt az igényét, hogy ő legyen az egyetlen eszköz, amelyen keresztül az ember megértheti Istent. Tehát az egyház eretnekként perbe fogta Galileit, bűnösnek találta és állandó házi őrizetbe helyezte. Tökéletesen tisztában vagyok a tudománytörténettel, Mr. Langdon. De ez évszázadokkal ezelőtt történt. Mi köze ennek Leonardo Vetrához?

Az egymillió dolláros kérdés. Langdon a válasz nyomába eredt. – Galilei letartóztatása felfordulást idézett elő az Illuminátusoknál. Hibákat követtek el, és az egyház leleplezte négy tagjuk személyazonosságát, akiket elfogtak és kihallgattak. De a négy tudós nem árult el semmit... még a kínvallatáskor sem.

– Kínvallatás?

Langdon bólintott. – Elevenen megbélyegezték őket. A mellkasukon. A kereszt jelével.

Kohler szeme elkerekedett, és feszengő pillantást vetett Vetra holttestére.

– Ezután a tudósokat brutálisan meggyilkolták, és tetemüket kihajították Róma utcáira, hogy elrettentsék a többieket az Illuminátusokhoz való csatlakozástól. Az egyház zárta sorait, az Illuminátusok maradéka pedig elmenekült Itáliából.

Langdon elhallgatott, hogy nyomatékot adjon a mondandójának. Egyenesen Kohler halott szemébe nézett. – Az Illuminátusok föld alatti mozgalommá váltak, és elkeveredtek más katolikus tisztogatások üldözöttjeivel: a misztikusokkal, az alkimistákkal, az okkultistákkal, a muzulmánokkal, a zsidókkal. Az Illuminátusok az idők során új tagokat fogadtak maguk közé. Új illuminátus rend született. Egy sötétebb és mélyen kereszténységellenes illuminátus rend. Roppant hatalmasak lettek, rejtélyes szabályokat vezettek be, halál terhe alatti titoktartást, esküt téve arra, hogy egy napon újra felemelkednek és bosszút állnak a katolikus egyházon. Olyan nagy lett a hatalmuk, hogy az egyház őket tekintette az egyetlen, a legveszélyesebb keresztényellenes erőnek a földkerekségen. A Vatikán Shaitannak bélyegezte a testvériséget.

– Shaitannak?

– Iszlám kifejezés. Ellenfelet jelent... Isten ellenfelét. Az egyház azért választott rá iszlám elnevezést, mert ezt tisztátalan nyelvnek tekinti. – Langdon habozott. – A Shaitanból származik a Sátán szavunk.

Kohler arcán kínos kifejezés jelent meg.

Langdon hangja elsötétült. – Mr. Kohler, én nem tudom, hogy került a bélyeg ennek az embernek a mellkasára... sem azt, hogy miért... de ön itt a világ legrégebbi és leghatalmasabb sátánista kultuszának ősi szimbólumát látja.

10

A sikátor keskeny volt és elhagyatott. A hasszasszín most már gyorsan járt, fekete szemében várakozás csillogott. Ahogy közeledett úti céljához, Janus búcsúzóul mondott szavai visszhangoztak benne. *Hamarosan kezdetét veszi a második fázis. Pihenj egy keveset.*

A hasszasszín elvigyorodott. Egész éjjel ébren volt, de az alvás volt az utolsó, ami most foglalkoztatta. Az alvás a gyengéknek való. Ő harcos, akár az elődei, és a népe sohasem aludt, miután kezdetét vette a csata. Ez a csata immár határozottan elkezdődött, és neki jutott az a tisztesség, hogy az első vért kiontsa. Még két órája volt ünnepelni a dicsőségét, mielőtt újra munkához lát.

Aludni? Sokkal jobb módjai is vannak a relaxálásnak...

A hedonista élvezetek iránti vágyat még az ősei plántálták bele. Az elődök a hasist kedvelték, de ő más valamiben talált kielégülést. Büszke volt a testére, mint pontosan beállított, halálos gépezetre, amelyet – örökségét megtagadva – sajnált volna narkotikumokkal rombolni. Ő a drogoknál tápláálóbb szenvedélyt választott magának... jóval egészségesebb és élvezetesebb jutalmat.

Érezte, ahogy felerősödik benne a jól ismert várakozás, és még jobban meggyorsította lépteit a sikátorban. Egy jeltelen ajtó elé érkezett és megnyomta a csengőt. Az ajtón eltolták a kukucskálót, és egy meleg, barna szempár tanulmányozta őt elégedetten. Majd feltárult az ajtó.

– Üdvözlöm – mondta a jól öltözött asszony. Bekísérte őt egy kifogástalanul bútorozott, gyengén megvilágított szalonba. A levegőben drága parfüm és pézsma illatozott. – Állunk rendelkezésére. – Átadott neki egy fotóalbumot. – Csöngessen, amikor sikerült választani. – És a nő távozott.

A hasszasszin elmosolyodott.

A plüssdíványon ülve ölébe vette az albumot és érezte, hogy bizseregni kezd benne a testi vágy. Noha az ő népe nem ünnepelte meg a karácsonyt, úgy képzelte, ugyanígy érezhet egy keresztény gyerek a nagy halom ajándék előtt ülve, mielőtt hozzálátna kibontani a dobozokba rejtett csodákat. Kinyitotta az albumot és nézegetni kezdte a fényképeket. Egy élet szexuális fantáziái köszöntek vissza neki.

Marisa. Olasz istennő. Tüzes. Maga az ifjú Sophia Loren.

Sachiko. Japán gésa. Ruganyos. Rendkívül képzett.

Kanara. Döbbenetes fekete látomás. Izmos. Egzotikus.

Kétszer is végiglapozta az egész albumot, és választott. Megnyomott egy gombot maga mellett az asztalon. Egy perccel később újra megjelent az a nő, aki beengedte. Megmutatta neki, kit választott. A nő mosolygott. – Kövessen.

A pénzügyek elintézése után a nő sietősen telefonált. Várt egy pár percet, majd egy fényűző előtérbe vezette, ahonnan márványlépcső kanyargott fölfelé. – Az arany ajtó a folyosó végén – mondta. – Költséges ízlése van.

Naná, gondolta. Elvégre ínyenc vagyok.

A hasszasszín úgy lopózott végig a folyosón, akár egy hosszú, bőséges étkezésre vágyó párduc. Amikor odaért az ajtóhoz, elmosolyodott a bajusza alatt. Már résnyire nyitva áll... őt hívogatja. Meglökte az ajtót, amely hangtalanul feltárult. Amikor meglátta a nőt, tudta, hogy jól választott. Pontosan olyan volt, amilyet akart... meztelenül feküdt a hátán, két karja vastag bársonyzsínórral kikötözve az ágy oszlopaihoz. Átvágott a szobán és végíghúzta sötét ujját az alabástrom hason. Tegnap éjjel öltem, gondolta. Te vagy a jutalmam.

11

– Sátánista? – Kohler megtörölte a száját és kényelmetlenül fészkelődött. – Ez egy sátánista kultusz szimbóluma?

Langdon róni kezdte a jéghideg szobát, hogy meg ne fagyjon. – Az Illuminátusok sátánisták. De nem a szó mai értelmében.

Langdon gyorsan elmagyarázta, hogy a legtöbb ember úgy képzeli el a sátánista szektákat, mint az ördögöt imádó gonoszok gyülekezeteit, pedig a sátánisták a történelem során művelt emberek voltak, akik szemben álltak az egyházzal. Shaitan. A sátánista fekete mágia állatáldozatairól és az ötágú csillagos szertartásokról szóló híresztelések csak hazugságok, amelyeket az egyház terjesztett az ellenfelei ellen indított kampány részeként. Az idők során az egyház ellenségei, követni akarván az Illuminátusok példáját, lassan elhitték a hazugságokat és elkezdtek azok alapján működni. Így született meg a modernkori sátánizmus.

Kohler hirtelen felnyögött. – Ez itt mind őstörténet. Én azt akarom tudni, hogy került ide ez a szimbólum.

Langdon vett egy nagy levegőt. – Magát a szimbólumot egy XVI. századi névtelen illuminátus művész alkotta, hogy tisztelegjen Galilei szimmetria iránti szeretete előtt, és ez lett az Illuminátusok szent emblémája. A testvériség titokban tartotta a tervrajzot, állítólag arra készültek, hogy csak akkor fedik fel, amikor már elég hatalmuk lesz ahhoz, hogy feljöjjenek a föld alól és megvalósítsák végső céljukat.

Kohler nyugtalannak tűnt. – Tehát ez a szimbólum azt jelenti, hogy az Illuminátusok testvérisége feljött a föld alól?

Langdon a homlokát ráncolta. – Ez lehetetlennek tűnik. Van egy fejezete az Illuminátusok történetének, amelyet még nem magyaráztam el.

Kohler hangja felerősödött. – Világosítson fel.

Langdon összedörzsölte a két tenyerét, végigfutva gondolatban azon a több száz dokumentumon, amelyet az Illuminátusokról olvasott vagy írt. – Az Illuminátusok túlélők voltak – kezdte. – Amikor elmenekültek Rómából, beutazták Európát, hogy biztonságos helyre találjanak, ahol ismét összegyűlhetnek. Egy másik titkos társaság fogadta be őket... Gazdag bajor kőművesmesterek, a szabadkőművesek testvérisége.

Kohler elképedt arcot vágott. – Szabadkőművesek?

Langdon bólintott, és egyáltalán nem lepte meg, hogy Kohler hallott már róluk. A szabadkőművesek testvérisége jelenleg több mint ötmillió taggal rendelkezik a világon, akiknek fele az Egyesült Államokban él, míg több mint egymillióan Európában.

– Hiszen a szabadkőművesek nem sátánisták – jelentette ki Kohler, egyszerre kételkedővé vált hangon.

– Egyáltalán nem. A szabadkőművesek saját jó szándékuknak estek áldozatul. Miután az 1700-as években menedéket nyújtottak a menekülő tudósoknak, öntudatlanul is fedőszervévé váltak az Illuminátusoknak. Az Illuminátusok az ő soraik között gyarapodtak, és fokozatosan átvették a hatalmi pozíciókat a páholyokban. A szabadkőművesek között megbújva újjáalakították tudományos testvériségüket, egyfajta titkos társaságot egy titkos társaságon belül. Ezek után az Illuminátusok arra használták fel a szabadkőművesek egész világot átszövő hálózatát, hogy kiterjesszék saját befolyásukat.

Langdon belélegezte a hideg levegőt, mielőtt folytatta. – Az Illuminátusok elsősorban a katolicizmus kiírtására szövetkeztek. A testvériség úgy tartotta, hogy az egyház által terjesztett babonás dogma az emberiség legnagyobb rákfenéje. Attól féltek, hogy ha a vallás továbbra is cáfolhatatlan tényként népszerűsíti a jámbor mítoszt, megtorpan a tudományos haladás és az emberiség az értelmetlen keresztes háborúk tudatlan jövőjére van ítélve.

– Erre elég sok példát látunk manapság.

Langdon összevonta a szemöldökét. Kohlernek igaza volt. A szent háborúkkal most is tele vannak a lapok. Az én istenem jobb, mint a te istened. Úgy tűnik, mindig is szoros kapcsolat volt az igazhitűek és a magas halálozási arány között.

– Folytassa – mondta Kohler.

Langdon összeszedte a gondolatait és tovább magyarázott.

– Az Illuminátusok egyre erősebbek lettek Európában, és Amerikára is szemet vetettek, a szárnypróbálgató országra, amelynek több szabadkőműves vezetője volt: George Washington, Ben Franklin, csupa tisztességes, istenfélő férfiú, aki mit sem tudott arról, hogy az Illuminátusok hatalmukba kerítették a szabadkőművességet. Az Illuminátusok jó hasznát látták a behatolásnak, támogatták a bankok, az egyetemek, a gyárak alapítását, hogy finanszírozhassák végső célkitűzésüket. – Langdon szünetet tartott. – Egyetlen, egyesített világállam, egyfajta szekuláris új világrend megalkotását.

Kohler meg se moccant.

– Az új világrend – folytatta Langdon – a tudományos felvilágosodáson alapul. Ők luciferiánus doktrínának nevezték el. Az egyház azt állította, hogy Lucifer az ördögöt jelenti, de a testvériség ragaszkodott ahhoz, hogy Lucifer a szó eredeti latin jelentését hordozza: fényhozó. Vagy Megvilágosító, azaz Illuminátor.

Kohler felsóhajtott, és hirtelen ünnepélyessé vált a hangja.

– Mr. Langdon, üljön le, kérem.

Langdon vonakodva ült le egy dér borította székre.

Kohler közelebb jött a kerekes székével. – Nem vagyok biztos abban, hogy mindent értek, amit elmondott nekem, de ezt nagyon is értem. Leonardo Vetra a CERN egyik legnagyobb koponyája volt. És a barátom. Szükségem van önre, hogy segítsen megtalálni az Illuminátusokat.

Langdon nem tudta, mit válaszoljon erre. – Megtalálni az Illuminátusokat? – Tréfál ez az ember, vagy mi? – Attól tartok, uram, hogy ez teljességgel lehetetlen.

Kohlernek felszaladt a szemöldöke. — Ezt meg hogy érti? Nem akar...

— Mr. Kohler. — Langdon a vendéglátójához hajolt, nem tudva biztosan, hogyan is értesse meg vele, amit mondani akar. — Még nem fejeztem be a történetet. A látszat ellenére merőben valószínűtlen, hogy ezt az embert az Illuminátusok bélyegezték meg. Több mint fél évszázada nincs semmi bizonyíték a létezésükre, és a tudósok többsége egyetért abban, hogy az Illuminátusok jó ideje megszűntek működni.

Szavait süket csönd fogadta. Kohler a ködbe meredt, elképedés és harag keveredett a tekintetében. — Honnan a pokolból állíthatja, hogy ez a társaság megszűnt létezni, amikor belesütötték a nevüket ebbe az emberbe!

Langdon ma reggel óta többször is feltette ugyanezt a kérdést magában. Az *Illuminátusok ambigrammájának* feltűnése megdöbbentő volt. A világ szimbólumkutatói beleszédülnének. És mégis, Langdon tudósi lénye pontosan tudta, hogy a bélyeg felbukkanása abszolúte nem bizonyítja az Illuminátusok létét.

— A szimbólumok — mondta Langdon — egyáltalán nem utalnak eredeti megalkotóik jelenlétére.

— Mit akar ezzel mondani?

— Azt, hogy miután egy olyan filozófiai rendszer, mint az Illuminátusoké, megszűnik létezni, a szimbóluma még megmaradhat... átvehetik más csoportok. Ezt nevezik transzferenciának. Nagyon elterjedt a szimbológiában. A nácik a hinduktól vették át a szvasztikát, a keresztények az egyiptomiaktól vették át a keresztet, a...

— Ma reggel — ütötte a vasat Kohler —, amikor beírtam az

„Illuminátusok" szót a számítógépbe, több ezer friss hivatkozást találtam. Nyilvánvalóan nagyon sokan gondolják úgy, hogy ez a csoport még létezik.

– Akik szeretik a konspirációelméleteket – válaszolta Langdon. Mindig is bosszantotta az összeesküvés-elméletek túltengése a modern populáris kultúrában. A média odavan az apokaliptikus szalagcímekért és az önjelölt „kultuszszakértők" még mindig jól keresnek az ezredfordulós divaton olyan légből kapott történetekkel, hogy az Illuminátusok javában működnek és szervezik az új világrendet. Legutóbb a New York Times számolt be több híres ember szabadkőműves kötődéséről, köztük Sir Arthur Conan Doyle, a kenti herceg, Peter Sellers, Irving Berlin, Fülöp herceg, Louis Armstrong, továbbá korunk közismert iparmágnásainak és bankárjainak egész panteonja.

Kohler mérgesen mutatott Vetra tetemére. – A bizonyítékot tekintve azt kell mondanom, hogy az összeesküvés-elméleteknek igazuk lehet.

– Valóban ilyen színben tűnhet fel – mondta a lehető legdiplomatikusabban Langdon. – Ennél mégis sokkal elfogadhatóbb az a magyarázat, hogy egy másik szervezet átvette az Illuminátusok bélyegét, és most saját céljaira használja.

– Miféle célokra? Mit bizonyít ez a gyilkosság?

Jó kérdés, gondolta Langdon. Azt is nehezére esett elképzelni, hogy négyszáz év után hol talált rá valaki az Illuminátusok szimbólumára. – Csak annyit mondhatok, hogy még ha az Illuminátusok a mai napig működnének is, amit én a leghatározottabban kétlek, semmi közük nem lehetett Leonardo Vetra halálához.

– Nem?

– Nem. Az Illuminátusok hihettek a kereszténység eltörlésében, de politikai és pénzügyi eszközökön keresztül gyakorolták a hatalmukat, nem pedig terrorista akciókkal. Továbbá, az Illuminátusoknál szigorú erkölcsi kódex vonatkozott azokra, akiket az ellenségeiknek tekintettek. A tudomány embereit a legnagyobb megbecsüléssel övezték. Szóba sem jöhet, hogy meggyilkoljanak egy olyan tudós kollégát, mint Leonardo Vetra.

Kohler jeges pillantást vetett rá. – Talán elfelejtettem megemlíteni, hogy Leonardo Vetra nem volt közönséges tudós.

Langdon türelmesen kivárt. – Mr. Kohler, biztos vagyok benne, hogy Leonardo Vetra számos tekintetben ragyogó elme volt, de attól még tény marad...

Kohler minden előzetes figyelmeztetés nélkül megfordította a kerekes székét és kigördült a nappaliból, kavargó párát húzva maga után, ahogy eltűnt a folyosón.

Az isten szerelmére, nyögött fel Langdon. Utánament. Kohler egy kis alkóvban várt rá a folyosó végén.

– Ez itt Leonardo dolgozószobája – mondta Kohler a tolóajtóra mutatva. – Talán ha már látta, új értelmet nyernek a dolgok. – Kohler suta mozdulattal meglódította, mire az ajtó kinyílt.

Langdon belesett a dolgozószobába, és azonnal viszketni kezdett a bőre. Jézusnak szent anyja, mondta magában.

12

Egy másik országban egy fiatal őrszem türelmesen ücsörgött a videoképernyők széles sora előtt. Figyelte, ahogy villódznak előtte a monitorok — élő felvételek abból a több száz videokamerából, amelyek a kiterjedt épületegyüttest pásztázták. Végtelen menetben váltakoztak a képek. Elegáns hall. Magániroda. Ipari méretű konyha.

Ahogy a képek egymást követték, az őr álmodozásba merült. Közeledett a műszak vége, de ő még mindig éber volt. Szolgálni megtiszteltetés. Egy napon el fogja nyerni végső jutalmát.

Ahogy sorjáztak a gondolatai, az egyik képen vészjelzés jelent meg. Hirtelen, reflexből, amivel önmagát is meglepte, előrelendült a keze, megnyomott egy gombot a kezelőpulton, mire a kép kimerevedett.

Rángó idegekkel hajolt közelebb a képernyőhöz, hogy jobban megnézze. A monitor felirata elárulta, hogy a képet a #86-os kamera közvetíti — egy olyan kamera, amelynek valamelyik folyosón kellett volna lennie.

De az előtte lévő képen határozottan nem egy folyosó látszott.

angdon zavarodottan bámulta az elé táruló dolgozó-szobát. – Miféle hely ez? – Az arcát érő, jólesően meleg levegő ellenére felkavarva lépett be az ajtón.

Kohler szó nélkül követte.

Langdon végignézett a szobán, és halvány fogalma sem volt arról, hogy hová tegye. A tárgyak valaha látott legkülönösebb egyvelegét tartalmazta. A szemben lévő falon egy hatalmas fakereszt uralta a dekorációt, amelyet Langdon a XIV. századi Spanyolországból származtatott. A feszület fölött mennyezetre erősített fémből készült mobil a keringő bolygókról. Balra egy Szűz Máriát ábrázoló olajfestmény, mellette egy tábla az elemek periódusos rendszeréről. Az oldalfalon két újabb bronzfeszület fogott közre egy Albert Einstein-posztert, a híres idézettel: ISTEN NEM KOCKÁZIK A VILÁG-EGYETEMMEL.

Langdon beljebb ment, és elképedve nézett körül. Vetra íróasztalán egy bőrkötéses Biblia feküdt, mellette Bohr atommodellje műanyagból és Michelangelo Mózesének miniatűr másolata.

Ezt nevezem eklektikának, gondolta Langdon. A meleg kellemes volt, de valami a berendezésben itt is megborzongatta. Úgy érezte, mintha a filozófia két titánjának megütközését szemlélné... az ellentétes erők kivehetetlen kavargását. Végigpásztázta a köteteket a könyvespolcon: *Az isteni atom; A fizika Taója; Isten: a bizonyíték.* Az egyik könyv borítóján a következő idézet volt olvasható:

AZ IGAZI TUDOMÁNY FELFEDEZI ISTENT,
AKI OTT VAN MINDEN AJTÓ MÖGÖTT
XII. PIUS PÁPA

– Leonardo katolikus pap volt – mondta Kohler.

Langdon megfordult. – Pap? Mintha korábban azt mondta volna, hogy fizikus.

– Mindkettő. Nem áll példa nélkül a történelemben, hogy valaki egyszerre képviselje a tudományt és a vallást. Leonardo is közéjük tartozott. „Isteni természettörvénynek" tekintette a fizikát. Azt állította, hogy Isten keze írása látható mindenütt körülöttünk a természet rendjében. A tudomány révén remélte bebizonyítani Isten létezését a kétkedő tömegeknek. Teo-fizikusnak tekintette magát.

Teo-fizikus? Langdon szerint ez nagyon úgy hangzott, mint egy oxymoron.

– A részecskefizika területén – mondta Kohler – tettek néhány megrázó felfedezést mostanában. Olyan felfedezéseket, amelyekből messzemenő spirituális következtetések adódnak. Jó részük Leonardótól származott.

Langdon a CERN igazgatóját tanulmányozta, miközben még mindig igyekezett feldolgozni a bizarr környezetet.

– Spiritualitás és fizika? – Langdon vallástörténettel foglalkozott pályája során, és ha volt visszatérő téma, akkor az, hogy a tudomány és a vallás kezdettől fogva olyan, mint az olaj és a víz... ősellenségek... nem keverhetők.

– Vetra úttörő volt a részecskefizikában – mondta Kohler.

– A tudomány és a vallás fúzióján dolgozott... meg akarta mutatni, hogy ezek a legváratlanabb módokon kiegészítik egymást. Új fizikának nevezte ezt a szakterületet. – Kohler levett egy könyvet a polcról és átadta Langdonnak.

Langdon megnézte a borítót. *Isten, csodák és az új fizika*, írta *Leonardo Vetra*.

– Ez egy kis szakterület – mondta Kohler –, de friss válaszokat ad néhány régi kérdésre. A világegyetem eredetének és a valamennyiünket mozgató erők keletkezésének kérdéseire. Leonardo hitt abban, hogy a kutatásai olyan lehetőségeket rejtenek, amelyek milliókat téríthetnek át egy spirituálisabb életre. Tavaly határozottan bebizonyította, hogy létezik egy olyan energiafajta, amely mindannyiunkat egyesít. Valójában azt igazolta, hogy mi valamennyien fizikai kapcsolatban állunk egymással... hogy az ön testének molekulái összefonódnak az én molekuláimmal... hogy létezik egy bizonyos erő, amely mindannyiunkban ott munkál.

Langdon meghökkent. És valamennyien egyek leszünk Isten hatalmában. – Mr. Vetra valóban bizonyítani tudta, hogy a részecskék kapcsolatban állnak egymással?

– Cáfolhatatlanul. A Scientific American egyik cikke nemrégiben úgy ünnepelte az új fizikát, mint ami biztosabban vezet el Istenhez, mint maga a vallás.

Ez a kijelentés telibe talált. Langdon egyszerre azon kapta magát, hogy az Illuminátusok vallásellenessége jár a fejében. Vonakodva arra kényszerítette magát, hogy átmenetileg intellektuális behatolást hajtson végre a lehetetlenbe. Ha az Illuminátusok valóban működnek még, megölhették-e Leonardót azért, hogy megakadályozzák vallásos üzenetének eljuttatását a tömegekhez? Langdon elhessegette a gondolatot. Abszurdum! Az Illuminátusok a múlt ködébe vesztek! Ezzel minden valamirevaló tudós tisztában van!

– Vetrának számos ellensége volt a tudományos világban – folytatta Kohler. – A tiszta tudomány hívei megvetették. Még itt, a CERN-ben is. Úgy érezték, hogy az analitikus fizika felhasználása a vallás alapelveinek alátámasztására, árulás a tudománnyal szemben.

– De korunk tudósai mintha kissé defenzívába szorultak volna az egyházzal szemben.

Kohler méltatlankodva horkant fel. – Miért kellene védekeznünk? Az egyház talán már nem égeti el a tudósokat a máglyán, de ha azt hiszi, hogy feladta uralmát a tudomány felett, akkor tegye fel magának a kérdést, hogy miért nem szabad az evolúciót tanítani az önök iskoláinak a felében? Tegye fel a kérdést, hogy miért az amerikai keresztény koalíció a legbefolyásosabb lobbi a világon, amely ellene van a tudományos kutatásnak. Még mindig dúl a harc tudomány és vallás között, Mr. Langdon. A csatamezőkről átkerült a testületi ülésekre, de azért még dúl.

Langdon rájött, hogy Kohlernek igaza van. A Harvard hittudományi fakultása éppen a múlt héten vonult fel a Biológiai Intézetben, hogy tiltakozzon a génsebészet szerepeltetése ellen a doktori programban. A biológia tanszék vezetője, a neves ornitológus, Richard Aaronian úgy védelmezte a tananyagot, hogy egy hatalmas plakátot tett ki az irodája ablakába. A kép a keresztények „halát" ábrázolta négy kis lábbal módosult formában – Aaronian állítása szerint ez az afrikai tüdőhalak szárazföldi léthez való alkalmazkodására utalt. A hal alatt Jézus neve helyett egy kiáltvánnyal felérő név volt olvasható: DARWIN!

Éles csipogó hang hasított a levegőbe, és Langdon fölkapta a fejét. Kohler a kerekes szék elektronikus eszközei között keresgélt. Kiemelt egy csipogót a tartójából, és elolvasta a bejövő üzenetet.

– Jó. Leonardo lánya volt az. Ms. Vetra most érkezik meg a helikopterrel. Ott találkozunk vele a leszállóhelyen. Azt hiszem, jobb, ha nem jön ide, hogy ne kelljen ilyen állapotban látnia az apját.

Langdon egyetértett. Egy gyerek sem érdemel meg ekkora megrázkódtatást.

– Meg fogom kérni Ms. Vetrát, hogy avassa be a projektbe, amelyen az apjával együtt dolgozott... talán ez fényt vet arra, hogy miért gyilkolták meg.

– Gondolja, hogy Vetrát a munkája miatt ölték meg?

– Ez nagyon is lehetséges. Leonardo elmondta nekem, hogy valami nagy áttörésre készül. Ennyit mondott mindösz-sze. Az utóbbi időben nagyon titkolódzó lett. Volt egy magánlaboratóriuma, és azt kérte, hogy oda csak neki lehessen bejárása, amit örömmel teljesítettem egy ilyen briliáns elmének. Újabban feltűnően sok elektromos áramot fogyasztott a munkájához, de visszafogtam magam, és nem kérdeztem az okát. – Kohler a dolgozószoba ajtaja felé fordult a kocsijával. – De van itt még valami, amiről tudnia kell, mielőtt távozunk a lakásból.

Langdon nem volt benne biztos, hogy tényleg tudni akarja-e.

– A gyilkos ellopott egy tárgyat Vetrától.

– Egy tárgyat?

– Kövessen.

Az igazható visszakormányozta kerekes székét a ködlepte nappaliba. Langdon, nem tudva, mire számítson, utánament. Kohler manőverezett a kocsival, és Vetra holttestétől néhány centiméterre állította le. Intett Langdonnak, hogy lépjen közelebb. Langdon vonakodva közelített, az áldozat fagyott vizeletének szaga öklendezésre késztette.

– Nézze meg az arcát – mondta Kohler.

Nézzem meg az arcát? Langdon húzódzkodott. Hát nem azt mondta, hogy elloptak valamit?

Langdon kényszeredetten letérdelt. Megpróbált belenézni Vetra arcába, de 180 fokkal hátracsavarták a fejét és az arca a szőnyegbe nyomódott.

Mozgáskorlátozottságával küzdve Kohler lenyúlt és óvatosan visszatekerte Vetra fagyott fejét.

– Te jó ég! – kiáltott fel Langdon, hátratántorodva az iszonyattól. Vetra arcát vér borította. Egyetlen gesztenyebarna szem nézett rá vissza élettelenül. A másik szemüreg megszaggatva, üresen. – Ellopták a szemét?

14

ᴸangdon kilépett a C épületből a szabad levegőre, hálásan, hogy kiszabadult Vetra lakásából. A napsütés segített eltüntetni a kivájt szemüreg képét, amely beleégett az elméjébe.

– Erre tessék – mondta Kohler egy meredek ösvény felé

kanyarodva. Az elektromos kocsi minden erőfeszítés nélkül felgyorsult. – Ms. Vetra bármelyik percben megérkezhet.

Langdonnak ki kellett lépnie, hogy követni tudja.

– Tehát – kérdezte Kohler –, elhiszi végre, hogy az Illuminátusok keze van a dologban?

Langdon már maga sem tudta, hogy mit gondoljon. Vetra vallásos kötődése határozottan zavaró volt, Langdon mégsem tudta magát rászánni arra, hogy félrelökje a tudományos bizonyítékokat, amelyeket valaha felkutatott. Ám ott volt a kivájt szem...

– Még mindig fenntartom – kezdte Langdon, vehemensebben, mint szerette volna –, hogy nem az Illuminátusok felelősek ezért a gyilkosságért. A hiányzó szem rá a bizonyíték.

– Micsoda?

– A véletlenszerű csonkítás – magyarázta Langdon – nagyon nem... vall rájuk. A kultuszszakértők találkoztak már ötletszerű csonkításokkal tapasztalatlan, marginális szekták esetében, de az Illuminátusok ennél mindig tudatosabbak voltak.

– Tudatosabbak? Sebészi úton eltávolítani valakinek a szemgolyóját, az nem tudatos?

– Nem közvetít egyértelmű üzenetet. Nem szolgál magasabb célt.

Kohler kerekes széke megtorpant a domb tetején. Visszafordult. – Mr. Langdon, higgye el nekem, hogy az a hiányzó szem igenis magasabb célt szolgált... jóval magasabb célt.

Ahogy a két férfi átvágott a füves kaptatón, nyugat felől már meghallották a helikopter propellerének csattogását. Felbukkant a gép is, amely feléjük tartott a völgyön keresztül. Éles szögben befordult, majd lelassulva lebegett a fűre fölfestett helikopter-leszállópálya fölött.

Langdon eltompulva figyelte, az agya ugyanúgy forgott körbe, mint a propeller lapátjai, és azon tűnődött, vajon egy átaludt éjszaka után megszabadulna-e a jelenlegi zavarodottságától. De valamiért kételkedett benne.

Ahogy működésbe léptek a fékek, a pilóta kiugrott, és hozzálátott a kirakodáshoz. Rengeteg minden került elő: vászontáskák, nejlonzsákok, oxigéntartályok és ládák, amelyek egy high-tech búvárfelszerelés tartozékainak tűntek.

Langdon értetlenkedett. – Ez Ms. Vetra felszerelése? – ordította oda Kohlernek, túlharsogva a motorzajt.

Kohler bólintott és visszaüvöltött: – Biológiai kutatásokat végzett a Baleári-tengerben.

– De hiszen azt mondta, hogy fizikus!

– Az is. Biofizikus. A létformák kölcsönös kapcsolatait tanulmányozza. A munkája szorosan kötődik az apja részecskefizikai kutatásaihoz. Nemrégiben cáfolta meg Einstein egyik alapvető elméletét, miután atomórával szinkronizált kamerák segítségével megfigyelt egy tonhalrajt.

Langdon a humor valamilyen jelét leste vendéglátója arcán. Einstein és a tonhalak? Felötlött benne, hogy az X-33-as űrrepülőgép nem egy másik bolygón tette-e le véletlenül.

Egy perccel később Vittoria Vetra lépett ki a helikopterből. Robert Langdonnak rá kellett jönnie, hogy ez ma a végtelen meglepetések napja. A helikopterből khaki rövidnadrágban és fehér, ujjatlan felsőben kiszálló Vittoria Vetra semmiben sem emlékeztetett arra a könyvmoly fizikusra, akire Langdon számított. Magas, hajlékony és kecses nő volt kreol bőrrel és hosszú fekete hajjal, ami repkedett a rotorok hátszelében. Arcvonásai eltéveszthetetlenül olaszosak voltak: nem külső szépségük, hanem érett, földi jellegük tette, hogy még húsz méterről is nyers érzékiséget árasztottak. Ahogy a légáramlat belekapott a ruhájába, hangsúlyosan láthatóvá vált karcsú dereka és apró melle.

– Ms. Vetra rendkívüli belső erővel rendelkező nő – mondta Kohler, mintha megérezte volna Langdon elragadtatását. – Szigorúan vegetáriánus és a CERN bentlakóinak hatha jóga guruja.

– Hatha jóga? – képedt el Langdon. A meditáció ősi buddhista művészete meglehetősen furcsa választásnak tűnt egy katolikus pap fizikus lányának részéről.

Langdon a közeledő Vittoriát figyelte. Látszott rajta, hogy sírt, nagy, fekete szeme tele volt érzelmekkel, amelyeket Langdon nem tudott megnevezni. A nő mozgása mégis tüzes és parancsoló volt. A teste erős és feszes, a hosszú, napsütéses órákat élvező mediterrán táj egészséges ragyogása sugárzott belőle.

– Vittoria – mondta Kohler a közeledő nőnek. – Fogadja legmélyebb részvétemet. Szörnyű veszteség ez a tudomány számára... és valamennyiünknek itt a CERN-ben.

Vittoria hálásan bólintott. Amikor megszólalt, lágy és mély volt a hangja. Akcentussal beszélte az angolt. – Tudja már, ki tette?

– Még dolgozunk rajta.

A nő Langdonhoz fordult, felé nyújtva karcsú kezét. – Vittoria Vetra vagyok. Gondolom, az Interpoltól érkezett.

Langdon megfogta a kezét, egy pillanatra beleszédülve a fátyolos tekintet igéző mélységébe. – Robert Langdon. – Nem tudta, mit mondjon még.

– Mr. Langdon nem a hatóságokat képviseli – magyarázta Kohler. – Amerikai specialista. Azért van itt, hogy segítsen kideríteni, ki a felelős a történtekért.

Vittoria bizonytalannak tűnt. – És a rendőrség?

Kohler kinyitotta a száját, de nem mondott semmit.

– Hol van a holtteste? – követelte Vittoria.

– Gondoskodtunk róla.

Ez a kegyes hazugság meglepte Langdont.

– Látni akarom – mondta a nő.

– Vittoria – rimánkodott Kohler –, az apját brutálisan meggyilkolták. Jobb volna, ha úgy emlékezne rá, amilyennek utoljára látta.

Vittoria beszélni kezdett, de félbeszakították.

– Hé, Vittoria! – hallatszottak a hangok a távolból. – Isten hozott itthon!

A nő megfordult. A helikopter-leszállópálya mellett elhaladó tudósok csoportja boldogan integetett neki.

– Einstein egy másik elméletét is megcáfoltad már? – kiáltotta oda az egyik.

Egy másik még hozzátette: – Büszke lehet rád az apád!

Vittoria sután visszaintett a távolodó férfiaknak. Aztán Kohlerhez fordult, az arcán zavar tükröződött. – Még senki sem tudja?

– Úgy döntöttem, hogy legfontosabb a diszkréció.

– Nem mondta meg a dolgozóknak, hogy az apámat meggyilkolták? – Értetlen hangjába felháborodás keveredett.

Kohler azonnal keményebb tónusra váltott. – Talán elfelejti, Ms. Vetra, hogy amint bejelentem az apja meggyilkolását, vizsgálatot indítanak a CERN-nél. Amelybe beletartozik a labor tüzetes helyszínelése. Én mindig igyekeztem tiszteletben tartani az apja magánterületét. Az apja mindössze két dolgot mondott el nekem a jelenlegi kutatásáról. Az egyik, hogy több millió frankos licencszerződéseket hozhat a CERN-nek az elkövetkező évtizedben. A másik, hogy még nem alkalmas a nyilvánosságra hozatalra, mivel kockázatos technológiáról van szó. E két tényt figyelembe véve jobbnak látom, ha nem szaglásznak idegenek az apja laborjában, akik vagy ellophatnák a munkáját, vagy elpusztítanák magukat, és a CERN lenne érte a felelős. Érthető voltam?

Vittoria nem szólt semmit, csak nézett rá. Langdon érzékelte benne a vonakodó tiszteletet és Kohler logikájának elfogadását.

– Mielőtt bármit is jelentünk a hatóságoknak – mondta Kohler –, tudnom kell, hogy min dolgoztak az apjával. Be kell vinnie minket a laborba.

– A labornak semmi jelentősége – mondta Vittoria. – Senki sem tudta, mit csinálunk az apámmal. A kísérletünknek valószínűleg semmi köze az apám meggyilkolásához.

Kohler reszelősen fújta ki a levegőt. – A bizonyítékok az ellenkezőjét sugallják.

– Bizonyítékok? Miféle bizonyítékok?

Langdon ugyanezen tűnődött.

Kohler újra megtörölte a száját. – Bíznia kell bennem.

Vittoria lángoló tekintetét látva nyilvánvaló volt, hogy nem bízik.

15

angdon némán baktatott Vittoria és Kohler mögött vissza a főbejárat elé, ahol Langdon bizarr látogatása kezdetét vette. Vittoria két lába laza hatékonysággal mozgott — akár egy műugró olimpikoné. Langdon arra tippelt, hogy ez a képessége minden bizonnyal a jóga révén szerzett hajlékonyságnak és izomkontrollnak köszönhető. Hallotta, ahogy a nő lassan és tudatosan lélegzik, mintha a gyászát szeretné vele csillapítani.

Langdon szeretett volna mondani neki valamit, kifejezni az együttérzését. Maga is átélte már azt a hirtelen támadt ürességet, amelyet egy szülő váratlan elvesztése okoz. A temetésre emlékezett a legélénkebben, az esős, szürke időre. Két nappal a huszadik születésnapja után. A házat szürke öltönyös férfiak töltötték be az irodából, akik túl keményen szorították meg a kezét, amikor találkozott velük. Olyan szavakat motyogtak, mint „szívből jövő", meg „csapás". Az anyja könnyes szemmel tréfálkozott, hogy sose okozott neki gondot a részvénypiac követése, ha fogta a férje kezét... a férje pulzusa jelezte a tőzsdei árfolyamot.

Egyszer, amikor az apja még élt, Langdon hallotta, ahogy az anyja könyörög neki, hogy „álljon le és gyönyörködjön a rózsákban". Abban az évben Langdon egy üvegből fújt kis rózsát ajándékozott az apjának karácsonyra. Ez volt a legszebb tárgy, amit Langdon valaha látott... ahogy rásütött a nap, színes szivárványt vetett a falra. — Gyönyörű — mondta az apja, amikor kibontotta, és homlokon csókolta Robertet. – Keressünk neki egy biztonságos helyet. – És az apja gondosan föltette a rózsát egy poros polc magasába, a nappali legsötétebb sarkában. Pár nappal később Langdon fogott egy széket, levette a rózsát és visszavitte a boltba. Az apja észre sem vette, hogy eltűnt.

Egy lift bongása visszarántotta Langdont a jelenbe. Vittoria és Kohler éppen beszálltak a liftbe. Langdon a nyitott ajtó előtt tétovázott.

– Valami baj van? – kérdezte Kohler, inkább türelmetlen, mint aggodalmas hangon.

– Dehogy – válaszolta Langdon, és kényszerítette magát, hogy közelebb lépjen a szűk ketrechez. Csak akkor ment lifttel, ha feltétlenül muszáj volt. Jobban érezte magát a lépcsőházak tágasabb terében.

– Dr. Vetra laborja az alagsorban van – mondta Kohler.

Csodás, gondolta Langdon, miközben belépett a liftbe, és érezte, hogy jeges levegő csapja meg az akna mélyéről. Az ajtók bezáródtak, és a lift ereszkedni kezdett.

– Hat szint – mondta Kohler gépiesen, mint egy eredményjelző műszer.

Langdon elképzelte maguk alatt az üres aknát. Megpróbálta elűzni a képet, és az elsuhanó emeletek számát mutató kijelzőt nézte. Furcsa módon a lift csak két megállót tüntetett fel: FÖLDSZINT és NEP.

– Mi az az NEP? – kérdezte Langdon, megpróbálva elrejteni a nyugtalanságát.

– Nagy elektron-pozitron ütköztető – mondta Kohler.

Részecskegyorsító? Langdonnak távolról rémlett, mit jelenthet a kifejezés. Egy vacsorán hallott róla először a cambridge-i Dunster House-ban valamelyik kollégától. Egy fizikus barátjuk, Bob Brownell egyik este tajtékozva jelent meg a vacsorán.

– Lefújták a rohadékok! – átkozódott Brownell.

– Mit fújtak le? – kérdezték a többiek.

– Az SSÜ-t!

– Az meg mi?

– Szupravezető SzuperCsűrlő.

Valaki vállat vont. – Nem is tudtam, hogy a Harvard ilyet tervez.

– Nem a Harvard! – kiáltotta Bob. – Az USA! Ez lett volna a világ legnagyobb részecskegyorsítója. Az évszázad legjelentősebb tudományos projektje! Kétmilliárd dollárba került volna, és a szenátus elutasította a tervet! Átkozott bibliarágó lobbisták!

Amikor Brownell végre lecsillapodott, elmagyarázta, hogy a részecskegyorsító egy hatalmas, körkörös cső, amely felgyorsítja a rajta áthaladó szubatomi részecskéket. A csőben mágnesek kapcsolnak ki-be gyors egymásutánban, amelyek ide-oda „lökik" a részecskéket, amíg azok óriási sebességre nem tesznek szert. A teljesen felgyorsított részecskék majdnem 300 000 kilométer/szekundum sebességgel cirkulálnak a csőben.

– De hiszen az már majdnem fénysebesség – kiáltott fel az egyik professzor.

– Úgy van – felelte Brownell. Aztán azzal folytatta, hogy amikor két ellentétes irányú, felgyorsított részecskét ütköztetnek a csőben, azzal a tudósok alkotóelemeikre tudják hasítani a részecskéket, és képet nyerhetnek a természet legalapvetőbb összetevőiről. – A részecskegyorsítók – jelentette ki Brownell – kulcsfontosságúak a jövő tudománya számára. A részecskék ütköztetése a kulcs a világegyetem építőelemeinek megértéséhez.

A Harvard házi költője, egy Charles Pratt nevű halk szavú férfi nem látszott megrendülni. – Ez úgy hangzik nekem – mondta –, mint a tudomány neandervölgyi megközelítése... mintha órákat ütnénk össze ahhoz, hogy megismerjük a belső működésüket.

Brownell ledobta a villáját és kiviharzott a szobából.

Tehát a CERN-nek van részecskegyorsítója? – gondolta Langdon, miközben a lift lefelé suhant. Körkörös cső, részecskék ütköztetésére. Azon tűnődött, miért dugták el a föld alá.

Ahogy megállt a lift, Langdon megkönnyebbülten érezte a szilárd talajt a lába alatt. De amikor kinyílt az ajtó, semmivé lett a megkönnyebbülése. Robert Langdon megint csak egy tökéletesen idegen világban találta magát.

A folyosó beláthatatlanul nyúlt el mindkét irányban, úgy balra, mint jobbra. Valójában egy sima, cementfalú alagút volt, elég széles ahhoz, hogy elférjen benne egy kamion. Ahol álltak, ott fényesen meg volt világítva, de távolabb koromsötétbe veszett. Nyirkos huzat csapta meg a sötétségből – kényelmetlenül emlékeztetve arra, hogy mélyen a föld alatt vannak. Langdon szinte érezte a föld és a kövek súlyát a feje fölött. Egy pillanatra kilencéves volt újra... a sötétség visszakényszerítette... vissza az öt órán át tartó, megsemmisítő feketeségbe, amely azóta is kísértette. Kezét ökölbe szorítva küzdött ellene.

Vittoria szótlanul szállt ki a liftből és habozás nélkül, őket be sem várva indult a sötétség felé. A feje fölött felgyulladtak a hunyorgó fények, hogy megvilágítsák útját. Nyugtalanító hatást kelt, gondolta Langdon, mintha életre kelt volna az alagút... mintha előre érzékelné minden mozdulatát. Langdon és Kohler tisztes távolságból követte a nőt. Hátuk mögött automatikusan kialudtak a fények.

– Ez a részecskegyorsító – kezdte Langdon halkan. – Idelent van valahol az alagútban?

– Ott van – mutatott balra Kohler, ahol egy fényezett krómcső futott végig az alagút belső fala mentén.

Langdon zavartan bámulta a csövet. Az volna a részecskegyorsító? Semmiben nem hasonlít ahhoz, amit ő elképzelt. Tökéletesen egyenes volt, az átmérője úgy egy méter, és horizontálisan követte az alagút belátható részét, amíg el nem tűnt a sötétségben. Inkább high-tech szennyvízcsatornának néztem volna, gondolta Langdon. – Azt hittem, hogy a részecskegyorsítók körkörösek.

– Ez a gyorsító egy kör – mondta Kohler. – Egyenesnek tűnik, de ez csak optikai csalódás. Az alagútnak olyan nagy a kerülete, hogy érzékelhetetlen a görbület... mint a föld esetében.

Langdon paff volt. Ez egy kör volna? – De... akkor hatalmasnak kell lennie!

– Ez a részecskegyorsító a világ legnagyobb berendezése.

Langdonnak leesett a tantusz. Eszébe jutott, hogy a CERN sofőrje mondott neki valamit egy óriási gépről a föld alatt. De...

– Több mint nyolc kilométer az átmérője... és huszonhét kilométer hosszú.

Langdon fölkapta a fejét. – Huszonhét kilométer? – Rámeredt az igazgatóra, aztán megfordult és belenézett az előtte elnyúló, sötét alagútba. – Ez az alagút huszonhét kilométer hosszú? Az... az több mint tizenhat mérföld!

Kohler bólintott. – Tökéletes kört alkot. Átnyúlik Franciaországba, mielőtt visszakanyarodna erre a helyre. A teljesen felgyorsult részecskék több mint tízezerszer keringenek körbe egyetlen másodperc alatt, mielőtt összeütköznének.

Langdon érezte, hogy kimegy az erő a lábából, miközben belebámult a tátongó alagútba. – Azt akarja mondani, hogy a CERN több millió tonna földet ásott ki, hogy parányi részecskéket ütköztessen?

Kohler vállat vont. – Néha hegyeket kell mozgatnunk ahhoz, hogy megtaláljuk az igazságot.

16

Sok száz mérföldnyire a CERN-től egy hang recsegett bele a walkie-talkie-ba: – Oké, a folyosón vagyok.

A videoképernyőket figyelő technikus megnyomott egy gombot az adóvevőn. – A #86-os kamerát keressük. A túlsó végén kell lennie.

Sokáig csönd volt a rádióban. A várakozó technikus letett a könnyű műszakról. Végre megszólalt a rádiója.

– Nincs itt a kamera – mondta a hang. – Valaki eltávolíthatta innen.

A technikus nagyot sóhajtott. – Köszönöm. Tartsa egy pillanatig, legyen szíves.

Lemondóan ismét az előtte sorjázó videoképernyőkre irányította a figyelmét. Az épületegyüttes óriási része állt nyitva a nyilvánosság előtt, és korábban is tűntek már el vezeték nélküli kamerák, rendszerint tréfás kedvű látogatók lopták el őket, akik emléktárgyakra vadásztak. De amint egy kamerát kivittek az épületből és hatótávolságon kívülre került, elveszett a jel, és a képernyő elsötétült. A technikus értetlenül meredt a monitorra. A #86-os kamera még mindig kristálytiszta képet sugárzott.

Ha a kamerát ellopták, tűnődött, akkor miért közvetít még mindig jelet? Természetesen tudta, hogy erre csak egy magyarázat lehetséges. A kamera még itt van valahol az épületegyüttesben, csak valaki más helyre vitte. De ki? És miért?

Egy hosszú percen át tanulmányozta a monitort. Végül kézbe vette a walkie-talkie-t. – Van valamilyen tárolóhelyiség azon a folyosón? Vagy szekrények, esetleg sötét benyílók?

A válaszadó hangja zavartnak tetszett. – Nincs. Miért?

A technikus a homlokát ráncolta. – Nem érdekes. Köszönöm a segítséget. – Kikapcsolta a walkie-talkie-t, és beharapta a száját.

Mivel a videokamera kisméretű és vezeték nélküli, a technikus tudta, hogy a #86-os kamera gyakorlatilag bárhonnan közvetíthet a szigorúan őrzött területről, amely harminckét különálló épületből állt egy fél mérföld sugarú, sűrűn beépített telken. Csak annyit lehetett megállapítani, hogy a kamera valamilyen sötét helyen van. Ez persze nem sokat mondott. A komplexum tele van sötét helyekkel: karbantartóhelyiségek, fűtéscsövek, szerszámkamrák, hálószobai gardróbok, hogy a föld alatti alagutak labirintusáról már szó se essék. A #86-os kamera megtalálása hetekig is eltarthat.

De ez legyen a legkisebb bajom, gondolta.

A kamera áthelyezésének problémáján túl, volt egy jóval nyugtalanítóbb teendője is. A technikus föltekintett az elveszett kamera közvetítette képre. Valamilyen mozdulatlan tárgy volt. Egy modern kinézetű eszköz, és nem hasonlított semmire, amit a technikus valaha látott. A vibráló elektronikus kijelző alját tanulmányozta.

Noha az őrszemélyzetet alapos kiképzéssel készítették fel a válságos helyzetek kezelésére, mégis érezte, hogy felgyorsul az érverése. Figyelmeztette magát, hogy ne essen pánikba. Kell lennie valamilyen magyarázatnak. A tárgy túl kicsinek tűnt ahhoz, hogy komoly veszélyt jelentsen. De jelenléte az épületegyüttesben akkor is zavaró. Voltaképpen nagyon zavaró.

Miért éppen ma, gondolta.

A munkaadója számára mindig is első számú prioritást élvezett a biztonság, de ma sokkal inkább létkérdés a biztonság, mint az eltelt tizenkét évben bármikor. A technikus sokáig bámulta a tárgyat, és érzékelte a távolban készülődő vihar szelét.

Aztán verejtékezve feltárcsázta a főnökét.

17

Nem sok gyerek mondhatja el, hogy emlékszik arra a napra, amikor találkozott az apjával, de Vittoria Vetra igen. Nyolcéves volt akkor, és ott élt, ahol mindig is, az Orfanotrofio di Sienában, egy katolikus árvaházban Firenze mellett, szüleitől elhagyottan, akiket sohasem ismert. Azon a napon esett az eső. Az apácák már kétszer szóltak, hogy menjen vacsorázni, de mint mindig, úgy tett, mintha nem hallaná. Feküdt az udvarban és fölfelé nézett az esőcseppekre... érezte, ahogy a testét verik... megpróbálta eltalálni, hová fog esni a következő. Az apácák újra kiszóltak neki, azzal fenyegetőzve, hogy ha majd tüdőgyulladást kap az ilyen elviselhetetlenül önfejű gyermek, akkor kevésbé lesz kíváncsi a természetre.

Nem hallak benneteket, gondolta Vittoria.

Bőrig ázott, mire kijött érte a fiatal pap. Vittoria nem ismerte. Új volt itt. Vittoria azt várta, hogy mindjárt megragadja és becipeli. De nem így történt. Hanem legnagyobb csodálkozására lefeküdt mellé, eláztatva csuháját egy tócsában.

– Azt mondják, te rengeteg kérdezel – szólalt meg a fiatal pap.

Vittoria savanyú képet vágott. – Mi rossz van a kérdésekben?

A pap felnevetett. – Igazat mondtak.

– Mit keres idekint?

– Ugyanazt, amit te... azon jár a fejem, hogy miért hullanak le az esőcseppek.

– Én nem gondolkozom azon, hogy miért hullanak le. Én már tudom!

A pap elképedt tekintetet vetett rá. – Tudod?

– Francisca nővér azt mondja, hogy az esőcseppek az angyalok könnyei, és azért hullanak, hogy lemossák a bűneinket.

– Nocsak! – döbbent meg a pap. – Tehát ez a magyarázat.

– Nem ez! – vágott vissza a lány. – Azért hullanak le az esőcseppek, mert minden lefelé esik! Minden leesik! Nem csak az eső.

A pap tanácstalan pillantással megvakarta a fejét. – Tudod, ifjú hölgy, igazad van. Tényleg minden leesik. A gravitáció teszi.

– Mivitáció?

A pap értetlenül meredt rá. – Nem hallottál még a gravitációról?

– Nem.

A pap bánatosan rántott egyet a vállán. – Nagy kár. A gravitáció sok kérdésre adja meg a választ.

Vittoria felült. – Mi az a gravitáció? Mondja el! – követelte.

A pap rákacsintott. – Mit szólnál hozzá, ha vacsora közben mondanám el?

A fiatal pap Leonardo Vetra volt. Jóllehet pályadíjas fizikushallgató volt az egyetemen, egy másik elhivatottságot érezve szeminarista lett. Leonardo és Vittoria minden valószínűséget megcsúfolva a legjobb barátok lettek az apácák és a rendszabályok magányos világában. Vittoria megnevettette Leonardót, aki szárnyai alá vette a kislányt, és olyan gyönyörű dolgokat tanított neki, mint hogy a szivárványra és a folyókra több magyarázat is lehetséges. Mesélt neki a fényről, a bolygókról, a csillagokról, az egész természetről, úgy Isten, mint a tudomány szemszögéből. Vittoria veleszületett intellektusa és kíváncsisága révén lenyűgöző tanítványnak bizonyult. Leonardo úgy oltalmazta, akár a saját lányát.

Vittoria is boldog volt. Soha nem ismerte azt az örömöt, amit egy apa jelent. Miközben az összes többi felnőtt elhessegette a kérdéseivel, Leonardo órákat szánt arra, hogy megmutassa neki a könyveit. Még az elgondolásai iránt is érdeklődött. Vittoria azért imádkozott, hogy bárcsak örökre vele maradna Leonardo. Aztán egy napon a legrosszabb álmai váltak valóra. Leonardo atya bejelentette neki, hogy távozik az árvaházból.

— Svájcba költözöm — mondta Leonardo. — Ösztöndíjas fizikushallgató leszek a genfi egyetemen.

— Fizikus? — kiáltott fel Vittoria. — Azt hittem, hogy szereti Istent!

— Nagyon szeretem. Pontosan ezért szeretném tanulmányozni az isteni törvényeket. A fizika törvényszerűségei a vászon, amelyet Isten azért feszített ki, hogy arra fesse rá mesterművét.

Vittoria kétségbe volt esve. De Leonardo más hírekkel is szolgált. Elmondta Vittoriának, hogy beszélt a feljebbvalóival, akik beleegyeztek abba, hogy Leonardo atya örökbe fogadja őt.

— Szeretnéd, ha adoptálnálak? — kérdezte Leonardo.

— Mit jelent az, hogy adoptálás? — kérdezte Vittoria.

Leonardo atya elmondta neki.

Vittoria öt percig csak ölelgette, örömkönnyeket hullatva.
– Igen! Igen!

Leonardo közölte, hogy most egy időre el kell mennie Svájcba, ahol előkészíti az új otthonukat, de megígérte, hogy hat hónapon belül érte küld. Vittoria életében ez volt a leghosszabb várakozás, de Leonardo megtartotta a szavát. Öt nappal a kilencedik születésnapja előtt Vittoria Genfbe költözött. Napközben a genfi nemzetközi iskolába járt, esténként pedig az apjától tanult.

Három év múlva Leonardo Vetrát alkalmazta a CERN. Vittoria és Leonardo beköltözött egy csodaországba, amelyhez hasonlóról Vittoria még csak nem is álmodott.

Vittoria Vetra tompának érezte a testét, miközben előrement az NRG alagútban. Nézte saját életlen tükörképét a csővezetéken és érezte az apja hiányát. Rendes körülmények között mély nyugalom töltötte el, harmóniában élt a környező világgal. De most, hirtelen minden értelmét vesztette. Az utolsó három óra összemosódott a fejében.

A Baleári-szigeteken délelőtt 10 óra volt, amikor befutott Kohler hívása. Az apját meggyilkolták. Azonnal térjen haza. A merülőhajó fedélzetén uralkodó tikkasztó hőség ellenére ezek a szavak a velejéig megborzongatták, és Kohler érzelemmentes hangja ugyanolyan fájdalmas volt, mint a közlése.

Most tehát hazatért. De hova haza? Tizenkét éves kora óta a CERN világában élt, amelyet most egyszerre idegennek érzett. Az apja, az az ember, aki varázslatossá tette számára, nincs többé.

Lélegezz mélyeket, mondta magának, de nem tudta lehűteni

az agyát. Egyre sebesebben forogtak benne a kérdések. Ki ölte meg az apját? És miért? Ki ez az amerikai „specialista"? Miért ragaszkodik hozzá Kohler, hogy megnézzék a labort?

Kohler azt mondta, bizonyíték van arra, hogy a legújabb projektnek köze van az apja meggyilkolásához. Miféle bizonyíték? Senki sem tudta, hogy min dolgoznak! És még ha rá is jött valaki, miért ölték meg az apját?

Ahogy haladt az NRG alagútban az apja laboratóriuma felé, Vittoria ráébredt, hogy hamarosan fel fogja fedni az apja legnagyobb eredményét anélkül, hogy ő jelen lenne. Egészen másként képzelte el ezt a pillanatot. Úgy gondolta, hogy az apja behívja a CERN vezető tudósait a laborba, megmutatja nekik a felfedezését, ők pedig elszörnyedt arccal figyelnek. Ekkor apai büszkeségtől ragyogva elmagyarázza, hogy Vittoria egyik elgondolása segített neki a projekt megvalósításában... hogy a lánya megkerülhetetlen szerepet játszott az áttörésben. Vittoria gombócot érzett a torkában. Az apám és én együtt éltük volna át ezt a pillanatot. De Vittoria most egyedül volt. Sehol egy munkatárs. Sehol a boldog arcok. Csak egy idegen amerikai és Maximilian Kohler.

Maximilian Kohler. Der König.

Vittoria gyerekként sem kedvelte ezt az embert. Noha idővel megtanulta tisztelni kivételes intellektusát, fagyos viselkedését mindig embertelennek érezte, szöges ellentétben az apja melegszívű természetével. Kohler a hibátlan logikáért rajongott a tudományban... az apja a spirituális varázsáért. Fura módon a két férfi mégis kimondatlan tisztelettel viseltetett egymás iránt. A lángelme, magyarázta el egyszer valaki, feltétel nélkül elfogadja a másik lángelmét.

Lángelme, gondolta. Az apám... A papa. Halott.

Leonardo Vetra laborjának bejárata egy hosszú, steril folyosó volt, végig fehér csempével kirakva. Langdon úgy érezte, mintha valami őrült, föld alatti menedékbe készülne belépni. A folyosó mindkét falát bekeretezett fekete-fehér képek szegélyezték. Noha Langdon egész pályáján át képeket tanulmányozott, ezek tökéletesen idegennek tűntek fel előtte. Véletlenszerű sávok és spírálok kaotikus negatívjait látta bennük. Modern művészet? – tűnődött. Jackson Pollock amphetamín hatása alatt?

– Szórási diagramok – mondta Vittoria, aki nyilván felfigyelt Langdon érdeklődésére. – A részecskék ütközésének számítógépes megjelenítései. Az ott a Z-részecske – mondta egy halvány nyomvonalra mutatva, amely csaknem kivehetetlen volt a zűrzavarban. – Az apám öt éve fedezte fel. Tiszta energia. Lehet, hogy ez a legkisebb építőkő a természetben. Az anyag nem más, mint csapdába esett energia.

Az anyag energia? – kapta fel a fejét Langdon. Úgy hangzik, mint egy Zen-tézis. Bámulta az apró vonalat a képen, és az járt a fejében, mit szólnának a cimborái a Harvard fizikai fakultásán, ha elmesélné nekik, hogy egy nagy részecskegyorsítóban töltötte a hét végét, Z-részecskéket csodálva.

– Vittoria – szólalt meg Kohler, amint elérték a labor tiszteletet parancsoló acélajtaját –, tudnia kell, hogy már jártam itt ma reggel, amikor az apját kerestem.

Vittoria kissé elvörösödött. – Valóban?

– Igen. És képzelheti a meglepetésemet, amikor felfedeztem, hogy valami mással váltották fel a CERN szokásos, nyomógombos biztonsági rendszerét. – Kohler az ajtó mellett felszerelt, bonyolult elektromos eszközre mutatott.

– Elnézést kérek – mondta Vittoria. – De tudja, milyen fontos volt neki a titoktartás. Nem akarta, hogy rajtunk kívül bárki is bejuthasson ide.

– Rendben van – mondta Kohler. – Nyissa ki az ajtót.

Vittoria egy hosszú percig csak állt ott. Aztán vett egy nagy levegőt és odalépett a fali szerkezethez.

Langdon semmilyen értelemben nem volt felkészülve arra, ami következett.

Vittoria a műszerhez hajolt és gondosan hozzáillesztette a jobb szemét egy teleszkópra emlékeztető, kiálló lencséhez. Azután megnyomott egy gombot. A szerkezet belsejében kattant valami. Fénycsóva vetült előre meg vissza, amely úgy tapogatta le a szemgolyóját, akár egy fénymásoló berendezés.

– Retinaszkenner – mondta Vittoria. – Csalhatatlan biztonságot ad. Csupán kétféle retinamintázatra reagál. Az enyémre és az apáméra.

Robert Langdont megdermesztette a felismerés. Borzalmas részletekben tért vissza hozzá Leonardo Vetra képe – a véres arc, a rá meredő, gesztenyebarna fél szem és az üres szemüreg. Megpróbálta eltagadni a nyilvánvaló igazságot, de az mégis beléhasított... a szkenner alatt, a hófehér csempén... a halvány skarlátszínű pettyek. Megszáradt vér.

Vittoria, hála az égnek, nem vette észre.

Az acélajtó feltárult és a nő belépett.

Kohler kemény pillantása Langdonra szegeződött. Az üzenet egyértelmű volt: *Én megmondtam... a hiányzó szem magasabb cél szolgált.*

18

A nő kezét megkötözték, a csuklója már lila és dagadt volt, ahol elszorították. A mahagóni bőrű hasszaszin mellette feküdt, gyönyörködve meztelen jutalmában. Azon tűnődött, hogy a nő nem csak színleli-e az alvást, szánalmas kísérletként arra, hogy megmeneküljön a további szolgáltatásoktól.

Valójában nem érdekelte. Gyengék. A gyönyör eszközei. Vagyontárgyak, amelyekkel úgy kell bánni, mint a jószággal. És tudják, hol a helyük. De itt, Európában, a nők olyan erőre és függetlenségre tettek szert, amely egyszerre mulattatta és izgatta. Fizikai megadásra kényszeríteni őket olyan elégtétellel töltötte el, amelyet mindig élvezett.

Most, dacára a jóllakottság érzésének az ágyékában, a hasszaszin új étvágy feltámadását észlelte magában. Tegnap este ölt, ölt és csonkított, és az ölés olyan volt neki, akár a heroin... minden alkalommal csak egy ideig elég, hogy aztán még erősebben és még többet kívánjon. A jókedve eltűnt. Az éhsége visszatért.

Figyelte a mellette szunnyadó nőt. Végigfuttatta tenyerét a nyakán, és felizgatta a tudat, hogy egy pillanat alatt véget vethetne az életének. Mit számítana? Csak egy alsóbbrendű lény, a gyönyör edénye és kiszolgálója. Erős ujjai körbefogták a torkát, kitapintva finom pulzusát. Aztán, leküzdve a vágyat, elvette a kezét. Várta a munka. A saját vágyánál nagyobb ügy szolgálata.

Ahogy felkelt az ágyból, már előre örült a rá váró, megtisztelő feladatnak. Még mindig nem tudta felmérni ennek a Janus nevű férfinak, és az általa irányított ősi testvériségnek a befolyását. Csodával határos módon a testvériség őt szemelte ki. Valahogy tudomást szereztek a gyűlöletéről... és a képességeiről. Fogalma sem volt, hogy honnan. Messzire elér a kezük.

Most a legnagyobb tisztességben részesítették. Ő lesz a kezük és a hangjuk. Az orgyilkosuk és a küldöncük. Az, akit az ő népe Malak al-haq-nak – az Igazság Angyalának – nevez.

19

Vetra laboratóriuma vadul futurisztikus volt.

Ragyogó fehéren, mindenütt telerakva számítógépekkel és speciális elektronikus berendezésekkel, úgy festett, akár egy műtő. Langdon azon tűnődött, vajon miféle titkokat rejteget ez a hely, amelyek kedvéért képesek voltak kivágni valakinek a szemét.

Kohler idegesnek tűnt, amikor beléptek, tekintete ide-oda ugrált, a behatoló nyomait kutatva. De a labor elhagyatott volt. Vittoria is lassan mozgott... mintha az apja jelenléte nélkül idegennek érezné a labort.

Langdon szeme azonnal megakadt a helyiség közepén, ahol alacsony oszlopok sora emelkedett ki a padlóból. Akár egy miniatűr Stonehenge, egy tucatnyi oszlop alkotott kört a terem közepén. Az oszlopok talán egy méter magasak lehettek, és olyan posztamensekre emlékeztették Langdont, amelyeken az értékes kincseket állítják ki a múzeumokban. Ezek az oszlopok azonban nem drágakövek bemutatására szolgáltak. Mindegyiken egy vastag, átlátszó edény állt, körülbelül akkora, mint egy teniszlabdatartó. Üresnek tűntek.

Kohler tanácstalanul bámulta a dobozokat. Majd láthatóan úgy döntött, hogy egyelőre nem törődik velük. Vittoriához fordult. – Elloptak valamit?

– Elloptak? Hogyan? – ellenkezett Vittoria. – A retinaszkenner csak minket enged be.

– Azért csak nézzen körül.

Vittoria sóhajtott, és pár percet rászánva végigpásztázta a szobát. Aztán megvonta a vállát. – Minden olyannak tűnik, ahogy az apám itthagyta. Rendezett káosz.

Langdon érzékelte, hogy Kohler mérlegeli a lehetőségeket, mintha azt fontolgatná, milyen messzire mehet el Vittoriával... mennyit mondjon el neki. Nyilvánvalóan úgy határozott, hogy pillanatnyilag nem erőlteti a dolgot. Kerekes székével a szoba közepe felé nyomulva, szemrevételezte az üresnek tűnő dobozok rejtélyes sorozatát. Aztán úgy dönthetett, hogy egyelőre nem foglalkozik velük. Vittoriához fordult.

– Titkokat őrizni – szólalt meg végül Kohler – olyan luxus, amelyet többé nem engedhetünk meg magunknak.

Vittoria beleegyezően bólintott, és egyszerre érzelmessé vált az arckifejezése, mintha váratlanul megrohanták volna az emlékek.

Hagyjon neki egy perc nyugtot, gondolta Langdon.

Mintha fel akarna készülni arra, amit hamarosan meg kell vallania, Vittoria lehunyta a szemét és vett egy nagy levegőt. Aztán még egyet. És megint egyet. És megint...

Langdon figyelte, és hirtelen elfogta az aggodalom. Jól van? Kohlerre pillantott, aki cseppet sem zavartatta magát, nyilván már találkozott ezzel a rituáléval. Tíz másodperc telt el, mire Vittoria kinyitotta a szemét.

Langdon nem akarta elhinni az elé táruló metamorfózist. Vittoria Vetra átváltozott. Telt ajka elernyedt, háta meggörnyedt, a tekintete fátyolossá és megadóvá vált. Mintha valamennyi izmot átrendezett volna a testében, hogy elfogadja a helyzetet. A tüzes harag és a szenvedés mélyen szunnyadt, valahol a vizenyős hidegség alatt.

– Hol is kezdjem? – szólalt meg nyugodt hangon.

– Az elején – válaszolta Kohler. – Meséljen nekünk az apja kísérleteiről.

– Az apám életének álma a tudomány kiigazítása volt a vallás révén – mondta Vittoria. – Azt remélte, hogy igazolni tudja a tudomány és a vallás teljes összebékíthetőségét... azt, hogy tudomány és vallás csak két eltérő megközelítése ugyanannak az igazságnak. – Vittoria elhallgatott, mintha maga sem tudná elhinni, amit mondani készül. – És újabban... megtalálta a módját a bizonyításnak.

Kohler nem szólt semmit.

– Megtervezett egy kísérletet, ami reményei szerint megoldotta volna a tudomány és a vallás történetének legkínzóbb konfliktusát.

Langdon azon törte a fejét, hogy melyik konfliktusra gondolhat. Volt egy pár lehetőség.

– A teremtéselmélet – jelentette ki Vittoria. – A harc a világegyetem keletkezése kérdésében.

Ó, gondolta Langdon. Az a vita.

– A Biblia természetesen azt állítja, hogy Isten teremtette a világot – magyarázta Vittoria. – Isten így szólt: „Legyen világosság", és minden, amit látunk, előtűnt a hatalmas ürességből. Sajnos a fizika egyik alaptörvénye kimondja, hogy anyag nem jöhet létre a semmiből.

Langdon olvasott már erről a patthelyzetről. Az az elképzelés, hogy Isten állítólag a „semmiből teremtett valamit" tökéletesen ellentmondott a modern fizika elfogadott törvényeinek, ennélfogva, jelentették ki a tudósok, a Genezis tudományos képtelenség.

– Mr. Langdon – fordult hozzá Vittoria –, feltételezem, hogy ismeri az Ősrobbanás elméletét.

Langdon vállat vont. – Többé-kevésbé. – Az Ősrobbanás, ennyit tudott, a világegyetem keletkezésének elfogadott modellje. Nem egészen értette, de az elmélet szerint az erősen összesűrűsödött energia egyetlen pontja egy kataklizmaszerű robbanás során kitört, és kiterjeszkedve létrehozta a világegyetemet. Vagy valami ilyesmi.

Vittoria folytatta: – Amikor a katolikus egyház először állt elő az Ősrobbanás elméletével 1927-ben...

– Tessék? – szakította félbe Langdon, mielőtt megfékezte volna a nyelvét. – Azt mondja, hogy az Ősrobbanás a katolikusok elgondolása volt?

Vittoriát láthatóan meglepte a kérdés. – Hát persze. Egy katolikus szerzetes, Georges Lemaître vetette fel 1927-ben.

– De én azt hittem... – Langdon tétovázott. – Nem Edwin Hubble, a Harvard csillagásza alkotta meg az Ősrobbanás elméletét?

Kohler elkomorult. – Tessék, az amerikai tudományos arrogancia egy újabb esete. Hubble 1929-ben publikálta a cikkét, két évvel Lemaitre után.

Langdon elképedt. – De hát, uram, ott van a Hubble-űrtávcső… viszont sohasem hallottam még semmiféle Lemaître-távcsőről…

– Mr. Kohlernek igaza van – mondta Vittoria –, az elgondolás Lemaître-től származik. Hubble csak megerősítette azon kemény tények összegyűjtésével, amelyek tudományos megalapozást adtak az Ősrobbanás elméletének.

– Ó – mondta Langdon, azon tűnődve, vajon a Hubble-rajongók a Harvard csillagászati tanszékén megemlítették-e valaha az előadásaikon Lemaître nevét.

– Amikor Lemaître először fölvetette az Ősrobbanás elméletét – folytatta Vittoria –, a tudósok egyszerűen nevetségesnek tartották. Az anyag, mondja ki a tudomány, nem keletkezhet a semmiből. Így amikor Hubble megrengette a világot, tudományosan igazolva az Ősrobbanás helyességét, az egyház úgy érezte, hogy győzött, és annak bizonyságát látta benne, hogy a Biblia tudományosan is helytálló. Az isteni igazság letéteményese.

Langdon bólintott, és most már erősen figyelt.

– A tudósok persze nem vették jó néven, hogy az egyház a vallás terjesztésére használja a felfedezéseiket, tehát azonnal a matematika nyelvére fordították az Ősrobbanás elméletét, minden vallásos színezetet eltávolítva belőle, és a saját találmányukként kezelték. Azonban a tudomány legnagyobb bánatára, a számításaikban mind a mai napig benne maradt egy komoly hiba, amelyre az egyház előreszeretettel mutat rá.

Kohler felhorkant. – A szingularitás. – Úgy mondta ki ezt a szót, mint ami megkeseríti az életét.

– Igen, a szingularitás – ismételte meg Vittoria. – Az egyedülállóság. A teremtés egyetlen pillanata. A zéró idő. – Langdonra nézett. – A tudomány még ma sem képes megragadni a teremtés kezdő pillanatát. A számításaink meglehetősen helytálló magyarázatot adnak a fiatal világegyetemre, de ahogy megyünk visszafelé az időben, közeledve a zéró ponthoz, hirtelen csődöt mond a matematika, és minden értelmetlenné válik.

– Úgy van – mondta Kohler éles hangon –, és az egyház Isten csodás beavatkozásának bizonyítékát látja ebben a hiányosságunkban. De térjen a lényegre.

Vittoria arckifejezése álmodozóvá vált. – A lényeg az, hogy az apám mindig is meg volt győződve Isten szerepéről az Ősrobbanásban. Még ha a tudomány képtelen volt is megérteni a teremtés isteni pillanatát, ő hitt abban, hogy egy napon sikerülni fog. – Vittoria szomorúan mutatott oda az apja íróasztala fölé tűzött lézernyomatra. – A papa mindig ezt vágta az arcomba, valahányszor kételkedtem.

Langdon elolvasta a szöveget:

TUDOMÁNY ÉS VALLÁS NEM ELLENTÉTES EGYMÁSSAL. CSAK A TUDOMÁNY MÉG TÚL FIATAL ENNEK MEGÉRTÉSÉHEZ.

– A papa magasabb szintre akarta emelni a tudományt – mondta Vittoria –, oda, ahol a tudomány alátámasztaná Isten eszméjét. – Melankolikus pillantással simított végig hosszú haján. – Elhatározta, hogy olyasmibe fog, amire más tudósok még csak nem is gondoltak. Valamibe, amihez még soha senkinek nem voltak meg a technológiai eszközei. – Elhallgatott, mintha bizonytalan lenne a folytatásban. – Megtervezett egy kísérletet a Genezis lehetőségének bizonyítására.

Bizonyítani a Genezist? – tűnődött Langdon. Legyen világosság? Anyagot a semmiből?

Kohler halott tekintete felvillant. – Hogyan? Mit mondott?

– Az apám teremtett egy világegyetemet... a semmiből.

Kohler felkapta a fejét. – Micsoda?

– Helyesebben szólva, újra létrehozta az Ősrobbanást.

Úgy tűnt, mintha Kohler fel akarna ugrani a székéből.

Langdon a szó szoros értelmében elkábult. Világegyetemet teremtett? Újra létrehozta az Ősrobbanást?

– Természetesen sokkal kisebb léptékben – mondta Vittoria, egyre gyorsabban beszélve. – A folyamat meglepően egyszerű volt. Ellenkező irányban felgyorsított két ultravékony részecskenyalábot a gyorsítócsőben. A két nyaláb hatalmas sebességgel frontálisan ütközött, egymásba csapódott, és egyetlen tűhegynyi pontban sűrűsödött össze az energiájuk, amelynek révén szélsőségesen tömény energia keletkezett. – Vittoria zörögni kezdett néhány eszközzel, és az igazgatónak elkerekedett a szeme.

Langdon megpróbálta felfogni a dolgokat. Tehát Leonardo szimulálta azt a pontba sűrített energiát, amelyből feltehetően a világegyetem keletkezett.

– Az eredmény – mondta Vittoria – semmilyen tekintetben nem maradt el a csodástól. Amikor nyilvánosságra kerül, alapjaiban fogja megrázni a modern fizikát. – Megint lassan beszélt, mintha saját közlésének végtelen mélységeit ízlelgetné. – Előzetes figyelmeztetés nélkül, a gyorsítócső belsejében, az erősen összesűrített energiának ezen a pontján anyagrészecskék kezdenek feltűnni a semmiből.

Kohler nem reagált, csak nézett maga elé.

– Az anyag – ismételte meg Vittoria. – Anyag születik a semmiből. És egy hihetetlen szubatomi tűzijátéknak lehetünk tanúi. Életre kel egy miniatűr világegyetem. Nemcsak azt bizonyította, hogy lehetséges anyagot teremteni a semmiből, hanem azt is, hogy az Ősrobbanás és a Genezis egyszerűen megmagyarázható, ha elfogadjuk egy hatalmas energiaforrás jelenlétét.

– Istenre gondol? – kérdezte Kohler.

– Lehet Isten, Buddha, az Erő, Jehova, a szingularitás, a középpont... nevezheti, aminek akarja, a végeredmény ugyanaz. A tudomány és a vallás ugyanazt az igazságot támasztja alá: a teremtés atyja a tiszta energia.

Amikor Kohler végül megszólalt, mogorva volt a hangja.

– Vittoria, nem tudom követni. Ez úgy hangzik, mintha azt mondaná, hogy az apja anyagot teremtett... a semmiből.

– Igen. – Vittoria a tárolódobozokra mutatott. – És itt van a bizonyíték. Azokban az edényekben vannak az általa teremtett anyag mintái.

Kohler köhögött, és úgy közelített a dobozok felé, ahogy egy félénk állat járna körül valamit, amit ösztönösen rossznak érzékel. – Nyilván nem figyeltem eléggé – mondta. – Hogyan várhatja el bárkitől is, hogy elhiggye, miszerint ezek az edények olyan anyagrészecskéket tartalmaznak, amelyeket az apja maga teremtett? Ezek a részecskék akárhonnan származhatnak.

– Csakhogy – mondta Vittoria, és nagyon magabiztos volt a hangja –, ez nem így van. Ezek a részecskék egyediek. Olyanfajta anyaguk van, amely sehol nem létezik a földön... ezért úgy kellett őket megteremteni.

Kohlernek elsötétült az arca. – Vittoria, mit ért azalatt, hogy bizonyos fajta anyag? Hiszen csak egyféle anyag van, és az... – Kohler hirtelen elhallgatott.

Vittoria szemében diadalmas fény villant. – Pontosan maga tanította, igazgató úr. A világegyetem kétfajta anyagot tartalmaz. Ez tudományos tény. – Vittoria most Langdonhoz fordult. – Mr. Langdon, mit mond a Biblia a teremtésről? Mit teremtett Isten?

Langdon kínosan érezte magát, nem értette, hogy jön ez ide. – Hát, Isten teremtette... a fényt és a sötétséget, a mennyet és a poklot...

– Pontosan – mondta Vittoria. – Mindennek megteremtette az ellenkezőjét. Szimmetrikusan. Tökéletes egyensúlyban. – Visszafordult Kohlerhez. – Igazgató úr, a tudomány ugyanazt állítja, mint a vallás, hogy az Ősrobbanás mindent az ellenkezőjével együtt teremtett meg a világegyetemben.

– Beleértve magát az anyagot – suttogta Kohler, szinte csak önmagának.

Vittoria bólintott. – És amikor az apám végrehajtotta ezt a kísérletet, biztosra veheti, hogy akkor is kétfajta anyag keletkezett.

Langdon azon tűnődött, mit jelenthet ez. Leonardo Vetra megteremtette az anyag ellenkezőjét?

Kohler mérgesnek tűnt. – Az az anyag, amire itt utal, csak valahol másutt létezik a világegyetemben. Semmi esetre sem a földön. Valószínűleg nem is a mi galaxisunkban!

– Úgy van – válaszolta Vittoria –, éppen ez a bizonyítéka annak, hogy ezeket a részecskéket a tárolóedényekben úgy teremtették.

Kohler arcvonásai megkeményedtek. – Vittoria, ugye nem azt akarja mondani, hogy azok az edények tényleges anyagmintákat tartalmaznak?

– De igen. – Vittoria büszkén tekintett a tárolóedényekre. – Igazgató úr, ön a világon az első mintáit látja az antianyagnak.

20

A második fázis, gondolta a hasszasszín, az elsötétülő alagútban lépkedve.

A kezében tartott fáklya, jól tudta, fölösleges. De a hatás kedvéért használta. Minden a hatáson múlik. A félelem, ezt már kitapasztalta, a szövetségese. A félelem gyorsabban pusztít, mint bármilyen hadieszköz.

Nem volt tükör az alagútban, amiben megcsodálhatta volna az álöltözetét, de csapkodó köpenye árnyékából érzékelte, hogy tökéletes. A beolvadás is része a tervnek... része az összeesküvés gonoszságának. Legvadabb álmaiban sem képzelte volna magát ebbe a szerepbe.

Két héttel ezelőtt még úgy vélte volna, hogy az alagút túlsó végében rá váró feladat lehetetlen. Öngyilkos vállalkozás. Olyan, mint fegyvertelenül besétálni az oroszlán barlangjába. De Janus megváltoztatta a lehetetlen fogalmát.

Janus számos titkát osztotta meg a hasszasszinnal az utóbbi két hétben... ez a mostani alagút volt az egyik. Ősrégi, mégis tökéletesen járható.

Ahogy közeledett az ellenségéhez, a hasszasszin eltűnődött rajta, vajon tényleg annyira könnyű lesz-e, ami odabent vár rá, mint ahogy Janus ígérte. Janus biztosította őt arról, hogy valaki odabent már megtette a szükséges előkészületeket. Valaki odabent. Hihetetlen. Minél többet gondolkozott rajta, annál inkább gyerekjátéknak tűnt.

Wahad... tintain... thalatha... arbaa, mondogatta magában arabul, ahogy közeledett a célhoz. Egy... kettő... három... négy...

21

– Úgy látom, hallott már az antianyagról, Mr. Langdon. – Vittoria Langdont figyelte. Sötét bőre éles kontrasztban volt a labor fehérségével.

Langdon felnézett. Egyszerre bénának érezte magát.

– Igen. Valamicskét...

Vittoria ajkán könnyű mosoly futott át. – Nézi a Star Treket.

Langdon elpirult. – Nos, a tanítványaim élvezik... – A homlokát ráncolta. – Nem antianyaggal megy a U.S.S. Enterprise?

Vittoria bólintott. – A jó science fiction a jó tudományban gyökerezik.

– Tehát az antianyag létezik?

– Természeti tény. Mindennek megvan az ellentettje. A protonnak az antiproton. A kvarkoknak az antikvarkok. Szubatomi szinten kozmikus szimmetria uralkodik. Az antianyag a jin, az anyag a jang. Ez tartja egyensúlyban a fizikai egyenletet.

Langdonnak Galilei dualitáselmélete jutott eszébe.

– A kutatók 1918 óta tudják – mondta Vittoria –, hogy kétfajta anyag keletkezett az Ősrobbanás során. Az egyik anyag az, amelyet a földön ismerünk, amiből a kövek, a fák, az emberek vannak. A másik az ellentettje... minden tekintetben azonos az anyaggal, kivéve, hogy a benne lévő részecskék töltése fordított.

Kohler úgy szólalt meg, mintha a ködből bukkanna elő. – De hatalmas technikai akadályai vannak az antianyag tényleges tárolásának. Mi a helyzet a neutralizációval?

– Az apám megépített egy fordított polaritású vákuumot, hogy kivonja az antianyag pozitronokat a gyorsítóból, mielőtt megsemmisülnének.

Kohler felhorkant. – De a vákuum magát az anyagot is kiszippantaná. Nincs lehetőség a részecskék szétválasztására.

– Mágneses mezőt alkalmazott. Az anyag jobb felé görbült, az antianyag balra. Polárisan szemben állnak egymással.

Ebben a pillanatban repedezni kezdett Kohler kételyeinek fala. Őszinte elképedéssel nézett föl Vittoriára, aztán minden figyelmeztetés nélkül erőt vett rajta egy köhögőroham. – Hihe... tetlen – mondta, megtörölve a száját –, és mégis... – Úgy tűnt, mintha a logikai érzéke még ellenállna. – Még ha működött is a vákuum, ezek a tárolóedények anyagból vannak. Antianyagot nem lehet tárolni anyagból készült dobozokban. Az antianyag azonnal reakcióba lépne...

– A minta nem érintkezik az edénnyel – mondta Vittoria, aki nyilvánvalóan számított erre az ellenvetésre. – Az antianyag fel van függesztve. A tárolóedények úgynevezett „antianyagcsapdák", mivel a szó szoros értelmében csapdába ejtik az antianyagot az edény közepén, és biztonságos távolságban tartják az edény falától és aljától.

– Fel van függesztve? De... hogyan?

– Két egymásra merőleges mágneses mező között. Itt, nézze csak.

Vittoria átvágott a helyiségen és egy nagy elektromos berendezéssel tért vissza. A furcsa szerkezet valamiféle rajzfilm napsugárra emlékeztette Langdont – egy széles, ágyúszerű csőre irányzékkal a tetején és egy bonyolult lengőkarral az alján. Vittoria megcélozta az egyik tárolóedényt az irányzékkal, bekukucskált a nézőkébe, és állított valamit a gombokon. Aztán ellépett, hogy Kohler is belenézhessen.

Kohler zavartnak tűnt. – Látható mennyiségeket gyűjtöttek egybe?

– Ötezer nanogrammot – felelte Vittoria. – A folyékony plazma pozitronok millióit tartalmazza.

– Millióit? De hiszen eddig mindössze néhány részecske az, mit bárkinek is sikerült észlelnie... bárhol.

– Xenon – mondta egyszerűen Vittoria. – Egy xenon hajtóművel felgyorsította a részecskesugarat, lehasítva róla az elektronokat. Ragaszkodott hozzá, hogy a pontos eljárás titokban maradjon, de hozzátartozik a szabad elektronok szimultán belövellése a gyorsítóba.

Langdon egy szót sem értett, abban sem volt már biztos, hogy egyáltalán az anyanyelvén folyik-e a társalgás.

Kohler elhallgatott, homlokán elmélyültek a ráncok. Egyszer csak levegő után kapott. Úgy roskadt össze, mint akit golyó ért. – Technikailag ez annyit jelent...

Vittoria bólintott. – Igen. Nagy mennyiséget.

Kohler tekintete visszavándorolt a tárolóedényekre. Bizonytalan arckifejezéssel feljebb tornászta magát a székében, és a nézőkére szorítva a szemét lesett befelé. Sokáig bámult, egyetlen szó nélkül. Amikor végül visszaült, veríték lepte el a homlokát. Arcán eltűntek a ráncok. A hangja alig volt több suttogásnál. – Te jó isten... maguk tényleg megcsinálták.

Vittoria biccentett. – Az apám csinálta meg.

– Én... én nem is tudom, mit mondjak.

Vittoria ismét Langdonhoz fordult. – Nem akarja megnézni? – mutatott az észlelőberendezésre.

Langdon maga sem tudva, mire számítson, előrelépett. Két lépés távolságból a tárolóedény üresnek tűnt. Akármi volt is benne, kivehetetlenül parányi lehetett. Langdon a nézőkéhez illesztette a szemét. Eltartott egy pillanatig, amíg fókuszba tudta hozni a képet.

És akkor meglátta.

A tárgy nem a tárolóedény fenekén volt, ahogy várta, hanem a közepén lebegett, a levegőben lógva: valami higanyszerű folyadék egyetlen, remegő cseppecskéje. Mintha varázslat tartaná a levegőben, úgy röpdösött a folyadék a térben. Fémes hullámok futottak át a csepp felszínén. A felfüggesztett folyadék egy videóra emlékeztette Langdont, amelyet egy zéró G állapotú vízcseppről látott. Noha tudta, hogy a globulin mikroszkopikus méretű, mégis látta minden egyes változékony horpadását és fodrozódását, ahogy a plazmagömböcske lassan forgott az űrben.

– Ez... lebeg – mondta.

– Nagyon helyes – válaszolta Vittoria. – Az antianyag rendkívül instabil. Energetikai értelemben az antianyag az anyag tükörképe, tehát abban a pillanatban megsemmisítik egymást, amint kapcsolatba kerülnek. Az antianyag izolálása az anyagtól komoly kihívást jelent, hiszen a földön minden anyagból van. A mintákat úgy kell tárolni, hogy egyáltalán semmivel ne érintkezzenek, még a levegővel sem.

Langdon elképedt. Vittoria a vákuumon belüli működésről beszélt.

– Ez az antianyag csapdába van ejtve? – szólt közbe Kohler, lenyűgözve futtatva végig sápadt ujját az egyik edény alsó pereme körül. – Ezt az apja tervezte?

– Voltaképpen az én terveim alapján készült.

Kohler felkapta a fejét.

Vittoria hangjában szerénység érződött. – Az apám állította elő az első antianyagrészecskéket, de elakadt ott, hogy miként tárolja őket. Én javasoltam ezt a megoldást. Légmentes nanorészecskékből álló héjak, két elektromágnessel a két végükön. Az ellentétes mágneses mezők a tárolóedény közepén metszik egymást, ott tartva az antianyagot, felfüggesztve a vákuum közepén.

Langdon megint odanézett a tárolóedényekre. Az antianyag a vákuumban lebeg, nem érintkezve semmivel. Kohlernek igaza volt. Zseniális.

– Hol van a mágnesek energiaforrása? – kérdezte Kohler.

Vittoria megmutatta. – A csapda alatti oszlopban. A tárolóedények bele vannak csavarozva egy dokkolókapuba, amely folyamatosan újratölti őket, így a mágnesek sosem mondanak csődöt.

– És mi van, ha a mágneses mező csődöt mond?

– Az nem is kérdés. Az antianyag felfüggesztése megszűnik, leesik a csapda fenekére és jön a szétsugárzás.

Langdon a fülét hegyezte. – Szétsugárzás?

Vittoria nem zavartatta magát. – Igen. Ha az antianyag és az anyag kapcsolatba kerül, mindkettő azonnal elpusztul. A fizikusok „szétsugárzásnak" nevezik ezt a folyamatot.

Langdon bólintott. – Értem.

– Ez a természet legegyszerűbb reakciója. Egy anyagrészecske és egy antianyag-részecske kombinációja két új részecskét hoz létre, amelyeket fotonoknak nevezünk. A foton valójában egy aprócska fénypászma.

Langdon olvasott már a fotonokról – a fényrészecskékről –, mint az energia legtisztább formájáról. Úgy döntött, hogy inkább nem hozza szóba Kirk kapitányt, aki foton torpedókat használt a Klingonok ellen. – Tehát ha az antianyag leesik, akkor egy apró fénypászmát látunk?

Vittoria megrántotta a vállát. – Attól függ, mit nevez aprónak. De hadd mutassam be. – A tárolóedényhez lépett és elkezdte lecsavarozni a töltést adó posztamensről.

Kohler váratlanul nagyot kiáltott félelmében, előrelendült és félrelökte a lány kezét. – Vittoria! Elment az esze?

22

Hihetetlen módon Kohler egy pillanatra fölemelkedett, bizonytalanul állva elsorvadt lábán. Az arca krétafehér volt a rémülettől. – Vittoria! Nem távolíthatja el a csapdát! Langdon figyelt, elhűlve az igazgató váratlan pánikreakcióján.

– Ötszáz nanogramm! – mondta Kohler. – Ha megszakítja a mágneses mezőt...

– Igazgató úr – nyugtatta meg Vittoria –, ez tökéletesen biztonságos. Minden csapda hibajavító automatikával rendelkezik. Egy szünetmentes tápegységgel arra az esetre, ha az edényt eltávolítják az újratöltőről. A minta akkor is a helyén marad, ha eltávolítom a tárolóedényt.

Kohler mintha kételkedett volna ebben. Aztán kelletlenül visszaereszkedett a székébe.

– A tápegységek automatikusan működésbe lépnek – mondta Vittoria –, amikor a csapdát eltávolítják az újratöltőről. Huszonnégy órán át üzembiztosak. Akár egy tartalék benzintank. – Most Langdonhoz fordult, mintha megérezte volna a feszengését. – Az antianyagnak van néhány megdöbbentő tulajdonsága, Mr. Langdon, amelyek meglehetősen veszélyessé teszik. Tíz milligrammnyi minta, ami egy homokszem tömegének felel meg, a hipotézisek szerint annyi energiát tartalmaz, ami mintegy kétszázezer kilogramm szilárd üzemanyagnak felel meg.

Langdonnak megint forogni kezdett a feje.

– Ez a jövő energiaforrása. Ezerszer hatékonyabb, mint az atomenergia. Százszázalékosan hatékony. Nincs melléktermék. Nincs sugárzás. Nincs környezetszennyezés. Néhány gramm egy teljes hétre biztosítja egy nagyváros áramellátását.

Grammok? Langdon idegesen hátrált el a posztamenstől.

– Ne féljen – mondta Vittoria. – Ezek a minták csak a gramm törtrészecskéi, milliomodok. Viszonylag veszélytelenek. – Újra megfogta a tárolóedényt és lecsavarta az alapzatáról.

Kohler összerándult, de nem avatkozott közbe. Ahogy szabaddá vált a csapda, éles, csipogó hangot lehetett hallani és villogni kezdett egy kis folyadékkristályos kijelző a csapda alsó részén. A vörös számjegyek váltakozása mutatta a huszonnégy órából hátralévő időt.

24.00:00...
23.59:59...
23.59:58...

Langdon figyelte a számlálót, és arra jutott, hogy pontosan olyan nyugtalanító, akár egy időzített bomba.

– A tápegység – magyarázta Vittoria – teljes huszonnégy órán át működik, mielőtt lemerülne. Úgy lehet újratölteni, hogy visszahelyezzük a csapdát a posztamensre. Biztonsági okokból terveztük így, de szállításhoz is megfelel.

– Szállításhoz? – kérdezte megütközve Kohler. – Ki akarja vinni a laborból?

– Természetesen nem – válaszolta Vittoria. – De a mozgathatóság megkönnyíti a tanulmányozását.

Vittoria a helyiség túlsó végébe vezette Langdont és Kohlert. Elhúzott egy függönyt, amely egy ablakot rejtett, mögötte egy tágas teremmel. A falaknak, a padlónak és a mennyezetnek végig acélburkolata volt. A helyiség annak az olajszállító hajónak a tartályára emlékeztette Langdont, amivel egykor Pápua Új-Guineába utazott a hanta testfestést tanulmányozni.

– A megsemmisítőkamra – közölte Vittoria.

Kohler fölnézett. – Élesben figyelik a megsemmisülést?

– Az apámat lenyűgözte az Ősrobbanás fizikája, a parányi anyagmagokból kiszabaduló hatalmas mennyiségű energia. – Vittoria kihúzott egy acélfiókot az ablak alatt. Betette a csapdát a fiókba, majd visszazárta. Ezután megrántott egy kart a fiók mellett. Egy pillanattal később megjelent a csapda az üveg túlsó oldalán: simán gördült befelé az acélpadló széles vájatában, amíg el nem érte a terem közepét.

Vittoria feszülten mosolygott. – Hamarosan tanúi lesznek életük első antianyag-anyag megsemmisítésének. Néhány milliomod grammról van szó. Viszonylag parányi a minta.

Langdon nézte a hatalmas tartály padlóján magányosan álló antianyagcsapdát. Kohler is az ablak felé fordult, de bizonytalannak tűnt.

– Normális körülmények között – magyarázta Vittoria – ki kéne várnunk a teljes huszonnégy órát, amíg lemerülnek a tápegységek, de ennek a kamrának mágnesek vannak a padlója alatt, amelyek kikapcsolják a csapdát és megszüntetik az antianyag felfüggesztését. És amikor az anyag meg az antianyag érintkezik...

– Megsemmisülnek – suttogta Kohler.

– Még valami – mondta Vittoria. – Az antianyag tiszta energiát bocsát ki. A tömege százszázalékosan átalakul fotonokká. Tehát ne nézzenek egyenesen a mintára. Ernyőzzék el a szemüket.

Langdon eleve bizalmatlan volt, de most úgy érezte, hogy Vittoria túldramatizálja a dolgot. Ne nézzünk egyenesen a tárolóedényre? Az a tárgy több mint harminc méter távolságra van, egy különlegesen vastag, színezett plexiüveg fal mögött. Ráadásul a mikroszkopikus méretű minta a tárolóedényben láthatatlan. Ernyőzzük el a szemünket? – gondolta Langdon. Hát mennyi energiát bocsáthat ki az a mákszem?

Vittoria megnyomta a gombot.

Langdon abban a pillanatban elvakult. Ragyogó fénypont villant fel a tárolóedényben, majd tűzhullám robbant ki belőle, amely minden irányban szétsugárzott, és a villám erejével csapott bele az ablakba. Langdon hátratántorodott, ahogy a detonáció megreszkettette a helyiséget. A fény intenzíven ragyogott egy pillanatig, égett, azután egy másodperc elteltével visszahúzódott, önmagába hullott, és egy parányi szemcse lett belőle, amely semmivé vált. Langdon fájdalmasan hunyorgott, csak lassan nyerve vissza a szeme világát. Pislogva lesett be a füstölgő kamrába. A padlón álló tárolóedény teljesen eltűnt. Elpárolgott. Nyoma sem maradt.

Langdon elkábult a csodától. – Is... istenem.

Vittoria szomorúan bólintott. – Pontosan ezt mondta az apám is.

23

Kohler mélységes megdöbbenéssel szögezte tekintetét a megsemmisítőkamrára, ahol az iménti csodás látványban volt része. A mellette álló Langdon még nála is letaglózottabbnak tűnt.

– Látni akarom az apámat – jelentette ki Vittoria. – Megmutattam a labort. Most pedig látni akarom az apámat.

Kohler lassan megfordult, mintha nem is hallotta volna.

– Miért várt ilyen sokáig, Vittoria? Az apjával együtt azonnal be kellett volna számolniuk nekem erről a felfedezésről.

Vittoria rámeredt. Hány érvet soroljak fel? – Igazgató úr, ezt ráérünk később is megvitatni. Most az apámat akarom látni.

– Tudja, mi mindent jelent ez a technológia?

– Naná – vágott vissza Vittoria. – Bevételt a CERN-nek. Méghozzá sokat. De most...

– Ezért tartották titokban? – erősködött Kohler, azzal a nyilvánvaló szándékkal, hogy elterelje a lány figyelmét.

– Mert attól féltek, hogy én és az igazgatótanács a szabadalom bejelentése mellett szavazunk?

– Természetesen szabadalmaztatni kell – csattant fel Vittoria, ráérezve, hogy belerángatják a vitába. – Az antianyag fontos technológia. De veszélyes is. Időre volt szükségünk az apámmal, hogy finomítsunk az eljárásokon, és biztonságossá tegyük őket.

– Más szóval nem bíztak abban, hogy az igazgatótanács előbbre helyezi a tiszta tudományt az anyagi érdekeknél.

Vittoriát meglepte Kohler közönyös hanghordozása.

– Más kérdések is felmerültek – válaszolta. – Az apámnak időre volt szüksége ahhoz is, hogy a kellő megvilágításban álljon elő az antianyaggal.

– Ezt meg hogy érti?

Mégis, mit gondolsz, hogyan értem? – Anyagot energiából? Valamit a semmiből? Ez gyakorlatilag azt bizonyítja, hogy a Genezis tudományosan megalapozható.

– Tehát nem akarta, hogy felfedezésének gazdasági haszna háttérbe szorítsa a vallási jelentőségét?

– Fogalmazhatunk így is.

– És maga hogy gondolja?

Vittoria, ironikus módon, pontosan az ellenkezője miatt aggódott. A gazdasági haszon döntő motívum bármilyen új energiaforrás sikerében. Noha az antianyag-technológia szédítő lehetőségeket rejt, mint hatékony és nem környezetszennyező energiaforrás, de ha időnek előtte kitudódik, akkor fennáll a veszély, hogy bemocskolja a politika, és a közvélemény szemében ugyanúgy rossz hírbe keveredik, mint az atomenergia vagy a napenergia. Az atomenergia előbb terjedt el, mint hogy biztonságossá vált volna, és balesetek következtek be. A napenergiát előbb harangozták be, mint hogy hatékonnyá vált volna, és az emberek pénzt veszítettek rajta. Mindkét technológia népszerűtlen lett és háttérbe szorult, még mielőtt kibontakozhatott volna.

– Az én érdekeim nem törtek olyan magasra, mint a tudomány és a vallás egyesítése – mondta Vittoria.

– A környezet – kockáztatta meg bátorítóan Kohler.

– Korlátlan energiaforrás. Nem kell kitermelni. Nincs környezetszennyezés. Nincs sugárzás. Az antianyag-technológia megmenthetné a földet.

– Vagy elpusztíthatná – jegyezte meg Kohler. – Attól függően, hogy mire használják. – Vittoria érezte, hogy hideg borzongás árad Kohler nyomorék testéből. – Ki tud még erről? – kérdezte.

– Senki – felelte Vittoria. – Mondtam már.

– Akkor maga szerint miért ölték meg az apját?

Vittoria izmai megfeszültek. – Fogalmam sincs. Voltak ellenségei itt, a CERN-ben, ezt maga is tudja, de ennek semmi köze sem lehetett az antianyaghoz. Megesküdtünk egymásnak, hogy még néhány hónapig titokban tartjuk a dolgot, amíg készen nem állunk a bejelentésre.

– És biztos abban, hogy az apja nem szegte meg a hallgatási fogadalmát?

Vittoria itt már kijött a béketűréséből. – Az apám ennél keményebb fogadalmakat is meg tudott tartani!

– És maga sem mondta el senkinek?

– Természetesen nem!

Kohler fújt egyet. Elhallgatott, mintha a következő szavait nagyon gondosan akarná megválogatni. – Fel kell tételeznünk, hogy valaki mégis rájött. És tegyük fel azt is, hogy valahogy bejutott a laborba. Mit gondol, mit kereshetett itt? Voltak az apjának feljegyzései? Az eljárások dokumentációja?

– Igazgató úr, eddig türelemmel voltam. De most én szeretnék kérdezni. Folyamatosan egy betörésre célozgat, pedig látta a retinaszkennert. Az apám nagyon éberen őrködött a titoktartás és a biztonság fölött.

– Ennek módfelett örülök – vetette oda Kohler. – Mit akarhatnának ellopni innen?

– Sejtelmem sincs. – Vittoria dühösen nézett körül a laborban. Valamennyi antianyagminta a helyén volt. Az apja munkaterülete érintetlennek tűnt. – Nem járt itt senki – jelentette ki. – Minden a legnagyobb rendben van idefent.

Kohler meglepettnek látszott. – Azt mondja, idefent?

Vittoria ösztönösen válaszolt. – Igen, idefent a fölső laborban.

– Az alsó labort is használják?

– Tárolásra.

Kohler közelebb gurult hozzá, és megint rájött a köhögés.

– Tárolásra használják a veszélyesanyag-kamrát? Minek a tárolására?

Veszélyes anyagokéra, természetesen! Vittoria kezdte elveszíteni a türelmét. – Antianyagéra.

Kohler a karfára támaszkodva megemelkedett a székében.

– Ott is vannak minták? És ezt miért nem mondta el nekem?

– Most mondom – vágott vissza a lány. – Eddig nemigen adott rá alkalmat!

– Ellenőriznünk kell azokat a mintákat is – mondta Kohler. – Most rögtön.

– Mintát – javította ki Vittoria. – Egyetlen mintáról van szó. Nincs vele gond. Soha senki...

– Csak egy? – bizonytalanodott el Kohler. – Az miért nincs idefent?

– Az apám elővigyázatosságból odalent akarta tartani. Az nagyobb, mint a többi.

Vittoria figyelmét nem kerülte el az a rémült pillantás,

amelyet Kohler és Langdon váltott egymással. Kohler megint közelebb gördült a lányhoz. – Előállítottak egy olyan mintát is, ami nagyobb, mint ötszáz nanogramm?

– Szükségszerű volt – védekezett Vittoria. – Be kellett bizonyítanunk, hogy az input-output küszöb biztonságosan átléphető. – Az új energiaforrások esetében, ezt jól tudta, mindig az input-output aránya a kérdés: mennyi pénzt kell befektetni ahhoz, hogy üzemanyaghoz juss? Olajfúrótornyot építeni egyetlen hordó olaj kinyeréséért veszteséges vállalkozás. Ám ha ugyanaz a fúrótorony minimális hozzáadott költséggel több millió hordót tud kitermelni, akkor már jó üzlet. Az antianyaggal ugyanez a helyzet. Beindítani tizenhat mérföldnyi elektromágnest, hogy létrehozz egy parányi antianyagmintát, több energiát emészt fel, mint amennyit az így előállított antianyag tartalmaz. Ahhoz, hogy az antianyag hatékonynak és életképesnek bizonyuljon, nagyobb mennyiségű mintát kell előállítani.

Noha Vittoria apja nem szívesen állt rá egy nagyobb minta létrehozására, Vittoria keményen ütötte a vasat. Azzal érvelt, hogy ha azt akarják, hogy komolyan vegyék az antianyagot, akkor két dolgot kell bizonyítaniuk. Az első, hogy lehetséges költséghatékony mennyiségeket előállítani. Másodszor, hogy a minták biztonságosan tárolhatók. Végül Vittoria győzött, és az apja, saját jobb meggyőződése ellenére, beadta a derekát. Viszont nem mondott le arról, hogy szigorú szabályokat léptessen életbe a titoktartást és a hozzáférést illetően. Az antianyagot, ehhez ragaszkodott az apja, a veszélyesanyag-kamrában kell tárolni – egy kis gránitüregben, ami további húsz méterrel mélyebben van a föld alatt. A minta legyen az ő titkuk. És csak ők ketten férhessenek hozzá.

– Vittoria? – erősködött Kohler feszült hangon. – Milyen nagy az a minta, amelyet az apjával előállítottak?

Vittoria titokban perverz örömet érzett. Tudta, hogy a menynyiség még a nagy Maximilian Kohlert is meg fogja döbbenteni. Maga elé képzelte a lent tárolt antianyagot. Hihetetlen látvány. Puszta szemmel is tökéletesen látható, ahogy a csapdában felfüggesztve lebeg az antianyag kis gömbje. És ez nem mikroszkopikus parány. Hanem egy anyacsavar méretű csepp.

Vittoria vett egy nagy levegőt. – Pontosan egynegyed gramm.

Kohler arcából kifutott a vér. – Micsoda? – Kitört rajta egy köhögési roham. – Negyed gramm?! Hiszen az csaknem... öt kilotonnává alakul át!

Kilotonnák. Vittoria gyűlölte ezt a szót. Ő és az apja sohasem használták egymás között. Egy kilotonna egymillió kilogramm TNT-nek felel meg. Kilotonnákban a hadianyagot mérik. A robbanótöltetet. A tömegpusztító fegyverzetet. Ő és az apja elektronvoltban és joule-ban számolt: a hasznosítható energia mértékegységében.

– Ilyen mennyiségű antianyag gyakorlatilag mindent elpusztítana egy fél mérföld sugarú körben! – kiabálta Kohler.

– Igen, ha az egész egyszerre semmisül meg – vetette oda Vittoria –, csakhogy senki sem tenne ilyesmit!

– Kivéve azt, akinek elment az esze. Vagy azt, akinek csődöt mond az energiaforrása! – Kohler közben már megindult a lift felé.

– Éppen ezért tartotta az apám a veszélyesanyag-kamrában szünetmentes tápegység és extra biztonsági rendszer védelme alatt.

Kohler reménykedve fordult vissza. – A veszélyesanyag-kamra külön biztonsági rendszerrel van ellátva?

– Igen. Egy második retinaszkennerrel.

Kohler csak annyit mondott: – Azonnal menjünk le.

A teherlift úgy száguldott velük lefelé, mint egy sziklatömb.

Újabb húsz méterrel süllyedtek a felszín alá.

Vittoria biztos volt benne, hogy félelmet észlel mind a két férfiban, miközben lefelé vitte őket a lift. Kohler rendszerint kifejezéstelen arca most megfeszült. Tudom, gondolta Vittoria, hogy hatalmas az a minta, de a megfelelő óvintézkedések...

Megérkeztek.

Kinyílt a liftajtó, és Vittoria előreindult a gyéren megvilágított folyosón, amelyet zsákutcává változtatott egy óriási acélajtó. A veszélyesanyag-kamra ajtaja. A bejárat melletti retina-ellenőrző berendezés ugyanolyan volt, mint a fönti. Vittoria odalépett. Gondosan ráhelyezte a szemét a lencsékre.

Aztán hátrahőkölt. Valami nem volt rendben. A makulátlan lencsék most foltosak voltak... rájuk kenődött valami, ami hasonlított a... vérhez? Vittoria zavarodottan fordult a férfiak felé, de két holtra vált arccal találkozott a tekintete. Úgy Kohler, mint Langdon sápadt volt és a padlót bámulta a lába előtt.

Vittoria követte a pillantásukat...

– Nem! – üvöltött fel Langdon, és a lány után kapott. De elkésett.

Vittoria a padlón heverő tárgyra meredt. Ami egyszerre volt végtelenül idegen és meghitten ismerős a számára.

Csak egy másodpercig tartott.

Aztán bekövetkezett az iszonyú felismerés. A földre dobva, mint holmi hulladék, egy szemgolyó bámult vissza rá. Ezer közül is felismerte volna azt a gesztenyebarna árnyalatot.

24

A biztonsági technikus visszatartotta a lélegzetét, miközben parancsnoka a válla fölött áthajolva tanulmányozta az előttük villódzó monitorok sorát. Eltelt egy perc.

A parancsnok hallgatása várható volt, mondta magának a technikus. A főnöke a merev protokoll híve volt. Soha nem lett volna a világ egyik legelitebb biztonsági szolgálatának a főnöke, ha először beszél, és csak utána gondolkodik.

De mire gondolhat?

A tárgy, amelyet a monitoron bámultak, valamilyen tárolóedény volt – egy tárolóedény átlátszó falakkal. Eddig könnyű eset. A nehézséget a folytatás okozta.

A tárolóedényben, mintha valami speciális effektussal hozták volna létre, egy fémes folyadék apró cseppje látszott lebegni a levegőben. A csepp hol megjelent, hol eltűnt a digitális kijelző villogó vörös fényében, amelynek kitartóan csökkenő számjegyei láttán viszketni kezdett a technikus bőre.

– Élesre tudja állítani a kontrasztot? – kérdezte a parancsnok, megriasztva a technikust.

A technikus végrehajtotta az utasítást, és a kép valamivel világosabb lett. A parancsnok előrehajolt, hunyorogva meredve rá arra a valamire, ami csak most vált láthatóvá a tárolóedény alján. A technikus követte a főnöke pillantását. Ha nagyon halványan is, de kivehető volt, hogy a folyadékkristályos kijelző mellett egy mozaikszó szerepel. Négy nagybetű jelent meg a megszakításokkal felvillanó fényben.

– Maradjon itt – mondta a parancsnok. – Ne mondjon semmit. Kézbe veszem a dolgot.

25

Veszélyesanyag-raktár. Ötven méterrel a föld színe alatt.

Vittoria Vetra megtántorodott, kis híján rázuhanva a retinaszkennerre. Érezte, hogy az amerikai a segítségére siet, elkapja, megtámogatja. A padlóról, Vittoria lába elől, az apja szemgolyója meredt rá. Érezte, hogy minden levegő kiszorul a tüdejéből. Kivágták a szemét! Megfordult vele a világ. Kohler szorosan a lány háta mögé kerekezett, és beszélni kezdett hozzá, miközben Langdon tartotta. Vittoria alvajáróként nézett bele a retinaszkennerbe. A szerkezet felcsipogott.

Az ajtó kitárult.

Vittoria még az apai szem iszonyú látványának hatása alatt állt, de érzékelte, hogy odabent újabb borzalom vár rá. Amikor a terembe irányította ködös tekintetét, megerősítést nyert a rémálom folytatása. Üresen állt előtte a magányos újratöltő posztamens.

A tárolóedény eltűnt. Azért vágták ki az apja szemét, hogy ellophassák. Túl gyorsan jött a következtetés ahhoz, hogy sem teljes egészében fel tudta volna fogni. Minden a visszájára fordult. A mintát, amely arra volt hivatott, hogy bizonyítsa az antianyag biztonságos és gazdaságos energiaforrás voltát, ellopták. De hiszen senki sem tudta, hogy ez a minta egyáltalán létezik! Az igazság azonban tagadhatatlan volt. Valaki rájött. Vittoria el sem tudta képzelni, ki lehetett az. Még Kohlernek sem volt fogalma a projektről, akiről pedig azt tartották, hogy mindenről tud, ami a CERN-ben történik.

Az apját meggyilkolták. A lángelméje miatt kellett meghalnia.

A szívét elszorító bánat mellett új érzelem jelent meg Vittoria tudatában. Rosszabb volt még a gyásznál is. Mardosó és hasogató. Ez az érzés a bűntudat volt. A csillapíthatatlan, szűnni nem akaró bűntudat. Vittoria tudta, hogy ő vette rá az apját a minta előállítására. Az apja jobbik meggyőződése ellenére. És ezért ölték meg.

Egy negyed gramm...

Mint bármely más technológia – a tűz, a puskapor vagy a robbanómotor –, az antianyag is veszélyes, ha rossz kezekbe kerül. Nagyon veszélyes. Az antianyag halálos fegyver. Pusztító erejű és megállíthatatlan. Amint eltávolították az újratöltő posztamensről a CERN-ben, a tárolóedényben elkerülhetetlenül megindul a visszaszámlálás. Akár egy elszabadult vonat...

És amikor lejár az idő...

Vakító fény. A mennydörgés robaja. Spontán begyulladás. Csak egy villanás... és egy üres kráter. Egy nagy üres kráter.

Az az elképzelés, hogy az apja békés lángelméjét a pusztí-
tás szolgálatába állítják, méregként áradt szét Vittoria erei-
ben. Az antianyag a tökéletes terrorista fegyver. Nincsenek
fém alkatrészei, amelyeket észlelhetnének a detektorok, nin-
csenek vegyszernyomok, amelyeket kiszagolhatnának a ku-
tyák, nincs gyújtószerkezet, amelyet hatástalanítani lehetne,
ha az illetékesek megtalálják a tárolóedényt. A visszaszámlá-
lás elkezdődött...

††††

Langdon nem tudta, mit tehetne még. Elővette a zseb-
kendőjét és ráborította Leonardo Vetra földön heverő szem-
golyójára. Vittoria az üres veszélyesanyag-kamra ajtajában
állt, arcát eltorzította a bánat és a rettegés. Langdon ösztön-
szerűleg indult meg felé, de Kohler közbeavatkozott.

– Mr. Langdon. – Kohler arca kifejezéstelen volt. Hallótá-
volságon kívülre parancsolta Langdont. Langdon vonakodva
engedelmeskedett, magára hagyva Vittoriát. – Maga a szak-
értő – mondta Kohler, feszülten suttogva. – Tudni akarom,
mit terveznek azok az illuminátus gazemberek a mintával.

Langdon megpróbált összpontosítani. A körülötte tomboló
őrület dacára az első reakciója logikus volt. A tudós elutasítása.
Kohler még mindig csak feltételezésekre épít. Lehetetlen feltétele-
zésekre. – Az Illuminátusok nem működnek, Mr. Kohler. Ezt
merem állítani. Ez a bűntény bármit jelenthet... talán egy másik
CERN-alkalmazott tette, aki rájött Mr. Vetra felfedezésére, és úgy
gondolta, hogy túl veszélyes a projekt ahhoz, hogy folytassák.

Kohler döbbenten nézett rá. – Valóban azt hiszi, Mr. Langdon, hogy ezt a bűnt a lelkiismeret motiválta? Képtelenség. Bárki ölte is meg Leonardót, egy dolgot akart: az antianyagmintát. És kétség sem fér hozzá, hogy tervei vannak vele.

– A terrorizmusra céloz?

– Nyilvánvaló.

– De az Illuminátusok nem voltak terroristák.

– Mondja ezt Leonardo Vetrának.

Langdon érezte, hogy ebben van igazság. Leonardo Vetrát valóban az Illuminátusok szimbólumával bélyegezték meg. Honnan származott? A szent bélyeg alkalmazása túlságosan körülményes lett volna annak, aki önmaga nyomát elrejtendő, másra akarja terelni a gyanút. Kell lennie egy másik magyarázatnak.

Langdonnak újra kényszerítenie kellett magát arra, hogy számoljon az ésszel felfoghatatlannal. Ha az Illuminátusok még mindig aktívak, és ha ők lopták el az antianyagot, mi lehet vele a szándékuk? Mi lehet a célpontjuk? A válasz egy pillanat alatt ugrott be az agyába. Langdon ugyanolyan gyorsan el is hessegette. Igaz, hogy az Illuminátusoknak megvan a maguk nyilvánvaló ellensége, de azzal az ellenséggel szemben elképzelhetetlen egy nagyszabású terrorista támadás. Abszolút példa nélkül álló. Igen, az Illuminátusok embereket öltek, de mindig gondosan kiválasztott egyének ellen léptek fel. A tömegpusztítás otrombasága valahogy nem illett bele a képbe. Langdon kivárt. Ámbár, ha meggondolja, van ebben egyfajta fenséges ékesszólás: az antianyagot, a tudomány legnagyobb vívmányát használni arra, hogy megsemmisítsék...

Nem volt hajlandó elfogadni ezt az esztelen következtetést.

– Van egy – szólalt meg hirtelen –, logikus magyarázat a terrorizmuson kívül is.

Kohler várakozóan nézett rá.

Langdon megpróbálta kifejteni a gondolatot. Az Illuminátusok mindig financiális eszközökkel tettek szert mérhetetlen hatalomra. Kezükben tartották a bankokat. Aranykészleteik voltak. Még azt is híresztelték róluk, hogy az ő birtokukban van a világ legértékesebb drágaköve – az Illuminátusok gyémántja, egy óriási méretű, hibátlan gyémánt. – A pénz – mondta Langdon. – Az antianyagot pénzszerzési célzattal lopták el.

Kohler mintha kételkedett volna ebben. – Pénzszerzési célzattal? És hol ad el valaki egy csepp antianyagot?

– Nem a mintát – vetette ellen Langdon. – A technológiát. Az antianyag-technológia egy vagyont érhet. Talán azért lopták el az antianyagot, hogy kutatás-fejlesztési célból analizálják.

– Ipari kémkedés? De annak a tárolódoboznak huszonnégy órán belül lemerül a tápegysége. Még mielőtt a kutatók megállapíthatnának valamit, felrobbantják magukat.

– Újratölthetik, mielőtt felrobbanna. Építhetnek egy ahhoz hasonló, újratöltő posztamenst, mint amilyenek a CERN-ben vannak.

– Huszonnégy órán belül? – vágott vissza Kohler. – Még ha ellopnák a vázlatrajzot, akkor is hónapokig, nem pedig néhány óráig tartana kivitelezni egy ilyen újratöltőt!

– Igaza van – hallatszott Vittoria gyönge hangja.

Mindkét férfi megfordult. Vittoria feléjük tartott, és a teste ugyanúgy remegett, akár a hangja.

– Igaza van. Ennyi idő alatt senki sem lenne képes megépíteni az újratöltőt. Egyedül a csatlakozóegység kivitelezése is heteket venne igénybe. Folyadékszűrők, szervotekercsek, energiaszabályozó ötvözetek, mind a speciális helyi energiafokozathoz kalibrálva.

Langdon a homlokát ráncolta. Megértette a dolgot. Egy antianyagcsapda nem olyasmi, amit egyszerűen csak bedug az ember a fali konnektorba. Miután eltávolították a CERN-ből, a tárolóedény megkezdte csak oda szóló, huszonnégy órás utazását a megsemmisülés felé.

Amiből csupán egyetlenegy, módfelett nyugtalanító következtetés adódott.

– Értesítenünk kell az Interpolt – mondta Vittoria. Még önmaga számára is távolinak rémlett a hangja. – Értesítenünk kell az illetékes szerveket. Most rögtön.

Kohler megrázta a fejét. – Semmi esetre sem.

Vittoriát megdöbbentették a szavai. – Nem? Ezt meg hogy érti?

– Maga és az apja roppant kényes helyzetbe hoztak engem.

– Igazgató úr, segítséget kell kérnünk. Meg kell találnunk azt a csapdát és visszahozni ide, mielőtt kárt tehet valakiben. Felelősek vagyunk érte!

– Azért vagyunk felelősek, hogy gondolkozzunk – mondta Kohler, immár keményebb tónusban. – Ez a helyzet igen súlyos következményekkel járhat a CERN-re nézve.

– Maga a CERN jó híre miatt aggódik? Tudja, mire képes az a tárolóedény egy sűrűn lakott nagyvárosban? Félmérföldes sugarú kört érintene a robbanás. Kilenc háztömböt!

– Ezt talán magának és az apjának kellett volna fontolóra vennie, mielőtt előállították azt a mintát.

Vittoria úgy érezte, mintha tőrt döftek volna belé. – De... mi megtettünk minden óvintézkedést.

– A jelek szerint ez nem volt elegendő.

– De senki nem tudott az antianyagról. – Magától is rájött, hogy ez az érvelés nem állja meg a helyét. Természetesen tudott róla valaki. Valaki kiderítette.

Vittoria nem mondta el senkinek. Így csupán két magyarázat maradt. Vagy az apja avatott valakit a bizalmába anélkül, hogy elmondta volna Vittoriának, ami azért lehetetlen, mert éppen az apja volt az, aki titoktartást fogadtatott mindkettőjükkel, vagy pedig megfigyelték, lehallgatták őket. Talán a mobiltelefonon keresztül? Vittoria emlékezett rá, hogy néhányszor beszéltek egymással, amikor ő távol volt. Túl sokat mondtak volna? Lehetséges. Aztán ott voltak az e-mailek. De ők óvatosak voltak, vagy mégsem? A CERN biztonsági rendszere? Valahogy megfigyelték őket a tudtukon kívül? Vittoria tudta, hogy mindez már úgysem számít. Az apja halott.

A gondolat cselekvésre ösztönözte. Elővette a mobiltelefont rövidnadrágja zsebéből.

Kohler gyorsan megindult felé a kerekes székkel, hevesen köhögve, haragosan villámló szemmel. – Kit... akar felhívni?

– A CERN telefonközpontját. Hogy kapcsoljanak oda az Interpolhoz.

– Gondolkozzon! – kiáltotta Kohler fuldokolva, miközben csikorogva lefékezett előtte. – Nem lehet ennyire naiv! Az a tárolóedény mostanra már bárhol lehet. Nincs az a titkosszolgálat a világon, amelyik képes lenne időben megtalálni.

– Tehát ne tegyünk semmit? – Vittoriát furdalta a lelkiismeret, hogy szembeszáll egy ilyen törékeny egészségű emberrel, de az igazgató olyannyira különösen viselkedett, hogy úgy érezte, mintha már nem is ismerné.

– Azt tesszük, ami a legokosabb – mondta Kohler. – Nem kockáztatjuk a CERN hírnevét azzal, hogy bevonjuk a hatóságokat, amelyek amúgy sem tudnak segíteni. Még nem. Ész nélkül nem.

Vittoria tudta, hogy van valami logika Kohler érvelésében, de azt is tudta, hogy a logika önmagában nélkülözi az erkölcsi felelősséget. Az apja az erkölcsi felelősség szerint élt – hitt a megfontolt, elszámoltatható tudományban és az ember veleszületett jóságában. Vittoria is hitt ezekben, de a karma szemszögéből tekintett rájuk. Hátat fordítva Kohlernek, bekapcsolta a telefonját.

– Ezt nem teheti – mondta az igazgató.

– Próbáljon csak megállítani.

Kohler meg se mozdult.

Egy pillanattal később Vittoria rájött, hogy miért. Ilyen mélyen a föld alatt nem működött a mobiltelefon.

Bosszúsan indult a lift felé.

A hasszasszin a kőalagút végében állt. Fáklyája még fényesen lángolt, a füst elkeveredett a moha és a dohos levegő szagával. Csend vette körül. Az útját elzáró vasajtó olyan öregnek tűnt, mint maga az alagút, rozsdás volt, de még erősen tartott. A férfi bizakodva várakozott a sötétben.

Mindjárt itt az idő.

Janus azt ígérte, hogy valaki odabentről ki fogja nyitni az ajtót. A hasszasszin csodálta az árulást. Egész éjszaka várt volna ennél az ajtónál, hogy végrehajtsa a megbízatását, de érezte, hogy nem lesz rá szükség. Mindenre elszánt férfiaknak dolgozik.

Percekkel később, pontosan a kijelölt órában, nehéz kulcsok zörgése hallatszott az ajtó túloldaláról. Fém karistolt fémen, ahogy kattantak a zárak. Három jókora zárnyelv fordult el egymás után. Úgy csikorogtak, mintha évszázadok óta nem használták volna őket.

Aztán néma csend.

A hasszasszin türelmesen kivárta az öt percet, pontosan úgy, ahogyan meghagyták neki. Majd felpezsdült a vére, és nekifeszült a vasnak. A nagy ajtó feltárult.

– Vittoria, ezt nem engedhetem meg! – Kohler nehezen lélegzett, és egyre csúnyábban zihált, miközben fölfelé tartottak a liften a veszélyesanyag-kamrából.

Vittoria nem vett róla tudomást. Menedékre vágyott, valami ismerősre ezen a helyen, amelyet többé nem érzett az otthonának. Tudta, hogy már nem is lesz az. De most el kellett temetnie a fájdalmát és cselekedni. Telefonhoz jutni.

Robert Langdon mellette állt, némán, mint mindig. Vittoria már nem törte azon a fejét, hogy ki lehet ez a férfi. Szakértő? Ennél ködösebben nem is fogalmazhatott volna Kohler. *Mr. Langdon segíthet nekünk megtalálni az apja gyilkosát.* Langdon egyáltalán nem jelentett segítséget. Őszintének tűnt a kedvessége és az együttérzése, de nyilvánvalóan titkol valamit. Ahogy mindketten.

Kohler tovább nyaggatta. – Mint a CERN igazgatója, felelős vagyok a tudomány jövőjéért. Ha maga nemzetközi incidenssé dagasztja ezt az ügyet, és a CERN hátrányos...

– A tudomány jövőjéért? – fordult hozzá Vittoria. – Tényleg azt hiszi, hogy elkerülheti a számonkérést azzal, ha nem ismeri el, hogy a CERN-ből származott az antianyag? Azt tervezi, hogy nem törődik az emberi életekkel, amelyeket mi sodortunk veszélybe?

– Nem mi – vágott vissza Kohler. – Maguk. Maga és az apja.

Vittoria elfordult.

– Ami pedig a veszélybe sodort életeket illeti – mondta

Kohler –, én pontosan az életet tartom szem előtt. Tudja, hogy az antianyag-technológiának messzemenő hatásai vannak az életre ezen a bolygón. Ha a CERN-t csődbe juttatja, tönkreteszi a botrány, azon mindenki veszít. Az emberiség jövője a CERN-hez hasonló intézmények kezében van, az olyan tudósokéban, mint maga meg az apja, akik a holnap problémáinak megoldásán dolgoznak.

Vittoria korábban is hallotta már Kohler „a tudomány az Isten" előadását, és akkor sem vette be. A tudomány maga okozta azoknak a problémáknak a felét, amelyeket aztán megoldani próbált. A „haladás" volt a Földanya legnagyobb rákfenéje.

– A tudományos fejlődés kockázatokkal jár – érvelt Kohler. – Ez mindig is így volt. Az űrprogramok, a genetikai kutatás, az orvostudomány... mindegyiknek megvannak a tévedései. A tudománynak túl kell élnie saját baklövéseit, bármi áron. Mindannyiunk érdekében.

Vittoriát lenyűgözte Kohlernak az a képessége, hogy tudományos objektivitással tekintsen az erkölcsi kérdésekre. Az intellektusa mintha hidegen elszakadt volna a belső szellemiségétől. – Tényleg úgy gondolja, hogy a CERN-nek olyan sorsdöntő szerepe van a föld jövőjében, amely mentesíti a morális felelősség alól?

– Ne vitatkozzon velem erkölcsi kérdésekről. Maguk átléptek egy határt, amikor létrehozták azt a mintát, és ezzel kockára tették az egész intézményt. Én nemcsak a háromezer, itt dolgozó tudósnak a munkahelyét próbálom megvédeni, hanem az apja jó hírét is. Gondoljon erre. Egy olyan ember, mint az apja, nem érdemli meg, hogy úgy emlékezzenek rá, mint egy tömegpusztító fegyver megalkotójára.

Vittoria érezte, hogy ez az ütés talált. Én vagyok az, aki rábeszélte az apámat annak a mintának az előállítására. Minden az én hibám!

Amikor kinyílt az ajtó, Kohler még mindig beszélt. Vittoria kilépett a liftből, elővette a telefonját és újra próbálkozott. Még mindig nem volt tárcsahang. A fenébe! Elindult az ajtó felé.

– Álljon meg, Vittoria – szólt utána az igazgató asztmás hangon, és a nyomába eredt a kerekes székkel. – Lassabban. Beszélnünk kell.

– *Basta di parlare!*

– Gondoljon az apjára – győzködte Kohler. – Mit tenne ő? Vittoria érezte, hogy elnehezül a lába.

– Nem tudom, mit találjak ki – mondta Kohler. – Én csak magát akarom védeni. Mondja meg, hogy mit szeretne. Most együtt kell működnünk.

Vittoria megállt a labor közepén, de nem fordult vissza.

– Meg akarom találni az antianyagot. És tudni akarom, hogy ki ölte meg az apámat. – Vittoria várt.

Kohler felsóhajtott. – Vittoria, azt már tudjuk, hogy ki ölte meg az apját. Sajnálom.

Vittoria erre már megfordult. – Mit beszél?

– Nem tudtam, hogyan mondhatnám el. Bonyolult dolog ez...

– Tudja, hogy ki ölte meg az apámat?

– Igen, van egy nagyon jó elképzelésünk. A gyilkos bizonyos értelemben itthagyta a névjegyét. Ezért hívtam ide Mr. Langdont. Az a csoport, amely magára vállalta a felelősséget, az ő szakterülete.

– Csoport? Egy terrorista csoport?

– Vittoria, elloptak egy negyed gramm antianyagot.

Vittoria ránézett a szoba másik végében álló Robert Langdonra. Kezdett összeállni a kép. Ez részben megmagyarázza a titkolózást. Csak azon csodálkozott, miért nem jutott ez eszébe hamarabb. Kohler végül is értesítette a hatóságokat. A hatóság. Hiszen ez nyilvánvaló. Robert Langdon amerikai, ápolt külsejű, konzervatív, és minden bizonnyal nagyon okos. Ki más is lehetne? Már az első percben rájöhetett volna. Vittoria újraéledő reménnyel fordult felé.

– Mr. Langdon, tudni akarom, ki ölte meg az apámat. És azt is szeretném tudni, hogy az ön szervezete meg tudja-e találni az antianyagot.

Langdon idegesnek tűnt. – A szervezetem?

– Az amerikai titkosszolgálattól jött, gondolom.

– Az igazat megvallva... nem.

Kohler közbeavatkozott. – Mr. Langdon a művészettörténet professzora a Harvard Egyetemen.

Vittoria úgy érezte magát, mintha jeges vízzel öntötték volna nyakon. – Művészettörténész?

– A kultikus szimbólumok szakértője. – Kohler sóhajtott.

– Vittoria, úgy véljük, hogy az apját egy sátánista szekta gyilkolta meg.

Vittoria agyába elhatoltak a szavak, de képtelen volt feldolgozni őket. Egy sátánista szekta.

– A felelősséget magára vállaló csoport az Illuminátusok testvériségének nevezi magát.

Vittoria Kohlerre nézett, azután Langdonra, azon tűnődve, hogy ez most valami perverz tréfa akar-e lenni.

– Illuminátusok? – kérdezte. – Mint a bajor Illuminátusok?

Kohler meglepettnek tűnt. – Maga hallott róluk?

Vittoria érezte, hogy a tehetetlen harag könnyei mindjárt kitörnek a felszín alól. – Bajor Illuminátusok: Az új világrend. Steve Jackson számítógépes játéka. Az itteni technikusok fele ezt játssza az interneten. – Megtört a hangja. – De nem értem, hogy...

Kohler zavart pillantást vetett Langdonra.

Langdon bólintott. – Népszerű játék. Az ősi testvériség átveszi a világuralmat. Félig-meddig történelmi. Nem tudtam, hogy Európában is ismerik.

Vittoria semmit sem értett. – Miről beszélnek? Az Illuminátusok? Hiszen az egy számítógépes játék!

– Vittoria – mondta Kohler –, az Illuminátusok az a csoport, amely magára vállalta a felelősséget az apja haláláért.

Vittoria összeszedte minden maradék erejét, hogy visszaparancsolja a könnyeit. Kényszerítette magát, hogy tartson ki, és logikusan mérlegelje a helyzetet. De minél jobban összpontosított, annál kevésbé értette a dolgot. Az apját meggyilkolták. A CERN biztonsági rendszerét feltörték. Valahol ketyeg egy időzített bomba, és ő a felelős érte. És az igazgató egy művészettörténészt szemelt ki, hogy segítsen nekik megtalálni egy rejtélyes sátánista testvériséget.

Vittoria hirtelen nagyon magányosnak érezte magát. Megfordult, hogy elmenjen, de Kohler útját állta. Kivett valamit a zsebéből. Egy papiros, egy gyűrött fax volt az, amit átnyújtott neki.

Vittoria megtántorodott rémületében, amikor megpillantotta a képet.

– Megbélyegezték – mondta Kohler. – A mellkasára sütötték az átkozott bélyegüket.

28

Sylvie Baudeloque, a titkárnő most már pánikban volt. Fel-alá járkált az üres igazgatói iroda előtt. Hol a pokolban lehet? Mit csináljak?

Furcsa egy nap volt. Természetesen Maximilian Kohler mellett dolgozva bármelyik nap különös lehetett, de Kohler ma kivételesen jó formában volt.

– Találja meg nekem Leonardo Vetrát! – rendelkezett, amikor Sylvie ma reggel munkába állt.

Sylvie kötelességtudóan próbálkozott a személyhívóval, a telefonnal, majd e-mailt küldött Leonardo Vetrának.

Semmi.

Így hát Kohler dühöngve távozott, nyilvánvalóan azért, hogy maga keresse meg Vetrát. Amikor Kohler pár óra elteltével visszakerekezett, határozottan látszott rajta, hogy nincs jól... nem mintha valaha is egészségesnek tűnt volna, de most rosszabb volt a szokásosnál. Bezárkózott az irodájába, és Sylvie hallotta, ahogy a modemet, a telefont, a faxot használja és beszél. Aztán újra kigurult az irodából. És azóta sem tért vissza.

Sylvie úgy döntött, hogy nem foglalkozik a különcködésével, hanem egy új kohleri melodrámának tekinti, de aggódni kezdett, amikor Kohler nem érkezett meg a naponta esedékes injekciók időpontjára sem; az igazgató fizikai állapota rendszeres kezelést igényelt, és amikor elhanyagolta az egészségét, azonnal jelentkeztek a tünetek: légzési nehézségek, köhögési rohamok és a kórházi személyzet kétségbeesett futkosása. Sylvie néha arra gondolt, hogy Maximilian Kohler a halált kívánja.

Felmerült benne, hogy emlékeztetőül rácsipog a személyhívón, de már megtanulta, hogy Kohler büszkesége nem viseli el a jótékonykodást. A múlt héten is annyira feldühítette egy vendégségbe érkezett tudós, aki szánalmat mutatott iránta, hogy Kohler feltápászkodott és fejbe vágta az illetőt egy mappával. Kohler király meglepően agilis tudott lenni, amikor kiborították.

Pillanatnyilag azonban Sylvie-nek félre kellett tennie aggódását az igazgató egészségéért... mivel egy sokkal sürgetőbb problémával nézett szembe. Öt perccel ezelőtt lázas izgalomban szólt ide a CERN telefonkezelője, hogy az igazgatónak fontos hívása van.

– Nem elérhető – közölte Sylvie.

Akkor a CERN operátora megmondta, ki van a telefonnál. Sylvie félhangosan felnevetett. – Ugye csak viccel? – A választ hallva hitetlenkedés ült ki az arcára. – És azonosította a hívót? – Sylvie-nek ráncba futott a homloka. – Értem. Rendben. Megkérdezné, hogy mit... – Felsóhajtott. – Nem. Jól van. Mondja meg neki, hogy várjon. Azonnal megkeresem az igazgatót. Igen, értem. Sietek.

De Sylvie nem tudta megtalálni az igazgatót. Háromszor hívta a mobiltelefonját, és mindannyiszor ugyanazt az üzenetet kapta: *A hívott szám pillanatnyilag nem elérhető.* Nem elérhető? De hát milyen messzire mehetett? Sylvie ekkor megpróbálkozott Kohler személyhívójával. Kétszer. Semmi válasz. Ez merőben szokatlan volt. Sylvie még e-mailt is küldött a főnöke mobil számítógépére. Semmi. Olyan volt, mintha az az ember eltűnt volna a föld színéről.

Akkor most mit tegyek? – tűnődött Sylvie.

Leszámítva azt, hogy egyedül átkutatja a CERN teljes területét, Sylvie-nek csak egy módja volt arra, hogy magára vonja az igazgató figyelmét. Nem fog örülni neki, de a telefonáló nem az az ember volt, akit Kohler megvárakoztathatott. És nagyon nem tűnt olyannak a hívó fél hangulata, hogy azt lehessen mondani neki: az igazgató nem elérhető.

Saját merészségétől feltüzelve, Sylvie elszánta magát. Bement Kohler irodájába, és odalépett az íróasztala mögötti falra szerelt fémdobozhoz. Kinyitotta az ajtaját, végignézte a kapcsolókat és megtalálta a megfelelő gombot.

Aztán vett egy nagy levegőt és megragadta a mikrofont.

29

Vittoria nem emlékezett rá, hogyan jutottak el a főliftig, de ott voltak. És fölfelé tartottak. Kohler a lány háta mögött, zihálva lélegzett. Langdon aggódó tekintete úgy siklott át Vittorián, mint egy szellemen. Kivette a faxot a lány kezéből és elrejtette a zakója zsebébe, hogy ne lássa, de a kép már beleégett Vittoria emlékezetébe.

Ahogy emelkedtek fölfelé, Vittoria világára ráborult a sötétség. Papa! Gondolatban utánanyúlt. Csak egyetlen pillanatra, emlékezete oázisában, Vittoria újra vele volt. Kilencévesen gurult lefelé egy havasi gyopárral pöttyözött domboldalon, a feje fölött Svájc ege forgott.

Papa! Papa!

Leonardo Vetra nevetve, ragyogó arccal állt mellette.

– Tessék, angyalom?

– Papa! – kuncogott, közel nyomakodva hozzá. – Kérdezd meg tőlem, hogy mi van!

– De hiszen olyan boldognak látszol, édesem. Miért kérdezzem meg, hogy mi van?

– Azért csak kérdezd meg.

Vetra vállat vont. – Mi van?

Vittoria azonnal elnevette magát. – Hogy mi van? Az anyag van. A világon minden anyag! A kövek! A fák! Az atomok! Még a hangyászsün is! Minden anyag!

Vetra is nevetett. – Erre te jöttél rá?

– Okos vagyok, igaz?

– Egy kis Einstein.

Vittoria a homlokát ráncolta. – Hülye haja van. Láttam a képét.

– Viszont okos feje. Elmondtam neked, hogy mit bizonyított be, igaz?

A gyerek szeme rémülten elkerekedett. – Papa! Ne! Megígérted!

– $E=mc^2$! – Játékosan megcsiklandozta a kislányt. – $E=mc^2$!

– Csak semmi matek! Megmondtam neked! Utálom!

– Örülök neki, hogy utálod. Mert a lányoknak amúgy is tilos matematikával foglalkozniuk.

Vittoria megdermedt. – Tilos?

– Hát persze. Ezt mindenki tudja. A lányok babáznak. A fiúk matekoznak. Nem is volna szabad matematikáról beszélnem a kislányoknak.

– Micsoda? De ez nem igazság!

– A szabály, az szabály. A kislányoknak tilos a matek.

Vittoria nagyon megrémült. – De a babák olyan unalmasak!

– Sajnálom – mondta az apja. – Beszélhetnék neked a matekról, de ha rajtakapnak... – Nyugtalanul nézett körül az elhagyatott hegyek között.

Vittoria követte a pillantását. – Oké – suttogta. – Akkor csak halkan mondjad.

†††

A lift mozgása magához térítette. Vittoria kinyitotta a szemét. Az apja eltűnt.

Rátört a valóság, beborította fagyos markával. Langdonra nézett. Az őszinte aggodalom a tekintetében olyan érzés volt, akár egy őrző angyal melege, különösen Kohler jeges aurájával összehasonlítva.

Egyetlen gondolat zakatolt Vittoriában, szűnni nem akaró erővel.

Hol van az antianyag?

A rémületes válasz csak egy pillanatot váratott magára.

30

– Maximilian Kohler. Kérem, azonnal hívja fel az irodáját.

Tűző napsugarak szúrtak Langdon szemébe, ahogy feltárult a főépület előcsarnokába érkező lift ajtaja. Még mielőtt elhalt volna a fejük fölött az intercomon tett bejelentés visszhangja, Kohler székén egyszerre kezdett el csipogni és zümmögni valamennyi elektronikus berendezés. A személyhívója. A telefonja. Az e-mailt jelző dallam. Kohler nyilvánvaló zavarral nézett végig a villogó lámpák során. Az igazgató visszatért a föld alól, és ismét elérhetővé vált.

– Kohler igazgató. Kérem, hívja fel az irodáját.

Nevének felhangzása mintha megriasztotta volna Kohlert. Felpillantott, először haragosan, majd szinte azon nyomban aggodalmassá vált a tekintete. Összenézett Langdonnal és Vittoriával. Egy másodpercig mind a hárman mozdulatlanná dermedtek, mintha elillant volna a köztük lévő minden feszültség, átadva helyét egyetlen, közös balsejtelemnek.

Kohler fölemelte a szék karfájába süllyesztett mobiltelefont. Tárcsázott, miközben egy újabb köhögőrohammal küzdött. Langdon és Vittoria várt.

– Itt... itt Kohler igazgató – mondta levegő után kapkodva. – Igen? A föld alatt voltam, azért nem értek el. – Ahogy hallgatott, úgy tágult egyre nagyobbra a szeme. – Ki? Igen, azonnal kapcsolja. – Szünet következett. – Halló! Itt Maximilian Kohler. A CERN igazgatója vagyok. Kivel beszélek?

Vittoria és Langdon némán figyelte a telefonáló Kohlert.

– Nem volna bölcs dolog – mondta végül Kohler –, ezt telefonon át megbeszélni. Azonnal odamegyek. – Ismét köhögni kezdett. – Találkozzunk a... Leonardo da Vinci repülőtéren. Negyven perc múlva. – Úgy tűnt, hogy most már egészen cserbenhagyja a tüdeje. Erőt vett rajta a köhögési roham, és alig tudta kipréselni magából a szavakat: – Azonnal keressék meg a tárolóedényt... Indulok. – Azzal letette a telefont.

Vittoria odarohant Kohlerhez, de Kohler már nem tudott

beszélni. Langdon figyelte, ahogy Vittoria előveszi a saját telefonját, és vészjelzést küld a CERN kórházába. Langdon úgy érezte magát, mintha egy viharzóna peremén haladó hajóban utazna... hánykolódva, de mégis távolról szemlélve a dolgot. Találkozzunk a Leonardo da Vinci repülőtéren. Kohler szavai visszhangoztak benne.

Azok a bizonytalan árnyak, amelyek egész délelőtt elködösítették Langdon agyát, egyetlen pillanat leforgása alatt élénk képpé álltak össze. Ahogy ott állt a zűrzavar kellős közepén, úgy érezte, mintha kinyílna benne egy ajtó... mintha átlépne valami rejtélyes küszöböt. Az ambigramma. A meggyilkolt pap–tudós. Az antianyag. És most... a célpont. A Leonardo da Vinci repülőtér csak egy dolgot jelenthet. A hirtelen felismerés pillanatában Langdon rádöbbent, hogy átkerült a túloldalra. Hitetlenből hívő lett.

Öt kilotonna. Legyen világosság.

Két egészségügyis bukkant fel, fehér köpenyben vágtattak keresztül az előcsarnokon. Letérdeltek Kohler mellé, és oxigénmaszkot helyeztek az arcára. Az arra járó tudósok megálltak és hátrahúzódtak.

Kohler két mély szippantás után félretolta a maszkot, és még mindig levegőért kapkodva fölnézett Vittoriára és Langdonra. – Róma.

– Róma? – kérdezett vissza Vittoria. – Rómában van az antianyag? Ki telefonált?

Kohler arca megrándult, szürke szeme elfátyolozódott. – A svájci... – Beszéd közben elfulladt, mire az egészségügyiek visszaillesztették az arcára a maszkot. Miközben előkészületeket tettek Kohler elszállítására, az igazgató felnyúlt és megragadta Langdon karját.

Langdon bólintott. Értette.

– Menjenek – zihálta Kohler a maszk alatt. – Menjenek...
majd hívjanak... – Az egészségügyisek gurítani kezdték a szé-
ket.

Vittoria úgy állt ott, mint akit leszögeztek, és a távolodó
Kohler után bámult. Majd Langdonhoz fordult. – Róma?
De... mit jelentett az a svájci?

Langdon Vittoria vállára tette a kezét és alig hallhatóan
suttogta. – A svájci testőrséget – mondta. – A Vatikán feles-
küdött őrző-védőit.

31

Az X-33-as űrrepülő belehasított a levegőégbe és zúg-
va délnek száguldott velük, Róma felé. Langdon szótlanul ült
a fedélzeten. Az utolsó tizenöt perc összemosódott benne.
Miután befejezte Vittoria felvilágosítását az Illuminátusokról
és a Vatikán elleni szövetségükről, kezdett felderengeni előtte
a helyzet abszurditása.

Mi az ördögöt keresek itt? – tűnődött Langdon. Az első
adandó alkalommal haza kellene mennem! Jóllehet a szíve
mélyén tudta, hogy erre nem fog semmilyen alkalma adódni.

A jobbik esze azt súgta Langdonnak, hogy haladéktalanul
térjen vissza Bostonba. Ám a tudományos kíváncsiság lesza-
vazta a józan ész parancsát. Mindaz, amit valaha hitt az Illu-
minátusok megszűnéséről, egyszerre briliáns megtévesztés-

ként tűnt fel előtte. Énje egy része bizonyítékot követelt. Megerősítést. És ott volt még a lelkiismereti kérdés is. A gyengélkedő Kohlerre és a magára maradt Vittoriára gondolva Langdon tudta, hogy ha bármilyen módon segítséget jelenthetnek az Illuminátusokról szerzett ismeretei, akkor erkölcsi kötelessége kitartani.

És volt még valami. Jóllehet Langdon röstellte bevallani, de amikor meghallotta, hogy hová került az antianyag, kezdeti rémülete nemcsak a Vatikánban fenyegetett emberéleteknek szólt, hanem valami másnak is.

A művészetnek.

A világ legnagyobb műgyűjteménye alatt most egy időzített bomba ketyeg. A vatikáni múzeumok 1407 terme több mint 60 ezer, felbecsülhetetlen értékű remeknek ad otthont – Michelangelo, da Vinci, Botticelli műveinek. Langdon azon tűnődött, vajon lehetséges-e mindezt evakuálni, ha szükségessé válik. Tudta, hogy lehetetlen. A műtárgyak egy része többtonnás szobor. Nem beszélve arról, hogy a legnagyobb kincsek építészeti jellegűek – a Sixtus-kápolna, a Szent Péter-székesegyház, Michelangelo híres spirális lépcsője, amely a Museo Vaticanóba vezet –, pótolhatatlan megtestesülései az ember teremtő géniuszának. Langdon tudni szerette volna, mennyi időt mutathat a tárolóedény számlálója.

– Köszönöm, hogy eljött – szólalt meg Vittoria halk hangon.

Langdon magához tért merengéséből és fölnézett. Vittoria a folyosó túloldalán ült. Még a kabin éles, fluoreszkáló fényében is az összhang aurája vette körül – a teljesség szinte magnetikus kisugárzása. Most mélyebbnek tűnt a légzése, mintha felszikrázott volna benne az önvédelem... az igazság és a bosszú utáni vágyakozás, amelyet a gyermeki szeretet táplált.

Vittoriának nem maradt ideje lecserélni a rövidnadrágot és az ujjatlan trikót, és most barnára sült lába libabőrös lett a repülőgép hidegében. Langdon ösztönösen kibújt a zakójából és felajánlotta neki.

– Amerikai lovagiasság? – Vittoria elfogadta, csak a szemével mondva néma köszönetet.

A gép légörvénybe kerülve hánykolódott, és Langdonban feltámadt a veszély érzete. Az ablaktalan kabin ismét szűkösnek tűnt, ezért megpróbálta azt képzelni, hogy egy szabad mezőn áll. Rá kellett ébrednie, hogy mennyire ironikus ez az elgondolás. Akkor is szabad mezőn állt, amikor megtörtént. Szorongató sötétség. Elhessegette az emléket. Régi história.

Vittoria Langdont figyelte. – Hisz Istenben, Mr. Langdon?

A kérdés megütközést keltett benne. És csak még lefegyverzőbbé tette Vittoria hangjának komolysága. Hiszek-e Istenben? Azt remélte, hogy könnyedebb témákról társalogva töltik az utazás idejét.

Spirituális találós kérdés, gondolta Langdon. Így neveznek a barátaim. Noha évekig tanulmányozta a vallást, Langdon nem volt vallásos ember. Tisztelte a hit erejét, az egyházak jótékonyságát, mindazt, amit a hit jelentett megannyi ember számára... és mégis, a hitetlenség intellektuális felfüggesztése, amely alapvető feltétele az igazi hívővé válásnak, mindenkor túl nagy akadálynak bizonyult az ő kutató elméje számára. – Szeretnék hinni – hallotta a saját válaszát.

Vittoria reakciójában nem volt sem ítélkezés, sem visszavágás. – Akkor miért nem teszi?

Langdon felnevetett. – Ez nem ilyen egyszerű. A hithez nagy ugrások kellenek, a csodák értelmi elfogadása... olyasmikre gondolok, mint a szeplőtelen fogantatás és az isteni beavatkozások. Azután ott vannak még a magatartási szabályok. A Biblia, a Korán, a buddhisták szentírása... ezek mind hasonló követelményeket támasztanak... és hasonló büntetéseket helyeznek kilátásba. Azt állítják, hogy ha nem tartok be egy bizonyos szabályt, akkor a pokolra kerülök. Nem tudok elképzelni olyan Istent, aki így kormányozná a világot.

– Remélem, nem engedi, hogy a diákjai is ilyen szemérmetlenül térjenek ki a kérdések elől.

A megjegyzés váratlanul érte Langdont. – Mi?

– Mr. Langdon, én nem azt kérdeztem, hogy hisz-e abban, amit az emberek Istenről mondanak. Azt kérdeztem, hogy hisz-e Istenben. Ez nem ugyanaz. A Szentírás történetekből áll... legendákból... amelyek arról szólnak, hogyan igyekezett értelmet keresni az ember saját életének. Én nem azt kértem, hogy mondjon ítéletet az irodalomról. Én azt kérdezem, hogy hisz-e Istenben. Amikor hanyatt fekszik a csillagos ég alatt, érzi-e az isteni jelenlétet? Érzi-e a zsigereiben, hogy Isten művét szemléli?

Langdon egy hosszú másodpercig fontolgatta a választ.

– Kíváncsiskodom – mentegetőzött Vittoria.

– Nem, én csak...

– Bizonyára vitatkozik hitbeli kérdésekről a tanítványaival.

– Állandóan.

– És képzelem, hogy maga játssza az ördög ügyvédje szerepét. Folyton aláfűt a vitának.

Langdon elmosolyodott. – Mintha maga is tanár lenne.

– Nem vagyok az, de jó mestertől tanultam. Az apám képes volt a Möbius-szalag mindkét oldala mellett érvelni.

Langdon nevetett, maga elé képzelve egy Möbius-szalag mesteri szerkezetét – a csavart papírgyűrűt, amelynek valójában csak egy oldala van. Langdon M. C. Escher műtárgyaként találkozott először az egyoldalú alakzattal. – Kérdezhetek valamit, Ms. Vetra?

– Szólítson Vittoriának. A Ms. Vetrától öregnek érzem magam.

Langdon titkon sóhajtott egyet, egyszerre ráébredve a saját korára. – Vittoria, én pedig Robert vagyok.

– Kérdezni akart valamit.

– Igen. Mint tudós, és mint egy katolikus pap lánya hogyan vélekedik a vallásról?

Vittoria kivárt, elsimított egy szemébe lógó hajfürtöt. – A vallás olyan, mint a nyelv vagy a ruha. A nehézségi erő afelé húz bennünket, amit belénk neveltek. És a végén valamennyien ugyanazt állítjuk. Hogy az életnek van értelme. Hogy hálásak vagyunk annak az erőnek, amely megteremtett bennünket.

Langdont kezdte érdekelni a dolog. – Tehát azt mondja, hogy az ember pusztán attól lesz keresztény vagy muzulmán, hogy hová születik?

– Hát nem nyilvánvaló? Nézze meg a föld vallási megoszlását.

– Akkor a hit véletlenszerű?

– Aligha. A hit egyetemes. De a hit felfogásának speciális módszerei önkényesek. Vannak, akik Jézushoz imádkoznak, mások Mekkába zarándokolnak, megint másik a szubatomi részecskéket tanulmányozzák. Végeredményben valamennyien az igazságot keressük, amely nagyobb, mint mi vagyunk.

Langdon azt kívánta, bárcsak a tanítványai is ilyen világosan fejeznék ki magukat. A fenébe is, azt kívánta, bárcsak ő tudná ilyen világosan kifejezni magát. – És mi van Istennel? – kérdezte. – Maga hisz Istenben?

Vittoria sokáig hallgatott. – A tudomány azt mondja nekem, hogy Istennek léteznie kell. Az agyam azt mondja, hogy soha nem fogom megérteni Istent. És a szívem azt súgja, hogy nem is kell megértenem.

Ez aztán a velős megfogalmazás! – gondolta Langdon. – Tehát hisz abban, hogy Isten léte tény, de mi soha nem érthetjük meg Őt.

– Isten nőnemű – mondta Vittoria mosolyogva. – Ezt jól tudják Amerika őslakói.

Langdon elnevette magát. – A Földanya.

– Gaia. A bolygónk egy organizmus. Valamennyien sejtek vagyunk, különböző célokkal. Mégis összekapcsolódunk egymással. Szolgáljuk egymást. Szolgáljuk a nagy egészet.

Langdon a lányt nézte, és érezte, hogy megmozdul benne valami, amit már régóta nem érzett. Elbűvölő tisztaság volt a lány tekintetében... a hangjában. Vonzódást érzett.

– Mr. Langdon, hadd tegyek fel még egy kérdést.

– Robert – javította ki. A Mr. Langdontól öregnek érzem magam. Öreg vagyok!

– Ha szabad megkérdeznem, Robert, hogy került kapcsolatba az Illuminátusokkal?

Langdon felidézte. – Az igazat megvallva, a pénzen keresztül.

Vittoria csalódottnak tűnt. – A pénzen? Úgy érti, hogy tanácsadónak kérték fel?

Langdon elnevette magát, amikor ráébredt, hogy félreérthetően fogalmazott. – Nem. A pénzre, mint fizetőeszközre gondoltam. – Benyúlt a nadrágzsebébe és kimarkolt némi pénzt. Kiválasztott egy egydolláros bankjegyet. – Akkor kezdtem el érdeklődni a szekta iránt, amikor megtudtam, hogy az Egyesült Államok bankóit az Illuminátusok szimbólumai díszítik.

Vittoria szeme összeszűkült, láthatóan nem tudta, hogy komolyan vegye-e Langdont.

Langdon odaadta neki a bankjegyet. – Nézze meg a hátát. Látja a Nagy Pecsétet a bal oldalon?

Vittoria megfordította az egydollárost. – Arra a piramisra gondol?

– Igen. Tudja, mi köze a piramisoknak az amerikai történelemhez?

Vittoria vállat vont.

– Úgy van – mondta Langdon. – Semmi az égvilágon.

Vittoria a homlokát ráncolta. – Akkor miért ez a központi szimbóluma a pénzük Nagy Pecsétjének?

– A történelem egy rejtélyes szelete – mondta Langdon. – A piramis okkultista jelkép, amely a fölfelé tartó mozgást szimbolizálja a Megvilágosodás végső forrása felé. És mit lát fölötte?

Vittoria jól megnézte a bankjegyet. – Egy háromszöget, benne egy szemmel.

– Ez az úgynevezett *trinacria*. Látott már valaha ilyen háromszögbe zárt szemet?

Vittoria egy pillanatig hallgatott. – Ami azt illeti, igen, de nem tudom biztosan...

– Világszerte ezt festik a szabadkőműves-páholyokra.

– Ez egy szabadkőműves-szimbólum?

– Tulajdonképpen nem. Hanem az Illuminátusoké. Ők úgy nevezik, hogy „ragyogó delta". A megvilágosodott változás óhaja. A szem az Illuminátusok azon képességére utal, hogy mindenhová behatoljanak és megfigyeljék a dolgokat. A ragyogó háromszög a megvilágosodást jelképezi. Egyszersmind megfelel a görög ábécé delta betűjének, amely mint matematikai jel a...

– A változás jele. Az átalakulásé.

Langdon elmosolyodott. – Megfeledkeztem róla, hogy egy tudóssal állok szemben.

– Tehát azt állítja, hogy az Egyesült Államok Nagy Pecsétje a megvilágosodás, a mindent átható változás vágyát jelképezi?

– Vannak, akik új világrendnek nevezik.

Vittoriát láthatóan megdöbbentette a dolog. Újra megnézte a bankjegyet. – A piramis alatt az olvasható: *Novus... Ordo...*

– *Novus Ordo Seclorum* – mondta Langdon. – Azt jelenti: Új Világi Rend.

– A világi azt jelenti, hogy nem vallási?

– Nem vallási. Ez a kifejezés nemcsak az Illuminátusok célját közli félreérthetetlenül, de homlokegyenest ellentmond a mellette álló mondatnak: *Bízzunk Istenben.*

Vittoria zavartnak tűnt. – De hogyan kerülnek ezek a szimbólumok a világ legértékesebb fizetőeszközére?

– A kutatók többsége szerint Henry Wallace alelnök révén, akinek magas posztja volt a szabadkőműveseknél és minden bizonnyal kapcsolatban állt az Illuminátusokkal. Hogy a tagjuk volt-e, vagy csak öntudatlanul került a befolyásuk alá, azt senki sem tudja. De Wallace volt az, aki elfogadtatta a Nagy Pecsét tervét az elnökkel.

– De hogyan? Miért egyezett bele az elnök, hogy...

– Az az elnök Franklin D. Roosevelt volt. Wallace csak annyit mondott neki, hogy a Novus Ordo Seclorum ugyanazt jelenti, mint a New Deal.

Vittorián látszott, hogy kételkedik. – És Roosevelt nem nézette meg senki mással azt a szimbólumot, mielőtt odaszólt a pénzverdének, hogy nyomtassák ki?

– Nem volt rá szükség. Ő és Wallace olyanok voltak, mint a testvérek.

– Testvérek?

– Nézzen utána a történelemkönyvében – mondta mosolyogva Langdon. – Franklin D. Roosevelt közismert szabadkőműves volt.

32

L angdon visszatartotta a lélegzetét, miközben az X-33-as némi körözés után leszállni készült a római Leonardo da Vinci repülőtéren. A vele átellenben ülő Vittoria becsukta a szemét, mintha megpróbálná az akaratával uralni a helyzetet. A gép földet ért és egy privát hangár felé gurult.

– Elnézést a lassú utazásért – mentegetőzött a fülkéből kiszálló pilóta. – Vissza kellett fognom a kicsikét. A lakott területek fölötti zajkorlátozás miatt.

Langdon megnézte az óráját. Harminchét percet töltöttek a levegőben.

A pilóta kinyitotta a külső ajtót. – Nem akarja valaki elmondani, hogy mi folyik itt?

Sem Vittoria, sem Langdon nem válaszolt.

– Oké – mondta a pilóta nyújtózkodás közben. – A fülkémben leszek a légkondicionáló és a magnóm társaságában. Csak én és Garth.

A késő délutáni nap erősen tűzött a hangáron kívül. Langdon a vállára vetette a tweedzakóját. Vittoria az ég felé fordította az arcát és mélyet lélegzett, mintha a nap sugarai valamilyen misztikus megújító energiát közvetítenének neki.

Mediterrán népek, gondolta Langdon, aki máris megizzadt.

– Kicsit öreg már a rajzfilmekhez, nem? – jegyezte meg Vittoria anélkül, hogy kinyitotta volna a szemét.

– Tessék?

– A karórája. Láttam a gépen.

Langdon kissé elpirult. Hozzá volt szokva, hogy meg kell védenie a vekkerét. A gyűjtőknek való Miki egeres karóra gyerekkori ajándék volt a szüleitől. Dacára Miki komikusan kicsavart karjának, amely óramutatóként szolgált, Langdon sosem hordott más órát. Vízálló, világít a sötétben: tökéletesen alkalmas az úszáshoz és az esti sétához az egyetem kivilágítatlan gyalogútjain. Amikor Langdon diákjai megkérdőjelezték az ízlését, azt válaszolta nekik, a Miki egér minden nap arra emlékezteti, hogy a szívében fiatal maradjon.

– Hat óra van – mondta.

Vittoria bólintott, még mindig behunyt szemmel. – Azt hiszem, előállt a gépünk.

Langdon meghallotta a távoli zúgást, odanézett és elszállt a jókedve. Észak felől egy helikopter közeledett, alacsonyan húzva el a kifutópálya fölött. Langdon ült már egyszer helikopteren, az Andokban, amikor a Nazca-homokrajzokat nézte meg odafentről a Palpa-völgyben, és a legkevésbé sem élvezte a repülést. A ma délelőtti két űrrepülés után azt remélte, hogy a Vatikán kocsit küld értük.

Hát nem.

A helikopter lelassult, a fejük felett lebegett egy pillanatig, azután ereszkedni kezdett az előttük lévő leszállópálya felé. Fehér volt, az oldalára festett címeren, egy pajzson keresztbetett két álkulcs és a pápai korona. Langdon jól ismerte a szimbólumot. Ez volt a Vatikán tradicionális pecsétje, a Szentszék, vagyis az uralkodás jelképe, amelyben a „szék" szó szerint értendő, lévén Szent Péter ősi trónusa.

A Szent Helikopter, nyögött fel Langdon, a földet érő gépet figyelve. Elfelejtette, hogy a Vatikánnak is van helikoptere, amelyet arra használnak, hogy elvigye a pápát a repülőtérre, a találkozókra vagy a gandolfói nyári palotájába. Langdon határozottan jobban örült volna egy autónak.

A pilóta kiugrott a fülkéjéből és sietve megindult feléjük a betonon.

Most Vittorián volt a sor, hogy kényelmetlenül érezze magát. – Ez volna a pilótánk?

Langdon osztozott a lány aggodalmában. – Repülni vagy nem repülni. Ez itt a kérdés.

A pilóta úgy festett, mintha egy Shakespeare-komédiához öltözött volna. Puffos tunikáját függőleges kék és arany csíkok díszítették. Hozzáillő nadrágot és kamásnit viselt. A lábán a fekete félcipő papucsra emlékeztetett. A fején barettsapka, fekete nemezből.

– A svájci testőrség hagyományos egyenruhája – magyarázta Langdon. – Maga Michelangelo tervezte. – Ahogy a férfi közelebb ért, Langdon összerezzent. – Elismerem, nem tartozik Michelangelo legsikerültebb művei közé.

A feltűnő öltözék ellenére Langdon tisztán látta, hogy profival van dolguk. Egy amerikai tengerészgyalogos tökéletes merevségével és méltóságával közeledett feléjük. Langdon sokat olvasott már az elit svájci testőrré válás szigorú követelményeiről. Svájc négy katolikus kantonjának egyikéből toborozzák a jelölteket, akiknek tizenkilenc és harminc év közötti, nőtlen svájci férfiaknak kell lenniük, a magasságuk minimum 168 centiméter, és a svájci hadseregben kapnak kiképzést. A világ kormányai mind irigyelték ezt a nagyszerű hadtestet, mivel ezt tartották a földkerekség leghűségesebb és leghatékonyabb biztonsági szolgálatának.

– A CERN-ből jöttek? – kérdezte az eléjük érkező testőr. Acélos volt a hangja.

– Igen, uram – válaszolta Langdon.

– Figyelemre méltó a gyorsaságuk – jegyezte meg, elismerő pillantást vetve az X-33-asra. Majd Vittoriához fordult.

– Asszonyom, van másmilyen ruházata is?

– Tessék?

A férfi a lábára mutatott. – Rövidnadrágban nem léphet be a Vatikánba.

Langdon lenézett Vittoria lábára és összevonta a szemöldökét. Megint elfelejtett valamit. Vatikánvárosban szigorúan tilos a térdet nem takaró ruha, legyen az férfi- vagy női térd. A szabály lényege, hogy Isten városának szentsége iránt köteles tiszteletet mutatni.

– Csak ez a ruhám van – felelte Vittoria. – Nagyon siettünk.

A testőr bólintott, de láthatóan nem volt ínyére a dolog. Most Langdonhoz fordult. – Van önnél fegyver?

Fegyver? – gondolta Langdon. Hiszen még egy váltás fehérnemű sincs nálam! Megrázta a fejét.

A tiszt leguggolt, és a bokájától kiindulva végigtapogatta Langdon lábát. Ezt nevezem bizalomnak, gondolta Langdon. A testőr erős keze fölfelé vándorolt Langdon lábán, kínosan közeledve az ágyékához. Végül a mellkasán és a vállán folytatta a motozást. Az eredménnyel elégedetten a testőr Vittoriához fordult. Tetőtől talpig megnézte magának.

Vittoria szeme villámot szórt. – Eszébe ne jusson.

A testőr félelmetesnek szánt pillantással viszonozta Vittoria tekintetét. Vittoria meg sem rezzent.

– Az mi? – kérdezte a testőr a rövidnadrág egyik első zsebére mutatva, amely kissé kidudorodott.

Vittoria elővette a karcsú mobiltelefont. A testőr bekapcsolta, megvárta a tárcsahangot, aztán látható elégedettséggel, hogy tényleg csak egy telefonról van szó, visszaadta. Vittoria ismét becsúsztatta a zsebébe.

– Forduljon meg, legyen szíves – mondta a testőr.

Vittoria engedelmeskedett, és fölemelt karral leírt egy 360 fokos teljes kört.

A testőr aprólékosan végignézte. Langdon már megállapította, hogy Vittoria testhezálló sortja és blúza sehol sem domborodik ott, ahol nem kéne. Nyilvánvaló volt, hogy a testőr is ugyanerre a következtetésre jutott.

– Köszönöm. Erre tessék.

A svájci testőrség helikoptere üresben járatta a motort, amíg Langdon és Vittoria oda nem ért. Vittoria szállt be elsőnek, akár egy hétpróbás profi, alig hajolt le, amikor átment a pörgő légcsavarok alatt. Langdon egy másodperccel lemaradt.

– Nem mehetnénk kocsival? – üvöltötte oda, félig-meddig tréfásan a svájci testőrnek, aki bemászott a pilótaülésre.

Nem kapott választ.

Langdon tudta, hogy az eszelős római sofőröket tekintve, valószínűleg a repülés biztonságosabb. Vett egy nagy levegőt és beszállt, gondosan elhajolva a forgó rotorok elől.

Ahogy a testőr begyújtotta a motorokat, Vittoria odaszólt neki: – Megtalálták a tárolóedényt?

A testőr hátrapillantott a válla fölött, és zavart tekintetet vetett rá. – A micsodát?

– A tárolóedényt. Nem egy tárolóedény miatt hívták fel a CERN-t?

A férfi vállat vont. – Fogalmam sincs, miről beszél. Ma nagyon hajtós napunk volt. A parancsnokom szólt, hogy vegyem fel magukat. Ennyit tudok.

Vittoria nyugtalan pillantást váltott Langdonnal.

– Csatolják be magukat – mondta a pilóta, miközben a felpörgette a motort.

Langdon fogta a biztonsági övet és bekattintotta. A kis géptörzs mintha összezárult volna körülötte. Aztán a helikopter nagy robajjal kilőtt, és éles szögben északnak vette az irányt.

Róma... *caput mundi*, ahol egykor Caesar uralkodott, ahol Szent Pétert keresztre feszítették. A modern civilizáció bölcsője. Amelynek szívében most egy bomba ketyeg.

33

Róma igazi útvesztő a levegőből nézve — az épületek, díszkutak és málladozó romok között kanyargó ősrégi utak kivehetetlen labirintusa.

A Vatikán helikoptere végig alacsonyan repült, miközben északnyugatnak tartva belehasított az örökös szmogba, amelyet folyamatosan táplált a lenti forgalom. Langdon lenézett a mopedek, városnéző buszok és miniatűr Fiat szedánok seregére, amelyek zúgva húztak el minden irányban. *Koyaanisqatsi*, gondolta, felidézve magában a hopik kifejezését az egyensúlyát vesztett életről.

Vittoria néma eltökéltséggel ült a mellette lévő székben.

A helikopter meredeken bedőlt.

Langdon felkavarodott gyomorral meredt a távolba. Szeme megakadt a római Colosseum maradványain. A Colosseum, gondolta Langdon, a történelem egyik legnagyobb fintora. Ma megbecsült jelképe az emberi kultúra és civilizáció fejlődésének az a stadion, amely azért épült, hogy barbár eseményeknek adjon otthont évszázadokon keresztül; ahol éhes oroszlánok tépték szét a foglyokat, rabszolgaseregek harcoltak életre-halálra, csoportosan erőszakolták meg a távoli földekről elhurcolt egzotikus nőket, továbbá nyilvános lefejezéseket és kasztrációkat hajtottak végre. Ironikus, gondolta Langdon, vagy nagyon is beleillik a képbe, hogy a Colosseum volt az építészeti mintája a Harvard csataterének – a futballstadionnak, ahol minden ősszel újjáélesztették a barbárság antik hagyományait... megvadult szurkolók szomjazták a vért, miközben a Harvard a Yale ellen küzdött.

Ahogy a helikopter észak felé haladt, Langdon felismerte a Forum Romanumot – a kereszténység előtti Róma szívét. A romos oszlopok olyannak tűntek, mint felborult sírkövek egy temetőben, amely valahogy elkerülte, hogy elnyelje a körülötte növekvő metropolisz.

Nyugatra a Tiberis kanyargott széles medrével, jókora íveket fogva közre a városból. Langdon még fentről is látta, milyen mély a folyó. A kiadós esők után az üledék és a tajték barnára színezte az áramló vizet.

– Egyenesen előttünk – mondta a pilóta, miközben magasabbra emelkedett.

Langdon és Vittoria odanézett és meglátta. Mint a reggeli ködöt szétválasztó hegycsúcs, úgy emelkedett ki előttük a gomolygásból a roppant kupola: a Szent Péter-székesegyház.

– Ez most – mondta Langdon Vittoriának – olyan, amit Michelangelo jól csinált.

Langdon még soha nem látta felülről a San Pietrót. A márványhomlokzat tűzként lángolt a délutáni napfényben. A 140 szent, mártír és angyal szobrával ékesített herkulesi építmény szélessége két futballpályának felelt meg, míg szédületes hosszúsága hatot tett volna ki. A bazilika barlang-szerű tere 60 ezer hívőt tudott befogadni... ami több mint százszorosa a Vatikán, a világ legkisebb országa lakosságának. Hihetetlen, de még e fellegvár méretű épület mellett sem törpült el az előtte elterülő tér. A gránitkövekkel kirakott, hatalmas Piazza San Pietro lenyűgöző szabad térség volt a túlzsúfolt Rómában, akár egy klasszikus Central Park. A székesegyház előtt 284 oszlop fogott körbe egy hatalmas, ovális területet négy koncentrikus, kívülről befelé kisebbedő körívben... ez az építészeti *trompe l'oeil* arra szolgált, hogy még tovább növelje a piazza monumentális hatását.

Miközben Langdon az előtte elterülő szentélyt bámulta, azon tűnődött, vajon mit szólna Szent Péter, ha ezt most látná. Péter borzalmas halált halt, fejjel lefelé feszítették keresztre, pontosan ezen a helyen. Ma ott nyugodott a síremlékek legszentebbikében, öt emelet mélységben, a bazilika központi kupolája alatt.

– Vatikánváros – mondta a pilóta, korántsem üdvözlésképpen.

Langdon lenézett az előttük tornyosuló kőbástyákra – áthatolhatatlan erődítmények fogták körül az épületegyüttest... különös volt ez az e világi védelem a titkok, a hatalom és a misztérium szellemi birodalmában.

– Nézze! – mondta hirtelen Vittoria, megragadva Langdon karját. Lázasan mutogatott lefelé, az alattuk elterülő Szent Péter térre. Langdon az ablakhoz nyomta az arcát és letekintett.

– Azt nézze meg! – hívta fel a figyelmét Vittoria.

Langdon odanézett. A tér hátsó része, ahol vagy egy tucat

teherautó sorakozott, úgy festett, mint valami parkoló. Óriási műholdvevő antennák meredtek az ég felé valamennyi teherautó tetejéről. A tányérokra ismerős nevek voltak felfestve:

TELEVISOR EUROPEA
1 VIDEO ITALIA
BBC
UNITED PRESS INTERNATIONAL

Langdon mélységes zavarba jött, és azon tűnődött, hogy talán már kiszivároghatott az eltűnt antianyag híre.

Vittoria szintén feszültnek tűnt. – Miért van itt a sajtó? Mi folyik itt?

A pilóta megfordult és különös pillantást vetett rá a válla fölött. – Hogy mi folyik itt? Hát maguk nem tudják?

– Nem – válaszolta Vittoria izgatott, de erőteljes hangon.

– Il Conclavo – mondta a pilóta. – Már egy órája bezárkóztak. Az egész világ erre figyel.

✝✝✝

Il Conclavo.

A szó egy hosszú másodpercig visszhangzott Langdon fülében, majd úgy zuhant rá a gyomrára, mint egy tégla. Il Conclavo. A vatikáni konklávé. Hogyan is felejthette el? Nemrégiben szerepelt a hírekben.

Tizenöt nappal ezelőtt a pápa, rendkívül népszerű uralkodásának tizenkét éve után, elhunyt. A világ minden újságja lehozta a sztorit a pápát álmában ért végzetes szélütésről – sokan arról suttogtak, hogy gyanús ez a hirtelen és váratlan halál. De most, a megszentelt hagyományt követve, tizenöt nappal a pápa halála után konklávét tartanak a Vatikánban – ünnepélyes ceremónia keretében összeül a 165 bíboros (a keresztény világ legnagyobb hatalmasságai), hogy megválassza az új pápát.

A földkerekség valamennyi bíborosa itt van ma, gondolta Langdon, miközben a helikopter áthaladt a Szent Péter-székesegyház fölött. Szemük előtt feltárult Vatikánváros belső világa. A római katolikus egyház teljes hatalmi struktúrája egy időzített bombán ül.

34

Mortati bíboros föltekintett a Sixtus-kápolna pazar mennyezetére és megpróbált egy pillanatig némán merengeni. A freskókkal ékes falak visszaverték a világ minden tájáról összesereglett kardinálisok hangját. A férfiak bezsúfolódtak a gyertyákkal megvilágított tabernákulumba, izgatottan sustorogva tárgyaltak egymással a legkülönbözőbb nyelveken, amelyek között az angol, az olasz és a spanyol hangzott fel a legsűrűbben.

A kápolna megvilágítása rendszerint fenséges volt – hoszszú, színes napsugarak hasítottak bele a sötétségbe, mintha egyenesen a mennyekből érkeznének –, nem úgy ma. A szokást követve a kápolna valamennyi ablaka fekete bársonnyal volt behúzva a titoktartás érdekében. Ez biztosította, hogy a bent lévők közül senki ne adhasson jeleket, és semmilyen módon ne kommunikálhasson a külvilággal. Ennek eredményeképpen tökéletes volt a sötétség, amelyet csak a gyertyák fénye enyhített... reszkető lángjuk mintha megtisztította volna azokat, akikre rásugárzott, szellemalakká változtatva őket... akár a szenteket.

Mekkora megtiszteltetés, gondolta Mortati, hogy én felügyelhetem ezt a szent eseményt. A nyolcvan év fölötti bíborosok túl öregek voltak ahhoz, hogy választhatók legyenek, és nem vettek részt a konklávén, így a hetvenkilenc éves Mortati volt itt a rangidős bíboros, őt választották meg levezető elnöknek.

A hagyományt követve a kardinálisok két órával a konklávé előtt gyűltek össze, hogy találkozzanak a barátaikkal és utoljára még szót váltsanak egymással. Este hétkor megjelenik a néhai pápa kamarása, elmond egy imát, majd távozik. Azután a svájci testőrség lepecsételi az ajtókat s bezárja a bíborosokat. Ekkor veszi kezdetét a világ legrégebbi és legtitkosabb politikai rituáléja. A bíborosok addig nem mehetnek ki, amíg el nem döntik, ki legyen közülük a következő pápa.

Konklávé. Már a neve is titokzatos. Con clave szó szerint azt jelenti: kulcsra zárva. A bíborosok semmi módon nem érintkezhetnek a külvilággal. Se telefonhívások. Se üzenetek. Se suttogás az ajtón keresztül. A konklávé vákuumban működött, semmi sem befolyásolta kívülről. Így biztosították azt, hogy a bíborosok megtartsák a Solum Dum prae oculist... csakis Istent tartva szem előtt.

A kápolna falain kívül persze ott figyelt és várakozott a média, azt találgatva, vajon melyik bíboros lesz a világ egymilliárd katolikusának vezetője. A konklávék feszült, politikával terhelt légkört teremtettek, és az évszázadok során nemegyszer bizonyultak végzetesnek: mérgezések, ökölharcok, sőt gyilkosság is történt a megszentelt falak között. Régi történet, gondolta Mortati. Ma este egységes, derűs és mindenekfelett... rövid lesz a konklávé.

Legalábbis ő erre számított.

Most azonban egy váratlan fejlemény adódott. Rejtélyes módon négy bíboros hiányzott a kápolnából. Mortati tudta, hogy a Vatikán valamennyi kijáratát őrzik, és az eltűnt kardinálisok nem juthattak messzire, de mégis, kevesebb mint egy órával a kezdő ima előtt, nyugtalanító érzés volt. Végül is a négy hiányzó férfi nem közönséges bíboros. Ők „a" bíborosok.

A kiválasztott négyek.

Mint a konklávé felügyelője, Mortati már megüzente a megfelelő csatornákon a svájci testőrségnek a bíborosok eltűnését. Eddig még nem kapott választ. Már más bíborosok is észrevették a zavarba ejtő hiányzást. Már megindult az aggodalmas suttogás. Minden bíborosok közül éppen ennek a négynek kellene időben itt lennie! Mortati bíboros már kezdett attól félni, hogy végül mégiscsak hosszú lesz ez az éjszaka.

Fogalma sem volt róla, mennyire hosszú.

35

A Vatikán helikopter-leszállópályája, biztonsági és zajvédelmi okokból, Vatikánváros északnyugati csücskében kapott helyet, a lehető legtávolabb a Szent Péter-székesegyháztól.

– Terra firma – jelentette be a pilóta, ahogy földet értek. Kiugrott, és eltolta az ajtót, hogy Langdon és Vittoria is kiszállhasson.

Langdon kilépett, majd visszafordult, hogy segítsen Vittoriának, de a lány már minden erőfeszítés nélkül leugrott a földre. Testének minden izmát mintha egyetlen cél mozgatta volna: megtalálni az antianyagot, mielőtt borzalmas örökséget hagyna maga után.

Miután a pilóta kifeszített egy fényvisszaverő fóliát a fülke ablaka elé, beterelte őket egy túlméretezett, elektromos golfautóba, amely a leszállópálya mellett várakozott. A kocsi hangtalanul suhant velük az ország nyugati határa – egy tizenöt méter magas, cement védőfal – mentén, amely elég vastag volt ahhoz, hogy ellenálljon még egy tanktámadásnak is. A fal belső oldalán, ötvenméterenként, svájci testőrök álltak őrségben, szemmel tartva a rájuk eső területet. A kocsi éles fordulattal rátért a Via della Osservatorióra. Táblák jelezték a különböző irányokat:

PALAZZO GOVERNATORATO
COLLEGIO ETHIOPIANA
BASILICA SAN PIETRO
CAPELLA SISTINA

Egyre gyorsabban haladtak a gondozott úton, el a *Radio Vaticana* alacsony épülete mellett. Langdon meglepetten tudatosította magában, hogy ez a világ leghallgatottabb rádióadása, amely szerte a világon millióknak terjeszti Isten igéjét.

– *Attenzione* – mondta a pilóta, hirtelen bekanyarodva a körforgalomba.

Ahogy körbefordult velük a kocsi, Langdon alig hitt a szemének az eléje táruló kép láttán. A vatikáni kertek, gondolta. Vatikánváros szíve. Közvetlenül előttük ott emelkedett a Szent Péter-székesegyház hátsó frontja, amit a legtöbb ember, ébredt rá Langdon, sohasem láthat. Jobbra a törvényszék palotája tornyosult, a pápa pazar rezidenciája, amellyel csak Versailles barokk pompája vetekedhet. A Governatorio szigorú épülete, ahol a Vatikán közigazgatása székelt, már elmaradt mögöttük. Balra előttük a vatikáni múzeumok masszív, szögletes tömbje. Langdon tudta, hogy ezúttal nem lesz idő múzeumlátogatásra.

– Miért nincs itt senki? – kérdezte Vittoria, végignézve az elhagyatott pázsiton és sétautakon.

A testőr rápillantott fekete, katonai stílusú kronométerére – amely furcsán anakronisztikus volt a puffos ujjú ruha mellett. – A bíborosok a Sixtus-kápolnában gyülekeznek. Nem egészen egy óra múlva elkezdődik a konklávé.

Langdon bólintott, halványan emlékezve arra, hogy a konklávé előtt a bíborosok két órát töltenek a Sixtus-kápolnában csendes elmélkedéssel, és a világ más részeiről érkezett kardinálistársaikkal folytatott beszélgetéssel. Ez az idő arra volt hivatott, hogy a bíborosok felújítsák a régi barátságokat, ami megkönnyítheti a választás túlfűtött folyamatát. – És mi van a többi lakóval és a személyzettel?

– Titoktartási és biztonsági okokból ki vannak tiltva, amíg véget nem ér a konklávé.

– És mikor ér véget?

A testőr vállat vont. – Azt csak a jóisten tudja. – Az adott helyzetben különös jelentésre tettek szert ezek a szavak.

Miután leparkoltak a kocsival a széles gyepen, közvetlenül a Szent Péter-bazilika mögött, a testőr felkísérte Langdont és Vittoriát egy köves kaptatón a székesegyház mögötti márványburkolatú térre. A plázán átvágva a bazilika hátsó fala mentén haladtak, majd keresztülmentek egy háromszögletű udvaron, át a Via Belvederén, majd összezsúfolt épületek között folytatták útjukat. Langdon művészettörténeti képzettsége folytán elegendő olasz szót ismert ahhoz, hogy azonosítsa a Vatikán nyomdáját, a szőnyegjavító műhelyt, a postahivatalt, és a Szent Anna-templomot jelölő táblákat. Egy újabb kis tér után megérkeztek úti céljukhoz.

A svájci testőrség hivatala az Il Corpo di Vigilanza épületéhez csatlakozott, közvetlenül a Szent Péter-bazilikától északkeletre. A hivatal egy alacsony kőházban kapott helyet. A bejárat két oldalán, mint két kőszobor, két testőr strázsált.

Langdonnak el kellett ismernie, hogy ezek a testőrök nem is festettek olyan komikusan. Noha ők is a kék-arany egyenruhát viselték, mindketten a „vatikáni hosszú karddal" voltak felfegyverezve – egy borotvaéles hegyű lándzsával –, amelyről az a hír járta, hogy a XV. században számtalan muzulmánt fejeztek le vele a keresztes vitézek védelmében.

Langdon és Vittoria közeledtére a két őrszem előrelépett,

és keresztbe téve a lándzsáikat elzárták a bejáratot. Egyikük zavartan pillantott a pilótára. – *I pantaloni* – mondta, Vittoria rövidnadrágjára mutatva.

A pilóta leintette. – *Il comandante vuole vederli subito.*

A parancsnok azonnal látni akarja őket, fordította le magában Langdon.

A testőrök összeráncolták a homlokukat, és vonakodva utat engedtek nekik.

Odabent hűvös volt a levegő. A belső tér egyáltalán nem hasonlított ahhoz, ahogyan Langdon egy biztonsági szolgálat hivatalát elképzelte. A díszes és remekül berendezett épület folyosóin olyan festmények függtek, amelyeket – ebben Langdon biztos volt – a világ bármelyik múzeuma boldogon állított volna ki a nagytermében.

A pilóta egy lefelé vezető, meredek lépcsőre mutatott. – Arra tessék.

Langdon és Vittoria a fehér márványfokokon lépkedve meztelen férfiakat ábrázoló szobrok sorfala között haladt el. Valamennyi szobornak fügefalevele volt, világosabb színű, mint a test többi része.

A nagy kasztráció, gondolta Langdon.

Ez volt az egyik legborzalmasabb tragédia a reneszánsz művészetben. IX. Pius pápa 1857-ben úgy döntött, hogy a férfitest valósághű megformálása vágyat ébreszthet a Vatikán lakóiban. Ezért vésőt és kalapácsot fogott, s a Vatikánvárosban található minden egyes mezítelen férfiszobornak leverte a nemi szervét. Így csonkította meg Michelangelo, Bramante és Bernini műveit. A gipsz fügefalevél a rongálás nyomait takarta. Több száz szobrot fosztottak meg a férfiasságától. Langdon gyakran eltűnődött azon, vajon van-e valahol egy nagy gödör, tele kőpéniszekkel.

– Erre – közölte a testőr.

Leértek a lépcső aljára, ahol egy súlyos acélajtóba ütköztek. A testőr beütötte a belépési kódot, és az ajtó feltárult. Langdon és Vittoria belépett.

A küszöbön túl teljes káosz uralkodott.

36

A svájci testőrség hivatala.

Langdon állt az ajtóban és ámulva nézte, hogyan találkoznak össze a szeme előtt az évszázadok. Vegyes felvágott. A terem egy pazarul díszített reneszánsz könyvtár volt, intarziás könyvespolcokkal, keleti szőnyegekkel és színes falikárpitokkal… ugyanakkor telezsúfolva a csúcstechnika berendezéseivel: számítógépek seregével, faxokkal, a Vatikán épületegyüttesének elektronikus térképeivel és a CNN adására állított tévékészülékekkel. Tarka nadrágos férfiak verték lázasan a számítógép billentyűzetét, és figyelték feszülten a futurisztikus fejhallgatók hangját.

– Várjanak itt – mondta a testőr.

Langdon és Vittoria várakozott, miközben a testőr odament egy feltűnően magas, szikár férfihoz, aki sötétkék katonai egyenruhát viselt. Éppen mobiltelefonált, és annyira egyenesen állt, hogy szinte már hátrahajlott. A testőr mondott neki valamit, mire a férfi odapillantott Langdonra és Vittoriára. Bólintott, majd hátat fordított nekik, és folytatta a telefonálást.

A testőr visszatért. – Olivetti parancsnok egy perc múlva itt lesz.

– Köszönjük.

A testőr távozott és elindult visszafelé a lépcsőn.

Langdon a terem túlsó végében álló Olivetti parancsnokot tanulmányozta, akiben az egész ország fegyveres erejének főparancsnokára ismert. Vittoria és Langdon várakozás közben a személyzet ténykedését figyelte. Fényes ruházatú testőrök jöttek-mentek olasz nyelvű parancsokat ordítva.

– *Continua cercando!* – üvöltötte az egyik a telefonba.

– *Probasti il museo?* – kérdezte egy másik.

Langdonnak nem volt szüksége perfekt olasz tudásra, hogy rájöjjön: a biztonsági központ a lázas keresés üzemmódjára van állítva. Ez volt a jó hír. A rossz hír pedig az, hogy nyilván még nem találták meg az antianyagot.

– Jól van? – kérdezte Langdon Vittoriától.

A lány vállat vont, fáradt mosolyt küldve felé.

Amikor a parancsnok végre kikapcsolta a mobilját és elindult feléjük, minden lépéssel egyre nagyobbnak tűnt. Langdon is magas volt, és nem szokta meg, hogy fel kell néznie az emberekre, de Olivetti parancsnokra kénytelen volt. Langdon azon nyomban érzékelte, hogy a parancsnok olyan férfi, aki állja a viharokat. Az arca egészséges és acélos, sötét haja katonásan rövidre nyírva és a szemében az a fajta kemény eltökéltség lángolt, amelyet csak a többéves szigorú kiképzés érhet el. Nyársat nyelt merevséggel mozgott, és az egyik füle mögé diszkréten elrejtett fülhallgatóval inkább amerikai titkosszolgálati tisztnek nézte volna az ember, mint svájci testőrnek.

A parancsnok akcentussal beszélte az angolt, amikor megszólította őket. A hangja elképesztően halk volt hatalmas testéhez képest, szinte csak suttogás. Feszes, katonás hatékonyság jellemezte. – Jó napot – mondta. – Olivetti parancsnok vagyok, a svájci testőrség Commandante Principaléja. Én telefonáltam az igazgatójuknak.

Vittoria felnézett rá. – Köszönjük, hogy fogadott minket, uram.

A parancsnok nem válaszolt. Intett nekik, hogy kövessék, és a műszerek sorai között odavezette őket egy ajtóhoz a terem egyik oldalsó falán. – Tessék – mondta, kinyitva előttük az ajtót.

Langdon és Vittoria bement, és egy elsötétített megfigyelőhelyiségben találta magát, ahol az egész falat beborító videomonitorok egy sor lassan változó, fekete-fehér képet közvetítettek az épületegyüttesről. Fiatal testőr ült előttük, feszülten figyelve a képernyőket.

– Fuori – mondta Olivetti.

A testőr összecsomagolt és távozott.

Olivetti odalépett az egyik monitorhoz és megmutatta nekik. Aztán visszafordult a vendégekhez. – Ezt a képet egy távoli kamera közvetíti, amelyet valahol elrejtettek a Vatikánban. Magyarázatot kérek.

Langdon és Vittoria ránéztek a képernyőre és egyszerre akadt el a lélegzetük. A tárgy félreismerhetetlen volt. Semmi kétség. A CERN antianyag-tároló edénye volt az. Benne fém-szerű folyadék egy remegő cseppje függött varázslatosan a leve-gőben, a digitális óra folyadékkristályos kijelzőjének ritmiku-san felvillanó fényével megvilágítva. A tárolóedény környeze-te kísértetiesen sötét volt, mintha egy szekrényben vagy egy elsötétített szobában lenne az antianyag. A monitor tetején a következő felirat villogott a kép fölött: ÉLŐ FELVÉTEL – #86-OS KAMERA.

Vittoria megnézte a tárolóedény alján kijelzett hátralévő időt. – Kevesebb, mint hat óra – suttogta Langdonnak feszült arccal.

Langdon az órájára pillantott. – Az annyi mint... – Elhall-gatott, érezte, hogy csomóba rándul a gyomra.

– Éjfél – mondta Vittoria lesújtottan.

Éjfél, gondolta Langdon. Van érzékük a drámaisághoz.

Nyilvánvaló, hogy akárki lopta is el múlt éjszaka a tároló-edényt, tökéletesen időzített. Langdonba baljós előérzet fész-kelte be magát, amikor ráébredt, hogy a küszöbönálló robba-nás epicentrumában tartózkodik.

Olivetti suttogása most már szinte sziszegésnek hatott. – Az önök intézményéből való ez a tárgy?

Vittoria bólintott. – Igen, uram. Ellopták tőlünk. Egy rend-kívül gyúlékony matériát, úgynevezett antianyagot tartalmaz.

Olivetti nem tűnt megrendültnek. – Meglehetősen jól is-merem a gyúlékony anyagokat, Ms. Vetra. De az antianyagról még nem hallottam.

– Ez egy új technológia. Azonnal meg kell találnunk, más-különben evakuálni kell a Vatikánt.

Olivetti lassan behunyta a szemét, majd újra kinyitotta, mintha második ránézésre megváltoztathatná a hallottak értelmét. – Evakuálni? Tisztában van azzal, milyen esemény zajlik itt ma este?

– Igen, uram. És a bíborosok élete veszélyben van. Mintegy hat óránk maradt. Értek már el valamilyen eredményt a tárolóedény lokalizálásában?

Olivetti megrázta a fejét. – Még nem kezdtük meg a keresést.

Vittoria csak hápogni tudott. – Micsoda? De mi határozottan hallottuk, hogy a testőrök arról beszéltek, hogy keresik a...

– Igen, keresik – mondta Olivetti. – De nem a maguk tárolóedényét. Az embereim egészen mást keresnek, aminek semmi köze önökhöz.

Vittoria hangja megtört. – Még el sem kezdték keresni a tárolóedényt?

Olivetti szembogara összeszűkült. Egy rovar szenvtelen tekintetével nézett rájuk. – Ms. Vetra, igaz? Hadd magyarázzak el önöknek valamit. Az intézményük igazgatója nem volt hajlandó részleteket elárulni arról a tárgyról, csak annyit mondott, hogy haladéktalanul meg kell találni. De mi most rendkívül elfoglaltak vagyunk, és nem engedhetjük meg magunknak azt a luxust, hogy olyan helyzet megoldására áldozzunk munkaerőt, amelyhez nem ismerem a tényeket.

– Csupán egyetlen érdemleges tény számít ebben a pillanatban, uram – mondta Vittoria. – Az, hogy a keresett tárgy hat órán belül meg fogja semmisíteni az egész épületegyüttest.

Olivetti mozdulatlanul állt. — Ms. Vetra, van itt néhány dolog, amiről tudniuk kell. — A hangjában némi fölényesség érződött. — Vatikánváros archaikus külseje dacára, itt minden egyes bejárat, legyen az nyilvános vagy privát, a ma ismert legkorszerűbb érzékelőberendezéssel van fölszerelve. Ha valaki megpróbálna behatolni ide bármiféle gyújtószerkezettel, azonnal észlelnénk. Radioaktív izotópos szkennereink vannak, az amerikai DEA által tervezett szagérzékelőink, amelyek a leghalványabb nyomát is kimutatják a gyúlékony és toxikus anyagoknak. Továbbá a létező legfejlettebb fémdetektorokkal és röntgenérzékelőkkel is rendelkezünk.

— Igazán lenyűgöző — mondta Vittoria, ugyanolyan hűvösen, mint Olivetti. — Sajnos az antianyag nem radioaktív, pozitronokból, az elektronok párjaiból állítható elő, a tárolóedény pedig műanyagból készült. A mondott berendezések egyike sem észlelhette.

— De annak az eszköznek energiaforrása van — mondta Olivetti a villódzó kijelzőre mutatva. — A nikkel-kadmiumnak még a legkisebb nyomát is jelzi a...

— A tápegységek szintén műanyagból vannak.

Olivetti láthatólag kezdte elveszíteni a türelmét. — Műanyag tápegységek?

— Polímer gél, elektrolit teflon bevonattal.

Olivetti közelebb hajolt a lányhoz, mintha a magassági előnyét akarná hangsúlyozni. — Signorina, a Vatikánt havonta több tucatszor fenyegetik meg bombatámadással. Személyesen képzek ki minden svájci testőrt a modern robbantási technológiákra. Pontosan tudom, hogy nem létezik olyan anyag a földön, amely elérné az ön által leírt hatást, hacsak nem atom robbanófejről beszél, baseball-labda nagyságú töltettel.

Vittoria lángoló pillantást vetett rá. – A természetnek még számos felfedezésre váró rejtélye van.

Olivetti még közelebb hajolt. – Megkérdezhetem, hogy pontosan kicsoda ön? Mi a beosztása a CERN-ben?

– Az intézmény vezető tudósai közé tartozom, és most megbízott közvetítőként küldtek a Vatikánba, hogy kezeljem ezt a válságot.

– Bocsásson meg a nyerseségemért, de ha valóban válságról van szó, akkor miért önt küldték ide az igazgató helyett? És miféle tiszteletlenség az, hogy rövidnadrágban jött a Vatikánba?

Langdon felnyögött. Nem akarta elhinni, hogy az adott körülmények között ez az ember az öltözködési szabályokat kéri számon. Aztán megint rá kellett jönnie, hogy ha a kőpéniszek bűnös gondolatokat ébreszthetnek a Vatikán lakóiban, akkor a rövidnadrágos Vittoria Vetra minden bizonnyal fenyegetést jelent a nemzetbiztonságra.

– Olivetti parancsnok – avatkozott közbe Langdon megpróbálva oldani egy másik, szintén robbanni készülő helyzetet. – Én Robert Langdon vagyok. A vallástudományok professzora az Egyesült Államokban, és nem állok kapcsolatban a CERN-nel. Láttam egy antianyag-demonstrációt, és szavatolom Ms. Vetra azon állítását, hogy rendkívüli mértékben veszélyes. Jó okunk van azt hinni, hogy egy egyházellenes szekta helyezte el önöknél abban a reményben, hogy szétzilálja a konklávét.

Olivetti megfordult és lenézett Langdonra. – Egy rövidnadrágos nő azt állítja nekem, hogy egy folyadékcsepp fel fogja robbantani Vatikánvárost, egy amerikai professzor pedig arról beszél, hogy valami vallásellenes kultusz célpontjává váltunk. Mégis, mit várnak tőlem?

– Találja meg a tárolóedényt – mondta Vittoria. – Most rögtön.

– Lehetetlen. Bárhol lehet az a szerkezet. A Vatikán hatalmas.

– Nincsenek GPS lokátorok a kameráikon?

– Általában nem lopják el őket. Napokba telhet megtalálni ezt a hiányzó kamerát.

– Nincsenek napjaink – mondta Vittoria határozottan. – Csak hat óránk van.

– Hat óránk, meddig, Ms. Vetra? – Olivette hangja váratlanul erősebb lett. Rámutatott a monitoron látható képre. – Amíg ezek a számok el nem érik a nullát? Amíg a Vatikán el nem tűnik a föld színéről? Higgyék el nekem, nem veszem jó néven, ha az emberek kibabrálnak a biztonsági rendszeremmel. Azt sem szeretem, ha titokzatos módon mechanikus gyűjtőszerkezetek jelennek meg a falaim között. Igenis aggódom. Az a munkám, hogy aggódjam. De amit itt elmondtak nekem, az elfogadhatatlan.

Langdon előbb szólalt meg, mint meggondolta volna.

– Hallott már az Illuminátusokról?

A parancsnokon megrepedezett a jéghideg máz. A szeme kifehéredett, akár egy támadni készülő cápáé. – Figyelmeztetem, nekem erre nincs időm.

– Tehát hallott már az Illuminátusokról.

Olivettinek szuronyként hasított a tekintete. – A katolikus egyház felesküdött védelmezője vagyok. Természetesen hallottam az Illuminátusokról. Évtizedek óta halottak.

Langdon belenyúlt a zsebébe és elővette a Leonardo Vetra megbélyegzett testét ábrázoló faxot. Átadta Olivettinek.

– Az Illuminátusok kutatója vagyok – mondta Langdon, miközben Olivetti a képet tanulmányozta. – Nehézséget okozott elfogadnom, hogy az Illuminátusok még mindig aktívak, ám ennek a bélyegnek a megjelenése annak a ténynek a tükrében, hogy az Illuminátusok közismert ellenlábasai a Vatikánnak, megváltoztatta a véleményemet.

– Számítógéppel előállított hamisítvány – adta vissza a faxot Olivetti Langdonnak.

Langdon hitetlenkedve meredt rá. – Hamisítvány? Nézze meg azt a szimmetriát! Önnek aztán végképp fel kéne ismernie, hogy eredeti...

– Pontosan az eredetiség hiányzik önökből. Ms. Vetra talán nem tájékoztatta erről, de a CERN tudósai évtizedek óta bírálják a Vatikán lépéseit. Rendszeresen petíciókkal bombáznak minket, hogy vonjuk vissza a teremtéselméletet, hivatalosan kérjünk bocsánatot Galileitől és Kopernikusztól, tartózkodjunk a veszélyes vagy erkölcstelen kutatások bírálatától. Melyik forgatókönyvet tartja valószínűbbnek? Hogy egy négyszáz éves sátánista szekta újból felbukkant egy fejlett tömegpusztító fegyverrel, vagy hogy egy CERN-aktivista próbálja megzavarni ezt a szent eseményt a Vatikánban egy gondosan kivitelezett csalással?

– Az ott a képen – mondta Vittoria, és a hangja olyan volt, mint a fortyogó láva – az apám. Meggyilkolták. Ön szerint ilyen volna egy jó tréfa?

– Nem tudom, Ms. Vetra. De azt tudom, hogy amíg nem kapok értelmes válaszokat, addig szóba sem jöhet, hogy riadót rendeljek el. Kötelességem ébernek és diszkrétnek lenni... hogy mások tiszta fejjel foglalkozhassanak a spirituális dolgokkal. Különösképpen ma.

Langdon szólalt meg: – Legalább halassza el az eseményt.

– Elhalasztani? – Olivettinek leesett az álla. – Micsoda szemtelenség! A konklávé nem valami amerikai baseballmeccs, amit lefújnak, ha esik az eső. Ez egy szent esemény, szigorú szabályokkal és lépésekkel. Ne is törődjön vele, hogy a világ egymilliárd katolikusa vezetőre vár. Oda se neki, hogy erre figyel a világsajtó. Ennek az eseménynek kőbe vésték a protokollját... nem lehetséges módosítani. 1179 óta a konklávék túléltek már földrengéseket, éhínséget, még a pestisjárványt is. Higgye el nekem, szó sem lehet róla, hogy lefújjuk egy meggyilkolt tudós, és egy Isten tudja miféle cseppecske miatt.

– Vezessen oda a döntéshozó személyhez – követelte Vittoria.

Olivetti nagyot nézett. – Azzal beszél.

– Nem – mondta a lány. – Valakihez a klérusból.

Olivetti homlokán kidagadtak az erek. – A klérus eltávozott. A svájci testőrségen kívül e pillanatban csak a bíborosok kollégiuma tartózkodik a Vatikánban. Ők pedig odabent vannak a Sixtus-kápolnában.

– És a pápai kamarás? – szegezte neki a kérdést Langdon.

– Ki?

– A néhai pápa kamarása. – Langdon magabiztosan ismételte a kifejezést, erősen remélve, hogy nem hagyta cserben az emlékezete. Felidézte, hogy egyszer olvasott valamit a vatikáni hatalomgyakorlásnak arról a különös módjáról, amely a pápa halála után lép életbe. Ha Langdon nem tévedett, akkor a két pápa közötti időben a teljes végrehajtó hatalom átmenetileg a néhai pápa személyi titkárának – a pápai kamarásnak – a kezébe megy át, aki felügyeli a konklávét, amíg a bíborosok meg nem választják az új Szentatyát. – Úgy tudom, e pillanatban a pápai kamarás a döntéshozó személy.

– *Il camerlengo?* – mordult fel Olivetti. – A *camerlengo* csak egy itteni pap. Ő a néhai pápa személyi szolgája.

– De itt van. És ön neki tartozik felelősséggel.

Olivetti keresztbe fonta a karját. – Mr. Langdon, igaz, hogy a Vatikán szabályzata kimondja, miszerint a *camerlengo* a legfőbb végrehajtó hivatalnok a konklávé ideje alatt, de ez csak azért van így, mert miután ő nem választható pápának, biztosítva van az elfogulatlansága. Ez olyan, mintha a maguk elnökének halála után ideiglenesen az egyik segédje foglalná el az Ovális irodát. A *camerlengo* fiatal, és rendkívül keveset ért a biztonsághoz, megjegyzem, más dolgokhoz sem. Mindent összevéve, én vagyok itt a döntéshozó.

– Vezessen minket hozzá – mondta Vittoria.

– Lehetetlen. Negyven percen belül megkezdődik a konklávé. A *camerlengo* a pápai irodában készül fel rá. Nem áll szándékomban megzavarni őt biztonsági ügyekkel.

Vittoria kinyitotta a száját, hogy válaszoljon, de akkor kopogtak az ajtón. Olivetti kinyitotta.

Egy testőr állt odakint teljes harci díszben, az órájára mutatva: – *É l'ora, comandante.*

Olivetti megnézte a saját óráját és bólintott. Úgy fordult

vissza Langdonhoz és Vittoriához, mintha bíróként a sorsukat mérlegelné. – Kövessenek. – Kivezette őket a megfigyelőszobából, át a biztonsági központon, egy kis fülkébe a hátsó fal mentén. – Az irodám. – Olivetti beterelte őket. A szoba érdektelen volt: zsúfolt íróasztal, iratszekrények, összecsukható székek, egy vízhűtő. – Tíz percen belül visszajövök. Azt javaslom, hogy használják ki az időt és döntsék el a következő lépést.

Vittoria a parancsnok elé pördült. – Nem mehet el csak így! Az a tárolóedény...

– Erre most nincs időm – fortyant fel Olivetti. – Lehet, hogy őrizetbe kéne vennem önöket, amíg véget nem ér a konklávé, már ha lesz rá időm.

– *Signore* – sürgette a testőr, megint az órájára mutatva. – *Spazzare di cappella.*

Olivetti bólintott és indulni akart.

– *Spazzare di cappella?* – támadt neki Vittoria. – Azért megy el, hogy kisöpörje a kápolnát?

Olivetti megfordult, szinte keresztüldöfte a lányt a tekintetével. – Elektronikus poloskákat keresünk, Miss Vetra... hogy biztosítsuk a diszkréciót. – Vittoria lábára mutatott. – Nem is vártam, hogy megértse.

Azzal úgy rájuk csapta az ajtót, hogy beleremegett a súlyos üveg. Egyetlen mozdulattal elővarázsolt egy kulcsot, a zárba dugta és elfordította. Kattant a nehéz zárnyelv.

– Idióta! – kiáltott utána Vittoria. – Nem tarthat itt bennünket!

Langdon az üvegen át látta, hogy Olivetti mond valamit a testőrnek. Az bólintott. Ahogy Olivetti kisietett a teremből,

171

a testőr megfordult és szembe nézett velük az üvegajtó másik oldaláról, keresztbe tett karral, láthatóvá téve a nagy oldalfegyvert a csípőjén.

Tökéletes, gondolta Langdon. Rohadtul tökéletes.

37

Vittoria farkasszemet nézett a bezárt ajtó túloldalán álló svájci testőrrel. Az ugyanolyan szúrós tekintettel nézett vissza rá, tarka ruházata sehogyan sem illett határozottan fenyegető magatartásához.

– *Che fiasco* – gondolta Vittoria. Túszul ejtett minket egy pizsamát viselő fegyveres férfi.

Langdon hallgatásba merült, és Vittoria abban reménykedett, hogy a helyzetük megoldásán dolgoztatja azt a harvardi agyát. Ám az arckifejezéséből arra következtetett, hogy inkább a sokkhatás némította el, mint a töprengés. Vittoria sajnálta az amerikait, hogy ilyen mélyen belekeveredett ebbe az ügybe.

Ösztönös reakcióként elő akarta venni a mobiltelefonját, hogy felhívja Kohlert, de rájött, hogy butaság lenne. Először is, a testőr bizonyára bejönne és elvenné tőle. Másodszor, ha Kohler rosszulléte a szokásos menetrendet követi, akkor valószínűleg még mindig mozgásképtelen. Nem mintha számítana... nem úgy fest, hogy Olivetti jelenleg bárkinek is adna a szavára.

Emlékezz vissza! – mondta magának. A visszaemlékezés egy buddhista filozófiai fogás. Ahelyett, hogy az agyával kerestette volna a megoldást egy potenciálisan megoldhatatlan helyzetben, Vittoria csupán arra kérte az agyát, hogy emlékezzen vissza rá. Az volt az előfeltevés, hogy egykor tudta a választ, azt sugallva az elméjének, hogy léteznie kell megoldásnak... ami elűzte a reménytelenség bénító érzését. Vittoria gyakran alkalmazta ezt a fogást tudományos problémák megoldásában... olyan problémák megoldásában, amelyekről a legtöbben úgy gondolták, hogy nem válaszolhatók meg.

Pillanatnyilag azonban nem működött a visszaemlékezős módszer. Ezért Vittoria felmérte a lehetőségeit... és az igényeit. Figyelmeztetnie kell valakit. Valakinek a Vatikánban komolyan kell őt vennie. De kinek? A *camerlengónak*? Hogyan? Be van zárva egy üvegkalitkába, amelynek csak egy kijárata van.

Eszközök, mondta magának. Mindig vannak eszközök. Értékeld újra a környezetedet.

Vittoria ösztönösen behúzta a vállát, ellazította a szemét és három mély lélegzettel teleszívta a tüdejét. Érezte, hogy lelassul a szívverése, kilazulnak az izmai. A zavaros pánik oldódott az agyában. Oké, gondolta, szabadítsd fel az elmédet. Mi teszi pozitívvá ezt a helyzetet? Milyen erőforrásaim vannak?

Vittoria Vetra analitikus elméje, miután lenyugodott, hatalmas kapacitással rendelkezett. Másodperceken belül rájött, hogy valójában a bezártságuk a menekülés kulcsa.

– Telefonálok egyet – mondta hirtelen.

Langdon felkapta a fejét. – Már én is akartam javasolni, hogy hívja fel Kohlert, és...

– Nem Kohlert. Valaki mást.

– Kit?

– A camerlengót.

Langdon a legteljesebb értetlenséggel nézett rá. – Felhvja a camerlengót? De hogyan?

– Olivetti azt mondta, hogy a camerlengo a pápa irodájában van.

– Igen. És tudja a pápa privát számát?

– Nem. De nem is a saját telefonomon fogom hívni. – Fejével az Olivetti íróasztalán álló, csúcstechnikát képviselő hívórendszerre bökött. Tele volt gyorstárcsázó gombokkal. – A biztonságiak főnökének kell, hogy legyen közvetlen vonala a pápai irodába.

– És van egy nehézfiúja is, aki két méterre áll tőlünk a fegyverével.

– És be vagyunk zárva.

– Ezzel magam is tisztában vagyok.

– Úgy értem, hogy a testőr meg ki van zárva. Ez itt Olivetti magánirodája. Kétlem, hogy bárkinek kulcsa lehet hozzá.

Langdon kinézett az őrszemre. – Nagyon vékony ez az üveg és nagyon nagy az a fegyver.

– Maga szerint le fog lőni, mert használom a telefont?

– Honnan a pokolból tudhatnám? Roppant különös hely ez, és ahogy itt a dolgokat intézik...

– Lehet – mondta Vittoria. – Vagy pedig a vatikáni börtönben tölthetjük a következő öt óra negyvennyolc percet. Legalább az első sorból nézhetjük, amikor felrobban az antianyag.

Langdon elsápadt. – De a testőr abban a pillanatban értesíteni fogja Olivettit, amint fölemeli a telefont. Ráadásul ott vagy húsz gomb van. És nincs rajtuk azonosító. Mindegyiket ki akarja próbálni, hátha szerencséje lesz?

– Dehogy – mondta Vittoria, és elindult a telefon felé.

– Csak egyet. – Fölemelte a kagylót és megnyomta a legfelső gombot. – Az elsőt. Fogadok magával azokba az illuminátus dollárokba a zsebében, hogy az lesz a pápai iroda. Mi másnak lehetne elsődleges fontossága egy svájci testőr számára?

Langdonnak nem maradt ideje válaszolni. Az őrszem verni kezdte odakintről az ajtót a fegyvere agyával. És mutogatott Vittoriának, hogy tegye le a telefont.

Vittoria rákacsintott. A testőrt majd szétvetette a düh.

Langdon hátrahúzódott az ajtótól és Vittoria felé fordult. – Imádkozzon, hogy ördöge legyen, mert ez a fickó nem élvezi a helyzetet!

– A pokolba! – mondta Vittoria a kagylóba hallgatózva. – Ez egy gépre mondott szöveg.

– Gépre mondott szöveg? – kérdezett vissza Langdon. – A pápának üzenetrögzítője van?

– Nem a pápa irodája volt az – mondta Vittoria, letéve a telefont. – Hanem a vatikáni étkezde heti menüje.

Langdon halvány mosolyt küldött az odakint posztoló testőr felé, aki mérgesen meredt rájuk, miközben Olivettit hívta a walkie-talkie-ján.

38

A Vatikán telefonközpontja az Ufficio di Communicazione épületében volt, a vatikáni postahivatal mögött. Viszonylag kis helyisége egy nyolcvonalas Corelco 141 telefonrendszerrel rendelkezett. A központ több mint kétezer hívást továbbított naponta, amelyek többségét automatikusan az előre rögzített, szöveges információhoz irányították.

Ma este az egy szál telefonkezelő nyugodtan üldögélt és iszogatta a teáját. Büszke volt arra, hogy egyike lehet annak a kevés alkalmazottnak, aki benn maradhatott a Vatikánban ma éjszakára. A megtiszteltetést persze némiképp csökkentette az ajtó előtt posztoló svájci testőrség jelenléte. Kíséretet kapok a mosdóba, gondolta a telefonkezelő. El kell viselnünk ezeket a méltatlanságokat a szent konklávé érdekében.

Szerencsére kevés hívás volt ma este. Bár lehet, hogy ez nem is akkora szerencse, gondolta. Az utóbbi néhány évben mintha visszaszorult volna a vatikáni események iránti érdeklődés. Esett a sajtóhívások száma, és már az őrültek is kevesebben vannak. A sajtóiroda azt remélte, hogy a ma esti esemény körül fesztiválnak kijáró hírverés lesz. Sajnos azonban hiába van tele a Szent Péter tér a média közvetítőkocsijaival, a többségük a szokásos olasz és európai hírcsatornákat képviseli. Csak egy maréknyi globális terjesztésű média jött el... és semmi kétség, hogy másodvonalbeli újságírókkal képviseltetik magukat.

Az operátor megmarkolta a bögréjét, és azon tűnődött, milyen hosszú lesz a mai éjszaka. Úgy éjfélig tarthat, tippelte meg. Manapság már a konklávé döntése előtt tudja a bentlakók jó része, ki a legesélyesebb a pápai szerepre, így a folyamat inkább csak egy három-négy órás szertartás, mint igazi választás. Persze egy utolsó pillanatban támadó viszály a bíborosok között hajnalig elnyújthatja a ceremóniát... vagy még tovább. Az 1831-es konklávé ötvennégy napíg tartott. Ma este nem így lesz, mondta magának, a pletykák szerint ez a konklávé csak színház a füst felszállása körül.

A telefonkezelő gondolatait megzavarta egy házi vonal zümmögése. Ránézett a villogó piros lámpára, és megvakarta a fejét. Ez különös, gondolta. A zéró-vonal. Ki hívhatja ma este idebentről az információs vonalat? Ki van bent egyáltalán?

– *Citta del Vaticano, prego?* – mondta felemelve a kagylót.

A hang a vonalban olaszul hadart. Az operátornak halványan úgy rémlett, hogy a svájci testőröknek van ilyen akcentusuk – a perfekt olaszt némileg eltorzította a svájci–francia hatás. A hívó azonban a legkevésbé sem lehetett svájci testőr.

A női hangot hallva a telefonkezelő hirtelen felállt, majdnem felborítva a teáját. Még egyszer odapillantott a vonalra. Nem tévedett. Egy házi mellék. A hívás belülről jött. Itt csak valami tévedés lehet! – gondolta. Egy nő a Vatikánvárosban? Ma este?

A nő gyorsan és lázasan beszélt. Az operátor elég időt töltött a munkakörében ahhoz, hogy tudja, mikor van dolga *pazzóval.* Ez a nő nem tűnt bolondnak. Izgatott volt, de racionális. Hűvös és hatékony. Egyre zavarodottabban hallgatta a kérését.

– *Il camerlengo?* – kérdezte a telefonkezelő, még mindig

azon törve a fejét, hogy honnan a pokolból jöhetett a hívás.
– Nem tudom kapcsolni... igen, tisztában vagyok azzal, hogy
a pápai irodában van, de... mégis, ki maga?... Figyelmeztetni
akarja arra, hogy... – Hallgatta a nőt, és percről percre nyug-
talanabb lett. Mindenki veszélyben van? Hogyan? De honnan
telefonál? – Esetleg odakapcsolhatom a svájci... – Az operátor
hirtelen elhallgatott. – Mit mondott, honnan beszél? Honnan?

Megrendülten hallgatott, majd döntött. – Tartsa, kérem
– mondta, várakoztatva a hívót, mielőtt a nő válaszolhatott
volna. Azután felhívta Olivetti parancsnok közvetlen számát.
Lehetetlen, hogy az a nő tényleg...

Azonnal fölvették a telefont.

– *Per l'amore di Dio!* – kiáltott bele az ismerős női hang.
– Az Isten szerelmére, kapcsoljon már oda!

Nyílt a svájci testőrség biztonsági központjának ajtaja.
A testőrök szétválva engedtek utat a beviharzó Olivetti pa-
rancsnoknak. Az irodája felé kanyarodva Olivetti meggyőződ-
hetett arról, amit az embere a walkie-talkie-ban mondott ne-
ki: Vittoria Vetra az íróasztalánál állt és a parancsnok privát
telefonján beszélt.

Che coglioni che ha questa! – gondolta. Hogy merészeli
ezt?

Az ajtóhoz vágtatott és bedugta a kulcsot a zárba. Feltépte
az ajtót és ráripakodott: – Mit művel?

Vittoria nem vett róla tudomást. – Igen – mondta a tele-
fonba. – És figyelmeztetnem kell...

Olivetti kitépte a kagylót a kezéből, és a füléhez tartotta.
– Ki az ördög az?

A másodperc tört része alatt rogyott meg Olivetti merev testtartása. – Igen, *camerlengo*... – mondta. – Úgy van, *signore*... de a biztonság megköveteli... természetesen nem... azért tartom itt őket, mert... hogyne, de... – Olivetti hallgatott. – Igen, uram – mondta végül. – Azonnal odaviszem őket.

39

Az Appostoli Palota több épület együttese. Vatikánváros északkeleti sarkában áll, a Sixtus-kápolna mellett. Homlokzata a Szent Péter térre néz; ebben a palotában találhatók a pápai lakosztályok és a pápai iroda is.

Vittoria és Langdon némán követte Olivetti parancsnokot, aki végigvezette őket egy hosszú, rokokó folyosón, miközben lüktettek az erek a nyakán a visszafojtott haragtól. Három lépcsősor megmászása után beléptek egy széles, gyéren megvilágított előtérbe.

Langdon nem hitt a szemének a falakon látható, sok százezer dollárt érő műtárgyak – vadonatújnak tűnő mellszobrok, kárpitok, frízek – láttán. A terem kétharmad részéhez érve elhaladtak egy díszkút mellett. Olivetti befordult balra egy benyílóba, és gyors léptekkel megindult a Langdon által valaha látott legnagyobb ajtó felé.

– *Ufficio di Papa* – jelentette be a parancsnok, és gúnyosan meghajolt Vittoria előtt. Vittoriának a szeme sem rebbent. Hátat fordított Olivettinek és hangosan bekopogott.

A pápai iroda, gondolta Langdon, akinek nehezére esett feldolgozni, hogy valamennyi világvallás egyik legszentebb szobája előtt áll.

– Avanti! – szólt ki valaki odabentről.

Amikor kinyílt az ajtó, Langdonnak el kellett ernyőznie a szemét. Vakító volt a napfény. Csak lassan állt össze a kép a szeme előtt.

A pápa irodája inkább bálteremnek tűnt, mint hivatali helyiségnek. A padlót faltól falig vörösmárvány borította, a falakat mozgalmas freskók ékesítették. A mennyezetet hatalmas csillár uralta, a boltíves ablakok sora pedig lélegzetelállító kilátást nyújtott a napsütésben fürdő Szent Péter térre.

Istenem, gondolta Langdon. Ezt nevezem panorámának.

A terem túlsó végében, egy faragott asztalnál egy férfi ült, és lázasan írt valamit. – Avanti – szólt oda újra, letéve a tollat és közelebb intve őket.

Olivetti vezette a menetet, nyársat nyelt katonássággal. – Signore – mondta mentegetőzve. – No ho potuto...

A férfi leintette. Fölállt és szemügyre vette a két látogatót.

A camerlengo távolról sem emlékeztetett azokra a törékeny, jámbor öregemberekre, akiknek Langdon képzelte a Vatikán lakóit. Nem viselt rózsafüzért, sem keresztet a nyakában. Nem volt rajta nehéz csuha. Egyszerű, fekete reverendája még inkább kihangsúlyozta termetes alakjának robusztusságát. A harmincas évei vége felé járhatott, ami vatikáni mércével még gyereknek számít. Meglepően jóképű volt, sűrű, erősszálú barna hajjal és szinte világítóan zöld szemmel, amely úgy ragyogott, mintha a világegyetem titkai gyűjtották volna lángra. Ámbár amikor a férfi közelebb jött, Langdon mélységes kimerültséget látott a szemében – azét az emberét, aki élete legnehezebb tizenöt napja után van.

– Carlo Ventresca vagyok – mondta tökéletes angolsággal. – A néhai pápa kamarása. – Szerény és barátságos volt a hangja, amelyben nyomát sem lehetett felfedezni az olasz hanglejtésnek.

– Vittoria Vetra – lépett előre a lány a kezét nyújtva. – Köszönöm, hogy fogad minket.

Olivetti összerándult, amikor a *camerlengo* megrázta Vittoria kezét.

– Bemutatom Robert Langdont – mondta Vittoria. – A Harvard Eogyetem vallástörténésze.

– Padre – mondta Langdon a legjobb olasz kiejtésével. Meghajtotta a fejét és kezet nyújtott.

– Nem, nem – tiltakozott a *camerlengo* Langdon főhajtása ellen. – Őszentsége irodája nem tesz engem is szentté. Én csak egy pap vagyok... kamarásként szolgálok, amikor szükség van rám.

Langdon fölegyenesedett.

– Kérem – mondta a *camerlengo* –, mindenki foglaljon helyet. – Elrendezett néhány széket az asztala körül. Langdon és Vittoria leült. Olivetti láthatóan úgy döntött, hogy inkább állva marad.

A *camerlengo* maga is helyet foglalt az íróasztalnál, összekulcsolta a kezét, sóhajtott és a látogatóira emelte a tekintetét.

– *Signore* – mondta Olivetti. – A nő öltözéke az én hibám. Én...

– Engem nem az öltözéke érdekel – válaszolta a camerlengo, aki túl fáradt volt ahhoz, hogy körülményeskedjen. – Én akkor aggódom, amikor a Vatikán telefonkezelője, fél órával azelőtt, hogy megnyitnám a konklávét, felhív, és közli, hogy egy nő az ön privát irodájából telefonál, mert figyelmeztetni akar valamilyen nagy biztonsági kockázatra, amiről én nem tudok.

Olivetti mereven állt, a háta ívbe hajlott, mint a raportra rendelt katonáé.

Langdont mintha hipnotizálta volna a camerlengo jelenléte. A papot – fiatalsága és kimerültsége ellenére is – valami mitikus hős aurája fogta körül: karizmát és tekintélyt sugárzott.

– Signore – mondta Olivetti mentegetőző hangon, de még mindig hajlíthatatlanul. – Nem kellene aggódnia a biztonsági kérdések miatt. Ön más dolgokért visel felelősséget.

– Nagyon is tudatában vagyok a más irányú felelősségemnek. De annak is tudatában vagyok, hogy mint direttore intermediario én felelek a konklávé minden résztvevőjének biztonságáért és jólétéért. Tudnom kell, mi folyik itt.

– Ura vagyok a helyzetnek.

– Nekem nem úgy tűnik.

– Atyám – szakította félbe Langdon, elővéve a gyűrött faxot és átnyújtva a camerlengónak –, parancsoljon.

Olivetti lépett, megpróbálva közbeavatkozni. – Atyám, ne zavarja össze a fejét ezzel...

A camerlengo elvette a faxot, egy hosszú másodpercig tudomást sem véve Olivettiről. Nézte a meggyilkolt Leonardo Vetra képét és zaklatottan felsóhajtott. – Mi ez?

– Ő az apám – mondta Vittoria elcsukló hangon. – Pap volt és a tudomány embere. Tegnap éjjel meggyilkolták.

A *camerlengo* arca egy pillanatra ellágyult. A lányra nézett.

– Drága gyermekem. Nagyon sajnálom. – Keresztet vetett, majd újra ránézett a faxra, és mintha a borzadály hullámai futottak volna át szeme tükrén. – Ki volt képes... és ez az égési seb... – A *camerlengo* elhallgatott, és közelebb hajolt a képhez.

– Az áll ott, hogy Illuminátusok – mondta Langdon. – Semmi kétségem, hogy ismeri ezt a nevet.

Különös kifejezés jelent meg a *camerlengo* arcán. – Hallottam már a nevet, igen, de...

– Az Illuminátusok meggyilkolták Leonardo Vetrát, hogy ellophassanak egy új technológiát, amelyet ő...

– *Signore* – lépett közbe Olivetti. – Ez képtelenség. Az Illuminátusok? Ez nyilvánvalóan egy gondosan kivitelezett hamisítvány.

A *camerlengo* fontolóra vette Olivetti szavait. Aztán Langdon felé fordult, és olyan behatóan szemlélte, hogy Langdon úgy érezte, kiszorul a levegő a tüdejéből. – Mr. Langdon, én a katolikus egyházban töltöttem az életemet. Ismerem az Illuminátusok tanait... és a megbélyegzésekről szóló legendákat. Ám figyelmeztetnem kell arra, hogy a jelen kor embere vagyok. A kereszténységnek éppen elég igazi ellensége van, nem kell még a múlt kísérteteit is feltámasztani.

– A szimbólum eredeti – mondta Langdon, kissé túl védekezően, gondolta. Odanyúlt és elforgatta a faxot a *camerlengónak*.

A *camerlengónak* elakadt a szava, amikor felfedezte a szimmetriát.

– Még a legkorszerűbb számítógépek sem képesek – tette hozzá Langdon – szimmetrikus ambigrammát hamisítani ebből a szóból.

A *camerlengo* összekulcsolta a kezét és hosszú ideig nem szólt semmit. – Az Illuminátusok halottak – mondta végül. – Régóta. Ez történelmi tény.

Langdon bólintott. – Tegnap még egyetértettem volna önnel.

– Tegnap?

– A mai események láncolata előtt. Most azt hiszem, hogy az Illuminátusok újra feljöttek a föld alól, hogy beteljesítsenek egy ősi fogadalmat.

– Bocsásson meg, de berozsdásodott a történelemtudásom. Mi volna ez az ősi fogadalom?

Langdon vett egy nagy levegőt. – Vatikánváros elpusztítása.

– Lerombolni Vatikánvárost? – A *camerlengo* inkább zavartnak tűnt, mint rémültnek. – De hiszen ez lehetetlen.

Vittoria megrázta a fejét. – Attól tartok, hogy további rossz hírekkel kell szolgálnunk.

40

– Igaz ez? – dörrent rá a Vittoriától a parancsnok felé forduló, elképedt *camerlengo* Olivettire.

– *Signore* – tartott ki Olivetti –, be kell vallanom, hogy tényleg van itt valamilyen készülék. Látni lehet az egyik biztonsági monitorunkon, de amit Ms. Vetra állít ennek az anyagnak a hatóerejéről, azt én nem tartom lehetségesnek...

– Várjon egy percet – mondta a *camerlengo*. – Ez a tárgy látható?

– Igen, *signore*. A #86-os vezeték nélküli kamerán.

– Akkor miért nem távolították el? – A *camerlengo* hangjában már harag érződött.

– Nagyon nehéz ügy, uram. – Olivetti vigyázzban állt, miközben ismertette a helyzetet.

A *camerlengo* hallgatta, és Vittoria érzékelte, hogy egyre jobban aggódik. – Biztos abban, hogy az a tárgy a Vatikánon belül van? – kérdezte a *camerlengo*. – Talán valaki kivitte innen a kamerát, és az most valami más helyről közvetít képet.

– Lehetetlen – mondta Olivetti. – A külső falaink elektronikus védelemmel vannak ellátva, hogy ne zavarhassák meg a belső kommunikációnkat. Ez a jel csak belülről jöhet, máskülönben nem tudnánk fogni.

– Feltételezem, hogy már teljes erővel keresik ezt az elveszett kamerát.

Olivetti megrázta a fejét. – Nem, *signore*. A kamera megtalálása több száz munkaórát vehet igénybe. Pillanatnyilag számos egyéb biztonsági problémánk van, és minden tiszteletem Ms. Vetráé, de nagyon pici az a csöppecske, amiről beszél. Nem lehet annyira robbanékony, mint állítja.

Vittoria kijött a béketűréséből. – Az a cseppecske elegendő ahhoz, hogy a földdel tegye egyenlővé a Vatikánt! Odafigyelt egyáltalán arra, amit mondtam?

– Asszonyom – felelte Olivetti acélos hangon –, nekem kiterjedt tapasztalataim vannak a robbanóanyagok terén.

– A tapasztalatai elavultak – vágott vissza a lány ugyanolyan keményen. – A ruházatom ellenére, ami annyira zavarja önt, vezető fizikus vagyok a világ legélenjáróbb részecskefizikai kutatóintézetében. Magam terveztem azt az antianyagcsapdát, ami e pillanatban is védi a mintát a megsemmisüléstől. És figyelmeztetem arra, hogy ha hat órán belül nem találja meg azt a tárolóedényt, a testőreinek nem marad más védelmeznivalójuk a következő évszázadban, mint egy nagy kráter a földben.

Olivetti közelebb nyomult a *camerlengóhoz*, rovarszemében düh izzott. – *Signore*, jó lelkiismerettel nem hagyhatom, hogy ez tovább folytatódjon. Tréfacsinálókra veszegeti az idejét. Illuminátusok? Mindent elpusztító cseppecske?

– *Basta* – jelentette ki a *camerlengo*. Halkan mondta ki a szót, mégis mintha visszhangot vert volna a teremben. Utána csönd lett. Suttogva folytatta: – Veszélyes vagy sem, Illuminátusok vagy nem Illuminátusok, bármi legyen is ez a dolog, annyi bizonyos, hogy semmi keresnivalója a Vatikánban... különösen nem a konklávé estéjén. Azt akarom, hogy találják meg és távolítsák el. Haladéktalanul szervezze meg a keresést.

Olivetti ellenállt. – *Signore*, még ha valamennyi testőrt ráállítanánk is a Vatikán tüzetes átkutatására, napokba telhet, amíg megtaláljuk azt a kamerát. Továbbá, miután meghallgattam Ms. Vetrát, megbíztam az egyik testőrt, hogy nézze át a legfrissebb ballisztikai kalauzt, hogy történik-e említés bármilyen antianyag nevű szerről. Sehol nem írnak róla. Semmit.

Hiú seggfej, gondolta Vittoria. Ballisztikai kalauz? Miért nem egy enciklopédia? Az A betűnél kell keresni.

Olivetti még mindig beszélt. – Signore, ha azzal a felvetéssel él, hogy szabad szemmel kutassuk át Vatikánváros teljes területét, ellent kell mondanom.

– Parancsnok. – A *camerlengo* hangja már remegett a haragtól. – Hadd emlékeztessem arra, hogy amikor velem beszél, a pápai hivatallal beszél. Úgy látom, nem veszi komolyan a pozíciómat... ennek ellenére a törvény szerint én vagyok a döntéshozó. Ha nem tévedek, a bíborosok már biztonságban vannak a Sixtus-kápolnában, és a konklávé végéig nemigen kell biztonsági problémákkal foglalkoznia. Nem értem, miért habozik keresést indítani a készülék után. Ha nem ismerném, azt kellene hinnem, hogy szándékosan veszélyezteti a konklávét.

Olivetti gőgös pillantást vetett rá. – Hogy merészeli! Én tizenkét éven át szolgáltam a maga pápáját! Az előző pápát tizennégy évig! A svájci testőrség 1438 óta...

Olivetti övén hangosan felcsipogott a walkie-talkie, félbeszakítva a mondókáját: – *Comandante!*

Olivetti felkapta és bekapcsolta az adót: – *Sono occupato! Cosa vuoi?*

– Elnézést – mondta a svájci testőr a rádióba. – Hívást kaptunk. Gondoltam, tudni szeretne róla, hogy bombafenyegetés érkezett.

Olivetti már nem is lehetett volna közönyösebb. – Futtassák le a szokásos keresést és vegyék jegyzőkönyvbe.

– Megtettük, uram, de a hívó... – A testőr szünetet tartott. – Nem zavartam volna, parancsnok, ha nem azt a dolgot említette volna, aminek utánanézetett velem. Az antianyagot.

A szobában tartózkodók döbbent tekintettel néztek össze.

– Mit említett? – tántorodott meg Olivetti.

– Az antianyagot, uram. Miközben megpróbáltuk lenyomozni a hívást, végeztem némi további kutatást. Az antianyagról szóló információ... őszintén szólva elég nyugtalanító.

– Mintha azt mondta volna, hogy a ballisztikai szakirodalomban nem szerepel.

– Online találtam meg.

Halleluja, gondolta Vittoria.

– Az az anyag igen robbanékonynak tűnik – folytatta a testőr. – Nehéz elhinni, hogy pontos az adat, de azt írják, hogy azonos mennyiségű antianyag mintegy százszor nagyobb hatóerőt képvisel, mint egy nukleáris robbanófej.

Olivetti megroggyant. Mintha egy hegy omlott volna össze. Vittoria diadalérzete azonnal elszállt, amikor meglátta a *camerlengo* rémült arcát.

– Lenyomozták a hívást? – kérdezte a lesújtott Olivetti.

– Nem sikerült. Bonyolultan kódolt rádiótelefon. A SAT-vonalak összekeverednek és nem működik a háromszögelés. Az IF aláírás arra utal, hogy valahol Rómában van, de tényleg nem tudtunk a nyomára bukkanni.

– Vannak követelései? – kérdezte Olivetti halkan.

– Nem, uram. Csak figyelmeztetett bennünket, hogy az antianyag itt van elrejtve az épületegyüttesben. Meglepettnek tűnt, hogy nem tudok róla. Megkérdezte, hogy láttam-e már. Ön kért információt az antianyagról, így jobbnak láttam, ha értesítem.

– Helyesen tette – mondta Olivetti. – Egy percen belül ott vagyok. Azonnal riasszon, ha újra telefonál.

Egy pillanatig csend volt a rádióban. – A hívó még a vonalban van, uram.

Olivettit mintha áramütés érte volna. – Még él a vonal?

– Igen, uram. Tíz perce próbáljuk lenyomozni a hívást, de csak zavaró adatokat kaptunk. Tudnia kell, hogy nem érhetjük utol, mert nem hajlandó letenni, amíg nem beszélhet a *camerlengóval.*

– Kapcsolják ide – rendelkezett a *camerlengo.* – Azonnal! Olivetti előrelendült. – Ne, atyám! Egy tárgyalásra kiképzett svájci testőr jobban tudná kezelni a helyzetet.

– Azonnal!

Olivetti kiadta a parancsot.

Egy pillanattal később csöngeni kezdett a telefon Ventresca *camerlengo* asztalán. A *camerlengo* benyomta az ujjával a kihangosítógombot. – Isten nevében kérdem, kinek képzeli magát?

41

$\mathcal{A}$ *camerlengo* készülékében fémes, hideg hang szólalt meg, amelyből arrogancia csendült ki. A jelenlévők feszülten figyeltek.

Langdon megpróbálta azonosítani az akcentust. Talán közel-keleti?

– Egy ősi testvériség hírnöke vagyok – mondta a hívó idegen hanglejtéssel. – Egy olyan testvériségé, amelyet évszázadokon át félreértettek.

Langdon érezte, hogy megfeszülnek az izmai, és a kétely

utolsó foszlánya is elhagyja. Egy pillanat alatt egyszerre rohanta meg a borzongás, a kivételezettség és ugyanaz a halálos félelem, amelyet akkor érzett, amikor ma reggel először ránézett az ambigrammára.

– Mit akar? – kérdezte a *camerlengo*.

– A tudomány embereit képviselem. Azokat a férfiakat, akik önökhöz hasonlóan a válaszokat keresik. Választ az ember sorsára, rendeltetésére, teremtőjére.

– Akárki legyen is – mondta a *camerlengo* –, én...

– *Silenzio*. Jobban teszi, ha végighallgat. Két évezreden át az önök egyháza uralta az igazság keresését. Hazugságokkal és sötét próféciákkal törték le az ellenállást. Manipulálták az igazságot, hogy saját érdekeiket szolgálja, meggyilkolták azokat, akiknek a felfedezései nem feleltek meg a politikájuknak. És most meg vannak lepve, hogy célpontjává váltak a földkerekség megvilágosodott embereinek?

– A megvilágosodott emberek nem zsarolással kívánják elérni a céljaikat.

– Zsarolás? – kacagott fel a hívő. – Ez nem zsarolás. Nekünk nincsenek követeléseink. A Vatikán megsemmisítéséről nincs mit tárgyalni. Négyszáz évet vártunk erre a napra. És éjfélkor romba dől a városuk. Semmit sem tehetnek ellene.

Olivetti a telefonra vetette magát. – Ebbe a városba lehetetlen bejutni! Lehetetlen, hogy itt robbanóanyagot helyezhettek el!

– Egy svájci testőr tudatlan eltökéltsége beszél önből. Lehet, hogy tiszt? Bizonyára tisztában van azzal, hogy az Illuminátusok az évszázadok során behatoltak a földgolyó legelitebb szervezeteibe. Tényleg azt hiszi, hogy a Vatikán kivétel?

Jézusom, gondolta Langdon, idebent is van emberük. Nem volt titok, hogy a beszivárgás az Illuminátusok hatalmának védjegye. Behatoltak a szabadkőművesek közé, a legnagyobb bankláncokba, a kormányzati szervekbe. Churchill egyszer azt mondta egy újságírónak, hogy ha az angol kémek olyan mélyre hatoltak volna a nácik soraiban, mint az Illuminátusok az angol parlamantben, akkor egy hónap alatt véget ért volna a háború.

– Átlátszó blöff – vágta oda Olivetti. – Ilyen messzire nem terjedhet a befolyásuk.

– Miért? Mert a svájci testőrség annyira éber? Mert a magánviláguk minden sarkát ellenőrzés alatt tartják? És mi a helyzet a svájci testőrökkel? Ők talán nem emberek? Tényleg azt hiszi, hogy kockára teszik az életüket egy vízen járó emberről szóló mese miatt? Tegye fel magának a kérdést, hogyan juthatott be az a tárolóedény a városukba. Vagy hogyan tűnhetett el ma délután a négy legértékesebb vagyontárgyuk?

– A mi vagyontárgyaink? – morogta Olivetti. – Mire céloz?

– Egy, kettő, három, négy. Még nem hiányolják őket?

– Mi az ördögről beszél? – Olivetti hirtelen elhallgatott, a szeme kigúvadt, mintha gyomorszájon vágták volna.

– Dereng már? – kérdezte a hívó. – Beolvassam a neveket?

– Mi folyik itt? – kérdezte a camerlengo teljes zavarban.

A hívó nevetett. – A tisztje még nem informálta önt? Vétkes hanyagság. Nem lep meg. Amilyen gőgös. Képzelem, mennyire megalázó lesz elmondania önnek az igazságot... hogy négy bíboros, akiknek a védelmére felesküdött, eltűnt...

Olivetti kifakadt. – Honnan jutott hozzá ehhez az információhoz?

– *Camerlengo* – kárörvendezett a hívó –, kérdezze meg a parancsnokot, hogy valamennyi bíboros jelen van-e a Sixtus-kápolnában.

A *camerlengo* Olivettihez fordult, zöld szeme magyarázatot követelt.

– *Signore* – suttogta Olivetti a *camerlengo* fülébe –, igaz, hogy négy kardinálisunk még nem jelent meg a Sixtus-kápolnában, de semmi ok a riadalomra. Ma reggel mind a négyen bejelentkeztek a rezidencián, tehát tudjuk, hogy biztonságban vannak a Vatikánon belül. Ön is együtt teázott velük néhány órával ezelőtt. Egyszerűen csak késnek a konklávét megelőző beszélgetésről. Keressük őket, de biztos vagyok benne, hogy csak elnézték az órát, és még kint sétálgatnak a kertben.

– Sétálgatnak a kertben? – A *camerlengót* immár elhagyta a nyugalma. – Több mint egy órája a kápolnában kellene lenniük!

Langdon elképedt pillantást vetett Vittoriára. Eltűnt bíborosok? Tehát őket keresték odalent!

– Meggyőzőnek fogják találni a névsorunkat – mondta a hívó. – Lamassé bíboros Párizsból, Guidera bíboros Barcelonából, Ebner bíboros Frankfurtból...

Olivetti mintha egyre kisebbre zsugorodott volna minden egyes név után.

A hívó szünetet tartott, mintha különös élvezetét lelné az utolsó névben. – Olaszországból pedig... Baggia bíboros.

A *camerlengo* úgy roskadt össze, mint egy magas hajó, amelynek minden vitorláját bevonták a szélcsendes zónában. Reverendája hullámzott, ahogy belerogyott a székébe.

– *I preferiti* – suttogta. – A négy kiemelt... köztük Baggia... a négy legesélyesebb jelölt a Pontifex Maximus címére... hogyan lehetséges ez?

Langdon eleget olvasott a modernkori pápaválasztásokról, hogy megértse a kétségbeesett kifejezést a *camerlengo* arcán. Noha elméletileg bármelyik nyolcvan év alatti bíborosból lehet pápa, csak nagyon kevesen örvendenek akkora tiszteletnek, hogy kétharmados többséget szerezhessenek egy szenvedélyesen pártoskodó választás során. Ők voltak a kiemelt esélyesek. És mindannyian eltűntek.

Veríték ütközött ki a *camerlengo* homlokán. – Mi a szándékuk ezekkel az emberekkel?

– Mégis, mit gondol? Én a hasszasszínok leszármazottja vagyok.

Langdonon jeges borzongás futott végig. Jól ismerte ezt a nevet. Az egyház jó néhány halálos ellenséget szerzett magának az idők során – a hasszasszinokat, a templomos lovagokat, a hadseregeket, amelyeket vagy üldözött a Vatikán, vagy elárulta őket.

– Engedjék el a bíborosokat – mondta a *camerlengo*. – Nem elég az, hogy pusztulással fenyegetik Isten városát?

– Felejtsék el a bíborosaikat. Ők már elvesztek az önök számára. De abban biztosak lehetnek, hogy a haláluk... millióknak lesz emlékezetes. Minden mártír ilyen végről álmodik. Médiasztárokat csinálok belőlük. Egyenként. Éjfélre mindenki az Illuminátusokra fog figyelni. Miért változtatnánk meg a világot, ha a világ oda sem figyel? A nyilvános kivégzésekben van valami ellenállhatatlan borzalom, nem igaz? Önök ezt már régen bebizonyították... az inkvizíció, a templomos lovagok, a keresztesek megkínzása. – A hívó szünetet tartott. – És persze: *la purga.*

A *camerlengo* hallgatott.

– Nem emlékszik a *la purgára?* – kérdezte a hívó. – Persze hogy nem, hiszen még gyerek. A papok egyébként is rossz történészek. Talán azért, mert szégyellik a történelmüket?

– *La purga* – mondta ki önkéntelenül Langdon. – 1668. Az egyház a kereszt bélyegét sütötte négy illuminátus tudósra. Hogy megtisztítsák őket a bűneiktől. Ezt nevezték purgálásnak.

– Ki beszél? – követelőzött a hívó, inkább kíváncsian, mint aggódva. – Ki van még ott?

Langdon érezte, hogy reszket. – A nevem nem fontos – mondta, vigyázva, hogy ne árulja el a hangja. Egy eleven illuminátussal beszélni meglehetősen zavarba ejtő volt... mintha George Washingtonnal beszélt volna. – Az önök testvériségének történetével foglalkozó akadémikus vagyok.

– Remek – válaszolta a hang. – Örömmel hallom, hogy vannak még olyanok, akik emlékeznek az ellenünk elkövetett bűnökre.

– A legtöbben úgy gondolják, hogy a testvériség megszűnt létezni.

– Tévedés, aminek az elterjesztéséért keményen megdolgozott a testvériség. Mit tud még a *la purgáról?*

Langdon tétovázott. Mit is tudok még? Azt, hogy ez az egész helyzet eszelős, azt tudom! – A megbélyegzés után a tudósokat meggyilkolták, a holttestüket pedig kihajították a római közterekre, hogy figyelmeztessék a többi tudóst: ne csatlakozzanak az Illuminátusokhoz.

– Igen. Tehát nekünk is ugyanezt kell tennünk. *Quid pro quo*. Tekintsék ezt szimbolikus megtorlásnak testvéreink lemészárlásáért. Az önök négy bíborosa meg fog halni, nyolctól kezdődően minden órában az egyikük. Éjfélre az egész világ le lesz nyűgözve.

Langdon közelebb ment a telefonhoz. – Önöknek tényleg az a szándékuk, hogy megbélyegzik és megölik ezeket az embereket?

– A történelem ismétli önmagát, nem igaz? Természetesen mi elegánsabbak és merészebbek leszünk, mint az egyház volt. Ők a falak között öltek, és akkor hajították ki a tetemeket, amikor senki sem látta. Micsoda gyávaság.

– Mit beszél? – kérdezte Langdon. – Önök a nyilvánosság előtt akarják megbélyegezni és megölni ezt a négy embert?

– Pontosan. Bár attól függ, hogy mit tekintünk nyilvánosságnak. Úgy tudom, manapság nem sokan járnak templomba.

Langdon találgatott: – Arra gondol, hogy templomokban ölik meg őket?

– Baráti gesztus. Alkalmat adunk Istennek, hogy gyorsabban juttathassa lelküket a mennyországba. Helyes választásnak tűnik. És persze a sajtó is élvezni fogja, gondolom.

– Csak blöfföl – mondta Olivetti, ismét a régi, hideg hangján. – Nem ölhetnek embert egy templomban, arra számítva, hogy megússzák.

– Blöffölök? Úgy sétálunk a maga svájci testőrei között, akár a szellemek, kicsempészünk négy bíborost a falaik közül, halálos robbanószert helyezünk el a legszentebb templomuk szívében, és ezek után azt gondolja, hogy blöffölök? Miután megtörténnek a kivégzések és megtalálják a holttesteket, a média felbolydul. Éjfélre az egész világ megismeri az Illuminátusok ügyét.

– És ha őröket állítunk minden templomba? – kérdezte Olivetti.

A hívó nevetett. – Attól tartok, hogy az önök egyházának szapora természete igencsak megnehezíti ezt a próbálkozást. Megszámolták mostanában? Rómában több mint négyszáz katolikus templom van. Székesegyházak, kápolnák, tabernákulumok, apátságok, monostorok, zárdák, egyházközségi iskolák...

Olivetti arca kemény maradt.

– Kilencven perc múlva elkezdődik – mondta a hívó ellentmondást nem tűrő hangon. – Óránként egyet. A halál matematikai sorozata. Most mennem kell.

– Várjon! – kiáltotta Langdon. – Mondja meg, milyen szimbólummal akarják megbélyegezni azokat az embereket.

A gyilkost mintha mulattatta volna a kérdés. – Azt gyanítom, hogy már tudja a választ. Vagy talán kételkedik? Hamarosan meg fogja látni. Igazolást nyer, hogy az ősi legendák igazak.

Langdon szédülést érzett. Pontosan tudta, mire céloz a férfi. Maga elé idézte a bélyeget Leonardo Vetra mellkasán. Az illuminátus szájhagyomány összesen ötféle bélyeget említ. Négy bélyeg maradt, gondolta Langdon, és négy bíboros tűnt el.

– Esküszöm – mondta a camerlengo –, hogy még ma éjjel új pápánk lesz. Esküszöm az élő Istenre.

– Camerlengo – mondta a hívó –, a világnak nincsen szüksége új pápára. Éjfél után már nem lesz min uralkodnia, legfeljebb egy szemétdombon. A katolikus egyháznak vége. Önök befejezték földi pályafutásukat.

Aztán csönd lett a vonalban.

A *camerlengo* őszintén szomorúnak tűnt. – Tévedésben vannak. Az egyház több mint puszta kő és habarcs. Kétezer év hitét... semmilyen hitet... nem olyan könnyű eltörölni. Nem zúzhatják szét a hitet csupán azzal, hogy eltüntetik földi megtestesülését. A katolikus egyház fennmarad... a Vatikánnal, vagy anélkül.

– Kegyes hazugság. De akkor is hazugság. Mindketten tudjuk az igazat. Mondja meg nekem, miért fallal övezett fellegvár a Vatikán?

– Isten emberei veszélyes világban élnek – mondta a *camerlengo*.

– Ön ennyire fiatal? A Vatikán azért lett erőd, mert a katolikus egyház e falak között őrzi a kincsei felét: ritka festményeket, szobrokat, értékes drágaköveket, páratlan könyveket... azután itt van az aranykészlete és jelentős ingatlanvagyonának nyilvántartása is a vatikáni bank széfjeiben. A hozzáértők durván 48,5 milliárd dollárra becsülik Vatikánváros értékét. Igazi aranytojáson ülnek itt. Holnapra csak hamu marad belőle. Csak a forgótőkéjükre számíthatnak. Csődbe fognak jutni. Még a csuhások sem dolgoznak ingyen.

Olivetti és a *camerlengo* megrendült tekintete visszaigazolta a közlés helytállóságát. Langdon maga sem tudta, mit talál meglepőbbnek: azt, hogy a katolikus egyháznak ekkora vagyona van, vagy azt, hogy az Illuminátusok valahogy rájöttek erre.

A *camerlengo* nehezet sóhajtott. – Egyházunk gerincét nem a pénz, hanem a hit adja.

– Újabb hazugság – mondta a hívó. – Tavaly 183 millió dollárt költöttek arra, hogy világszerte támogassák a harcos egyházmegyéket. A templomok látogatottsága még sosem volt ilyen alacsony... 46 százalékkal csökkent az elmúlt évtizedben. Az adományok a felét sem érik el annak, amit még hét éve is. Egyre kevesebb a jelentkező a szemináriumokba. Noha ezt nem fogják elismerni, de az egyház haldoklik. Tekintsék ezt esélynek arra, hogy tiszta lappal kezdjenek.

Olivetti előrelépett. Most kevésbé tűnt harciasnak, mintha ráérzett volna a küszöbönálló zord valóságra. Olyan embernek tűnt, aki a menekülés útját keresi. Bármilyen kiutat. – És mi van akkor, ha annak az aranykészletnek egy része az önök ügyét pénzelte?

– Ez mind a kettőnknek sértés.

– Van pénzünk.

– Ahogy nekünk is. Több mint képzelnék.

Langdonnak beugrott, mit rebesgetnek az Illuminátusok vagyonáról, a bajor szabadkőművesek ősi kincseiről, a Rothschildokról, a Bilderbergerekről, az Illuminátusok legendás gyémántjáról.

– *I preferiti* – mondta a *camerlengo* témát váltva. Könyörgővé vált a hangja. – Kíméljék meg az életüket. Öreg emberek. Ők...

– Ők a feláldozott szüzek – nevetett a hívó. – Mit gondol, valóban szüzek? Felsírnak majd a kisbárányok, amikor meghalnak? *Sacrifici vergini nell' altare di scienza.*

Szűz áldozatok a tudomány oltárán. A camerlengo hosszú ideig hallgatott. – Ők a hit emberei – mondta végül. – Nem félnek a haláltól.

A hívó felhorkant. – Leonardo Vetra is hívő ember volt, mégis láttam a félelmet a szemében tegnap éjjel. De én eltüntettem belőle azt a félelmet.

Vittoria, aki eddig csöndben volt, most hirtelen felpattant, testét megfeszítette a gyűlölet. – *Asino!* Ő volt az apám!

A vonalban vihogás hallatszott. – Az apja? Mi van itt? Vetrának volt egy lánya? Jobb, ha tudja, hogy az apja a végén nyüszített, mint egy gyerek. Igazán sajnálatraméltó volt. Szánalmas ember.

Vittoria megtántorodott, mintha hátulról sújtottak volna le rá a szavak. Langdon utánakapott, de a lány már visszanyerte az egyensúlyát és a telefonra szögezte sötét szemét. – Az életemre esküszöm, hogy megtalállak, még mielőtt véget érne ez az éjszaka. – A hangja olyan metszővé vált, akár a lézer. – És akkor...

A hívó durván felröhögött. – Egy nő, akiben van spiritusz. Egészen felizgatott. Lehet, hogy én talállak meg téged, még mielőtt véget ér az éjszaka. És akkor...

A szavak pengeként hasítottak. Aztán a hívó távozott.

42

Mortati bíboros most már izzadt a fekete reverendájában. Nem elég, hogy a Sixtus-kápolna egyre inkább hasonlított egy szaunára, de húsz percen belül el kellene kezdődnie a konklávénak, és még mindig semmi hír a négy hiányzó kardinálisról. A többi bíboros eleinte csak zavartan suttogott az eltűnésükről, most viszont már érzékelhetővé vált a szorongásuk. Mortati el se tudta képzelni, hol csavaroghatnak. Talán a *camerlengónál* vannak? Tudta, hogy a *camerlengo* hagyományos, privát teázáson fogadta a négy *preferitit*, de az órákkal ezelőtt volt. Megbetegedtek? Talán ettek valamit? Mortati kételkedett benne. A kivételezettek még a halál küszöbén is idejönnének. Egyszer az életben kap egy bíboros esélyt arra, hogy Pontifex Maximusnak válasszák, sőt a többség még csak nem is álmodhat erről, és a vatikáni törvények szerint a bíborosnak ott kell lennie a Sixtus-kápolnában, amikor megtörténik a szavazás. Csak ez esetben választható.

Noha négy *preferiti* van, nem sok kardinálisnak volt kétsége afelől, hogy ki lesz a következő pápa. Az elmúlt tizenöt napban egy sereg fax és telefonhívás tárgyalta ki a lehetséges jelölteket. Szokás szerint négy név merült fel, mint *preferiti*, akik valamennyien megfeleltek a pápává választás íratlan követelményeinek.

Többnyelvűség, elsősorban az olasz, a spanyol és az angol ismerete.

Tiszta múlt, csontvázak nélkül a szekrényben.

Hatvanöt és nyolcvan közötti életkor.

Az egyik *preferiti* rendszerint a többi fölé emelkedett a bíborosok testülete által választásra javasolt férfiak közül. Ma este a milánói Aldo Baggia bíboros ez a férfi. Baggia feddhetetlen pályája kivételes nyelvtudással és a spirituális értékek lényegre törő közvetítésének képességével párosult, így ő volt a legesélyesebb.

Akkor hol a pokolban van, tűnődött Mortati.

Mortati különösen azért nyugtalankodott az eltűnt bíborosok miatt, mert rá hárult a konklávé felügyeletének tiszte. Egy héttel ezelőtt a bíborosok testülete egyöntetűen Mortatit szavazta meg a Nagy Választó elnevezésű posztra, amely a konklávé belső ceremóniamesterét takarta. Noha pillanatnyilag a *camerlengo* volt a legmagasabb egyházi tisztségviselő, a *camerlengo* mégiscsak egyszerű pap, aki kevéssé ismeri a bonyolult választási folyamatot, ezért kellett kijelölni egy bíborost, aki a Sixtus-kápolnában felügyeli a ceremóniát.

A kardinálisok gyakorta tréfálkoztak azon, hogy a Nagy Választóé a legkomiszabb tisztség a keresztény világban. Akit erre kiszemeltek, az elesett a pápává választhatóságtól, ráadásul a konklávé előtt hosszú napokat tölthetett az *Universi Dominici Gregis* oldalainak bogarászásával, felújítva ismereteit a konklávé titkos rituáléinak finomságairól, hogy minden megfelelően történjen a választáson.

De Mortati nem neheztelt ezért. Tudta, hogy ő volt a logikus jelölt. Nemcsak hogy ő a rangidős bíboros, de a néhai pápa bizalmasa volt, ami tovább öregbítette a megbecsülését. Noha Mortati elméletileg még belül van a választhatósági korhatáron, egy kicsit idős volt már ahhoz, hogy komolyan vehető jelölt legyen. Hetvenkilenc évével átlépte azt az íratlan határt, amelyen túl a bíborosok kollégiuma már nem bízik abban, hogy az illető egészsége bírni fogja a pápaság szigorú munkarendjét. A pápa rendszerint napi tizennégy órát dolgozik a hét minden egyes napján, és átlagosan 6,3 év alatt belehal a kimerültségbe. A házi tréfa szerint a pápai korona elfogadása a bíboros „leggyorsabb útja a mennyországba".

Mortatiról sokan gondolták, hogy fiatalabb korában pápa

lehetett volna, ha nem annyira széles látókörű. Amikor indulhatott volna a pápaságért, a Vatikánban egy szentháromság uralkodott: konzervatív, konzervatív, konzervatív.

Mortati jót derült a sors iróniáján, hogy a néhai pápa, Isten nyugosztalja, meglepően liberálisnak mutatkozott, miután átvette a hivatalt. Talán érzékelte, hogy a modern világ egyre inkább eltávolodik az egyháztól, ezért pápaként több irányba nyitott, enyhített az egyházi állásponton tudományos kérdésekben, sőt pénzt adományozott bizonyos, jól megválogatott szakterületeknek. Sajnos ez politikai öngyilkosságnak bizonyult. A konzervatív katolikusok „szenilisnek" nyilvánították a pápát, miközben a tiszta tudomány hívei azzal vádolták meg, hogy olyan körökben próbálja kiterjeszteni az egyház befolyását, ahol semmi keresnivalója.

– Hol vannak hát?

Mortati megfordult.

Az egyik bíboros veregette meg idegesen Mortati vállát.

– Te tudod, hol vannak, ugye?

Mortati igyekezett elrejteni a nyugtalanságát. – Talán még mindig a *camerlengónál.*

– Ilyenkor? Ez merőben hagyománysértő volna! – vonta össze a szemöldökét bizalmatlanul a kardinális. – A *camerlengo* elvesztette volna az időérzékét?

Mortati ebben őszintén kételkedett, de nem mondott semmit. Nagyon is tudatában volt annak, hogy a bíborosok többsége nem sokat ad a *camerlengóra,* akit eleve túl fiatalnak tartottak a pápa benső szolgálatára. Mortati azt gyanította, hogy a bíborosok jó részéből a féltékenység beszél, míg Mortati valójában csodálta a fiatalembert, és titokban dicsérte a néhai pápát, hogy őt választotta kamarásának. Mortati meggyőződése csak erősödött, amikor a *camerlengo* szemébe nézett, mert megannyi bíborossal ellentétben a *camerlengo* a kisszerű politizálás elébe helyezte az egyházat és a hitet. Ő igazán Isten szolgája volt.

Hivatali ideje alatt legendássá vált a *camerlengo* rendíthetetlen odaadása. Ezt sokan egy gyermekkorában átélt csodás eseménynek tulajdonították... egy olyan eseménynek, amely minden ember szívében mély nyomokat hagyna. A csoda és annak átélése, gondolta Mortati, aki gyakran kívánta, bárcsak az ő gyerekkorában is adódott volna olyan esemény, amely ezt a fajta, kétely nélküli hitet táplálja.

Az egyház veszteségére, gondolta Mortati, a *camerlengóból* sohasem lesz pápa idősebb éveiben sem. A pápaság elnyeréséhez szükség volt egy bizonyos mennyiségű politikai ambícióra, ami a fiatal *camerlengóból* nyilvánvalóan hiányzott; sorra visszautasította, amikor a pápa magasabb klerikális hivatalokat kínált fel neki, azzal, hogy szívesebben szolgálja az egyházat egyszerű emberként.

– Most mi lesz? – ütögette meg a bíboros Mortatit várakozóan.

Mortati felnézett. – Tessék?

– Késnek! Mit fogunk csinálni?

– Mit csinálhatunk? – válaszolta Mortati. – Várunk. És hiszünk.

A bíboros, Mortati válaszával jól láthatóan elégedetlenül, visszahúzódott az árnyékba.

Mortati állt még ott egy pillanatig, és a halántékát dörzsölve megpróbálta kitisztítani az agyát. Tényleg, mit fogunk csinálni? Az oltáron túl Michelangelo restaurált freskójára, *Az utolsó ítéletre* függesztette a tekintetét. A festmény semmivel sem enyhítette a szorongását. Tizenöt méter magas, hátborzongató ábrázolása volt annak, ahogy Jézus Krisztus szétválasztja az emberiséget jókra és gonoszokra, a pokolba vetve a bűnösöket. A képen elevenen megnyúzott és égő testek, sőt Michelangelo egyik ellenlábasa is ott van a pokolban, szamárfüllel a fején. Guy de Maupassant egy helyütt azt írja, hogy úgy néz ki ez a freskó, mintha egy vásári mutatványosbódéra festette volna egy oktalan szeneslegény.

Mortati bíboros kénytelen volt igazat adni neki.

43

angdon mozdulatlanul állt a pápa golyóálló ablakánál és a média nyüzsgését figyelte odalent, a Szent Péter téren. A kísérteties telefonbeszélgetés után még mindig kábának érezte magát... valahogy távolinak. Nem önmagának.

Az Illuminátusok, akár egy kígyó, kiemelkedtek a történelem elfeledett mélyéből, és rácsavarodtak ősi ellenségükre. Nincsenek követeléseik. Nem tárgyalnak. Csak megtorolnak. Démonikusan egyszerű. Szorongató. Elindult a bosszú a 400 évért. Úgy tűnt, mintha az évszázados üldöztetés után a tudomány most visszavágna.

A *camerlengo* az asztalánál állt, és üres tekintettel meredt a telefonra. Olivetti törte meg először a csendet. – Carlo –

mondta, a keresztnevén szólítva a *camerlengót*, mintha nem is a tisztje, hanem régi barátja volna. – Huszonhat éve esküdtem fel arra, hogy az életem árán is megvédelmezem ezt a hivatalt. Úgy látszik, ma este méltatlanná váltam erre.

A *camerlengo* megrázta a fejét. – Ön és én különböző területeken szolgáljuk Istent, de a szolgálat mindenkor méltóságot ad.

– Ezek az események... elképzelni sem tudom, hogyan... ez a helyzet... – Olivetti nem talált szavakat.

– Tisztában van vele, hogy csak egyetlen lehetséges lépésünk maradt? Én vagyok a felelős a bíborosok testületének biztonságáért.

– Félek, hogy ezért én voltam felelős, *signore*.

– Akkor lásson hozzá az embereivel az azonnali evakuálásnak.

– *Signore?*

– A további lépésekkel ráérünk később is foglalkozni... annak a műszernek a felkutatásával, az eltűnt bíborosok, és elrablóik keresésével. De először biztonságba kell helyeznünk a bíborosokat. Az emberi élet szentsége mindenek felett áll. Azok az emberek az egyházunk alapzatai.

– Azt javasolja, hogy azonnal fújjuk le a konklávét?

– Van más választásom?

– Nem az volna a feladata, hogy új pápát adjon a világnak?

A fiatal kamarás felsóhajtott, és az ablak felé fordult, merengve nézve az alant elterülő Rómát. – Őszentsége egyszer azt mondta nekem, hogy a pápa olyan ember, aki két világ között feszül... a való világ és az isteni között. Figyelmeztetett arra, hogy amelyik egyház nem vesz tudomást a realitásról,

nem éri meg azt a pillanatot, hogy részesülhessen az isteni-
ben. – Fiatal korához képest egyszerre érettnek tűnt a hang-
ja. – Ma este betört hozzánk a való világ. Hiába is próbálnánk
nem tudomásul venni. A büszkeség és a példaadás nem szo-
ríthatja háttérbe az értelmet.

Olivetti bólintott, látszott rajta, hogy le van nyűgözve.

– Alábecsültem önt, *signore*.

A *camerlengo* mintha meg sem hallotta volna. Tekintete
messzire vándorolt, az ablakon túl.

– Nyíltan fogok beszélni, *signore*. A való világ az én vi-
lágom. Mindennap elmerülök a szennyében, hogy mások
akadálytalanul foglalkozhassanak valami tisztábbal.
Hadd adjak önnek tanácsokat a jelenlegi helyzetben. Erre
képeztek ki. A megérzései, bármilyen fontosak is... té-
vedhetnek.

A *camerlengo* megfordult.

Olivetti sóhajtott. – A bíborosok testületének evakuálása
a Sixtus-kápolnából a lehető legrosszabb választás az ön
részéről.

A *camerlengo* nem látszott bosszúsnak, inkább elveszett-
nek. – Mit tanácsol?

– Ne szóljunk a bíborosoknak. Pecsételjük le az ajtót.
Ezzel időt nyerünk, hogy más megoldásokkal próbálkoz-
hassunk.

A *camerlengo* zaklatottnak tűnt. – Azt tanácsolja, hogy zár-
jam be az egész bíborosi testületet egy ketyegő bombával?

– Igen, *signore*. Pillanatnyilag. Később, ha szükség lesz rá,
végrehajthatjuk az evakuálást.

A *camerlengo* megrázta a fejét. – Elhalasztani a ceremóniát, mielőtt elkezdődne, ez legfeljebb kérdezősködésre ad alapot, de miután lepecsételték az ajtókat, már semmit nem lehet tenni. A konklávé rendje kötelez...

– A való világé, *signore*. Ma este abba vettetett. Jól figyeljen.

– Olivetti most egy csatamezőn küzdő tiszt hatékonyságával beszélt. – Kivonultatni százhatvanöt felkészületlen és védtelen bíborost Rómába, meggondolatlanság lenne. Zavart és pánikot keltene az idősebbekben, és nekünk elég volt az az egy végzetes szélütés erre a hónapra.

Egy végzetes szélütés. A parancsnok szavai Langdon emlékezetébe idézték a szalagcímeket, amelyeket vacsora közben olvasott néhány diákjával a Harvard étkezdéjében: SZÉLÜTÉS ÉRTE A PÁPÁT. ÁLMÁBAN HALT MEG.

– Továbbá – folytatta Olivetti –, a Sixtus-kápolna igazi erődítmény. Noha nem verjük nagydobra, a falai jelentősen meg vannak erősítve, és a rakéták kivételével minden más támadásnak ellenállnak. Az előkészületek során a kápolna minden centiméterét átfésültük ma délután, poloskákat és egyéb lehallgatókészülékeket keresve. A kápolna tiszta hely, biztos menedék, és meggyőződésem, hogy nem ott van az antianyag. Pillanatnyilag nincs annál biztosabb hely a bíborosok számára. Később még mindig beszélhetünk a kiürítésről, ha vészhelyzet merül fel.

Langdonra nagy hatást tett Olivetti hideg, borotvaéles logikája, amely Kohlerére emlékeztette.

– Parancsnok – mondta Vittoria feszült hangon –, van más is, ami aggodalomra ad okot. Soha senki nem állított még elő ekkora mennyiségben antianyagot. Csak becsülni tudom a robbanás hatókörét. Róma Vatikánvárost környező része is

207

veszélyeztetett lehet. Ha a tárolóedény az egyik központi épületben vagy a föld alatt van, akkor minimális rombolást vihet véghez a falakon kívül, de ha a tárolóedény közel van a falhoz... például ebben az épületben... – Vittoria szorongva nézett ki az ablakon a Szent Péter téri tömegre.

– Nagyon is tisztában vagyok azzal, hogy mivel tartozom a külvilágnak – válaszolta Olivetti. – És ez nem teszi még súlyosabbá a helyzetet. Több mint két évtizeden át ennek a szent helynek a védelme volt a kizárólagos kötelességem. Nem áll szándékomban megengedni, hogy az a bomba felrobbanjon.

Ventresca *camerlengo* fölkapta a fejét. – Úgy gondolja, hogy meg tudja találni?

– Előbb szeretném megbeszélni a lehetőségeinket néhány felderítő specialistánkkal. Van egy esély, hogyha áramtalanítjuk egész Vatikánvárost, akkor megszüntetve a háttérsugárzást elég tiszta környezetet teremthetünk ahhoz, hogy a műszereink érzékelni tudják a tárolóedény mágneses mezőjét.

Vittoria meglepetten nézett rá, majd elismerően így szólt: – El akarja sötétíteni a Vatikánt?

– Talán. Még nem tudom, hogy lehetséges-e, de ez az egyik megoldás, aminek szeretnék utánajárni.

– A bíborosok biztosan nem értik majd, hogy mi történhetett – jegyezte meg Vittoria.

Olivetti a fejét rázta. – A konklávékat gyertyafénynél szokták tartani. A bíborosok észre sem veszik a dolgot. Miután lepecsételték az ajtókat, néhány, a falak mentén őrködő emberem kivételével mindenkit ide rendelhetek, és elkezdhetjük a kutatást. Száz ember nagy területet tud átnézni öt óra alatt.

– Négy óra alatt – igazította ki Vittoria. – A tárolóedénynyel még vissza kell repülnöm a CERN-be. A robbanás elkerülhetetlen, ha nem töltjük újra a tápegységeket.

– Itt nem tudnánk újratölteni őket?

Vittoria megrázta a fejét. – Nagyon bonyolult a dokkolóegység. Elhoztam volna, ha egy mód van rá.

– Akkor négy óra alatt – mondta homlokráncolva Olivetti. – Az is elég sok idő. A pánik nem használ senkinek. *Signore*, még tíz perce van. Induljon a kápolnába és nyissa meg a konklávét. Adjon egy kis időt az embereimnek, hogy elvégezzék a munkájukat. Amikor közeledik a kritikus óra, meghozzuk a kritikus döntéseket.

Langdon azon tűnődött, mennyire lesz közel „a kritikus óra", amikor Olivetti kézbe veszi a dolgokat.

A *camerlengo* nyugtalannak tűnt. – De a bíboros kollégium kérdezősködni fog a négy *preferiti* után... különösen Baggia után... hogy hol vannak.

– Akkor ki kell találnia valamit, *signore*. Mondja nekik azt, hogy ettek valamit önnél a teán, amitől rosszul lettek.

A *camerlengo* fel volt háborodva. – Álljak a Sixtus-kápolna oltáránál és hazudjak a bíborosi testületnek?

– A saját érdekükben. *Una bugia veniale*. Kegyes hazugság. A maga dolga az, hogy biztosítsa a nyugalmukat. – Olivetti megindult az ajtó felé. – És most, ha megbocsátanak, mennem kell dolgozni.

– Parancsnok – szólt utána a *camerlengo* –, nem hagyhatjuk sorsára a négy kardinálist.

Olivetti az ajtóban megállt. – Baggia és a többiek jelenleg kívül esnek a hatókörünkön. Le kell mondanunk róluk... a többiek érdekében. A sakkban ezt vezéráldozatnak hívják.

– Nem cserbenhagyást akart mondani?

Olivetti hangja megkeményedett. – Ha volna csak egy mód is, *signore*... bármilyen esély, hogy megtaláljuk a négy bíborost, az életemet is odaadnám, hogy megmentsem őket. Csakhogy... – széles gesztussal az ablakra mutatott, amelyen át a római háztetők végtelen erdeje verte vissza a kora esti napfényt – ... nincs elég emberem átkutatni egy ötmilliós várost. Nem vesztegethetem a drága időt a lelkiismeretem megnyugtatására egy hiábavaló próbálkozással. Sajnálom.

Vittoria hirtelen közbeszólt. – De ha elkapnánk a gyilkost, nem tudná szóra bírni?

Olivetti mogorván nézett rá. – A katonák nem engedhetik meg maguknak, hogy szentek legyenek, Ms. Vetra. Higgye el nekem, megértem a személyes indítékát, hogy el akarja kapni azt az embert.

– Ez nem csak személyes indíték – mondta a lány. – A gyilkos tudja, hol van az antianyag... és az eltűnt bíborosok. Ha valahogyan megtalálhatnánk...

– Hogy a kezükre játsszunk? – kérdezte Olivetti. – Nekem elhiheti, az Illuminátusok pontosan azt remélik, hogy védtelenül hagyjuk a Vatikánt, és a több száz templomban állítjuk őrségbe az embereinket... elvesztegetjük a drága időt és munkaerőt, amit a kutatásra kellene fordítanunk... vagy ami még rosszabb, tökéletesen őrizetlenül hagyjuk a vatikáni bankot. Hogy a többi bíborosról már ne is beszéljünk.

Az érvelés talált.

– És a római rendőrség? – kérdezte a *camerlengo*.

– A válságos helyzetben segítséget kérhetnénk a város fegyveres testületeitől. Felkutathatnák a kardinálisok elrablóját.

– Újabb tévedés – mondta Olivetti. – Tudja, hogyan vélekednek rólunk a római carabinierik. Kelletlenül bevetnének néhány embert, és cserébe megszellőztetnék a bajunkat a világsajtónak. Pontosan erre várnak az ellenségeink. Nemsokára úgyis foglalkoznunk kell a médiával.

Médiasztárt csinálok a bíborosaikból, gondolta Langdon, visszaidézve a hívó szavait. *Az első bíboros holttestét nyolckor mutatjuk meg. Azután minden órában egyet. A sajtó imádni fogja.*

A *camerlengo* szólalt meg újra, a hangjába harag lopózott. – Parancsnok, jó lelkiismerettel nem hagyhatjuk sorsukra az eltűnt bíborosokat!

Olivetti keményen a *camerlengo* szeme közé nézett. – Szent Ferenc imája, uram. Emlékszik rá?

A fiatal pap fájdalmas hangon idézte azt az egy sort: – Istenem, adj nekem erőt, hogy elfogadjam azt, amin úgysem tudok változtatni.

– Bízzon bennem – mondta Olivetti. – Ez is egy olyan dolog. – Majd távozott.

44

A BBC – a British Broadcast Corporation – székháza Londonban van, a Picadilly Circus közvetlen közelében. Megcsörrent a telefon, és egy beosztott szerkesztőnő felvette.

– BBC – szólt bele, elnyomva Dunhill cigarettáját.

Az érdes hang a vonalban közel-keleti akcentussal beszélt.

– Van egy szenzációs hírem, ami érdekelheti az önök hálózatát.

A szerkesztő fogott egy tollat és egy szabványos jegyzettömböt. – Mivel kapcsolatban?

– A pápaválasztással.

A nő fáradtan vonta össze a szemöldökét. A BBC tegnap sugárzott egy előzetes sztorit a témában, közepes hallgatottsággal. Úgy tűnik, hogy a közvéleményt vajmi kevéssé érdekli a Vatikán. – Miről van szó?

– Van kiküldött tévériporterük Rómában, aki tudósít a választásról?

– Úgy tudom, igen.

– Közvetlenül vele akarok beszélni.

– Sajnálom, de nem adhatom meg a számát úgy, hogy fogalmam sincs...

– A konklávé veszélyben van. Ennél többet nem mondhatok.

A szerkesztő jegyzetelt. – Neve?

– A nevem nem publikus.

A szerkesztő nem volt meglepve. – Van bizonyítéka az állítására?

– Igen.

– Szívesen meghallgatnám az információját, de a szabályaink értelmében nem adhatjuk ki a riportereink számát, hacsak...

– Értem. Akkor egy másik hálózathoz fordulok. Köszönöm a türelmét, viszonthall...

– Várjon egy percet – mondta a nő. – Tudja tartani?

A szerkesztő félretette a hívást, és a nyakát nyújtogatta. A potenciális bolondok kiszűrése semmiképpen sem volt egzakt tudomány, de ez a hívó az imént két tapasztalati próbát is kiállt, amellyel a hírforrások hitelességét szokták tesztelni a BBC-nél. Nem volt hajlandó megadni a nevét és le akarta tenni a telefont. Az őrültek és a hírnévre vágyók szűkölnek és rimánkodnak.

A szerkesztőnő szerencséjére a riporterek örökös félelemben éltek, hogy elszalasztják a nagy sztorit, ezért ritkán panaszkodtak azért, ha időnként egy elmebeteget szabadítottak a nyakukra. Öt elvesztegetett perc egy riporter életében megbocsátható dolog. Lemaradni a szenzációs hírről megbocsáthatatlan.

A nő ásítva fordult a számítógéphez és beütötte a kulcsszót: Vatikánváros. Amikor megjelent a pápaválasztásra kiküldött tudósító neve, kuncogni kezdett. Azt illető új fiú volt a BBC-nél, most került oda valami londoni szennylaptól, hogy bulvár jellegű sztorikat szállítson a BBC-nek. A szerkesztőség nyilvánvalóan valami alacsonyabb rangú beosztásban akarta kipróbálni.

Valószínűleg halálra unja magát, miközben egész éjjel ott várja, hogy leadhassa azt a tíz másodperces élő videoanyagot. Bizonyár még hálás is lesz, ha megtöri valami a monotóniát.

A BBC szerkesztőnője leírta a riporter vatikánvárosi műholdas telefonszámát. Aztán újabb cigarettára gyújtott, és megadta a tudósító számát a névtelen hívónak.

45

– Nem fog működni – mondta Vittoria, fel-alá járva a pápai irodában. A *camerlengóhoz* fordult: – Még ha a svájci testőrség szakemberei kiszűrik is az elektromos interferenciát, gyakorlatilag a tárolóedény tetején kell állniuk ahhoz, hogy bármilyen jelet fogjanak. Ha egyáltalán hozzáférhető helyen van az a tárolóedény... és nincsenek körülötte akadályok. Mi van, ha egy fémdobozban beásták a föld alá? Vagy eldugták egy fém szellőzőcsőben? Akkor lehetetlen a nyomára akadni. És mi van akkor, ha az ellenség behatolt a svájci testőrök sorai közé? Honnan lehet majd tudni, hogy megbízható lesz a kutatás?

A *camerlengo* tanácstalannak tűnt. – Ön mit javasol, Ms. Vetra?

Vittoria érezte, hogy elfogja a harag. Hát nem nyilvánvaló? – Azt javaslom, uram, hogy haladéktalanul tegye meg az óvintézkedéseket. Aligha reménykedhetünk abban, hogy a parancsnok kutatásai sikerrel járnak. Közben meg nézzen ki az ablakon. Látja azokat az embereket? Azokat az épületeket a tér túloldalán? A turistákat? Igen valószínű, hogy mind a robbanás hatókörén belül vannak. Azonnal cselekednünk kell.

214

A *camerlengo* tompán bólintott.

Vittoria frusztrációval küzdött. Olivettinek mindenkit sikerült meggyőznie arról, hogy még rengeteg idő van. De Vittoria tudta, hogy ha kiszivárog a vatikáni válsághelyzet híre, akkor perceken belül az egész környék tele lesz bámészkodókkal. Látott már egyszer ilyet a svájci parlament épülete előtt. Egy bombafenyegetéssel súlyosbított túszejtés során ezrek gyűltek össze a helyszínen, hogy tanúi legyenek a végkifejletnek. Hiába figyelmeztette őket a rendőrség, hogy veszélyben vannak, a tömeg egyre sűrűbb lett. Semmi sem kelti fel úgy a kíváncsiságot, mint az emberi tragédia.

– *Signore* – nógatta Vittoria –, az az ember, aki megölte az apámat, odakint van valahol. Minden porcikám azt kívánja, hogy rohanjak ki innen és keressem meg. De én az ön irodájában állok... mert felelősséggel tartozom önnek. Önnek és másoknak. Emberéletek vannak veszélyben, *signore*. Hall engem?

A *camerlengo* nem válaszolt.

Vittoria szinte hallotta a szíve kalapálását. Miért nem tudja felkutatni a svájci testőrség azt az átkozott hívót? Az illuminátus asszasszin a helyzet kulcsa. Tudja, hol van az antianyag... a pokolba, azt is tudja, hol vannak a bíborosok! Kapd el a gyilkost, és minden meg van oldva.

Vittoria érzékelte, hogy kezdi elveszíteni a fejét, erre a fajta idegen stresszre csak halványan emlékezett a gyerekkorából, az árvaházi évekből: a frusztrációra, amelynek kezeléséhez nem voltak eszközei. Most vannak eszközeid, mondta magának, mindig vannak eszközök. De ennek nem volt semmi haszna. A gondolatai kéretlenül is jöttek, gúzsba kötötték.

Kutató volt és problémamegoldó. De ez itt egy megoldhatatlan probléma. Milyen adatokra volna szükséged? Mit akarsz? Ráparancsolt magára, hogy lélegezzen mélyeket, de életében először nem sikerült. Fuldoklott.

Langdonnak megfájdult a feje, és úgy érezte, mintha átcsúszott volna a racionalitás határán. Nézte Vittoriát és a *camerlengót*, de borzalmas képek homályosították el a látását: robbanások, a kirajzó média, forgó kamerák, négy megbélyegzett emberi test.

Shaitan... Lucifer... a fényhozó... Sátán...

Elhessegette az agyából ezeket a pokoli képeket. Kiszámított terrorizmus, emlékeztette magát, belekapaszkodva a valóságba. Tervezett káosz. Visszagondolt a Radcliffe szemináriumára, ahol a praetoriánus jelképeket kutatta és közben előadásokat hallgatott. Azóta egészen más szemmel nézett a terrorizmusra.

– A terrorizmusnak – magyarázta a professzor – egyetlen célja van. Éspedig?

– Ártatlan emberek meggyilkolása? – kockáztatta meg az egyik diák.

– Nem jó. A halál csak az egyik mellékterméke a terrorizmusnak.

– Erőfitogtatás?

– Nem. Erre a célra alkalmatlan.

– Félelmet kelteni?

– Ez a lényeg. A terrorizmus célja egészen egyszerűen rettegést és félelmet kelteni. A félelem aláássa a hitet a társadalmi rendben. Belülről gyengíti az ellenséget... düh reakciókat vált ki. A terrorizmus politikai fegyver. Rombold le a kormány tévedhetetlenségének illuzióját, és lerombolod az emberek hitét.

A hit elvesztése...

Ezért történik mindez? Langdon azon tűnődött, vajon hogyan fogadják a világ keresztényei a megcsonkított kutyákként kivetett bíborosokat. Ha egy papot nem véd meg a hite a Sátán gonosztetteitől, akkor miben reménykedjünk mi, közemberek? Langdon feje egyre hangosabban zakatolt... gyenge hangocskák huzakodtak benne.

A hit nem véd meg. Az orvostudomány meg a légzsákok... ezek azok, amik megvédenek. Isten nem véd meg. Az értelem megvéd. A felvilágosodás. Kézzelfogható dolgokba vesd a hitedet. Mennyi ideje már annak, hogy valaki a vízen járt? A modernkor csodáit a tudomány teremti meg... számítógépeket, védőoltásokat, űrállomásokat... még a teremtés isteni csodáját is. Anyagot a semmiből... egy laborban. Kinek kell Isten? Ugyan már! A tudomány az isten.

A gyilkos hangja rezonált Langdon elméjében. Éjfélkor... a halál matematikai sorozata... *sacrifici vergini nell'altare di scienza.*

Aztán hirtelen, ahogy a tömeget oszlatja szét egyetlen fegyverlövés, eltűntek a hangok.

Robert Langdon talpra ugrott. A széke felborult és lezuhant a márványpadlóra.

Vittoria és a *camerlengo* felpattant.

– Elvétettem – suttogta Langdon kábultan. – Ott volt az orrom előtt...

– Mit vétett el? – kérdezte Vittoria.

Langdon a paphoz fordult. – Atyám, három éven át kérelmeztem ennél a hivatalnál, hogy bejuthassak a Vatikán archívumába. Hétszer utasítottak el.

– Mr. Langdon, sajnálom, de nem ez tűnik a legmegfelelőbb pillanatnak az efféle sérelmek felhánytorgatására.

– Azonnal be kell jutnom oda. A négy eltűnt bíboros. Talán rá tudok jönni, hogy hol akarják megölni őket.

Vittoria olyan tekintettel bámult rá, mint aki biztosan félreértett valamit.

A *camerlengo* zavartnak tűnt, mintha egy rossz tréfának vált volna áldozatává. – Azt várja, hogy elhiggyem magának, miszerint az az információ a mi archívumunkban van?

– Nem ígérhetem, hogy időben megtalálom, de ha bejutok...

– Mr. Langdon, nekem négy perc múlva a Sixtus-kápolnában kell lennem. Az archívum a Vatikán másik végében van.

– Ugye komolyan beszél? – szakította félbe Vittoria, mélyen Langdon szemébe nézve, hogy megbizonyosodjon róla.

– Ez most nem a tréfálkozás ideje – mondta Langdon.

– Atyám – fordult most Vittoria a *camerlengóhoz* –, ha egy mód van rá... bármilyen adat arról, hogy hol tervezik végrehajtani ezeket a gyilkosságokat... ha megtalálnánk a helyszíneket és...

– De az archívumban? – erősködött a *camerlengo*. – Hogyan lehetne ott bármilyen utalás erre?

– Tovább tartana elmagyarázni – mondta Langdon –, mint megtalálni. De ha igazam van, felhasználhatjuk az információt arra, hogy elkapjuk a hasszasszint.

A *camerlengón* látszott, hogy szeretné elhinni, de nehezére esik. – A kereszténység legszentebb kódexei vannak abban az archívumban. Olyan kincsek, amelyek megtekintésére még nekem sincs jogosultságom.

– Tisztában vagyok vele.

– A belépés csak a kurátornak és a vatikáni könyvtárosok testületének írásos felhatalmazásával engedélyezett.

– Vagy – jelentette ki Langdon – pápai felhatalmazással. Ez állt minden elutasító levélben, amelyet a kurátoruktól kaptam.

A *camerlengo* bólintott.

– Nem akarom megsérteni – folytatta Langdon –, de ha nem tévedek, a pápai felhatalmazást ez a hivatal adja ki. És, ha jól tudom, ma este itt ön a megbízott vezető. Tekintettel a körülményekre...

A *camerlengo* zsebórát vett elő a reverendájából és megnézte. – Mr. Langdon, fel vagyok készülve arra, hogy a szó szoros értelmében az életemet adjam ma este ezért az egyházért.

Langdon pontosan ezt látta tükröződni a *camerlengo* szemében.

– Ez a dokumentum... – mondta a *camerlengo* –, valóban úgy gondolja, hogy megvan itt? És hogy segíthet azonosítani azt a négy templomot?

– Nem írtam volna számtalan kérvényt, hogy bejuthassak, ha nem volnék erről meggyőződve. Olaszország egy kicsit messze van egy vicchez, amit ráadásul tanári fizetésből kell finanszírozni. Az itt lévő dokumentum egy ősi...

– Kérem – szakította félbe a *camerlengo*. – Nézze el nekem, de az agyam pillanatnyilag nem képes több részletet befogadni. Tudja, hol van a titkos archívum?

Langdont elfogta az izgalom. – Mindjárt a Santa Ana kapu mögött.

– Imponáló. A legtöbb tudós azt hiszi, hogy a Szent Péter trónusa mögötti titkos ajtón túl.

– Nem. Ott az *Archivio della Reverenda di Fabbrica di San Pietro* van. Közkeletű tévedés.

– Minden belépőt egy könyvtáros kalauzol. Ma este azonban nincsenek bent a könyvtárosok. Amit ön kér, az a fehér kártyás belépés. Még a bíborosaink sem léphetnek be egyedül.

– A legteljesebb tisztelettel és gondossággal fogok bánni a kincsekkel. A könyvtárosok észre sem fogják venni, hogy ott jártam.

A fejük felett megkondultak a Szent Péter-bazilika harangjai. A *camerlengo* ellenőrizte a zsebóráját. – Mennem kell.

– Egy pillanatig még elidőzött, Langdont nézve. – Odaküldök egy svájci testőrt az archívumhoz. *Bizalommal vagyok ön iránt, Mr. Langdon. Most menjen.*

Langdon nem talált szavakat.

A fiatal pap most hihetetlenül kiegyensúlyozottnak tűnt. Meglepő erővel szorította meg Langdon vállát. – Szeretném, ha megtalálná, amit keres. Méghozzá gyorsan.

46

A Vatikán titkos archívumát a Borgia udvar távolabbi végében helyezték el, egy domb tetején a Santa Ana kapu mögött. 20 000 kötetet tartalmaz, és azt beszélik, olyan kincseket őriz, mint Leonardo da Vinci eltűntnek hitt naplója és a Szent Biblia kiadatlan könyvei.

Langdon gyors léptekkel haladt a kihalt Via della Fonda-
mentán az archívum felé, miközben az agya alig bírta meg-
emészteni, hogy végre bebocsátást nyer. Vittoria mellette
igyekezett, minden erőfeszítés nélkül tartva vele a lépést.
Mandulaillatú haját lágyan kócolta a szellő, és Langdon belé-
legezte az illatot. Érezte, hogy kezdenek elkalandozni a gon-
dolatai, úgy kellett visszatérítenie őket.

Vittoria szólalt meg: – Nem mondaná el nekem, hogy mit
keresünk?

– Egy kis könyvet, amelyet egy Galilei nevű fickó írt.

A lány meglepettnek tűnt. – Ne szórakozzon velem. Mi
van benne?

– Feltehetően tartalmazza azt, amit *il segnó*nak neveznek.

– A jelet?

– Jelet, jelzést, utalást... attól függ, hogyan fordítjuk.

– Minek a jelét?

Langdon felvette Vittoria tempóját. – Egy titkos helyét. Gali-
lei illuminátusainak meg kellett védeniük magukat a Vatikánnal
szemben, ezért létesítettek egy szupertitkos találkahelyet itt,
Rómában. Ők úgy nevezték, hogy az Illuminátusok temploma.

– A templom merész elnevezés egy sátánista szekta
részéről.

Langdon megrázta a fejét. – Galilei illuminátusai a legke-
vésbé sem voltak sátánisták. Tudósok voltak, akik elősegítet-
ték a felvilágosodást. A találkahelyük egyszerűen egy olyan
pont volt, ahol biztonságban összegyűlhettek és megvitathat-
ták a Vatikán által betiltott témákat. Noha tudjuk, hogy léte-
zett ilyen titkos menedék, a mai napig senkinek sem sikerült
a nyomára bukkannia.

– Úgy tűnik, hogy az Illuminátusok nagyon tudtak títkot tartani.

– De még mennyire. Valójában sohasem fedték fel a búvóhelyüket senki előtt, aki nem volt tagja a testvériségnek. Ez a titoktartás védelmezte őket, de problémát is jelentett, amikor új tagok toborzására került a sor.

– Nem tudtak terjeszkedni, ha nem reklámozták magukat – mondta Vittoria, akinek egyformán gyorsan járt a lába és az agya.

– Pontosan. Galilei testvériségének igéje az 1630-as években kezdett terjedni, és a tudósok szerte a világból titkos zarándokutakat tettek Rómába, azt remélve, hogy csatlakozhatnak az Illuminátusokhoz... alig várták, hogy belenézhessenek Galileo távcsövébe és meghallgassák a mester elgondolásait. Sajnos az Illuminátusok titkolózása miatt a városba érkezett tudósok nem tudták, hol lesznek a találkozók, vagy kik előtt beszélhetnek nyíltan. Az Illuminátusok vérfrissítést akartak, de nem sérthették meg a titoktartást azzal, hogy elárulják a hollétüket.

Vittoria a homlokát ráncolta. – Ez úgy hangzik, mint egy *situazione senza soluzione.*

– Az is. Olyan helyzet, aminek nincs megoldása. A 22-es csapdája, ahogy ma mondanánk.

– Tehát mit tettek?

– Tudósok voltak. Megvizsgálták a problémát és megkeresték a megoldását. És meg kell hagyni, briliáns megoldást találtak. Az Illuminátusok megalkottak egy elmés térképet, amely elirányította a tudósokat a rejtekhelyükre.

Vittoria hirtelen lelassult, és kételkedve nézett Langdonra.

– Egy térképet? Ez nagy meggondolatlanság volt. Mert mi van, ha egy példány rossz kezekbe kerül?

– Ez nem fordulhatott elő – mondta Langdon. – Egyáltalán nem készült róla másolat. Ez nem olyanfajta térkép volt, ami ráfér egy papírra. Hatalmas volt. Egy útvonalat jelölt ki a városon keresztül.

Vittoria még lassabban mozgott. – Nyilakat festettek fel a járdákra?

– Bizonyos értelemben igen, de ennél sokkal rafináltabb volt. A térkép egy sorozat, gondosan álcázott szimbolikus útirányjelzőből állt, amelyet nyilvános helyeken rejtettek el. Az egyik jelzés elvezetett a következőhöz, és így tovább... mint egy csapás, amelyen végül eljuthattak az Illuminátusok rejtekhelyére.

Vittoria bizalmatlanul méregette Langdont. – Ez úgy fest, mint egy kincsvadászat.

Langdon felnevetett. – Fogalmazhatunk így is. Az Illuminátusok a *Megvilágosodás* ösvényének nevezték ezt az útjelző hálózatot, és mindenkinek, aki csatlakozni akart a testvériséghez, be kellett járnia ezt a csapást a végállomásig. Ez egyfajta próba volt.

– De ha a Vatikán meg akarta találni az Illuminátusokat – makacskodott Vittoria –, akkor nem volt elég egyszerűen csak követni az útjelzőket?

– Nem. Ez egy rejtekút volt. Egy rejtvény, amelyet úgy alkottak meg, hogy csak bizonyos emberek voltak képesek rábukkanni az útjelzőkre és felfedezni, hol rejtőzik az Illuminátusok temploma. Az Illuminátusok ezt egyfajta beavatásnak szánták, amely nemcsak biztonsági szerepet játszott, hanem szűrőként is működött, amelyen át kizárólag a legragyogóbb tudósok jutottak el hozzájuk.

– Én ezt nem veszem be. Az 1600-as években a világ leg-
képzettebb elméi is ott voltak a klérusban. Ha ezeket az
útjelzőket nyilvános helyeken rejtették el, akkor minden bi-
zonnyal voltak olyan emberek a Vatikánban, akik képesek
voltak megtalálni őket.

– Persze – mondta Langdon –, már ha tudtak volna az
útjelzőkről. De nem tudtak. És észre sem vehették őket, mert
az Illuminátusok úgy tervezték meg őket, hogy a papok ne is
gyaníthassák, mik azok valójában. Azt a módszert használ-
ták, amelyet a szimbólumkutatás disszimulációnak nevez.

– Álcázás.

Langdon elismerően nézett a lányra. – Tehát ismeri a kife-
jezést.

– *Dissimulazione* – mondta Vittoria. – A természet legjobb
védőeszköze. Próbáljunk csak megtalálni egy szalonkahalat,
amelyik függőlegesen lebeg a hínár közt.

– Oké – mondta Langdon. – Az Illuminátusok ugyanezt az
elvet követték. Olyan útjelzőket terveztek, amelyek belesi-
multak a korabeli Róma környezetébe. Nem használhattak
ambigrammákat vagy tudományos szimbólumokat, mert az
túl nyilvánvaló lett volna, ezért egy illuminátus művészhez
fordultak... ugyanahhoz a névtelen zsenihez, aki megalkotta
az *Illuminátusok ambigrammatikus jelképét*, és négy szobor ki-
faragásával bízták meg.

– Illuminátus szobrok?

– Igen, szobrok, két szigorú megkötéssel. Az egyik, hogy
a szobroknak úgy kellett kinézniük, mint a többi műtárgy Ró-
mában... olyan műalkotásnak, amelyről a Vatikán soha nem
gyanítaná, hogy köze van az Illuminátusokhoz.

– Vallásos műtárgynak kellett lennie.

Langdon bólintott, és ahogy egyre inkább izgalomba jött, úgy beszélt mind gyorsabban. – A második kikötés pedig az volt, hogy a négy szobornak nagyon sajátos tárgyat kellett ábrázolnia. Mindegyiknek a tudomány négy eleme előtt kellett méltóképpen tisztelegnie.

– Négy elem? – kérdezte Vittoria. – Hiszen száznál is több van.

– De nem az 1600-as években – emlékeztette őt Langdon. – A régi alkimisták úgy hitték, hogy az egész világegyetem mindössze négy elemből épül fel: föld, levegő, tűz és víz.

Az ősi kereszt, idézte fel Langdon, a négy elem legközkeletűbb szimbóluma volt: a négy szár a földet, a levegőt, a tüzet és a vizet jelentette. Noha ezenkívül is több tucatnyi szimbolikus ábrázolása volt a földnek, a levegőnek, a tűznek és a víznek a történelem során: a püthagoraszi életciklusok, a kínai Hong-Fan, Jung férfi és női princípiuma, az állatöv szakaszai, de még a muzulmánok is tisztelték a négy ősi elemet... bár az iszlámban ez a kocka, a felhő, a villámlás és a hullám volt. Ám Langdon számára a modernebb alkalmazás jelentette azt, amibe mindig beleborzongott: a szabadkőművesek tökéletes beavatásának négy, misztikus lépcsőfoka: föld, levegő, tűz és víz.

Vittoria el volt bűvölve. – Tehát ez az illuminátus művész négy, vallásosnak látszó művet alkotott, amelyek a valóságban a földnek, a levegőnek, a tűznek és a víznek tisztelegtek?

– Pontosan – mondta Langdon, gyorsan rátérve az archívumhoz vezető Via Sentinelre. – A szobrok beleolvadtak a tengernyi vallásos tárgyú műalkotást tartalmazó római környezetbe. A műveket névtelen adományozóként juttatták el bizonyos egyházközségeknek, majd politikai befolyásukat felhasználva gondoskodtak arról, hogy mind a négy darab a gondosan kiválasztott római templomokba kerüljön. Természetesen valamennyi szobor útjelzőként szolgált... amely rafináltan utalt a soron következő templomra... ahol pedig egy újabb útjelző várakozott. Úgy működött, mint egy vallásos művészetnek álcázott nyomravezető. Ha egy illuminátus jelölt megtalálta az első templomot, és benne a föld szimbólumát, eljuthatott a levegőhöz... azután a tűzhöz... onnan a vízhez... és végül az Illuminátusok templomához.

Vittoria lelkesedése alábbhagyott. – És mi köze ennek az illuminátus asszasszin elfogásához?

Langdon mosolyogva játszotta ki az adu ászt: – Ja, igen. Az Illuminátusok nagyon különleges névvel illették ezt a négy templomot. Ezek voltak a *tudomány oltárai.*

Vittoria a homlokát ráncolta. – Sajnálom, de ez nekem nem mond semm... – hirtelen elhallgatott: – *L'altare di scienza?* – kiáltott fel. – Az illuminátus gyilkos... arra figyelmeztetett minket, hogy a bíborosok szűzi áldozatok lesznek a tudomány oltárán!

Langdon rámosolygott a lányra. – Négy kardinális. Négy templom. A tudomány négy oltára.

Vittoria elképedt. – Azt mondja, hogy abban a négy templomban akarják feláldozni a bíborosokat, amelyek a *Megvilágosodás ösvényének* régi útvonalát jelzik?

– Én úgy gondolom, hogy igen.

– De miért árulta el ezt nekünk a gyilkos?

– Miért is ne? – válaszolta Langdon. – Nagyon kevés történész tud ezekről a szobrokról. Még kevesebben hiszik, hogy valóban léteznek. És négyszáz éven át titokban maradt a lelőhelyük. Semmi kétség, az Illuminátusok bíznak abban, hogy még öt órán át titok marad. Továbbá az Illuminátusoknak nem lesz már szükségük többé a *Megvilágosodás* ösvényére. Valószínű, hogy amúgy sincs meg már régóta a rejtekhelyük. A modern világban élnek. Bankok felügyelőbizottsági ülésein, exkluzív klubokban, magángolfpályákon találkoznak egymással. Ma éjjel nyilvánosságra akarják hozni a titkaikat. Ez az utolsó pillanatuk. A nagy önleleplezés.

Langdon attól félt, hogy az Illuminátusok önleleplezésében is különleges szimmetria lesz, amelyet eddig még nem említett. A négy bélyeg. A gyilkos megesküdött arra, hogy mind a négy bíborosba más bélyeget fognak sütni. Igazolást nyer, hogy az ősi legendák igazak, mondta a gyilkos. A négy ambigrammatikus bélyeg legendája olyan régi, mint maguk az Illuminátusok: föld, levegő, tűz és víz – a négy szó tökéletes szimmetriával kirajzolva. Akár az Illuminátusok szó. Minden egyes bíborosba a tudomány egy-egy ősi elemének bélyegét égetik. Az a híresztelés, hogy a négy szó angolul, nem pedig olaszul olvasható, vita tárgya volt a történészek között. Az angol ötletszerű eltérésnek tűnt az Illuminátusok természetes nyelvétől... és az Illuminátusok semmit sem tettek ötletszerűen.

Langdon rákanyarodott az archívumhoz vezető, kikövezett ösvényre. Hátborzongató képek árasztották el az elméjét. Az átfogó illuminátus-összeesküvés kezdte megmutatni türelmes nagyságát. A testvériség megesküdött, hogy hallgatni fog, akármilyen sokáig tart is, amíg elegendő befolyásra és hatalomra tesznek szert ahhoz, hogy félelem nélkül feljöhessenek a föld alól, megvethessék a lábukat, és fényes napvilágnál harcoljanak az ügyükért. Az Illuminátusok nem bujkálnak tovább. Arra készülnek, hogy megmutassák az erejüket, bebizonyítsák, hogy nem csak mítosz volt az összeesküvés elmélete. Ma este elképesztik a világ közvéleményét.

– Itt jön a kísérőnk – szólalt meg Vittoria. Langdon egy svájci testőrt látott sietve közeledni a pázsiton át a bejárat felé.

Amikor a testőr észrevette őket, hirtelen megállt. Úgy meredt rájuk, mintha kísértetet látna. Szó nélkül elfordult és elővette a walkie-talkie-ját. Láthatólag nem akarta elhinni, hogy ezzel a feladattal bízták meg, és most erősen győzködött valakit a rádióban. A dühös válasz érthetetlen volt Langdon számára, de az üzenete egyértelmű. A testőr megadta magát, eltette a walkie-talkie-t, és elégedetlen arckifejezéssel fordult ismét feléjük.

Egy szó el nem hangzott, miközben a testőr odavezette őket az épülethez. Átmentek négy acélajtón, két jelszavas beléptetőrendszeren, majd két nyomógombos zárkombináció segítségével egy hosszú lépcsősoron lejutottak egy előtérbe. Áthaladva egy sor csúcstechnikával felszerelt elektromos kapun, megérkeztek egy hosszú folyosó végére, egy széles, kétszárnyú tölgyfa ajtó elé. A testőr megállt, megint végignézett rajtuk, morgott valamit a bajusza alatt, aztán odament egy fémdobozhoz a falon. Kulccsal kinyitotta, benyúlt és beütötte a kódot. Az ajtó berregni kezdett és megnyílt a zár.

A testőr visszafordult, és most először, megszólította őket:
– Az ajtó mögött van az archívum. Arra utasítottak, hogy idáig kísérjem önöket, majd térjek vissza, mert másik megbízatást kapok.

– Elmegy? – kérdezte méltatlankodva Vittoria.

– A svájci testőrök nem léphetnek be a titkos archívumba. Önök azért lehetnek itt, mert a parancsnokom közvetlen utasítást kapott a *camerlengótól.*

– De hogy fogunk innen kijutni?

– A biztonsági rendszer egyirányú. Minden nehézség nélkül. – Más mondanivalója nem lévén, a testőr sarkon fordult és elindult visszafelé a folyosón.

Vittoria tett valami megjegyzést, de Langdon nem hallotta. Már csak azon járt az esze, milyen titkok várnak rá az ajtó mögött.

47

Noha tudta, hogy rövid az idő, Carlo Ventresca *camerlengo* mégis lassan lépkedett. Szüksége volt az egyedüllétre, hogy összeszedje a gondolatait, mielőtt rászánja magát a konklávét megnyitó imára. Annyi minden történt. Ahogy komor magányában áthaladt a nyugati szárnyon, minden súlyával ránehezedett az utóbbi tizenöt nap kihívásainak súlya.

Híven teljesítette szent kötelességeit.

A Vatikán hagyománya szerint a pápa elhunytát követően a *camerlengo* személyesen erősíti meg az elhalálozást: ráhelyezi ujjait a szentatya nyaki ütőerére, ellenőrzi, hogy lélegzik-e, majd háromszor kimondja a pápa nevét. A törvény tiltja a boncolást. Ezután lepecsételte a pápa hálószobáját, megsemmisítette a pápai halászgyűrűt, összetörte a dombornyomót, amelyet az ólompecsétekhez használtak, és intézkedett a temetésről. Amikor ez megvolt, hozzákezdett a konklávé előkészítéséhez.

A konklávé, gondolta. Az utolsó akadály. A kereszténység egyik legrégebbi hagyománya. Manapság, miután a konklávé kimenetele már azelőtt ismert, hogy elkezdték volna, egyre többen bírálják ezt az elavult szokást – inkább bohózat, mint választás. A *camerlengo* azonban tudta, hogy a bírálók roszszul értelmezik a dolgot. A konklávé nem választás. Hanem a hatalom ősi, misztikus továbbadása. A tradíció kortalan... a titoktartás, az összehajtott papírosok, a szavazás izgalma, a régi vegyszerek összekeverése, a felszálló füst...

Ahogy a *camerlengo* XIII. Gergely loggiáján át a célja felé haladt, azon tűnődött, hogy Mortati bíboros vajon észrevette-e a négy *preferiti* eltűnését. Nélkülük egész éjjel eltarthat a szavazás. Mortati Nagy Választónak jelölése, nyugtatta meg magát a *camerlengo*, jó döntés volt. A bíboros szabadgondolkodó és jól tud beszélni. A konklávénak ma este nagyobb szüksége van vezetőre, mint valaha.

Amikor a *camerlengo* felért a Királyi Lépcső tetejére, úgy érezte, mintha élete meredélyének szélén állana. Még innen föntről is hallotta a lázas nyüzsgés zaját a Sixtus-kápolnából – a 165 bíboros izgatott beszélgetését.

Százhatvanegy bíboros, javította ki magát.

A *camerlengo* egy pillanatra megingott, zuhant egyenesen a pokolba, ahol emberek sikoltoztak, lángnyelvek fogták körül, kő- és véreső hullott alá az égből.

Azután csönd.

†††

Amikor a gyermek fölébredt, a mennyországban találta magát. Körülötte minden fehér volt. A fény vakító és tiszta. Noha sokan úgy gondolják, hogy egy tízéves gyerek aligha foghatja fel a mennyországot, az ifjú Carlo Ventresca nagyon is jól megértette. Hiszen most pontosan a mennyországban volt. Hol másutt lenne? Rövid életideje dacára Carlo át tudta érezni Isten magasztosságát — a mennydörgő orgonasípokat, az égbe törő székesegyházakat, az énekkar emelkedett hangját, a festett üvegablakokat, a bronz és az arany ragyogását. Carlo anyja, Maria mindennap elvitte őt a misére. A templom Carlo otthona volt.

— Miért jövünk mindennap misére? — kérdezte Carlo, nem mintha bánta volna.

— Mert megígértem Istennek — válaszolta az anyja. — És az Istennek tett ígéret mindennél fontosabb. Sohase szegd meg az Istennek adott szavad.

Carlo megígérte neki, hogy sohasem fogja megszegni Istennek adott szavát. A világon mindennél jobban szerette az anyját, aki igazi angyal volt. Néha Maria Benedettának — áldott Máriának — nevezte, bár az anyjának ez a legkevésbé sem tetszett. Carlo az anyja mellett térdelve imádkozott, beszívta bőrének finom illatát és hallgatta a rózsafüzért kísérő hangjának mormolását. Üdvözlégy... imádkozzál érettünk, bűnösökért... most, és halálunk óráján.

— Hol az apám? — kérdezte Carlo, pedig már tudta, hogy az apja az ő születése előtt meghalt.

— Most Isten a te apád — mondta mindig az anyja. — Te az egyház gyermeke vagy.

Carlo örült ennek.

– Ha bármikor elfog a félelem – mondta az anyja –, emlékezz arra, hogy most Isten az apád. Örökké vigyáz rád és megvédelmez. Istennek nagy tervei vannak veled, Carlo. – A fiú tudta, hogy igazat mond. Már érezte Istent a szívében.

Szív... vér...

Véreső hullik az égből!

Csönd. Azután a mennyország.

Az ő mennyországa, gondolta Carlo, miközben kihunyt a vakító fény, amely valójában a Palermo melletti Santa Clara kórház intenzív osztályán égett. Carlo volt az egyetlen túlélője egy terrorista bombatámadásnak, amely romba döntötte a kápolnát, ahová nyaralásuk idején misét hallgatni jártak. Harmincheten haltak meg, közöttük Carlo anyja. Az újságok Szent Ferenc csodájaként emlegették Carlo megmenekülését. Carlo, valami megmagyarázhatatlan okból, néhány pillanattal a robbanás előtt otthagyta az anyját, és behúzódott egy védett alkóvba, hogy megnézzen egy Szent Ferenc történetét ábrázoló falikárpitot.

Az Isten szólított oda, döntötte el magában. Meg akart menteni.

Carlót elkábította a fájdalom. Még látta az anyját a térdeplőn, ahogy csókot dob neki, azután a mindent megrázkódtató robbanás darabokra tépte finom illatú testét. Carlo még mindig érezte az emberi gonoszság ízét. Véreső hullott. Az anyja vére! Az áldott Máriáé!

Isten örökké vigyáz rád és megvédelmez, mondta neki az anyja.

De hol van most az Isten?

Akkor, mint anyja igazának földi megtestesülése, egy pap jelent meg a kórházban. Nem is akármilyen pap. Egy püspök. Imádkozott Carlo ágya mellett. Szent Ferenc csodája. Amikor Carlo felépült, a püspök elintézte, hogy az általa vezetett bazilikához csatlakozó kis monostorban élhessen. Carlo együtt lakott és tanult a szerzetesekkel. Ő lett a ministránsfiú új protektora mellett. A püspök felajánlotta neki, hogy járjon állami iskolába, de Carlo nem akart. Nagyon boldog volt az új otthonában. Immár valóban Isten házában lakott.

Carlo minden este imádkozott az anyjáért.

Istennek oka volt rá, hogy megmentsen, gondolta. De mi ez az ok?

Amikor Carlo tizenhat éves lett, az olasz törvények két év tartalékos katonai kiképzésre kötelezték. A püspök elmondta Carlónak, hogy ha belép a szemináriumba, felmentést kap a katonaság alól. Carlo azt felelte a papnak, hogy feltett szándékában áll belépni a szemináriumba, de előtte meg kell ismernie a gonoszt.

A püspök nem értette.

Carlo elmondta neki, hogy ha egész életét a gonosz elleni harcnak szenteli az egyház kebelében, először meg kell ismernie a gonoszt. És a gonosz megismeréséhez keresve sem találni jobb helyet a hadseregnél. A hadseregnek fegyverei és bombái vannak. Egy bomba ölte meg az én áldott anyámat!

A püspök megpróbálta lebeszélni, de Carlo már elhatározta magát.

– Vigyázz magadra, fiam – mondta a püspök. – És ne felejtsd el, hogy az egyház visszavár.

Carlo kétéves katonai szolgálata rettenetes volt. Fiatalsága csendben és szemlélődésben telt. De a hadseregben nem volt elegendő csend a szemlélődéshez. Örökös zaj. Hatalmas gépezetek mindenütt. Sehol egy percnyi béke. Noha a katonák hetente misére mentek a laktanyában, Carlo nem érezte Isten jelenlétét egyik katonatársában sem. Túl nagy volt a káosz a fejükben, hogysem megláthassák az Istent.

Carlo gyűlölte új életét, és szeretett volna hazamenni. De elszánta magát arra, hogy kitart. Még meg kellett ismernie a gonoszt. A fegyveres szolgálatot megtagadta, ezért megtanították egy mentőhelikopter vezetésére. Carlo utálta a zajt és a szagot, de legalább felrepülhetett az égbe, közelebb kerülhetett az anyjához a mennyországban. Aztán közölték vele, hogy a pilótakiképzésnek része az ejtőernyős ugrás megtanulása. Carlo rettegett tőle, de nem volt más választása.

Isten megvédelmez, mondta magának.

Carlo első ejtőernyős ugrása életének legmámorítóbb testi élménye lett. Olyan volt, mint Istennel repülni... Carlo egyszerűen nem tudott betelni vele... a csönd... a lebegés... látni az anyja arcát a bodrozódó fehér felhőkben, miközben a föld felé ereszkedik. *Istennek tervei vannak veled, Carlo.* Amikor visszatért a katonaságtól, Carlo belépett a szemináriumba.

Ez huszonhárom évvel ezelőtt volt.

Most, miközben Carlo Ventresca *camerlengo* lefelé haladt a Királyi Lépcsőn, megpróbálta összefoglalni az események láncolatát, amely ehhez a rendkívüli válaszúthoz vezette.

Szabadulj meg minden félelmedtől, mondta magának, és ajánld fel ezt az estét Istennek.

Már látta a Sixtus-kápolna nagy bronzkapuját, amely előtt

négy svájci testőr posztolt. Az őrök elhúzták a reteszt és kinyitották előtte az ajtót. Ahogy megjelent, minden fej feléje fordult. A *camerlengo* végignézett a fekete reverendás és vörös öves embereken. Megértette, mit tervez vele Isten. Az egyház sorsa az ő kezében van.

A *camerlengo* keresztet vetett és átlépte a küszöböt.

48

Gunther Glick, a BBC újságírója izzadva üldögélt a Szent Péter tér keleti végében leparkolt közvetítőkocsiban, és a megbízásokat kiadó szerkesztőt átkozta. Noha Glick első havi szemléjét szuperlatívuszokban dicsérték – leleményes, elmés, megbízható –, most ideküldték a Vatikánba „pápalesre". Emlékeztette magát arra, hogy a BBC-t tudósítani hasonlíthatatlanul nagyobb felelősség, mint összedobni egy sztorit a British Tattlernek, de ő akkor sem ilyennek képzelte a riporteri munkát.

Glick feladata egyszerű volt. Bántóan egyszerű. Itt kellett ülnie addig, amíg egy rakás vén trotty meg nem választ főnöknek egy másik vén trottyot, aztán ki kellett vonulnia és rögzíteni egy tizenöt másodperces helyszíni riportot a Vatikánnal a háttérben.

Remek.

Glick nem akarta elhinni, hogy a BBC még mindig helyszíni tudósítót küld egy ilyen vacak közvetítésre. Bezzeg az amerikai tévétársaságok nincsenek itt ma este. Még szép! Mert a nagykutyáknak megvan a magukhoz való eszük. Nézik a CNN-t, kivonatolják, aztán egy bluebox előtt felveszik a „helyszíni" tudósításaikat, videóról mögéjük vetítve a valósághű hátteret. Az MSNBC-nél még szél- és esőgépek is vannak a stúdióban, hogy hitelesebb legyen az „élő" közvetítés. A nézőket már nem érdekli az igazság, ők szórakozni akarnak.

Glick kibámult a szélvédőn és percről percre lehangoltabbnak érezte magát. Előtte ott emelkedett Vatikánváros fenséges hegye, kínos emlékeztetőként arra, mire képes az ember, ha igazán akarja.

– És én mire jutottam az életben? – tűnődött hangosan. – Semmire.

– Akkor add fel – szólalt meg egy női hang a háta mögül.

Glick felpattant. Szinte elfelejtette, hogy nincs egyedül. A hátsó ülés felé fordult, ahol az operatőre, Chinita Macri csöndben tisztogatta a szemüvegét. Folyton a szemüvegét tisztogatta. Chinita fekete volt, de jobban szerette, ha afroamerikainak nevezik; kissé zömök, és pokolian éles eszű. Amit folyton az emlékezetedbe is idézett. Fura egy bogár volt, de Glick kedvelte. És az végképp nem kérdés, hogy milyen jól jött neki a társasága.

– Mi a baj, Gunth? – kérdezte Chinita.

– Mit keresünk mi itt?

A lány tovább fényesítette a szemüvegét. – Tudósítunk egy izgalmas eseményről.

– Ha öregemberek bezárkóznak a sötétben, az izgalmas?

– Ugye tudod, hogy a pokolra fogsz jutni?

– Már ott is vagyok.

– Mesélj. – A nő úgy beszélt, mint az anyja.

– Szeretnék nyomot hagyni magam után.

– Írtál a British Tattlerbe.

– Igen, de minden visszhang nélkül.

– Ugyan már, hallottam, hogy volt egy szenzációs cikked a királynő titkos szexuális kapcsolatáról földönkívüliekkel.

– Kösz.

– Hé, alakulnak a dolgok. Ma este elkészíted az első tizenöt másodperces televízióműsorodat.

Glick felnyögött. Már hallotta is a műsorvezetőt: *Köszönjük, Gunther, kitűnő riport volt.* Azután a műsorvezető elfordul és rátér az időjárásra. – Talán hírolvasónak kellett volna jelentkeznem?

Macri nevetett. – Gyakorlat nélkül? És ezzel a szakállal? Felejtsd el.

Glick végigsimított a vörös szőrmókon az állán. – Szerintem okosabbnak nézek ki vele.

A közvetítőkocsiban megszólalt a mobiltelefon, áldásosan megszakítva Glick további hiányosságainak felsorolását. – Talán a szerkesztőség lesz az – mondta újjáéledő reménynyel. – Lehet, hogy élő bejelentkezést kérnek?

– Erről a sztoriról? – nevetett Macri. – Álmodsz.

Glick a legjobb műsorvezetői hangján szólt bele a telefonba. – Gunther Glick, BBC, vatikáni kiküldött tudósító.

A férfihangnak a vonalban erős arab akcentusa volt. – Figyeljen jól – mondta. – Én most megváltoztatom az életét.

$\mathfrak{L}$angdon és Vittoria immár egyedül álltak a titkos archívum belső szentélyébe vezető kettős ajtó előtt. Az oszlopcsarnok dekorációja össze nem illő keveréke volt a márványpadlót borító, faltól falig szőnyegeknek és a vezeték nélküli figyelőkameráknak, amelyek faragott kerubok közül leskelődtek lefelé a mennyezetről. Langdon steril reneszánsznak nevezte el magában. A boltíves bejárat mellett egy kis bronztábla hirdette:

ARCHIVIO VATICANO
CURATORE, PADRE JAQUI TOMASO

Jaqui Tomaso atya. Langdon felismerte a kurátor nevét az otthoni íróasztalán őrzött kurátori levelekről. *Tisztelt Mr. Langdon, sajnálattal kell közölnöm, hogy kérését elutasítottam...* Sajnálja, egy fenét. Jaqui Tomaso regnálásának kezdete óta Langdon nem találkozott még egyetlen nem katolikus amerikai tudóssal, aki kutatási engedélyt kapott volna a titkos vatikáni archívumba. *Il guardiáno,* az őr, így nevezték el az atyát a történészek. Jaqui Tomaso a világ legkönyörtelenebb könyvtárosa volt.

Miközben Langdon belökte az ajtót és a boltíves portálon át belépett a belső szentélybe, felmerült benne, hogy mindjárt megpillantja Jaqui atyát tetőtől talpig katonaruhában, sisakkal a fején, amint egy páncélököllel őrséget áll. A helyiség azonban üres volt.

Csend. Puha fények.

Archivio Vaticano. Élete egyik álma.

Ahogy Langdon körülhordozta tekintetét a szent teremben, első reakciója a zavar volt. Rá kellett jönnie, milyen romantikus alak is ő. A hosszú évek alatt a fejében kiszínezett kép már nem is állhatott volna távolabb a valóságtól. Mennyezetig érő, poros könyvespolcokat képzelt el megviselt kötetekkel telezsúfolva, gyertyák és színes üvegablakok gyér fényénél katalógust körmölő papokat, régi tekercseket bogarászó szerzeteseket...

Nem talált.

Első pillantásra elsötétített repülőgéphangárra emlékeztetett a szoba, amelyben valaki egy tucat elkerített teniszpályát alakított ki. Langdon persze tudta, mire valók az üvegfalú kalickák. Nem lepte meg, hogy itt látja őket; a nedvesség és a hő kikezdte az ősrégi, bőr- és papírpergameneket, s az állagmegóváshoz ilyen, hermetikusan zárt fülkékre volt szükség – légmentes üvegkockákra, amelyek távol tartják a nedvességet és a levegő természetes savait. Langdon számos alkalommal járt már hermetikus fülkékben, de mindig kellemetlen érzése volt... mintha egy légmentes konténerbe lépne be, ahol egy tájékoztató könyvtáros szabályozza az oxigénellátást.

A fülkék sötétek voltak, kísértetiesen egyformák; körvonalaikat bizonytalanul rajzolták ki az állványok végére erősített apró spotlámpák. Langdon a cellák sötétségében szinte csak érzékelte a fantom óriásokat: az egymást követő sorokban tornyosuló könyvespolcokat, megpakolva történelemmel. Döbbenetes gyűjtemény volt.

Vittoria is bódultnak tűnt. Langdon mellett állva némán bámulta a hatalmas, átlátszó kockákat.

Kevés volt az idő, és Langdon nem akarta azzal veszteget-ni, hogy katalógus — egy bekötött enciklopédia a könyvtári ál-lomány listájával — után kutat a félhomályos helyiségben. Elég volt meglátnia a szobában itt is, ott is villódzó számítógép-terminálokat. — Úgy látszik, számítógépre vitték a könyvkatalógust.

Vittoria reménykedni kezdett. — Ez felgyorsíthatja a dolgot.

Langdon azt kívánta, bárcsak osztani tudná a lelkesedését, de ezt ő rossz hírnek érezte. Odament az egyik terminálhoz és begépelt valamit. A félelmei azon nyomban beigazolódtak. — A régi módszerrel többre mentünk volna.

— Miért?

Langdon ellépett a monitortól. — Mert az igazi könyveknek nincsen jelszavas védelmük. Gondolom, a fizikusok nem szü-letett számítógépes hackerek.

Vittoria a fejét rázta. — Én csak az osztrigát tudom feltör-ni, ennyit erről.

Langdon vett egy nagy levegőt, és szembefordult az átlát-szó kalitkák kísérteties sorával. Odament a legközelebbihez és belesett a homályba. Az üveg mögötti amorf alakzatokban Langdon a szokásos könyvespolcokra, pergamentárlókra és olvasóasztalokra ismert. Megnézte a polcsorok végén világító jelzeteket. Mint minden könyvtárban, a címkék az adott sor tartalmát jelölték. Végigmenve az átlátszó válaszfal mentén, elolvasta a megnevezéseket.

PIETRO IL ERIMITO... LE CROCIATE... URBANO II...LEVANTE...

— Fel vannak címkézve — mondta továbblépkedve. — De nincs szerzői betűrend. — Nem volt meglepve. A régi archívumokat szinte sohasem katalogizálták ábécérendben, mert túl sok volt az ismeretlen szerző. Cím szerint sem lehetett, mert számos történelmi dokumentum csak cím nélküli ívekből vagy pergamentöredékekből állt. A katalógusok többsége kronológikus rendet követett. Ám legnagyobb elkeseredésére ez az anyag itt nem időrendben volt.

Langdon érezte, hogyan csúszik ki a keze közül a drága idő.

– Úgy tűnik, hogy a Vatikánnak saját rendszerezése van.

– Micsoda meglepetés.

Langdon újra megvizsgálta a címkéket. A dokumentumok évszázadokat öleltek fel, de valamennyi kulcsszó, ismerte fel, kapcsolatban állt egymással. – Azt hiszem, ez egy tematikus osztályozás.

– Tematikus? – kérdezte Vittoria a tudós helytelenítő hangján. – Ez nem lehet valami hatékony.

Voltaképpen... gondolta Langdon, jobban megvizsgálva a dolgot... lehet, hogy ez a legagyafúrtabb katalogizálás, amivel valaha találkoztam. Mindig arra ösztökélte a hallgatóit, hogy ne vesszenek el az aprólékos adatokban és az egyes művekben, hanem egy-egy művészettörténeti korszak átfogó sajátságait és motívumait igyekezzenek megérteni. Úgy tűnt, hogy a vatikáni archívumot hasonló filozófia alapján katalogizálták. Nagy vonalakban...

– Ebben a fülkében – mondta Langdon most már magabiztosabban – a több évszázadot felölelő anyag mind a keresztesekkel foglalkozik. Ennek a fülkének ez a témája. – Itt van minden, ismerte föl. Történelmi beszámolók, levelek, műalkotások, társadalmi-politikai adatok, modern elemzések.. minden egy helyen... a téma mélyebb megértésére ösztönözve. Briliáns.

Vittoria a homlokát ráncolta. – De egyes adatok többféle témához is kapcsolódhatnak.

– Ezért vannak a kereszthivatkozások is jelzetelve. – Langdon a színes műnyag őrjegyekre mutatott az üvegen át, amelyeket a dokumentumok között helyeztek el. – Ezek utalnak a másodlagos dokumentumokra, amelyek a főtémájuk alapján másutt találhatók.

– Hogyne – mondta Vittoria, de látszott rajta, hogy nem fogta fel. Csípőre tette a kezét és végigpásztázta a roppant teret. Aztán Langdonra nézett. – Nos, professzor, mi a címe annak a Galilei-munkának, amit keresünk?

Langdon nem állta meg mosolygás nélkül. Még mindig nem tudta elhinni, hogy bent van, ebben a szobában. Itt van valahol, gondolta. Itt lapul valahol a sötétben.

– Kövessen – mondta. Gyors léptekkel nekivágott az első folyosónak, megszemlélve minden egyes üvegkalitka jelzetét. – Emlékezzen vissza, mit mondtam az *Illuminátusok ösvényé-ről*. Arról, hogyan toboroztak új tagokat az Illuminátusok egy bonyolult próbatétel segítségével.

– A kincsvadászat – mondta Vittoria, aki szorosan a nyomában haladt.

– Az Illuminátusoknak, miután elhelyezték az útjelzőket, azzal a feladattal is meg kellett birkózniuk, hogy valahogyan tudtára adják a tudósoknak az útvonal létezését.

– Logikus – mondta Vittoria. – Máskülönben senki sem tudta volna, hogy keresni kell.

– Igen, és még ha tudják is, hogy létezik az ösvény, azt már semmiképp ki nem találhatták volna a tudósok, hogy hol kezdődik. Róma óriási.

– Oké.

Langdon rátért a következő folyosóra, menetközben ellenőrizve a jelzeteket. – Úgy tizenöt évvel ezelőtt én, és néhány más történész a Sorbonne-on, felfedeztünk egy sor illuminátus levelet, amelyek tele voltak utalásokkal a jelre.

– *Il segno.* Az ösvény létezésének és kezdőpontjának közlése.

– Igen. És azóta az Illuminátusok számos kutatója, köztük jómagam, más utalásokat is talált a *segnóra.* Ma már elfogadott elmélet, hogy a nyomravezető létezik, és Galilei széles körben terjesztette a tudományos közösségben anélkül, hogy a Vatikán valaha is rájött volna.

– Hogyan?

– Nem tudjuk biztosan, de nagyon valószínű, hogy kinyomtatott szövegben. Galilei sok könyvet és cikket publikált az évek során.

– Amit persze a Vatikán is elolvasott. Veszélyesnek tűnik.

– Igaz. Mégis terjesztették a *segnót.*

– De valójában senki nem jött rá?

– Nem. Elég furcsa, de valahányszor megjelenik egy hivatkozás a *segnóra,* például szabadkőműves-naplókban, régi tudományos folyóiratokban, illuminátus levelekben, gyakran egy számmal utalnak rá.

– Mi az a szám? 666?

Langdon elmosolyodott. – Nem. Az 503.

– Mit jelent?

– Még senki sem jött rá. Szinte megszállottja lettem ennek az 503-nak, mindennel próbálkoztam, hogy megfejtsem az értelmét... numerológiával, térképutalásokkal, szélességi fokokkal. – Langdon a folyosó végére érve befordult a sarkon, és máris a következő soron kezdte fürkészni a jelzeteket, miközben folytatta a magyarázatot: – Éveken át az volt az egyetlen nyom, hogy az 503 az ötös számjeggyel kezdődik... az Illuminátusok egyik szent számjegyével. – Langdon szünetet tartott.

– Valami azt súgja nekem, hogy maga nemrégiben rájött a megoldásra, és azért vagyunk most itt.

– Úgy van – mondta Langdon, egy pillanatra megengedve magának a műve fölött érzett büszkeséget. – Ismeri azt a könyvet, amelynek Galilei a *Diálogo* címet adta?

– Persze. A kutatók között hírhedt munkának számít, mint a tudomány kiárusítása.

Langdon nem éppen a kiárusítás szót használta volna, de értette, mire gondolt Vittoria. Az 1630-as évek elején Galilei ki akart adni egy könyvet, amely a Naprendszer kopernikuszi, heliocentrikus modelljét ismerteti, de a Vatikán csak úgy járult hozzá a könyv megjelentetéséhez, ha Galilei ugyanolyan meggyőző bizonyítékát közli benne az egyház által elfogadott, geocentrikus világképnek – amelyről Galilei pontosan tudta, hogy tévedés. De nem volt más választása, mint meghajolni az egyház követelései előtt, és megjelentetni egy olyan könyvet, amely ugyanakkora teret ad az igaz és a hamis modellnek.

– Mint azt bizonyára tudja – folytatta Langdon –, Galilei megalkuvása dacára a *Diálogo* még mindig eretnek könyvnek számított, és a Vatikán háziőrizetbe helyezte a tudóst.

– Minden jótett elnyeri méltó büntetését.

Langdon mosolygott. – Milyen igaz. De Galilei mégis kitartott. Háziőrizete idején, titokban elkészített egy kevésbé ismert kéziratot, amelyet a tudósok gyakran összekevernek a *Diálogóval*. Ennek a címe *Discorsi*.

Vittoria bólintott. – Hallottam róla. Értekezések az árapályról.

Langdon ámultan torpant meg: nem gondolta volna, hogy a lány ismerheti ezt az alig emlegetett kiadványt a bolygók mozgásáról és az árapályra gyakorult hatásukról.

– Hé – mondta Vittoria –, egy olasz tengerfizikussal beszél, akinek az apja csodálta Galileót.

Langdon nevetett. Csakhogy nem a *Discorsi* volt az, amit most kerestek. Langdon elmagyarázta, hogy nem a *Discorsi* Galilei egyedüli, háziőrizetben írott munkája. A történészek úgy vélték, hogy kiadott egy *Diagramma* című obskúrus füzetet is.

– A *Diagramma della Verità* – mondta Langdon. – Az igazság ábráját.

– Sosem hallottam róla.

– Nem lep meg. A *Diagramma* volt Galilei legtitkosabb műve... a feltevések szerint olyan tudományos tényekről szólt, amelyeket igaznak tartott, de nem közölhetett. Mint Galilei néhány korábbi kéziratát, a *Diagrammát* is egy barátja csempészte ki Rómából, és csöndben publikálta Hollandiában. A füzet nagy népszerűségre tett szert az európai tudományos alvilágban. Aztán a Vatikán is neszét vette, és könyvégető hadjáratot indított.

Vittoria egyre kíváncsibb lett. – És úgy gondolja, hogy a *Diagrammában* volt a nyomravezető jel? A segno? Az információ az *Illuminátusok* ösvényéről...

– Galilei a *Diagramma* segítségével terjesztette a dolgot. Ebben biztos vagyok. – Langdon belépett a fülkék harmadik sorába és folytatta a jelzetek tanulmányozását. – Az archivátorok évekig vadásztak a *Diagramma* egy példányára. De a vatikáni könyvégetések és a füzet alacsony permanencia idejének lejárta között, a *Diagramma* eltűnt a föld színéről.

– Permanencia idő?

– Tartósság. Az archivátorok egytől tízig osztályozzák a dokumentumokat, az anyaguk tartóssága szerint. A *Diagrammát* sáspapíruszra nyomtatták. Ez olyan, mint a szalvétapapír. Az élettartama nem több száz évnél.

– Akkor miért nem választottak valami erősebbet?

– Galilei akarta így. Hogy védelmezze a követőit. Így, ha egy tudóst elkaptak a példánnyal, egyszerűen vízbe dobta a füzetet, és az szétázott. A bizonyíték eltüntetésére kiváló volt, de archiválásra siralmas. Úgy vélik, hogy csak egyetlenegy példánya maradt fenn a *Diagrammának* a XVIII. század után.

– Csak egy? – Vittoria egy pillanatra kábultan nézett körül a teremben. – És az itt van?

– Nem sokkal Galilei halála után kobozta el a Vatikán Hollandiában. Éveken át kérvényeztem, hogy megnézhessem. Amióta csak megtudtam, hogy itt van.

Mintha olvasna Langdon gondolataiban, Vittoria elindult a folyosón és megduplázva haladásuk sebességét, ő is nézegetni kezdte a szomszédos fülkesor jelzeteit.

– Köszönöm – mondta Langdon. – Figyelje a hivatkozásokat, amelyeknek bármi közük lehet Galileihez, a tudományhoz, a tudósokhoz. Rá fog ismerni, ha meglátja.

– Oké, de még nem mondta el, hogyan jött rá arra, hogy a *Diagrammában* található a nyomravezető. Azzal a számmal kapcsolatos, amit az illuminátus levelekben talált? Az 503-mal?

Langdon elmosolyodott. – Igen. Beletelt némi időbe, de végül rájöttem, hogy az 503 egy egyszerű kód. Egyértelműen a *Diagrammára* mutat.

Langdon egyszerre újraélte a váratlan felfedezés pillanatát: augusztus 16-án történt. Két évvel ezelőtt. A tóparton állt egy munkatárs fiának esküvőjén. Dudaszó hallatszott a vízen át, miközben közeledett az ünnepség különleges meglepetése... egy bárka a tavon. A hajót virágok és girlandok díszítették. Az oldalára festett felirat büszkén hirdette: DCII.

Langdont zavarba hozta a rövidítés, és a vőlegény apjához fordult magyarázatért: – Mi az a 602?

– 602?

Langdon a bárkára mutatott. – A DCII, az 602 római számokkal.

A férfi nevetett. – Az ott nem római szám. Hanem a bárka neve.

– DCII?

A férfi bólintott. – Dick és Connie II.

Langdon még mindig nem értette egészen. Dick és Connie a jegyespár volt. A hajót nyilvánvalóan róluk nevezték el.

– És mi történt a DCI bárkával?

A férfi felsóhajtott. – Elsüllyedt a tegnapi próba közben.

Langdon nevetett. – Ezt szomorúan hallom. – Újra a hajóra nézett. A DCII, gondolta. Mint a QEII kicsiben. Egy másodperccel később leesett a tantusz.

Langdon Vittoriához fordult. – Az 503, mint említettem, egy kód. Egy illuminátus fogás annak leplezésére, amit római számokkal akartak kifejezni. Az 503 római számokkal...

– DIII.

Langdon felkapta a fejét. – Ez gyorsan ment. Csak azt ne mondja, hogy maga egy illuminata.

Vittoria nevetett. – Római számokat használok a mélytengeri rétegek osztályozására.

Hát persze, gondolta Langdon. Ki-ki a maga módján.

Vittoria rá nézett. – Tehát mit jelent az 503?

– A DI, DII és DIII nagyon régi rövidítések. A korabeli tudósok így különböztették meg Galilei három, gyakran összekevert tanulmányát.

Vittoria fújt egyet. – A *Diálogo*... a *Discorso*... és a *Diagramma*.

– D-egy. D-kettő. D-három. Mindegyik tudományos. Mindegyik vitatott. Az 503 a DIII. A *Diagramma*. Galilei harmadik könyve.

Vittoria zavartnak tűnt. – De egy dolgot még mindig nem értek. Ha ez a nyomravezető, a *segno*, az *Illuminátusok ösvényének* bejelentése tényleg ott volt Galilei *Diagrammájában*, akkor miért nem fedezte fel a Vatikán, amikor begyűjtötte a példányokat?

– Lehet, hogy látták, de nem ismerték fel. Emlékszik az illuminátus útjelzőkre? Úgy elrejteni a dolgokat, hogy közben szem előtt vannak. A *segnót* nyilván ugyanilyen módon rejtették el... hogy közben szem előtt volt. Láthatatlanul azoknak, akik nem keresik. És láthatatlanul azoknak is, akik nem értik.

– Tehát?

– Tehát Galilei jól elrejtette. A történeti források szerint a *segnót* azzal a módszerrel kódolták, amit az Illuminátusok *lingua purának* neveztek.

– Tiszta nyelvnek?

– Igen.

– A matematika?

– Én is erre tippelek. Elég nyilvánvalónak tűnik. Galilei végtére is tudós volt, és tudósok voltak azok is, akiknek írt. A matek nyelve logikus választás lenne egy nyomravezető jel elrejtésére. A füzet címe *Diagramma*, tehát matematikai ábrák is részei lehetnek a kódnak.

Vittoria csak egy kicsivel tűnt reménykedőbbnek. – Feltételezem, hogy Galilei olyan matematikai kódot alkotott, amely fel sem tűnt a papoknak.

– Úgy hangzik, mintha nem hinne benne – mondta Langdon, tovább haladva a sorban.

– Nem. Főleg azért nem, mert maga sem hiszi. Ha annyira biztos a DIII-ban, akkor miért nem publikálta? Azután valaki, akinek bejárása van a vatikáni archívumba, bejöhetett volna ide, és már rég ellenőrizte volna a dolgot a *Diagrammában*.

– Nem akartam publikálni – mondta Langdon. – Keményen megdolgoztam ezért az információért és... – Langdon zavartan elhallgatott.

– Magának akarta a dicsőséget.

Langdon érezte, hogy elpirul. – Így is lehet mondani. Csak annyi, hogy...

– Ne érezze magát zavarban. Egy tudóssal beszél. Publikálj, vagy pusztulj. Mi a CERN-ben úgy mondjuk: bizonyítsd be, vagy fulladj meg.

– Nem csak arról volt szó, hogy én akartam lenni az első. Az is aggasztott, hogy ha rossz kezekbe kerül a *Diagrammá*ból feltárt információ, akkor eltűnhet.

– A rossz kezeken a Vatikánt érti?

– Nem úgy, hogy önmagukban rosszak, de az egyház mindig lekicsinyelte az Illuminátusok veszélyét. Az 1900-as évek elején a Vatikán odáig ment, hogy kijelentette, az Illuminátusok testvérisége csak a túlhajtott képzelet szüleménye. A klérus úgy érezte, talán joggal, hogy a keresztényeknek a legkevésbé sem kell tudniuk arról, hogy létezett egy roppantul erős, keresztényellenes mozgalom, amely behatolt a bankokba, a politikába, az egyetemekre. – Jelen idő, Robert, emlékeztette magát. Ez a hatalmas, keresztényellenes erő most is létezik, és ott van a bankokban, a politikában, az egyetemeken.

– Tehát úgy gondolja, hogy a Vatikán eltüntette volna a bizonyítékokat, amelyek igazolják az illuminátus veszélyt?

– Elég valószínű. Bármilyen veszély, legyen az valós vagy képzelt, gyengíti az egyház erejébe vetett hitet.

– Még egy kérdés. – Vittoria hirtelen megállt és úgy nézett Langdonra, mintha most látná először. – Komolyan beszél?

Langdon is megállt. – Ezt mire érti?

– Arra, hogy tényleg a nap hőse akar lenni.

Langdon nem tudta eldönteni, hogy jóindulatú sajnálkozást vagy őszinte rémületet lát a lány szemében. – A *Diagramma* megtalálására gondol?

– Nem, hanem megtalálni a *Diagrammát*, felkutatni egy négyszáz éves útjelzőt, megfejteni néhány matematikai kódot és követni egy ősrégi, képzőművészeti nyomvonalat, amire csak a történelem legragyogóbb tudósai voltak képesek... és mindezt az elkövetkező négy órán belül.

50

Robert Langdon az archívum 9-es üvegkalitkája előtt állt és a polcok jelzeteit olvasta:

BRAHE... CAVIUS... COPERNICUS... KEPLER... NEW-TON...

Ahogy még egyszer elolvasta a neveket, hirtelen rossz érzése támadt. Itt vannak a tudósok... de hol van Galilei?

Vittoria felé fordult, aki egy közeli fülke tartalmát tanulmányozta. – Megtaláltam a témát, de Galilei hiányzik.

– Nem hiányzik – mondta a lány homlokráncolva, és rámutatott a következő kalitkára. – Ott van. De remélem, elhozta az olvasószemüvegét, mert az egész fülke róla szól.

Langdon odarohant. Vittoria igazat beszélt. A 10-es kalitka valamennyi jelzete ugyanazt a kulcsszót kapta:

IL PROCESSO GALILEANO

Langdon halkan füttyentett, ráébredve, hogy miért kapott külön helyet Galilei. – A Galilei-per – ámuldozott, bekukucskálva az üvegen át a polcok sötét körvonalaira. – A leghosszabb és legdrágább jogi eljárás a Vatikán történetében. Tizennégy évbe és hatszázmillió lírába került. Itt van minden.

– Jó néhány jogi dokumentum.

– Nem hinném, hogy a jogászok sokat fejlődtek volna az évszázadok során.

– Ahogy a cápák sem.

Langdon odalépett egy nagy sárga gombhoz az üvegkalitka oldalán. Megnyomta, és odabent mennyezeti lámpák sora villant fel. A lámpák sötétvörös fényt adtak és bíbor ragyogásban úszó cellává változtatták át a fülkét... amely toronymagas polcok labirintusa volt.

– Istenem – mondta Vittoria rémülten. – Most barnulunk vagy dolgozunk?

– A papírusz és a pergamen kifakul, ezért mindig sötét színű fénnyel világítják meg a tárolóhelyüket.

– Itt meg lehet őrülni.

Van még rosszabb is, gondolta Langdon, elindulva az üvegkalitka egyetlen bejárata felé. – Gyorsan figyelmeztetem valamire. Az oxigén oxidánsokat tartalmaz, ezért a hermetikus fülkékben nagyon kevés a levegő. Részleges vákuum van odabent. Nehezen lélegzik az ember.

– Hé, ha az öreg bíborosok kibírják...

Igaz, gondolta Langdon. Nekünk is lehet annyi szerencsénk.

Az üvegkalitkába egy elektronikus forgóajtón át lehetett bemenni. Langdon szemrevételezte a szokásos négy nyitógombot – minden zsiliphez egy – az ajtó belső terében. Amikor megnyomtak egy gombot, működésbe lépett az ajtómechanika, tett egy fél fordulatot, majd leállt – a bevett eljárás arra szolgált, hogy megvédje a belül kialakított mesterséges atmoszférát.

– Miután én bementem – mondta Vittoriának –, nyomja meg a gombot és kövessen. Odabent csak nyolcszázalékos a páratartalom, számítson rá, hogy kiszárad a szája.

Langdon belépett a rotációs rekeszbe és megnyomta a gombot. Az ajtó hangosan felberregett és forogni kezdett. Langdon vele egy irányban lépegetett, felkészítve testét a fizikai megrázkódtatásra, amely mindig együtt járt a hermetikus üvegkalikában töltött első néhány másodperccel. Belépni egy zárt archívumba olyan volt, mint a tengerszintről egy pillanat alatt hatezer méteres magasságba kerülni. Gyakran okozott émelygést és szédülést. Kettős látás, kettős meghajlás, emlékeztette magát Langdon az archivátorok mantrájára. Langdon érezte, hogy zúgni kezd a füle. Sziszegve jött a sűrített levegő, és az ajtó hirtelen megállt.

Odabent volt.

Langdon elsőként azt érzékelte, hogy a levegő még annál is ritkább, mint gondolta. Úgy tűnt, hogy a Vatikán kicsit komolyabban vette a saját archívumát, mint a többség. Langdonnak küzdenie kellett a nyelési reflex ellen, és ellazította a mellkasát, amíg a tüdőkapillárisok ki nem tágultak. A fulladás gyorsan elmúlt. Belép a delfin, mulatott magában, elismerve, hogy az a napi ötven hossz az uszodában mégiscsak jó valamire. Most, hogy már normálisabban lélegzett, körülnézett az üvegkalitkában. Az átlátszó falak ellenére elfogta a jól ismert szorongás. Egy dobozban vagyok, gondolta. Egy vérvörös dobozban.

Mögötte felberregett az ajtó, és a hátraforduló Langdon Vittoriát látta belépni. Amikor már odabent volt, azonnal könnyezni kezdett a szeme és zihálva szedte a levegőt.

– Várjon egy percet – mondta Langdon. – Ha szédül, hajoljon le.

– Úgy érzem magam – lihegte Vittoria –, mint egy búvár... akinek rossz keveréket töltöttek a palackjába.

Langdont megvárta, amíg a lány is akklimatizálódik. Tudta, hogy mindjárt jobban lesz. Vittoria Vetra határozottan kitűnő kondícióban volt, össze sem lehetett hasonlítani azzal a reszketeg, egykori Radcliffe-hallgatónővel, akit egyszer Langdon végigkalauzolt a Widener-könyvtár hermetikus üvegkalitkáján. A túra azzal végződött, hogy Langdonnak szájon át kellett lélegeztetnie az idős hölgyet, aki kis híján lenyelte a műfogsorát.

– Jobb már? – kérdezte Vittoriától.

A lány bólintott.

– Engem megutaztattak azon az átkozott űrrepülőjükön, gondoltam, ennyivel tartozom magának.

Vittoria erre már elmosolyodott. – *Touché.*

Langdon benyúlt egy dobozba az ajtó mellett és kiemelt egy pár fehér pamutkesztyűt.

– Kötelező gyakorlat? – kérdezte Vittoria.

– Az ujjainkon savas szennyeződés van. Kesztyű nélkül nem nyúlhatunk a dokumentumokhoz. Maga is vegye fel.

Vittoria kivett egy párat. – Mennyi időnk van még?

Langdon megnézte a Miki egeres óráját. – Most múlt hét.

– Egy órán belül meg kell találnunk azt a füzetet.

– Tulajdonképpen – mondta Langdon –, nincs is rá annyi időnk. – Fölmutatott egy szűrővel ellátott szellőzőre. Rendes körülmények között a kurátor bekapcsol egy reoxigenizáló rendszert, amikor valaki bent van a fülkében. De most nem számíthatunk erre. Húsz perc, és húznunk kell innen, mint a szélvész.

Vittoria láthatóan elsápadt a vörös fényben.

Langdon rámosolygott és megigazította a kesztyűjét. – Bizonyítsd be, vagy fulladj meg. Ms. Vetra, ketyeg a Miki.

51

Gunther Glick, a BBC riportere tíz másodpercig bámulta a kezében tartott mobiltelefont, mielőtt végre letette volna. Chinita Macri figyelte őt a kocsi hátuljából. – Mi történt? Ki volt az?

Glick megfordult, úgy érezve magát, mint a gyerek, aki karácsonyi ajándékot kapott, de nem meri elhinni, hogy tényleg az övé. – Kaptam egy tippet. Folyik odabent valami a Vatikánban.

– Konklávénak hívják – mondta Chinita. – Ezt nevezem tippnek.

– Nem, ez valami más. – Valami nagy. Glick azon tűnődött, hogy igaz lehet-e a sztori, amit a hívó leadott neki. Elszégyellte magát, amikor rájött, hogy azért imádkozik, bár igaz lenne. – Mit szólnál, ha azt mondanám, hogy elraboltak négy bíborost, és különböző templomokban még ma éjjel meggyilkolják őket.

– Azt szólnám, hogy bolondot csinált belőled valaki az irodából, akinek beteges humorérzéke van.

– És ahhoz mit szólsz, hogy meg fogjuk kapni az első gyilkosság pontos helyszínét?

– Szeretném tudni, ki az ördöggel beszéltél.

– Nem mondta meg.

– Lehet, hogy azért, mert egy szarkeverő?

Glick számított a cinikus megjegyzésekre, de Macri megfeledkezett arról, hogy Glick több mint egy évtizeden át foglalkozott hazudozókkal és elmebajosokkal a British Tattlernél. A mostani hívó nem volt egyik sem. Ez a férfi hideglelősen épeszű volt. Logikus. Közvetlenül nyolc előtt felhívom, mondta, és közlöm, hol lesz az első gyilkosság. Az ott készült felvételek híressé fogják tenni. Amikor Glick azt akarta tudni, miért kapja meg ezt az információt, a válasz ugyanolyan jéghideg volt, mint a férfi közel-keleti akcentusa. *A sajtó az anarchia jobbkeze.*

– Mondott még valamit – tette hozzá Glick.

– Mit? Hogy Elvis Presleyt választották meg pápának?

– Belépnél nekem a BBC adatbázisába? – Glick adrenalinszintje egyre magasabbra szökött. – Szeretném látni, milyen sztorikat tudunk még ezekről a fickókról.

– Milyen fickókról?

– Bízz bennem.

Macri sóhajtott, és kapcsolatfelvételt kezdeményezett a BBC adatbázisával. – Egy perc az egész.

Glicknek pörögni kezdett az agya. – A hívó nagyon szerette volna tudni, hogy van-e operatőröm.

– Videósod.

– És hogy tudunk-e élőben közvetíteni.

– Egy egész öt-három-hét megaherzen. Mi ez az egész? – Az adatbázis csipogva bejelentkezett. – Oké, beléptünk. Ki az, akit keresünk?

Glick megadta neki a kulcsszót.

Macri felé fordult és rámeredt. – Nagyon remélem, hogy csak viccelsz.

Az archívum 10-es üvegkalitkájának belső rendje nem volt olyan intuitív, mint Langdon remélte, és a *Diagramma* kéziratát nem a többi, hasonló Galilei-publikáció között helyezték el. Mivel nem férhettek hozzá a számítógépes katalógushoz és a helyrajzi tájékoztatóhoz, Langdon és Vittoria elakadt.

– Biztos benne, hogy itt van a *Diagramma?* – kérdezte Vittoria.

– Határozottan. Az *Ufficio della Propaganda delle Fede* hivatalos listája épp úgy feltünteti, mint...

– Remek. Addig nincs baj, amíg biztos a dolgában.

– A lány balra indult, Langdon pedig jobbra.

Amikor belekezdett a könyről könyvre történő keresésbe, Langdonnak minden önuralmára szüksége volt, hogy ne álljon le és olvasson bele a kincsekbe, amelyek mellett elhaladt. *Il Saggiatore... Siderius Nuncius...* A Napfolt-levelek... Levél Krisztina nagyhercegnőnek... *Apologia pro Galileo...* és így tovább.

Végül Vittoria talált aranyat az üvegkalitka hátsó végében. Ezt kiáltotta torokhangon: – *Diagramma della verita!*

Langdon belevetette magát a bíbor ködbe, hogy csatlakozzon a lányhoz. – Hol van?

Vittoria megmutatta, és Langdon azonnal rájött, miért nem találták meg már korábban. A kézirat egy fóliánstartóban volt, nem a polcon. A fóliánstartó szolgált a bekötetlen lapok tárolására. A tartó címkéje semmi kétséget nem hagyott a tartalom felől:

DIAGRAMMA DELLA VERITA
GALILEO GALILEI, 1639

Langdon térdre hullott, a szíve hevesen vert. – A *Diagramma!* – Rávigyorgott Vittoriára. – Szép munka volt. Segítsen kiemelni ezt a tartót.

Vittoria letérdelt Langdon mellé, és mindketten nekiveselkedtek. A fémtálca a fóliánstartóval kerekeken gördült feléjük, és láthatóvá vált a konténer teteje.

– Nincs lezárva? – kérdezte Vittoria, aki meglepődött az egyszerű kapocs láttán.

– Sosem zárják le. A dokumentumokat néha gyorsan kell evakuálni. Árvíz vagy tűz esetén.

– Akkor nyissa ki.

Langdont nem kellett sokat nógatni. Itt volt előtte kutatói életének álma, és a kamra ritkuló levegőjében nem volt hangulata körülményeskedni. Kipattintotta a kapcsot és fölemelte a tetőt. Odabent, a tartó fenekén, erős szövésű, fekete vászonból készült lapos zacskó feküdt. A vászon légáteresztő képessége kritikus szerepet játszott az állagmegőrzésben. Langdon két kézzel nyúlt be érte, és vízszintesen tartva kiemelte a fóliánstartóból.

– Kincsesládára számítottam – mondta Vittoria. – Ez inkább párnahuzatnak néz ki.

– Kövessen – mondta Langdon. Szent ereklyeként maga előtt tartva a zacskót az üvegkalitka közepéig ment, ahol megtalálta az archívumokban szokásos, üvegtetejű olvasóasztalt. Az asztal központi elhelyezése eredendően arra szolgált, hogy minél kevesebbet mozgassák a dokumentumokat, de a kutatók is értékelték azt a védettséget, amelyet a polcok sorfala nyújtott. Szakmai előmenetelt jelentő felfedezések történnek a világ nagy archívumaiban, és a legtöbb tudós nem szereti, ha riválisok lesik őt munka közben.

Langdon letette a zacskót az asztalra és kibontotta a száját. Vittoria mellette állt. Az archivátori felszereléseket tartalmazó tálcán kotorászva, Langdon megtalálta a nemezzel borított csípőfogót, amelyet ujjcintányérnak neveznek az archivátorok – ez egy nagyméretű csipesz, lapos koronggal a két végén. Ahogy nőtön-nőtt az izgatottsága, Langdon attól félt, hogy bármelyik pillanatban cambridge-i diákként ébredhet föl, egy halom vizsgateszttel a kezében. Mélyeket lélegezve kinyitotta a zacskót. Ujjai remegtek a vászonkesztyűben, ahogy belenyúlt a csipesszel.

– Nyugi – mondta Vittoria. – Csak papír, nem plutónium.

Langdon a zacskón belül a szárak közé fogta a dokumentumköteget, vigyázva, hogy össze ne nyomja. Aztán, ahelyett, hogy kivette volna, egy helyben tartotta az iratot, és inkább a vászonzacskót csúsztatta le róla – az archivátorok módszere ez a dokumentumok védelmére. Langdon előbb eltávolította a zacskót, bekapcsolta a sötét fényű vizsgálólámpát az üveglap alatt, és csak ekkor vett újra levegőt.

Vittoria most szellemalaknak látszott, ahogy alulról világította meg az üveg alatti lámpa. – Kis ívek – mondta tiszteletteljes hangon.

Langdon bólintott. Az előtte fekvő fóliánsok úgy festettek, mint egy kis papírkötésű regény kijáró lapjai. Langdon látta, hogy a borítón tollal, tintával ott áll a cím, a dátum és Galilei neve, saját, cikornyás kézírásával.

Abban a minutában Langdon megfeledkezett a zárt térről, megfeledkezett a fáradtságáról, megfeledkezett a rettenetes helyzetről, amely idevetette. Csak bámulta a csodát. A történelem közelsége mindig áhítattal töltötte el, a szava is elakadt... mintha a *Mona Lisa* ecsetvonásait látná.

A megkopott, sárga papirusz kétséget sem hagyott Langdonban a korát és az eredetiségét illetően, de az óhatatlan megfakulástól eltekintve, a dokumentum kitűnő állapotban volt. A festék enyhe elszíneződése. A papirusz kisebb töredezettsége és tapadása. De egészében véve... átkozottul jó állapotban van. A borító díszes kézírását tanulmányozta, miközben a páratartalom hiánya elhomályosította a látását. Vittoria csöndben maradt.

– Kérek szépen egy spatulát – mutatott Langdon egy tálcára Vittoria mellett, amely tele volt rozsdamentes acélból készült archiválóeszközökkel. A lány átnyújtotta. Langdon a kezébe vette a szerszámot. Megfelelt. Végigfuttatta rajta az ujjait, hogy eltávolítson minden elektrosztatikus töltést, majd, még óvatosabban, becsúsztatta a pengét a borítólap alá.

Az első oldal folyóírással, azokkal az apró, kalligrafikus betűkkel volt írva, amit szinte lehetetlen kiolvasni. Langdonnak azonnal feltűnt, hogy nincsenek ábrák vagy számok a lapon. Egy értekezés volt.

– Heliocentrikus világkép – mondta Vittoria, lefordítva az első fóliáns felcímét. Megvizsgálta a szöveget. – Úgy néz ki, hogy Galilei egyszer és mindenkorra megtagadja a geocentrikus modellt. Régi olasz nyelven van, úgyhogy nem ígérhetek tökéletes fordítást.

– Felejtse el – mondta Langdon. – Mi matematikát keresünk. A ţiszta nyelvet. – A spatula segítségével a következő oldalra lapozott. Megint csak szöveg. Se matek, se ábra. Langdon keze izzadni kezdett a kesztyűben.

– A bolygók mozgása – fordította le Vittoria a címet.

Langdon a homlokát ráncolta. Minden más napon lenyűgözve olvasta volna; hihetetlen módon a NASA legújabb modellje a bolygók keringési pályáiról, amelyeket csúcsteljesítményű távcsövekkel figyeltek meg, szinte pontosan megegyezett Galilei eredeti feltevéseivel.

– Itt nincs matek – mondta Vittoria. – Hátráló mozgásokról és elliptikus pályákról ír valamit.

Elliptikus pályák. Langdon felidézte magában, hogy Galilei kálváriája akkor kezdődött, amikor elliptikusként írta le a bolygók keringési pályáját. A Vatikán a kör tökéletességét dicsőítette, és ragaszkodott ahhoz, hogy az égi mozgás csakis körkörös lehet. Galilei illuminátusai azonban az ellipszist is tökéletesnek látták, csodálva az iker fókuszok matematikai kettősségét. Az Illuminátusok ellipszise mind a mai napig ott található a modern szabadkőművesek szimbolikus tábláin és díszes jelképein.

– A következőt – mondta Vittoria.

Langdon lapozott egyet.

– Holdfázisok és árapály – mondta a lány. – Se számok, se ábrák.

Langdon megint lapozott. Semmi. Sorra átlapozott vagy egy tucat oldalt. Semmi. Semmi. Semmi.

– Azt hittem, hogy matematikus a fickó – jegyezte meg Vittoria. – Ez itt csak szöveg.

Langdon érezte, hogy fogy a levegő a tüdejéből. Ahogy a remény is fogyatkozott benne. Mindjárt a végére ér a füzetnek.

– Nincs itt semmi – mondta Vittoria. – Egy szál matek sem. Csak néhány adat, néhány normál számjegy, de semmi olyasmi, ami nyomravezető lehetne.

Langdon az utolsó lapra fordított és felsóhajtott. Ott is csak szöveg volt.

– Rövidke könyv – mondta Vittoria homlokráncolva.

Langdon bólintott.

– *Merde*, ahogy Rómában mondják.

Tényleg szar ügy, gondolta Langdon. Tükörképe az üveglapon gunyorosnak tűnt, akár az a kép, amely a házának ablakából nézett vissza rá ma hajnalban. Egy öregedő kísértet.

– Kell itt lennie valaminek – mondta, meglepődve a hangjából kiérződő kétségbeesésen. – A *segno* itt van valahol. Tudom!

– Lehet, hogy tévedett a DIII megfejtésében?

Langdon megfordult és a lányra bámult.

– Oké – hátrált meg Vittoria –, a DIII tökéletesen értelmes megfejtés. De mi van, ha nem a matematika a nyomravezető?

– *Lingua pura*. Mi lehetne más?

– Művészet?

– Csakhogy a könyvben nincsenek se ábrák, se képek.

– Csak annyit tudok, hogy a *lingua pura* olyan valamire utal, ami nem olasz. A matematika tűnik a leglogikusabbnak.

– Egyetértek.

Langdon nem volt hajlandó ilyen könnyen belenyugodni a vereségbe. – Biztos folyóírással adták meg a számokat. A matematika pedig szavakban van, és nem egyenletekben.

– Időbe telik, amíg minden oldalt végigolvasunk.

– Az idő az, aminek szűkében vagyunk. Meg kell osztanunk a munkát. – Langdon visszalapozott a köteg elejére. –

Tudok annyit olaszul, hogy felismerjem a számokat. A spatulát használva úgy felezte meg a papírköteget, mint egy kártyapaklit, és az első felét odahelyezte Vittoria elé. – Itt lesz valahol. Biztos vagyok benne.

Vittoria érte nyúlt és megfordította az első lapot.

– Spatula! – mondta Langdon, kiemelve egy másik eszközt a tálcáról. – Használja a spatulát.

– Kesztyű van rajtam – morogta Vittoria. – Hogy tehetnék kárt benne?

– Azért csak használja.

Vittoria kézbe vette a spatulát. – Érzi azt, amit én érzek?

– A feszültséget?

– Nem. A légszomjat.

Már Langdon is határozottan érezte. A levegő gyorsabban ritkult, mint gondolta. Tudta, hogy sietniük kell. Az archív anyagok rejtvényei nem voltak újdonságok a számára, de rendszerint nem csak néhány perce volt a megfejtésre. Langdon szó nélkül lehajtotta a fejét és hozzálátott az első lap fordításához.

Mutasd magad, a fene egye meg! Mutasd magad!

53

Valahol Róma alatt a sötét figura leosont a kőrámpán az alagútba. A régi átjárót csak fáklyák világították meg, forró és nehéz volt tőlük a levegő. Előtte felnőtt férfiak kiáltoztak félelmükben, mindhiába, hangjukat visszaverték a zárt tér falai.

Ahogy befordult a sarkon, már látta is őket, ugyanott, ahol hátrahagyta – négy idős férfi, megfélemlítve, rozsdás vasrácsok mögé zárva egy kőketrecben.

– *Qui etes-vous?* – kérdezte az egyik franciául. – Mit akar tőlünk?

– *Hilfe!* – kiáltotta a másik németül. – Engedjen ki minket!

– Tisztában van vele, hogy kik vagyunk? – méltatlankodott a harmadik angolul, spanyol akcentussal.

– Csönd – parancsolt rájuk a reszelős hang. A szóban volt valami végérvényes.

A negyedik fogoly, egy olasz, némán és elgondolkodva nézett bele fogvatartója szemének üres sötétjébe, és megesküdött volna, hogy a poklot látja benne. Isten megsegít minket, gondolta.

A gyilkos megnézte az óráját, aztán ismét a foglyai felé fordult. – Nos tehát – mondta –, ki legyen az első?

54

Az archívum 10-es üvegkalitkájában Robert Langdon olasz számokat mormolt maga elé, miközben a kallirafikus betűket böngészte. *Mille... centi... uno, due, tre... cinquanta.* Legyen már egy számra utalás! Bármi, a fene egye meg!

Amikor odaért a lap aljára, fölemelte a spatulát, hogy a következő oldalra fordítson. Ahogy a papír alá csúsztatta a pengét, elgyengült, már az is nehezére esett, hogy egyenesen tartsa a spatulát. Amikor percekkel később lenézett, rájött, hogy elejtette a segédeszközt, és már puszta kézzel lapoz. Hűha, gondolta, és úgy érezte, hogy bűntettet követ el. Az oxigénhiány kikapcsolta a gátlásait. Az archivátorok poklában fogok égni.

– Ez az átkozott idő – zihálta Vittoria, amikor észrevette, hogy Langdon kézzel forgatja a lapokat. Eldobta a spatulát, és követte Langdon példáját.

– Talált valamit?

Vittoria csak a fejét rázta. – Semmit, ami tiszta matematikának tűnhet. Jól haladok… de nincs olyan, ami nyomravezető lehetne.

Langdonnak egyre nehezebben ment a fóliánsok szövegének fordítása. Amúgy is hiányos volt a nyelvtudása, de az apró, kézzel írt betűk és az archaikus szavak még jobban lelassították. Vittoria ért elsőnek a saját kötege végére és elkeseredetten fordította vissza a lapokat. Összegörnyedt, hogy közelebbről is megvizsgálja őket.

Amikor Langdon odaért az utolsó oldalra, a bajusza alatt átkozódva pillantott Vittoriára. A lány komor arccal bogarászott valamit az egyik fóliánson. – Mi az? – kérdezte Langdon.

Vittoria nem nézett föl. – A maga oldalain voltak lábjegyzetek?

– Egyet sem vettem észre. Miért?

– Ezen a lapon van egy lábjegyzet. De alig látni egy gyűrődéstől.

Langdon megpróbálta kivenni, mit böngész a lány, de csak az oldalszámot látta a papírlap jobb felső sarkában: *Folio 5.* Beletelt egy másodpercbe, mire felfogta a tudata, és még akkor is zavarosnak tűnt a kapcsolat. *Folio 5. Folio 5.* Püthagorasz, penta-gramma, Illuminátusok. Langdon azon tűnődött, vajon az Illu-minátusok az ötödik oldalt választották-e a nyomravezető elrej-tésére. A mindent elborító vörös ködön át halvány reménysugár csillant meg Langdon előtt. – Matematikai jellegű a lábjegyzet?

Vittoria megrázta a fejét. – Szöveges. Egyetlen sor. Nagyon apró betűkkel. Szinte olvashatatlan.

Langdon reménye elenyészett. – Matematikának kell len-nie. *Lingua pura.*

– Igen, tudom. – Vittoria habozott. – Mégis jobb lenne, ha meghallgatná. – Langdon izgatottságot érzékelt a hangjában.

– Olvassa.

Közel hajolva a fóliánshoz, Vittoria felolvasta a sort: *A fény ösvényen vár a négy elem.*

A szavak a legkevésbé sem emlékeztetettek arra, amit Lang-don elképzelt. – Hogy mondta?

Vittoria megismételte a mondatot. – *A fény ösvényen vár a négy elem.*

– A fény ösvényen? – Langdon érezte, hogy kihúzza magát.

– Ez van itt. A fény ösvényen.

Ahogy felfogta a szavakat, Langdon úgy érezte, mintha egy-szerre világosság gyúlna kábult agyában. *A fény ösvényen vár a négy elem.* Fogalma sem volt, hogyan értelmezhették, de a sor közvetlenül utalt az *Illuminátusok ösvényére,* pontosan úgy, ahogy azt elképzelte. A fény ösvénye. A négy elem. A fe-je úgy működött, akár egy gép, amelybe rossz üzemanyagot töltöttek. – Pontos ez a fordítás?

Vittoria tétovázott. – Valójában... – Különös tekintettel nézett föl Langdonra. – Valójában ez nem fordítás. Ezt a sort angolul írták.

Langdon egy pillanatig azt gondolta, hogy a fülke akusztikája kikezdte a hallását. – Angolul?

Vittoria odatolta elé a dokumentumot, és Langdon elolvasta az apró betűs sort a lap alján. *A fény ösvényen vár a négy elem.* – Angolul? Mit keres ez egy olasz könyvben?

Vittoria vállat vont. Ő is tanácstalannak tűnt. – Talán az angolra gondoltak a *lingua pura* alatt. Végül is azt tekintik a tudomány nemzetközi nyelvének. A CERN-ben mindannyian ezt beszéljük.

– De ez az 1600-as években volt – tiltakozott Langdon.

– Akkoriban senki sem beszélt angolul Itáliában, még a...

– Hirtelen elhallgatott, ráébredve, hogy mit akar mondani.

– Még a klérus sem. – Langdon kutatói agya teljes sebességre kapcsolt. – Az 1600-as években – mondta, egyre gyorsabban beszélve –, a Vatikán még nem fogadta el az angol nyelvet. Használták az olaszt, a latint, a németet, még a spanyolt és a franciát is, de az angol tökéletesen idegen volt a számukra. Szabadgondolkodással beszennyezett nyelvnek tartották, amelyet olyan profán emberek beszélnek, mint Chaucer és Shakespeare. – Langdonnak egyszerre beugrott az Illuminátusok föld, levegő, tűz és víz billoga. Az a legenda, hogy a billogokon angolul vannak a szavak, most bizarr értelmet nyert.

– Azt akarja mondani, hogy Galilei az angolt tekintette *lingua purának*, mivel ez volt az a nyelv, amelyre nem terjedt ki a Vatikán uralma?

– Igen. De az is lehet, hogy az angolul megadott nyomravezetővel Galilei elmésen a Vatikánon kívüli körökre korlátozta a megfejtőket.

– Csakhogy ez itt nem nyomravezető – ellenkezett Vittoria.

– *A fény ösvényen vár a négy elem?* Mi az ördögöt jelent ez?

Igaza van, gondolta Langdon. A sor nem nyújtott semmilyen segítséget. De ahogy újra elismételte magában a mondatot, feltűnt neki valami furcsa. Ez igazán különös, gondolta. Mennyi esélye lehet ennek?

– Ki kell jutnunk innen – mondta Vittoria rekedt hangon.

Langdon meg sem hallotta. *A fény ösvényen vár a négy elem.*

– Ez az átkozott sor egy jambikus pentameter – mondta hirtelen, újrászámolva a szótagokat. – Öt versláb, amelyben hangsúlyos és hangsúlytalan szótagok váltakoznak.

Vittoria nem értette. – Jambikus mi?

Egy pillanatra Langdon ott volt újra a Philips Exeter Akadémián, a szombat délelőtti angolórán. Földi pokol. Az iskola baseballsztárja, Peter Greer sehogyan sem tudott visszaemlékezni Shakespeare egy jambikus pentameterének verslábaira. A tanáruk, egy Bissell nevű lelkes professzor a táblához vágtatott és ezt bömbölte: – Penta-meter, Greer! Gondolj az alaplapra a pályán! A pentagonra! Ötszög! Penta! Penta! Penta!

Öt versláb, gondolta Langdon. Mindegyik versláb két szótagból áll. Nem tudta elhinni, hogy miért nem jött rá erre a pályája során. A jambikus pentameter szimmetrikus mérték, amely az Illuminátusok két szent számán, az ötön és a kettőn alapul.

Csak erőlködsz, mondta magának Langdon, és megpróbálta kiverni az egészet az agyából. Véletlen egybeesés. De a gondolat már szöget ütött a fejébe. Öt... mint Püthagorasz és a pentagramma. Kettő... mint minden dolog kettőssége.

Egy pillanattal később újabb felismerés érte, amitől rogyadozni kezdett a lába. A jambikus pentametert, egyszerűsége okán, gyakran nevezték „tiszta versnek" vagy „tiszta mértéknek". *La lingua pura?* Ez lenne az a tiszta nyelv, amire az Illuminátusok hivatkoztak? *A fény ösvényen vár a négy elem...*

— Na ne — mondta Vittoria.

Langdon sarkon fordulva azt látta, hogy a lány a feje tetejére állítja a fóliánst. Érezte, hogy összeszorul a gyomra. Csak ezt ne. — Lehetetlen, hogy ez a sor ambigramma legyen!

— Nem, nem ambigramma... de... — Vittoria tovább forgatta a füzetet, mindig újabb 90 fokkal.

— Mi az?

Vittoria felnézett. — Nem csak ez a sor van itt.

— Van másik is?

— Minden margón van egy külön sor. Felül, alul, balra és jobbra. Azt hiszem, ez egy vers.

— Négy sor? — Langdont felvillanyozta az izgalom. Galilei költő volt? — Hadd lássam!

Vittoria nem adta oda a lapot. Negyedfordulatokkal tovább mozgatta. — Korábban azért nem vettem észre a sorokat, mert a széleken vannak. — Az utolsó sornál felkapta a fejét. — Hűha! Tudja, mit mondok? Ezt nem is Galilei írta.

— Micsoda?

— A verset John Milton jegyzi.

— John Milton? — A nagy hatású angol költő, aki az *Elveszett paradicsomot* írta, Galilei kortársa volt és tudós, akit az összeesküvés-elméletek kiagyalói az elsők között gyanúsítottak meg illuminátus kötődéssel. Milton állítólagos kapcsolata Galilei illuminátusaival olyan legenda volt, amelyet Langdon igaznak vélt. Nem elég, hogy Milton 1638-ban jól dokumentált zarándoklatra ment Rómába, hogy találkozzék a „felvilágosodott emberekkel", de a háziőrizetben tartott Galileót is több ízben felkereste, mely találkozást nem egy reneszánsz festmény örökítette meg, köztük Annibale Gatti híres *Galileo és Milton* című képe, amely máig ott látható a firenzei Természettudományi Múzeumban.

– Milton ismerte Galileit, igaz? – kérdezte Vittoria, odatolva végre a fóliánst Langdon elé. – Talán baráti gesztusként írta a verset?

Langdon összeszorított foggal vette át a dokumentumot. Otthagyta maga előtt az asztalon és elolvasta a lap tetejére írt sort. Aztán 90 fokkal elfordította az oldalt, hogy megnézze a jobb oldali margót. Újabb forgatás az alsó sorra. Azután még egy, a bal oldalra. Egy utolsó fordítással teljessé tette a kört. Négy sor volt összesen. Az első sor, amelyet Vittoria megtalált, valójában a vers harmadik sora volt. Mélységes bámulattal újra elolvasta a négy sort, az óramutató irányában haladva: fönt, jobbra, lent, balra. Amikor végzett, nagyot sóhajtott. Már nem maradt benne semmi kétség. – Megtalálta, Ms. Vetra.

Vittoria feszülten mosolygott. – Jó, de most már eltisztulhatunk innen?

– Le kell írnom ezeket a sorokat. Papírra és ceruzára van szükségem.

Vittoria megrázta a fejét. – Felejtse el, professzor. Nincs idő firkálgatni. Ketyeg a Miki. – Kivette a lapot Langdon kezéből és elindult az ajtó felé.

Langdon felugrott. – Azt nem viheti ki innen! Az egy...

De Vittoria már eltűnt vele.

55

Langdon és Vittoria kirohant a titkos archívum előtti udvarra. A friss levegő gyógyszerként áramlott szét Langdon tüdejében. A látását zavaró bíborszínű karikák gyorsan eltűntek. Nem úgy a bűntudata. Az imént cinkosságot vállalt egy felbecsülhetetlen értékű relikvia ellopásában, a világ legtitkosabb archívumából. A *camerlengo* azt mondta: *bizalommal vagyok ön iránt.*

– Siessen – mondta Vittoria, még mindig a kezében tartva a lapot, miközben félig futva átvágott a Via Borgián Olivetti hivatala felé.

– Ha víz kerül arra a papíruszra...

– Nyugodjon meg. Miután megfejtettük a kódot, visszaszolgáltatjuk nekik a szent *Folio 5-*öt.

Langdon gyorsított, hogy lépést tartson a lánnyal. Nem elég, hogy bűnözőnek érezte magát, még mindig zsongott a feje a dokumentumban feltárt káprázatos lehetőségektől. John Milton illuminátus volt. Ő írta a verset a *Folio 5-*re Galileinek... távol a Vatikán figyelő szemétől.

Ahogy maguk mögött hagyták az udvart, Vittoria odanyújtotta Langdonnak a fóliánst. – Mit gondol, meg tudja fejteni? Vagy teljesen fölöslegesen pusztítottuk az agysejtjeinket?

Langdon vigyázva vette át a dokumentumot, és habozás nélkül becsúsztatta a tweedzakója felső zsebébe, hogy megóvja a napfény és a nedvesség veszélyeitől. – Már megfejtettem.

Vittoria mozdulatlanná merevedett. – Hogyan?

Langdon ment tovább.

Vittoria utánavetette magát. – Csak egyszer olvasta el! Azt hittem, hogy kemény diónak szánták!

Langdon tudta, hogy igaza van, de ő akkor is megfejtette a *segnót* már első olvasásra. A jambikus pentameterekből álló tökéletes strófa kristálytisztán felfedte a tudomány első oltárának helyét. Az igazat megvallva, Langdonban is mardosó nyugtalanságot keltett, hogy olyan könnyen oldotta meg a feladatot. Gyerekkorában beleverték a puritán munkaerkölcsöt. Még most is hallja az apja hangját, ahogy a régi, New England-i közmondást idézi: *Ha nem izzadtál vért, akkor nem végeztél jó munkát.* Langdon erősen remélte, hogy a közmondás téved. – Megfejtettem – mondta, még gyorsabban lépkedve. – Tudom, hol lesz az első gyilkosság. Figyelmeztetnünk kell Olivettit.

Vittoria felzárkózott mellé. – Miből jött rá ilyen hamar? Hadd nézzem meg még egyszer! – Egy bokszoló ügyességével becsúsztatta fürge kezét Langdon zsebébe, és visszavette a fóliánst.

– Vigyázzon! – szólt rá Langdon. – Ne...

Vittoria tudomást sem vett róla. A lappal a kezében száguldott Langdon mellett, az esti fény felé tartva a dokumentumot, hogy megvizsgálja a margókat. Ahogy elkezdte hangosan olvasni, Langdon utánanyúlt, hogy visszavegye a fóliánst, de azon kapta magát, hogy megbűvölten hallgatja Vittoria zengzetes alt hangját, amint a lépteivel tökéletes összhangban skandálja a szótagokat.

Fennhangon hallva a verset Langdon egy pillanatra úgy érezte, mintha időutazást tenne a múltba... mintha Galilei kortársa lenne, és elsőként hallgatná a költeményt... tudva, hogy ez a próba, a térkép, a nyomravezető, amely felfedi a tudomány négy oltárának helyét... a négy útjelzőt, amely kijelöli a Rómán átvezető titkos ösvényt. A vers úgy szólt Vittoria ajkáról, akár egy dal.

> Hol démonlyuk rejt földi nyughelyet,
> Ott Santi sírját bizton megleled.
> A fény ösvényen vár a négy elem,
> Angyal vigyázza büszke léptedet.

Vittoria másodszor is felolvasta, majd elnémult, mintha a réges-régi verssorok visszhangját hallgatná odabentről.

Santi sírja, ismételte meg magában Langdon. A vers itt napnál világosabban fogalmazott. Az *Illuminátusok ösvénye* Santi sírjánál kezdődik. Onnantól vezetik végig az útjelzők Rómán keresztül a jelöltet.

> Hol démonlyuk rejt földi nyughelyet,
> Ott Santi sírját bizton megleled.
> A fény ösvényén vár a négy elem...

A négy elem. Ez is világos. Föld, levegő, tűz, víz. A tudomány négy eleme az Illuminátusok négy útjelzője, vallásos szobroknak álcázva.

– Ebből úgy tűnik – mondta Vittoria –, hogy az első útjelző Santi sírjánál van.

Langdon mosolygott. – Mondtam, hogy nem olyan nehéz.

– De ki az a Santi? – kérdezte a lány hirtelen izgatottá váló hangon. – És hol van a sírja?

Langdon kuncogott magában. Mindig meglepte, milyen kevesen tudják, hogy Santi a valaha élt leghíresebb reneszánsz művészek egyikének családneve. Az első nevéről ismeri az egész világ... a csodagyerek, aki már huszonöt éves korában megrendeléseket kapott II. Gyula pápától, és amikor, mindössze harmincnyolc évesen meghalt, a földkerekség legnagyobb freskógyűjteményét hagyta maga után. Santi a képzőművészet óriása, és az, hogy csak az első nevén ismerik, a híressségét jelzi, ami csak keveseknek adatik meg... olyan embereknek, mint Napoleon, Galileo vagy Jézus... és persze azoknak a félisteneknek, gondolta Langdon, akiktől manapság hangosak a Harvard diákotthonai... Sting, Madonna, Jewel vagy a korábban Prince-ként ismert énekes, aki azóta a ℗ szimbólumra változtatta a nevét, ami arra indította Langdont, hogy a következőképpen keresztelje el magában: a Szent Antal-keresztet metsző hermafrodita füleskereszt.

– Santi a családneve – mondta Langdon – a nagy reneszánsz mesternek, Raffaellónak.

Vittoria meglepettnek tűnt. – Raffaello? Mint az a Raffaello?

– Az az egyetlen Raffaello. – Langdon sietett tovább a svájci testőrség hivatala felé.

– Tehát az ösvény Raffaello sírjánál kezdődik?

– Voltaképpen értelmes választás – mondta Langdon, menet közben. – Az Illuminátusok gyakran tekintettek úgy a nagy festőkre és szobrászokra, mint tiszteletbeli testvéreikre a megvilágosodásban. Az Illuminátusok egyfajta főhajtásként választhatták Raffaello sírját. – Langon azt is tudta, hogy Raffaellóról, mint megannyi vallásos művészről, azt gyanították, hogy titokban ateista.

Vittoria vigyázva visszacsúsztatta a fóliánst Langdon zsebébe. – És hol van eltemetve?

Langdon vett egy nagy levegőt. – Hiszi vagy sem, Raffaellót a Pantheonban temették el.

Vittoria szkeptikusnak tűnt. – A Pantheonban?

– Raffaello a Pantheonban. – Langdonnak el kellett ismernie, hogy a Pantheon nem az a hely, ahová az első útjelzőt elképzelte. Inkább arra számított, hogy a tudomány első oltára egy csendes, félreeső templomban lehet, valami ravasz helyen. A Pantheon már az 1600-as években is az egyik legismertebb látványosság volt Rómában a hatalmas, lyukas kupolájával.

– Egyáltalán templom a Pantheon? – kérdezte Vittoria.

– A legrégebbi katolikus templom Rómában.

Vittoria a fejét ingatta. – De tényleg azt gondolja, hogy az első bíborost a Pantheonban ölik meg? Hiszen az az egyik legnagyobb turista attrakció Rómában!

Langdon vállat vont. – Az Illuminátusok azt mondták, hogy fel akarják kelteni az egész világ figyelmét. Megölni egy bíborost a Pantheonban, erre biztosan sokan felkapják a fejüket.

– De hogy képzeli az a fickó, hogy megöl valakit a Pantheonban, aztán észrevétlenül kijut onnan? Hiszen ez lehetetlen!

– Pontosan annyira lehetetlen, mint elrabolni négy kardinálist a Vatikánból. A vers egyértelműen fogalmaz.

– És biztos benne, hogy Raffaellót a Pantheonban temették el?

– Többször is láttam a sírját.

Vittoria bólintott, de még mindig zavartnak tűnt. – Hány óra van?

Langdon megnézte. – Fél nyolc.

– Messze van a Pantheon?

– Talán egy mérföldre. Van még időnk.

– A versben az áll, hogy *földi nyughely*. Mond ez magának valamit?

Langdon átlós irányban nekivágott az őrszem udvarának.

– Földi, vagyis e világi. A Pantheon talán a legföldibb hely egész Rómában. Az itteni ősvallás, a panteizmus után nevezték el, ami valamennyi isten imádatát jelenti, legfőképpen a Földanya pogány kultuszát.

Langdon építészhallgatóként elképedve értesült arról, hogy a Pantheon központi terének méreteivel Gaia, a Föld istennője előtt tisztelegtek. Az arányok annyira pontosak, hogy az épület belsejébe kevesebb mint egy milliméter hézaggal lehetne beilleszteni egy hatalmas földgömböt.

– Oké – mondta Vittoria, többé-kevésbé meggyőzve. – És mit jelent a démonlyuk? Hol démonlyuk rejt *földi nyughelyet*…

Ebben Langdon sem volt olyan biztos. – A démonlyuk lehet az *oculus* – mondta, mert logikusan erre következtetett.

– A híres kör alakú nyílás a Pantheon tetején.

– De ha egyszer templom – mondta Vittoria, miközben erőfeszítés nélkül tartotta vele a lépést. – Akkor hogy hívhatják a tetőnyílást démonlyuknak?

Ez már Langdonnak is fejtörést okozott. Sose hallotta még a „démonlyuk" kifejezést, de eszébe ötlött a Pantheonnak egy híres kritikusa a VI. századból, akinek a leírása furcsa módon beleillett a képbe. A nagytiszteletű Bede egy helyen azt írta, hogy a démonok fúrtak lyukat a Pantheon tetején, mert így próbáltak kimenekülni az épületből, amikor IV. Bonifác felszentelte.

– És miért – folytatta Vittoria, miközben nekivágtak egy másik, kisebb udvarnak –, miért használták az Illuminátusok a Santi nevet, ha tudták, hogy igazából Raffaellóról van szó?

– Túl sokat kérdez.

– Az apám ugyanezt mondta rám.

– Ennek két lehetséges oka van. Az egyik, hogy a Raffaello túl sok szótagból áll. Elrontotta volna a jambikus pentametereket a versben.

– Ez nem hangzik meggyőzően.

Langdon egyetértett vele. – Oké, akkor talán a „Santi" használatával nehezíteni akarták a nyomkövetést, hogy csak az igazán felvilágosult emberek ismerjék fel a Raffaellóra tett utalást.

Vittoria erre a magyarázatra sem volt vevő. – Biztos vagyok benne, hogy Raffaello életében még nagyon is ismert volt a családneve.

– Meglepő, de nem. A keresztnév kizárólagos használata egyfajta státusszimbólum volt. Raffaello ugyanúgy mellőzte a családnevét, mint korunk popsztárjai. Gondoljon például Madonnára. Soha nem használja a családnevét, a Cicconét.

Vittoriát láthatóan mulattatta a dolog. – Maga ismeri Madonna családnevét?

Langdon már megbánta, hogy éppen ezt a példát hozta fel. Egy csomó ilyen szemét ragad meg az ember agyában, ha tízezer fiatalkorúval él együtt.

Ahogy áthaladt Vittoriával a svájci testőrség hivatalához vezető utolsó kapun, egy kiáltás állította meg őket.

– *Para!* – üvöltötte egy hang a hátuk mögött.

Langdon és Vittoria sarkonfordulva azt látta, hogy egy puska csöve szegeződik rájuk.

– *Attento!* – kiáltott fel Vittoria hátraugorva. – Vigyázzon azzal a...

– *Non sportarti!* – vágta oda a testőr, kibiztosítva a fegyverét.

– *Soldato!* – parancsolta egy hang az udvar túlsó végéből. Olivetti lépett ki a biztonsági központból. – Engedje el őket!

A testőr zavartan válaszolt: – *Ma, signore, é una donna...*

– Befelé! – üvöltött rá Olivetti az őrszemre.

– *Signore, non posso...*

– Máris! Új parancsot kap. Rocher kapitány két perc múlva eligazítást tart a csapatoknak. Kutatást szervezünk.

A megzavarodott testőr besietett a biztonsági központba. Olivetti merev léptekkel, bosszúsan indult Langdon elé.

– A legtitkosabb archívumunkban? Magyarázatot fogok kérni.

– Jó híreink vannak – mondta Langdon.

Olivetti szeme összeszűkült. – Azt ajánlom, hogy átkozottul jók legyenek a hírei.

56

A négy, megkülönböztető jelzés nélküli Alfa Romeo 155 úgy robogott végig a Via dei Coronarin, mint vadászgépek a kifutón. A járművek tizenkét civil ruhás svájci testőrt szállítottak, akik Cherchi-Pardini félautomatákkal, helyi hatókörű ideggázpalackokkal és nagy hatósugarú kábítólövedékekkel voltak felszerelkezve. A három mesterlövésznek lézerirányzékos puskája volt.

Az első kocsi utasülésén helyet foglaló Olivetti hátrafordult Langdon és Vittoria felé. Dühösen villámlott a szeme.

– Meggyőző magyarázatot ígért, és ilyesmivel etet?

Langdon feszengett a kocsi szűk terében. – Megértem, hogy...

– Nem, nem érti! – Olivetti nem emelte föl a hangját, de e nélkül is háromszoros volt benne a feszültség. – Tizenkét legjobb emberemet hoztam el a Vatikánból a konklávé éjszakáján. Mindezt azért, hogy szemmel tartsuk a Pantheont, méghozzá egy vadidegen amerikai állításai alapján, aki megfejtett egy négyszáz éves verset. Továbbá beosztott tisztekre kellett hagynom az antianyagfegyver keresését is.

Langdon ellenállt a kísértésnek, hogy előhúzza a zsebéből az 5-ös fóliánst és meglobogtassa Olivetti orra előtt. – Mindössze annyit tudok, hogy a forrásunk Raffaello sírjára utal, és Raffaello sírja a Pantheonban van.

A volánnál ülő katona bólintott. – Igazat mond, parancsnok. Én és a feleségem...

– Vezessen – dörrent rá Olivetti, majd visszafordult Langdonhoz. – Hogy hajthatnának végre egy emberölést azon a zsúfolt helyen, és azután hogyan tudnának elmenekülni?

– Nem tudom – mondta Langdon. – De az Illuminátusok láthatóan igen leleményesek. Bejutottak a CERN-be és a Vatikánba is. Csak a szerencsén múlt, hogy rájöttünk, hol lesz az első gyilkosság. A Pantheon az önök egyetlen esélye, hogy elkapják ezt a fickót.

– Újabb ellentmondás – jegyezte meg Olivetti. – Miért az egyetlen? Mintha azt mondta volna, hogy létezik valami ösvény. Útjelzők sorozata. Ha a Pantheon valóban jó kiindulási pont, akkor az útjelzőket követve végigmehetünk az ösvényen. Így négy esélyünk van arra, hogy elkapjuk a fickót.

– Én is ezt reméltem – mondta Langdon. – Egy évszázaddal korábban még sikerülhetett volna.

Keserédes pillanat volt, amikor Langdon rájött, hogy a Pantheon a tudomány első oltára. A történelem néha gonosz tréfákat űz azokkal, akik a nyomába erednek. Hiú remény volt azt hinni, hogy az *Illuminátusok ösvénye* érintetlen maradt a hosszú évek során, minden szobor ott van még a helyén, de Langdon a szíve mélyén arról fantáziált, hogy végig bejárhatja az *Illuminátusok ösvényét*, és színről színre láthatja a szent rejtekhelyet. Sajnos rá kellett ébrednie, hogy ez kivihetetlen. – A Vatikán az 1800-as évek végén minden szobrot eltávolított a Pantheonból, és megsemmisítette őket.

Vittoriát megrázta a hír. – De miért?

– A szobrok pogány olümposzi isteneket ábrázoltak. Szerencsétlenségünkre ez azt jelenti, hogy eltűnt az első útjelző... vele együtt pedig...

– Semmi reményünk arra – kérdezte Vittoria –, hogy megtaláljuk az *Illuminátusok ösvényét* és a további útjelzőket?

Langdon a fejét rázta. – Csak egy dobásunk van. A Pantheon. Azon túl az ösvény eltűnik.

Olivetti egy hosszú másodpercig csak nézte őket, majd előrefordult. – Húzódjon félre – vetette oda a sofőrnek.

A sofőr a járda széle felé kormányozta a kocsit és rálépett a fékre. A másik három Alfa Romeo ugyanezt tette. A svájci testőrség konvoja nem ment tovább.

– Mit csinál? – kérdezte Vittoria.

– A munkámat végzem – felelte Olivetti, ismét hátrafordulva ültében, sziklaszilárd hangon. – Mr. Langdon, amikor azt ígérte, hogy majd menet közben elmagyarázza a dolgot, feltételeztem, hogy világos elképzelésekkel megyünk a Pantheonba az embereimmel. De nem ez a helyzet. Mivel fontos kötelezettségeket hagytam hátra, hogy itt legyek, és mivel nem sok értelmet találtam az ön elméletében szűz áldozatokról és ősrégi versekről, jó lelkiismerettel nem folytathatom ezt. Azonnal lefújom az akciót. – Elővette a walkie-talkie-ját, és bekapcsolta.

Vittoria átnyúlt az ülés fölött és megragadta Olivetti karját. – Ezt nem teheti!

A parancsnok lecsapta a rádióját és izzó haraggal meredt a lányra. – Járt már a Pantheonban, Ms. Vetra?

– Nem, de én...

– Hadd meséljek róla valamit. A Pantheon egyetlen helyiségből áll. Egyetlen, kőből és cementből épült, kör alakú térség. Egyetlen bejárata van. Ablakai nincsenek. Csak egy keskeny bejárat. Azt a bejáratot nem kevesebb, mint négy fegyveres római rendőr őrzi folyamatosan, hogy megvédje a szentélyt a képrombolóktól, a kereszténnyellenes terroristáktól és a turistákat átverő cigányoktól.

– Vagyis? – kérdezte hidegen Vittoria.

– Mit vagyis? – Olivetti megmarkolta az üléstámlát. – Vagyis amit maguk előadtak itt nekem, annak a megtörténte abszolúte lehetetlen! Tudna nekem mondani egy értelmes forgatókönyvet arról, hogyan ölne meg valaki egy bíborost a Pantheonban? Egyáltalán, hogyan viszi be a túszát a rendőrök sorfala között a Pantheonba? Hogy a gyilkosságról és a menekülésről már ne is beszéljünk. – Olivetti áthajolt az ülésen, Langdon érezte a kávé illatát a leheletén. – Hogyan, Mr. Langdon? Mondjon egy értelmes forgatókönyvet.

– Egy forgatókönyvet? – kérdezett vissza Vittoria zavartalan hangon. – Mit szólna ehhez? A gyilkos helikopteren fölé repül, és ledobja a sikoltozó, megbillogzott kardinálist a tető nyílásán át. A bíboros rázuhan a márványpadlóra és meghal.

A kocsiban mindenki elkerekedett szemmel bámulta Vittoriát. Langdon nem tudta, mit gondoljon. *Perverz fantáziád van, ifjú hölgy, de gyorsan vág az agyad.*

Olivetti a homlokát ráncolta. – Elismerem, hogy ez lehetséges... de nehezen elképzelhető...

– A gyilkosunk elkábítja a bíborost – folytatta Vittoria –, és kerekes széken elviszi a Pantheonba, mint valami öreg turistát. Betolja, csöndben elvágja a torkát és kisétál.

Ez mintha egy kissé felrázta volna Olivettit.

Nem rossz, gondolta Langdon.

– Vagy – mondta Vittoria – a gyilkos...

– Eleget hallottam – közölte Olivetti. Vett egy nagy levegőt és kifújta. Valaki hangosan megkocogtatta az ablakot, mire mindenki összerándult. Egy katona volt az, valamelyik mögöttük álló kocsiból. Olivetti letekerte az ablakot.

– Minden rendben, parancsnok? – A katona utcai ruhát viselt. Felhajtotta a kék vászoning ujját, és előtűnt alóla egy fekete katonai kronométer. – Hét negyven van, parancsnok. Időre lesz szükségünk, hogy elfoglaljuk az állásainkat.

Olivetti kurtán biccentett, de másodpercekig nem szólt semmit. Ide-oda húzogatta az ujját a műszerfalon, csíkot húzva a porban. Az oldaltükörben tanulmányozta Langdont, aki úgy érezte, mintha mérlegre tennék. Olivetti végül visszafordult a testőrhöz. A hangja kelletlen volt. – Azt akarom, hogy külön érkezzünk. A kocsik a Piazza della Rotunda, a Via degli Orfani, a Piazza Sant'Ignacio és a Sant'Eustachio útvonalon menjenek. Nem közelebb, mint két háztömb. Amint leparkoltak, álljanak készenlétben és várják a parancsaimat.

– Úgy lesz, uram. – A katona visszatért a kocsijához.

Langdon jelentőségteljesen biccentett Vittoriának. A lány visszamosolygott, és Langdon egy pillanatra váratlan kapcsolatot érzett kettejük között... delejes vonzalmat.

A parancsnok megfordult az ülésén és farkasszemet nézett Langdonnal. – Mr. Langdon, nagyon remélem, hogy nem vallunk csődöt.

Langdon kínosan mosolygott. *Már hogyan vallanánk?*

57

Maximilian Kohler, a CERN igazgatója a Cromolyn és a Leukotriene hűvös áramára nyitotta ki a szemét; a gyógyszerek kitágították a hörgőit és a tüdőkapillárisait. Újra normálisan lélegzett. A CERN kórházának egyik különszobájában találta magát, a kerekes széke ott állt az ágya mellett.

Szemrevételezte magát, megvizsgálva a papírköntöst, amit ráadtak. A ruhái ott voltak összehajtogatva az ágya mellett. Meghallotta odakintről a körútját végző ápolónő lépteit. Egy hosszú percen át csak fülelt. Aztán, amilyen csendben csak tudott, kitornázta magát az ágy szélére és összeszedte a ruháit. Béna lábával küszködve felöltözött. Aztán átvonszolta a testét a kerekes székbe.

Köhögését visszafojtva az ajtóhoz gurult. Kézzel hajtotta magát, mert nem akart zajt csapni a motorral. Az ajtóhoz érve kilesett a folyosóra. Üres volt.

Maximilian Kohler szó nélkül meglépett a kórházból.

58

ét óra negyvenhat perc harminc másodperc... indul! – Olivetti hangja a walkie-talkie-ba beszélve sem lett erősebb a szokásos suttogásnál.

Langdon érezte, hogy megizzadt a Harris tweedzakóban az Alfa Romeo hátsó ülésén, amely a Piazza de la Concordén időzött, három sarokra a Pantheontól. A mellette ülő Vittoria figyelmét teljesen lekötötte Olivetti, aki az utolsó parancsait adta ki.

– Felfejlődés nyolcpontos ékben – mondta a parancsnok. – Teljes kört vonni rézsút a bejárat elé. Célpont vizuálisan észlelhet, ezért látókörön kívül lesztek. Csak nemhalálos fegyver engedélyezett. Kell valaki, aki szemmel tartja a tetőt. Első a célpont. A fogoly másodlagos.

Jézusom, gondolta Langdon, megdermedve attól a hatékonyságtól, amellyel Olivetti épp most közölte az embereivel, hogy a bíboros feláldozható. A fogoly másodlagos.

– Ismétlem. Nemhalálos beavatkozás. A célpont élve kell. Vége. – Olivetti kikapcsolta a walkie-talkie-t.

Vittoria elképedt, már-már haragos arcot vágott. – Parancsnok, nem lesz senki odabent?

Olivetti megfordult. – Odabent?

– A Pantheonban! Ahol az egész történni fog!

– *Attento* – mondta Olivetti kőkeményen. – Ha behatolunk, akkor felismerhetik az embereimet. A társa éppen az imént figyelmeztetett, hogy ez az egyetlen esélyünk a célpont elkapására. Eszemben sincs elijeszteni azzal, hogy beküldöm az embereimet.

– De mi van akkor, ha a gyilkos már bement?

Olivetti megnézte az óráját. – A célpont egyértelmű volt. Nyolc órakor. Addig még tizenöt perc van.

– Azt mondta, hogy nyolc órakor öli meg a bíborost. De már korábban is odavihette valahogyan az áldozatot. Mi van, ha az emberei látják a célpontot kijönni, de nem ismerik fel, mert egyedül lesz? Valakinek meg kell győződnie arról, hogy odabent tiszta a levegő.

– Ezen a ponton túl kockázatos.

– Akkor nem, ha nem ismeri fel a bent lévő személyt.

– Az álcázási hadművelet nagyon időigényes és...

– Magamra gondoltam – mondta Vittoria.

Langdon megfordult és rábámult.

Olivetti megrázta a fejét. – Szó sem lehet róla.

– Megölte az apámat.

– Pontosan azért tudhatja, hogy kicsoda maga.

– Hallotta a telefonban. Fogalma sem volt arról, hogy Leonardo Vetrának van egy lánya. Esküdni mernék rá, hogy nem tudja, hogy nézek ki. Besétálhatok oda, mint egy turista. Ha látok valami gyanúsat, kimehetek a térre és jelt adhatok az embereinek, hogy jöjjenek be.

– Sajnálom, de ezt nem engedhetem meg.

– *Commandante!* – recsegett fel Olivetti rádiója. – Helyzet van az északi pontnál. A szökőkút az utunkban van. Nem látjuk tőle a bejáratot, csak ha kiállunk a tér közepére. Mi a parancs? Legyünk vakok, vagy kockáztassuk, hogy meglát minket?

Vittoria nyilván megelégelte a huzavonát. – Rendben. Én megyek. – Kinyitotta az ajtót és kiszállt.

Olivetti ledobta a walkie-talkie-t, és a kocsiból kiugorva Vittoria elé került.

Langdon is kiszállt. *Megőrült ez a lány?*

Olivetti elállta Vittoria útját. – Ms. Vetra, jók az ösztönei, de nem engedhetem, hogy egy civil beleavatkozzon.

– Beleavatkozzon? Hiszen csak vaktában lövöldöz. Hadd segítsek.

– Örülnék, ha lenne odabent egy megfigyelőm, de...

– Mi de? – követelőzött Vittoria. – Hogy nő vagyok?

Olivetti nem válaszolt semmit.

– Jobb, ha nem mondja ki, amit mondani akar, parancsnok, mert maga is átkozottul pontosan tudja, hogy ez igenis jó ötlet, és ha most egy ósdi, macsó szöveggel próbál jönni nekem...

– Hadd végezzük a munkánkat.

– Hadd segítsek.

– Túl veszélyes. Nincs kommunikációs kapcsolatunk egymással. Nem adhatok magának walkie-talkie-t, mert az elárulná.

Vittoria benyúlt az inge zsebébe és előhúzta a mobiltelefonját. – Rengeteg turistának van mobilja.

286

Olivetti összevonta a szemöldökét.

Vittoria kipattintotta a telefont és hívást imitált: – Szia, édes. A Pantheonban vagyok. Tényleg látnod kéne ezt a helyet. – Visszacsukta a telefont és Olivettire nézett. – Ki az ördög jönne rá? Nulla kockázata van. Hadd legyek én a megfigyelő! – A mobiltelefonra mutatott Olivetti övén. – Mi a száma?

Olivetti nem válaszolt.

A sofőr végig figyelt, és látszott, hogy megvan a maga véleménye. Most kiszállt a kocsiból és félrevonta Olivettit. Halkan beszéltek valamit tíz másodpercig. Végül a parancsnok bólintott és visszatért. – Programozza be ezt a számot – mondta, és elkezdte diktálni a számjegyeket.

Vittoria beütötte őket a telefonjába.

– Most hívja föl a számot.

Vittoria megnyomta az automatikus tárcsázó gombot. Olivetti övén csöngeni kezdett a telefon. Fölvette és beleszólt: – Menjen be az épületbe, Ms. Vetra. Nézzen körül, majd hagyja el az épületet. Azután hívjon fel, és jelentse, hogy mit látott.

Vittoria összecsukta a telefonját. – Köszönöm, uram.

Langdonban hirtelen és váratlanul feltámadt a védelmező ösztön. – Várjon egy percet – mondta Olivettinek. – Egyedül akarja beküldeni oda?

Vittoria morcosan nézett rá. – Robert, minden rendben lesz.

A gépkocsit vezető svájci testőr ismét félrehívta Olivettit.

– Veszélyes – mondta Langdon Vittoriának.

– Igaza van – jelentette ki Olivetti. – A legjobb emberem sem dolgozik egyedül. A hadnagy éppen most hívta fel a figyelmemet, hogy meggyőzőbb az álcázás, ha mindketten bemennek.

– Mindketten? – bizonytalanodott el Langdon. – Én valójában arra gondoltam...

– Ha együtt mennek be – mondta Olivetti –, akkor úgy fognak kinézni, mint egy nyaraló pár. És vigyázhatnak is egymásra. Nekem megnyugtatóbb így.

Vittoria vállat vont. – Remek, de most már jó lesz sietni.

Langdon felnyögött. *Szép volt, cowboy.*

Olivetti az utcára mutatott. – Az első utca a Via degli Orfani lesz. Forduljanak balra. Az egyenesen a Pantheonhoz visz. Kétperces séta, maximum. Én itt maradok irányítani az embereimet, és várom a hívásukat. Szeretném, ha meg tudnák védeni magukat. – Elővette a pisztolyát. – Tudja valamelyikük, hogyan kell használni?

Langdonnak elállt a szívverése. *Dehogy kell nekünk fegyver!*

Vittoria kinyújtotta a kezét. – Negyven méterről megjelölök egy vízből kiemelkedő delfint egy himbálódzó hajóról.

– Akkor jó. – Olivetti átadta neki a pisztolyt. – El kell rejtenie.

Vittoria lenézett a sortjára. Aztán Langdonra pillantott.

Jaj, csak azt ne! – gondolta Langdon, de Vittoria gyorsabb volt nála. Szétnyitotta Langdon zakóját és bedugta a fegyvert a belső zsebébe. Olyan volt, mintha egy követ tettek volna a kabátjába, és csak azzal vigasztalódhatott, hogy a másik zsebében ott van a *Diagramma* fóliánsa.

– Ártalmatlannak látszunk – mondta Vittoria. – Mehetünk. – Belekarolt Langdonba, és elindultak az utcán.

A sofőr utánuk szólt: – Nagyon jó, hogy belekarol. Ne felejtsék el, hogy turisták. Sőt nászutasok. Mi lenne, ha megfognák egymás kezét?

Ahogy befordultak a sarkon, Langdon esküdni mert volna, hogy egy mosolyt látott átfutni Vittoria arcán.

59

A svájci testőrség „gyülekezőhelye" a Corpo di Vigilanza laktanyája mellett található, és elsősorban arra használták, hogy itt tervezték meg a pápa közszerepléseinek és a nyilvános vatikáni eseményeknek a biztosítását. Ma azonban valami másnak adott helyet.

Az a férfi, aki eligazítást tartott a felsorakozott egységeknek, nem volt más, mint a svájci testőrség parancsnokhelyettese, Elias Rocher kapitány. Rocher-nak hordómelle volt és puha, puttószerű arcvonásai. A hagyományos kék kapitányi egyenruhát viselte, a maga személyes kiegészítőjével: egy piros barettsapkával, amelyet ferdén igazított a fejére. Nagy testéhez képest meglepően csengő hangon, és egy hangszer tiszta intonációjával beszélt. Precíz hangképzésével szöges ellentétben, Rocher szeme ködös volt, akár egy éjszakai emlősé. Az emberei „orsónak" hívták, ami grizzlyt jelent. Néha azon tréfálkoztak, hogy Rocher „olyan medve, aki a vipera árnyékában halad". Olivetti parancsnok volt a vipera. Rocher is volt olyan életveszélyes, mint egy vipera, de legalább észre lehetett venni, hogy jön.

Rocher emberei feszes vigyázzban, moccanatlanul álltak, noha a most hallott információktól jócskán megugrott a vérnyomásuk.

Az újonc Chartrand hadnagy a terem végében állt, és azt kívánta, bárcsak ott lett volna a jelentkezők 99 százalékában, akik nem feleltek meg a követelményeknek. Chartrand húsz évével a legfiatalabb testőr volt a gárdában. Még csak három hónapja szolgált Vatikánvárosban. Mint mindenkit, Chartrand-t is a svájci hadseregben képezték ki, ezt követte további két év Ausbildung Bernben, mielőtt sor került volna a nehéz vatikáni próbára, amelyet a Róma melletti titkos laktanyában tartottak. Ám semmilyen kiképzés nem készíthette fel erre a mostani válsághelyzetre.

Chartrand először azt gondolta, hogy az eligazítás is egyfajta furcsa kiképzőgyakorlat. Futurisztikus fegyverek? Ősrégi szekták? Elrabolt bíborosok? Ekkor Rocher megmutatta nekik a kérdéses fegyver élő videofelvételét. Semmi kétség, ez itt nem gyakorlat.

– Áramtalanítani fogunk a kijelölt területeken – mondta Rocher –, hogy kiiktassuk a kívülről jövő mágneses interferenciát. Négyes csapatokban fogunk működni. Infravörös, éjjellátó készüléket viselünk. A keresést hagyományos poloskaszűrőkkel végezzük, amelyeket átállítunk a hármas alatti fluxus tartományába. Kérdés van?

Nem volt.

Chartrand agya túlpörgött. – Mi van, ha nem találjuk meg időben? – kérdezte, hogy azután máris azt kívánja, bár ne tette volna.

A grizzly rámeredt a piros sapka alól. Azután egy komor tisztelgéssel elbocsátotta a csapatot. – Viharsebesen, emberek.

60

Két sarokra a Pantheontól a gyalog érkező Langdon és Vittoria elhaladt egy taxisor mellett; a sofőrök egytől egyig aludtak az első ülésen. Az Örök Városban örökké volt idő szundikálni — ez az egyetemes bóbiskolás jócskán kiterjesztette a szieszta Spanyolországból származó ősi szokását.

Langdon megpróbálta összeszedni a gondolatait, de a helyzet túl abszurd volt ahhoz, hogy logikusan közelíthesse meg. Hat órával ezelőtt még mélyen aludt Cambridgeben. Most pedig Európában van, a régmúlt titánjaival vív szürreális csatát, egy félautomatát rejteget a Harris tweedzakójában, és kézen fogva jár valakivel, akit csak az imént ismert meg.

Vittoriára nézett. A lány egyenesen tartva a fejét az utat figyelte maga előtt. Erő volt a kézfogásában — egy független és elszánt nő ereje. Az ujjai az eleve elfogadás megnyugtató érzésével fonódtak össze Langdon ujjaival. Nyoma sem volt bizonytalanságnak. Langdon egyre erősebben vonzódott hozzá. *Térj észre*, mondta magának.

Vittoria mintha megérezte volna a feszengését. — Nyugi — mondta anélkül, hogy felé fordította volna a fejét. — Úgy kell kinéznünk, mint a nászutasoknak.

— Nyugodt vagyok.

— Összemorzsolja a kezem.

Langdon elvörösödött, és lazított a szorításán.

— Lélegezzen a szemén át — mondta a lány.

– Tessék?

– Ellazítja az izmokat. Pranayamának nevezik.

– Píranhának?

– Nem úgy, mint a halat. Ez pranayama. Mindegy, nem érdekes.

Ahogy a sarkon befordulva kiértek a Piazza della Rotundára, feltűnt előttük a Pantheon. Langdon ugyanazzal a szent borzadállyal csodálta meg, mint mindig. A Pantheon. Minden istenek temploma. A pogány isteneknek. A természet és a föld isteneinek. Kívülről zömökebbnek tűnt, mint ahogy az emlékeiben élt. A függőleges oszlopok és a háromszögletű pronaus szinte láthatatlanná tették a mögöttük lévő kerek dómot. Ám a merész és hivalkodó felirat a bejárat felett megnyugtatta afelől, hogy jó helyen jár: M AGRIPPA L F COS TERTIUM FECIT. Langdon, mint mindig, most is jót derült magában, amikor lefordította: Ezt M (Marcus) Agrippa építtette harmadik konzulsága idején.

Ennyit az alázatról, gondolta Langdon, a környezet felé fordítva figyelmét. Szétszórt csoportokban videokamerával felszerelkezett turisták ődöngtek a téren. Mások Róma legjobb jeges kávéját élvezték a La Tazza di Oro teraszán. A Pantheon bejárata előtt négy fegyveres rendőr állt őrt, pontosan úgy, ahogyan Olivetti leírta.

– Elég békésnek tűnik – mondta Vittoria.

Langdon bólintott, de mélységes zavart érzett. Most, hogy a valóságban is itt állt, az egész forgatókönyv szürreálisnak tetszett. Noha Vittoriát nyilvánvalóan sikerült meggyőznie az igazáról, Langdon ráébredt, hogy mindenkit ő bolondított ide. Az Illuminátusok verse járt az eszében. Santi... IGEN, mondta magának. Ez az a hely. Santi sírja. Számos alkalommal állt már itt, a Pantheon *oculusa* alatt és a nagy Raffaello sírja előtt.

– Mennyi az idő? – kérdezte Vittoria.

Langdon megnézte az óráját. – Hét ötven. Tíz percünk van még a jelenésig.

– Remélem, ezek az emberek értik a dolgukat – mondta Vittoria, feltérképezve a Pantheonba belépő turistákat. – Ha bármi történne odabenn a dómban, mi ketten kereszttűzbe kerülünk.

Langdon nagyot sóhajtott, miközben elindultak a bejárat felé. Nehéznek érezte a pisztolyt a zsebében. Azon tűnődött, mi lenne, ha a rendőrök megmotoznák és megtalálnák a fegyvert, de az őrök a legkisebb figyelemre sem méltatták. Nyilvánvalóan sikeres volt az álcázásuk.

– Lőtt már ki mást is, mint altatóinjekciót? – suttogta Vittoria fülébe.

– Nem bízik bennem?

– Hogy megbízom-e? Alig ismerem magát.

Vittoria összevonta a szemöldökét. – És én még azt hittem, hogy nászutasok vagyunk.

61

A Pantheonban hűvös és nyirkos volt a levegő, a történelemtől terhes. A hatalmas mennyezet úgy feszült ki odafent, mintha nem is lenne súlya – az 50 méteres, alátámasztás nélküli fesztáv még a Szent Péter-bazilika kupolájánál is nagyobb volt. Langdon mint mindig, most is beleborzongott, amikor belépett a tágas térbe. A Pantheonban rendkívüli módon egyesült a mérnöki tudomány és a művészet. Fölöttük, a tető híres, kerek nyílásán át beragyogott a kora esti napfény egy keskeny pászmája. Az *oculus*, gondolta Langdon. A démonlyuk.

Megérkeztek.

Langdon követte szemével a mennyezet ívét, amely az oszlopos falak felé hajlott, le egészen a lábuk alatt elterülő sima márványpadlóig. A léptek zaja és a turisták suttogásának halk hangja visszaverődött a boltozatos mennyezetről. Langdon számba vette a tizen-egynéhány turistát, aki céltalanul bolyongott a homályban. Itt vagy?

– Elég csöndesnek tűnik – mondta Vittoria, még mindig fogva Langdon kezét.

Langdon bólintott.

– Hol van Raffaello sírja?

Langdon gondolkodott egy másodpercig, megpróbálta öszszeszedni az ismereteit. Végigpásztázta a csarnok kerületét. Sírok. Oltárok. Oszlopok. Falfülkék. Aztán egy feltűnően díszes síremlékre mutatott a bejárattól balra. – Azt hiszem, az lesz ott Raffaello sírja.

Vittoria körbenézett a teremben. – Nem látok senkit, akiről feltételezném, hogy gyilkos, és egy bíboros megölésére készül. Nézzünk körül?

Langdon bólintott. – Csak egy hely van itt, ahol elrejtőzhet valaki. Az lesz a legokosabb, ha ellenőrizzük a *rientranzákat.*

– A falmélyedésekre gondol?

– Igen – mutatott rájuk Langdon. – A szoborfülkékre.

Körös-körül, síremlékekkel megszakítva, boltíves bemélyedések sorakoztak a falban. Bár nem voltak különösebben mélyek, ahhoz éppen elég nagyok, hogy valaki megbújhasson ott az árnyékban. Langdon szomorúan gondolt arra, hogy egykor az olümposzi istenek szobrai álltak bennük, de a pogány műalkotásokat mind megsemmisítették, amikor a Vatikán keresztény templommá alakította át a Pantheont. Tehetetlen haragot keltett benne az a tudat, hogy a tudomány első oltáránál áll, de az útjelző már eltűnt. Azon tűnődött, melyik szobor lehetett az, és vajon hová mutatott. Langdon elképzelni sem tudott volna annál izgalmasabbat, mint megtalálni egy illuminátus útjelzőt – egy szobrot, amely titokban az *Illuminátusok ösvényének* irányát jelezte. És megint csak felmerült benne a kérdés, ki lehetett a névtelen illuminátus szobrász.

– Én arra nézek szét – mondta Vittoria a csarnok bal oldali félkörére mutatva. – Maga induljon el jobbra. Száznyolcvan foknál találkozunk.

Langdon gyászosan mosolygott.

Ahogy Vittoria eltávolodott tőle, Langdonnak újra eszébe ötlött a helyzet baljós rettenete. Miközben megfordult és elindult jobb felé, hogy körbemenjen a fal mentén, mintha a gyilkos suttogását hallotta volna visszhangozni az üres térben: *nyolc órakor. Szűzi áldozatok a tudomány oltárán. A halál matematikai sorozata. Nyolc, kilenc, tíz, tizenegy... és az éjfél.* Langdon megnézte az óráját: 19:52 volt. Még nyolc perc.

Az első falfülke felé tartva Langdonnak el kellett haladnia Itália egyik katolikus királyának sírja mellett. A szarkofág, mint az Rómában gyakori, ferdeszöget zárt be a fallal, mintha ügyetlenül helyezték volna oda. A turisták egy csoportját láthatóan zavarba hozta a látvány. Langdon nem állt meg, hogy magyarázattal szolgáljon. A régi keresztény sírok sokszor szabálytalanul illeszkednek az épülethez, hogy kelet felé nézzenek. Pontosan erről az ősi babonáról volt szó Langdon 212-es szimbólumtani óráján a múlt hónapban.

– Hiszen ennek semmi értelme! – tört ki egy diáklány az első sorban, amikor Langdon elmagyarázta, miért néznek kelet felé a sírok. – Miért akarják a keresztények, hogy a felkelő nap felé forduljon a sírjuk? Ez itt a kereszténység, nem pedig... valami napkultusz!

Langdon mosolygott, és fel-alá járva a tábla előtt egy almát rágcsált. – Mr. Hitzrot! – kiáltotta.

A hátsó sorban szundikáló fiatalember felriadt. – Hogyan? Én?

Langdon egy reneszánsz képzőművészeti poszterra mutatott a falon. – Ki az az ember, aki Isten előtt térdel?

– Hát... valami szent?

– Nagyszerű. És honnan lehet tudni, hogy szent?

– A glóriájáról?

– Kitűnő, és nem emlékezteti önt valamire az az aranyglória?

Hitzrot büszkén mosolygott. – De igen! Azokra az egyiptomi izékre, amikkel az elmúlt félévben foglalkoztunk. Azokra a... napkorongokra!

– Köszönöm, Mr. Hitzrot. Aludjon tovább. – Langdon visszafordult az osztály felé. – A glóriát, mint megannyi keresztény szimbólumot, az ókori Egyiptom napimádó vallásából vették át. A kereszténység tele van a napkultusz példáival.

– Elnézést! – szólalt meg a lány az első sorban. – Én rendszeresen járok templomba, de még nem tapasztaltam, hogy ott a napot imádják!

– Valóban? És mit ünnepelnek december huszonötödikén?

– A karácsonyt. Jézus Krisztus születését.

– Csakhogy a Biblia szerint Krisztus márciusban született, akkor meg mit ünneplünk december végén?

Csönd.

Langdon mosolygott. – December huszonötödike, barátaim, a *sol invictus*, a legyőzhetetlen nap ősi pogány ünnepe, amely egybeesik a téli napfordulóval. Ez az a csodálatos időszaka az évnek, amikor a Nap visszatér, és a nappalok egyre hosszabbak lesznek.

Langdon beleharapott az almába.

– Az uralomra jutó vallások – folytatta – gyakran vesznek át már meglévő ünnepeket, hogy zökkenőmentesebb legyen az áttérés. Ezt hívjuk traszmutációnak. Megkönnyíti az emberek alkalmazkodását az új hithez. A hívők ugyanazokat a szent napokat ünneplik, ugyanazokon a szent helyeken imádkoznak, ugyanazokat a jelképeket használják... csak egy új istent helyeznek bele.

Az első sorban ülő lány most már tényleg bedühödött.

– Ön úgy beszél a kereszténységről, mint egy... újracsomagolt napkultuszról!

– A legkevésbé sem. A kereszténység nem csak a napkultusztól kölcsönzött. A keresztény kanonizáció szertartását Euhemerus ősi „istencsináló" rítusából vették át. Az „istenevés", azaz az úrvacsora gyakorlatát az aztékoktól kölcsönözték. Még az az elgondolás sem kizárólagosan keresztény, hogy Krisztus a mi bűneinkért halt meg: az önmagát feláldozó fiatalember, aki magára veszi a népe bűneit, Quetzalcoatl legősibb hagyományában is megjelenik.

A lány elbámult. – Akkor a kereszténységben nincs semmi eredeti?

– Bármelyik rendszerezett vallásban igen csekély az, ami igazán eredeti. A vallások nem a semmiből születnek. Egymásból alakulnak ki. A modern vallásokat pontosabb volna kollázsnak nevezni... annak a történelmi útnak az állomásait dokumentálják, amelynek során az ember az isteni megértésére törekszik.

– De... várjunk csak – szólt közbe Hitzrot, immár teljesen éberen. – Tudok valamit, ami eredeti keresztény. Mit mond Isten képmására? A keresztény művészet sosem ábrázolja Istent napsólyomként vagy úgy, mint az aztékok vagy akárki más. Nálunk Isten mindig egy öregember fehér szakállal. Tehát az Isten-képünk az eredeti, nem igaz?

Langdon elmosolyodott. – Amikor az első keresztény hitre térők elhagyták korábbi isteneiket, a pogány isteneket, a római és a görög isteneket, a napot, Mitrászt vagy akármit, megkérdezték az egyháztól, hogy milyen az ő új, keresztény Istenük. Az egyház pedig, nagy bölcsen, az emberi történelem során létezett legfélelmetesebb, leghatalmasabb és... legismertebb arcot választotta.

Hitzrot szkeptikusnak tűnt. – Egy öregembert hosszú, fehér szakállal?

Langdon az ókori istenek hierarchiájára mutatott a falon. A csúcson egy öregember ült hosszú, fehér szakállal. – Zeusz elég ismert?

Ezzel a végszóval fejeződött be az óra.

– Jó estét – szólalt meg egy férfihang.

Langdon összerezzent. Ismét ott volt a Pantheonban. A kék sapkás, idős férfi felé fordult, akinek vörös kereszt volt a mellén. A férfi rámosolygott, felfedve elszíneződött fogait.

– Ön angol, igaz?

Langdon zavartan meregette a szemét. – Tulajdonképpen nem. Amerikai vagyok.

A férfi elbizonytalanodott. – Jaj nekem, bocsásson meg. Olyan elegánsan van öltözve, hogy azt gondoltam... elnézését kérem.

– Segíthetek? – kérdezte Langdon. Érezte, hogy felgyorsul a szívverése.

– Igazából úgy gondoltam, hogy én segíthetek önnek. Én vagyok itt a *cicerone*. – A férfi büszkén mutatott rá hivatalos városházi jelvényére. – Az a dolgom, hogy izgalmasabbá tegyem az ön római látogatását.

Langdon meg volt győződve arról, hogy ez a római utazása már amúgy is tele van izgalmakkal.

– Ön finom embernek tűnik – hízelgett az idegenvezető. – Biztos vagyok benne, hogy az átlagnál jobban érdekli a kultúra. Szívesen mesélnék önnek néhány történetet erről a lenyűgöző épületről.

Langdon udvariasan mosolygott. – Igazán kedves öntől, de magam is művészettörténész vagyok, és...

– Nagyszerű! – A férfi szeme úgy ragyogott fel, mintha megütötte volna a főnyereményt. – Akkor semmi kétség, hogy élvezni fogja!

– Azt hiszem, én inkább...

– A Pantheont – jelentette ki a férfi, hozzákezdve betanult szövegéhez – Marcus Agrippa építtette Kr. e. 27-ben.

– Igen – szólt közbe Langdon –, és Hadrianus építtette újjá i. sz. 119-ben.

– Ez volt a világ legnagyobb, szabadon álló dómja egészen 1960-ig, amikor a New Orleans-i Superdom felülmúlta.

Langdon felnyögött. Ez az ember megállíthatatlan.

– És egy teológus az V. században az ördögök házának nevezte, arra figyelmeztetve, hogy a lyuk a tetőn a démonok bejárata!

Langdon már nem figyelt rá. Az *oculuson* át betekintő égre emelte a szemét, és felidézte magában Vittoria dermesztő forgatókönyvét... a megbélyegzett bíboros átzuhan a lyukon és ráesik a márványpadlóra. Ez lenne csak a médiaesemény! Langdon azon kapta magát, hogy riporterek után kutat a Pantheonban. Egy sincs itt. Langdon mélyet sóhajtott. Abszurd ötlet volt. Nevetséges lenne, ha valaki így akarná ámulatba ejteni a világot.

Miközben Langdon továbblépett, hogy folytassa a kutatást, bőbeszédű kalauza úgy követte, akár egy szeretetre éhes kölyökkutya. Jó lesz, ha észben tartod, mondta magának Langdon, hogy nincs rosszabb, mint egy túlbuzgó művészettörténész.

A csarnok másik felében Vittoria elmélyülten kutatott. Most maradt magára először azóta, hogy hírét vette az apja halálának, és érezte, ahogy ránehezedik az elmúlt nyolc óra fájdalmas valósága. Az apját – kegyetlenül és váratlanul – meggyilkolták. Csaknem ugyanennyi keserűséget okozott, hogy bemocskolták az apja művét – most terroristák eszközévé vált. Vittoria mardosó bűntudattal gondolt arra, hogy az ő találmánya tette lehetővé az antianyag szállíthatóságát... az ő tárolóedénye, amely már visszafelé számolja az időt valahol a Vatikánban. Miközben ő az igazság egyszerűségét kereső apját akarta szolgálni... a káoszt teremtők cinkosává vált.

Furcsa módon az egyetlen dolog, amelyet e pillanatban jónak érzett az életében, egy vadidegen ember jelenléte volt. Robert Langdoné. Megmagyarázhatatlanul menedékre lelt a férfi szemében... mint az óceánok harmóniájában, amelyet ma kora reggel maga mögött hagyott. Vittoria örült, hogy Langdon itt van. Nemcsak erőt és reményt adott neki, de éles eszével rátalált az egyetlen esélyre, hogy elkaphassák az apja gyilkosát.

Vittoria mélyeket lélegzett, miközben folytatta a keresést, körbejárva a fal mentén. Bosszúvágyának váratlan képei sorjáztak az agyában, amelyek egész nap uralták a gondolatait. Pedig ő az élet felesküdött szerelmese... mégis a gyilkos halálát kívánta. Nincs a világon annyi pozitív karma, ami arra késztethetné, hogy odatartsa a másik arcát is. Riadtan és felvillanyozva, valami idegen áramot érzékelt olasz vérében, amit eddig még soha... a család becsületét kegyetlen igazságosztással védelmező szicíliai ősök suttogását. *Vendetta*, gondolta Vittoria, és életében először megértette a szó jelentését.

Megrohanták a bosszúálló látomások. Raffaello Santi sírjához közeledett. Már messziről észrevette, hogy ez a fickó különleges. Koporsóját, a többivel ellentétben, plexiüveg pajzs védelmezte és mélyen benyúlt a falba. A korláton át jól látta a szarkofág frontját.

RAFFAELLO SANTI, 1483-1520

Vittoria a műemléket tanulmányozva elolvasta a Raffaello sírjához mellékelt táblára írt egyetlen mondatot.

Aztán újra elolvasta.

Aztán... még egyszer.

Egy pillanattal később rémülten rohant át a csarnokon.

– Robert! Robert!

Langdon útját körben a Pantheonban némiképp lelassította a sarkában lihegő idegenvezető, aki folytatta fáradhatatlan előadását, miközben Langdon az utolsó alkóv megvizsgálására készült.

– Látom, nagyon tetszenek önnek azok a falfülkék! – mondta örvendezve a kalauz. – Tudta-e, hogy a falak fokozatosan csökkenő vastagságának köszönhető, hogy a dóm súlytalannak tűnik?

Langdon bólintott, anélkül hogy egy szavát is hallotta volna, és hozzálátott az utolsó falfülke felderítéséhez. Hirtelen megragadta valaki hátulról. Vittoria volt az. Levegő után kapkodva rángatta a karját. Halálra rémült arcát látva Langdon csak egy dologra tudott gondolni. Megtalálta a holttestet. Langdon érezte, hogy belehasít a rettenet.

– Ó, a felesége! – kiáltott fel a *cicerone*, akit láthatóan izgalomba hozott az új ügyfél. Vittoria rövidnadrágjára és bakancsára utalva hozzátette: – Most már látom, hogy amerikaiak!

Vittoria szeme összeszűkült. – Én olasz vagyok.

A férfi mosolya lehervadt. – Jaj nekem.

– Robert – suttogta Vittoria, megpróbálva hátat fordítani az idegenvezetőnek. – Galilei *Diagrammá*ja. Látnom kell.

– A *Diagramma?* – kérdezte a kalauz, hátrahőkölve. – Egek! Maguk ketten aztán tényleg ismerik a történelmet! Sajnos az a dokumentum nem látható. Hét lakat alatt őrzik a Vatikán titkos archí...

– Megbocsátana? – mondta Langdon. Vittoria rémülete összezavarta. Félrevonta a lányt, benyúlt a zakója zsebébe és óvatosan kiemelte a *Diagramma* lapját. – Mi folyik itt?

– Milyen dátum szerepel rajta? – türelmetlenkedett Vittoria az oldalt silabizálva.

Az idegenvezető már megint a sarkukban volt, és tátott szájjal meredt a fóliánsra. – De hiszen... ez nem...

– Reprodukció – vágta rá Langdon. – Turistáknak. – Köszönöm a segítségét. És most kérem, szeretnék egy percre egyedül maradni a feleségemmel.

A kalauz visszavonult, egy pillanatra sem véve le a szemét a papírosról.

– A dátumot – ismételte Vittoria Langdonnak. – Mikor adta ki Galilei...

Langdon rámutatott az alsó sorban álló római számra. – Az ott a kiadás dátuma. Mi ez az egész?

Vittoria lefordította a számot: – 1639?

– Igen. Mi a baj?

Vittoria tekintete rossz sejtelemmel telt meg. – Bajban vagyunk, Robert. Nagy bajban. Nem stimmelnek a dátumok.

– Milyen dátumok nem stimmelnek?

– Raffaello sírja. Ide csak 1759-ben hozták. Egy évszázaddal a *Diagramma* megjelenése után.

Langdon a lányra bámult, megpróbálva értelmezni a szavakat. – Nem – válaszolta. – Raffaello 1520-ban halt meg, jóval a *Diagramma* előtt.

– Igen, de először még nem ide temették.

Langdon tanácstalan volt. – Miről beszél?

– Most olvastam. Raffaello holttestét 1758-ban helyezték át a Pantheonba. Egy történelmi tisztelgő aktus részeként, más híres olaszokkal együtt.

Amikor Langdon felfogta a szavakat, úgy érezte, mintha kirántották volna a szőnyeget a lába alól.

– Amikor azt a verset írták – jelentette ki Vittoria –, Raffaello sírja még valahol másutt volt. Akkoriban Raffaellónak még semmi köze nem volt a Pantheonhoz.

Langdon nem kapott levegőt. – De akkor... ez azt jelenti...

Langdon megtántorodott. – Lehetetlen... annyira biztos voltam...

Vittoria oda szaladt, elkapta az idegenvezetőt és visszahúzta. – Bocsásson meg, *signore*. Hol volt Raffaello sírja az 1600-as években?

– Urb... Urbinóban – dadogta a férfi teljesen megzavarodva. – A szülővárosában.

– Lehetetlen! – Langdon nem győzte átkozni magát. – Az Illuminátusok négy oltára itt van valahol Rómában. Ez biztos!

– Illuminátusok? – tátogott a kalauz, újra rápillantva a Langdon kezében tartott dokumentumra. – Kik maguk?

Vittoria átvette az irányítást. – Keresünk valamit, amit Raffaello földi sírjának neveznek. Itt, Rómában. Meg tudja mondani, mi lehet az?

Az idegenvezető nyugtalannak tűnt. – Raffaellónak ez az egyetlen sírja Rómában.

Langdon megpróbált gondolkozni, de az agya cserbenhagyta. Ha 1655-ben nem Rómában volt Raffaello sírja, akkor mire utal a költemény? *Hol démonlyuk rejt földi nyughelyet.* Mi a fene akar ez lenni? Gondolkozz!

– Volt másik művész is, akit Santinak hívtak? – kérdezte Vittoria.

Az idegenvezető vállat vont. – Én nem tudok róla.

– Hát más híres ember? Talán egy tudós, költő vagy csillagász Santi?

A kalauzukon látszott, hogy most már szeretne elpályázni. – Nem, asszonyom. Az egyetlen Santi, akiről hallottam, az Raffaello, az építész.

– Építész? – kérdezte Vittoria. – Én úgy tudom, hogy festő volt.

– Mindkettő, természetesen. Mint valamennyien. Michelangelo, da Vinci, Raffaello.

Langdon nem tudta, hogy az idegenvezető szavainak vagy a körülötte sorakozó díszes síroknak köszönheti-e a megvilágosodást, de ez mindegy is volt. A gondolat megfogant. Santi építész volt. Innentől úgy követték egymást a gondolatai, mint az eldőlő dominók. A reneszánsz építészeket csak két cél vezette: nagy templomokkal dicsőíteni Istent és pazar síremlékkel dicsőíteni a méltóságokat. Santi sírja? Vajon lehetséges? A képek egyre gyorsabban jöttek...

Da Vinci *Mona Lisá*ja.

Monet *Vízililiomjai.*

Michelangelo *Dávidja.*

Santi sírja...

– Santi tervezte a sírt – mondta Langdon.

Vittoria megfordult. – Micsoda?

– A vers nem arra utal, ahol Raffaellót eltemették, hanem egy olyan sírra, amelyet ő tervezett.

– Miről beszél?

– Félreértelmeztem az utalást. Mi nem Raffaello temetkezési helyét keressük, hanem egy olyan síremléket, amelyet Raffaello tervezett valaki másnak! Nem akarom elhinni, hogy nem jöttem rá már előbb. A reneszánsz és a barokk Róma szobrainak a fele síremlék. – Langdont megmosolyogtatta a felismerés. – Raffaello több száz sírt tervezett!

Vittoria nem tűnt boldognak. – Több százat?

Langdonról is lehervadt a mosoly. – Ó.

– Van köztük földi, professzor?

Langdon érezte, hogy csődöt mond a tudománya. Zavarba ejtően keveset tudott Raffaello életművéről. Michelangelo esetében segíthetett volna, de Raffaello művészete sosem állt közel hozzá. Langdon csak néhány híresebb síremlékét tudta volna megnevezni Raffaellónak, de még abban sem volt biztos, hogyan néznek ki.

Langdon tanácstalanságát érzékelve, Vittoria az idegenvezetőhöz fordult, aki már hátrafelé araszolt. – Egy sírt keresek. Raffaello tervezte. Egy olyan sírt, amire ráillik a „földi" jelző.

A férfi zaklatottnak tűnt – Raffaello egyik sírját? Honnan tudjam? Nagyon sokat tervezett. Ráadásul önök inkább egy kápolnát keresnek, nem pedig sírt. Az építészek mindig kápolnával együtt tervezték a síremlékeket.

Langdon rájött, hogy a férfinak igaza van.

– Van olyan Raffaello-sír vagy -kápolna, amelyet „földinek" lehetne nevezni?

A férfi vállat vont. – Sajnálom. Fogalmam sincs, mire gondolnak. Nem ismerek semmit, amire a földi jelzőt lehetne használni. Most már mennem kell.

Vittoria megragadta a férfi karját, és felolvasta neki a fóliáns első két sorát: *Hol démonlyuk rejt földi nyugbelyet, Ott Santi sírját bizton megleled...* Mond ez magának valamit?

– Az égvilágon semmit.

Langdon hirtelen felkapta a fejét. Ráébredt, hogy megfeledkezett a verssor első részéről. A démonlyukról. – Igen! – kiáltotta az idegenvezetőnek. – Ez az! Van olyan Raffaello-kápolna, amelyiknek *oculus* van a tetején?

A kalauz megrázta a fejét. – Tudomásom szerint a Pantheon az egyetlen. – Elhallgatott. – De...

– De mi? – kérdezte egyszerre Vittoria és Langdon.

Most az idegenvezető kapta fel a fejét, újra közelebb lépve hozzájuk. – Démonlyuk? – morogta magának a foga között. – Démonlyuk? Vagyis... *buco diavolo?*

Vittoria bólintott. – Szó szerint.

A kalauz ajkán megjelent egy halvány mosoly. – Hát, jó ideje nem hallottam már ezt a kifejezést. Ha nem tévedek, a *buco diavolo* kriptát vagy altemplomot jelent.

– Kriptát? – kérdezte Langdon.

– Igen, de egy bizonyos típusú kriptát. Azt hiszem, azt a vaskos falú sírüreget nevezik régies szóval démonlyuknak, ami egy kápolnában található... egy másik sír alatt.

– Egy sírhoz csatlakozó csontkamra? – kérdezett rá Langdon, aki azonnal rájött, miről beszél a férfi.

Az idegenvezető elképedt. – Igen! Pontosan ezt akartam mondani!

Langdon átgondolta a dolgot. A csontkamra toldalék az egyházak olcsó megoldása volt egy kínos problémára. Amikor egy plébánia a templomban elhelyezett díszes sírral tisztelte meg legjelentősebb híveit, a rokonság gyakran követelte, hogy együtt nyugodhasson a család... így biztosítva maguknak a hőn óhajtott temetkezési helyet a templomon belül. Ám ha a templomnak nem volt elég helye vagy pénze, hogy sírt juttasson az egész családnak, időnként a csontkamra toldalékhoz folyamodtak... azaz ástak egy gödröt a padló alatt az eredeti sír közelében, és oda temették a kevésbé fontos családtagokat. A lyukat azután az aknafedél reneszánsz megfelelőjével takarták el. Bármilyen praktikus volt is, a csontkamra toldalék gyorsan kiment a divatból, mivel a bűz gyakran beszivárgott a templomba. Démonlyuk, gondolta Langdon. Soha nem hallotta még ezt a kifejezést. Hátborzongatóan ideillőnek tűnt.

Langdonnak vadul kalapálni kezdett a szíve. *Hol démonlyuk rejt földi nyughelyet...* Úgy tűnt, hogy már csak egy kérdés maradt. – Tervezett Raffaello olyan sírt, ahol van ilyen démonlyuk?

Az idegenvezető megvakarta a fejét. – Sajnálom... de csak egy ilyen jut eszembe.

Csak egy? Langdon álmodni sem tudott volna ennél jobb választ.

– Hol van? – kérdezte Vittoria szinte kiabálva.

Kalauzuk furcsa szemmel nézett rájuk. – Chigi-kápolnának hívják. Agostino Chigi és a fivére sírja, akik bőkezű támogatói voltak a művészeteknek és a tudományoknak.

– A tudományoknak? – ismételte Langdon, jelentőségteljes pillantásokat váltva Vittoriával.

– Hol van? – kérdezte Vittoria még egyszer.

A férfi nem vett tudomást a kérdésről, újra fellelkesedett, hogy a szolgálatukra lehet. – Már most azt, hogy földi az a sír vagy nem földi, meg nem mondom, de azt tudom, hogy olyan, amit... hogy is van, *differentének* nevezhetünk?

– Másmilyennek? – kérdezte Langdon. – És miben más?

– Nem illik össze az épülettel. Raffaello csak az építésze volt. A belső díszítéseket egy másik szobrász készítette. Nem emlékszem, hogy ki.

Langdon már csupa fül volt. Lehet, hogy a névtelen illuminátus mester?

– Akárkinek a keze munkája a belső műemlék, az illetőnek nem volt ízlése – mondta az idegenvezető. – *Dio mio! Atrocita!* Ki vágyna arra, hogy piramisok alatt temessék el?!

Langdon alig akart hinni a fülének. – Piramisok? Piramisok vannak a kápolnában?

– Egyet értek – mondta a férfi maró gúnnyal. – Szörnyű, ugye?

Vittoria megragadta az idegenvezető karját. – *Signore*, hol van ez a Chigi-kápolna?

– Egy mérföldre északnak. A Santa Maria del Popolo templomban.

Vittoria nagyot sóhajtott. – Köszönjük. Indul...

– Hé – szólt a kalauzuk. – Csak eszembe jutott valami. Hogy én mekkora bolond vagyok.

Vittoria leállította. – Kérem, csak azt ne mondja, hogy tévedett.

A férfi megrázta a fejét. – Nem, de előbb is rájöhettem volna. A Chigi-kápolnának nem mindig ez volt a neve. Azelőtt Capella della Terrának hívták.

– Agyagkápolnának? – kérdezte Langdon.

– Nem – mondta Vittoria, elindulva a kijárat felé. – A Föld kápolnájának.

Vittoria Vetra kinyomult a Piazza della Rotundára és felpattintotta a mobiltelefonját. – Olivetti parancsnok – mondta –, rossz helyre jöttünk.

Olivetti mintha nem értette volna. – Rossz helyre? Mit akar ezzel mondani?

– A tudomány első oltára a Chigi-kápolnában van.

– Hol? – Most már haragossá vált Olivetti hangja. – De hiszen Mr. Langdon azt mondta...

– A Santa Maria del Popolo! Egy mérföldre északnak. Most rögtön vigye át oda az embereit! Négy percünk van!

– De az embereim itt foglalták el az állásaikat! Nem lehet...

– Siessen! – Vittoria összecsapta a telefont.

A háta mögül a kábult Langdon bukkant elő a Pantheonból.

Vittoria elkapta a kezét és elkezdte húzni a járda mellett sorakozó, utasra váró taxik felé. Megkopogtatta az első kocsi tetejét. Az alvó sofőr ijedt kiáltással pattant fel az ülésről. Vittoria felrántotta a hátsó ajtót és betuszkolta Langdont. Aztán ő is beugrott mellé.

– Santa Maria del Popolo – rendelkezett. – *Presto!*

A félálomban lévő, megrémült sofőr beletaposott a gázba és elhúzott az utcán.

63

(G)unther Glick átvette a számítógép kezelését Chinita Macritól, aki most meggörnyedve állt a BBC szűkös közvetítőkocsijának hátuljában és zavartan bámulta a képernyőt Glick válla fölött.

– Nem megmondtam? – kérdezte Glick beütve néhány betűt. – Nem a British Tattler az egyetlen lap, amely sztorikat közölt ezekről a fickókról.

Macri közelebb hajolt. Glicknek igaza volt. A BBC adatbázisából kiderült, hogy ez a megbízható hírforrás hat sztorit vett át és adott le az utóbbi tíz évben az Illuminátusok nevet viselő testvériségről. Megeszem a kalapom, gondolta Macri.

– Milyen újságírók hozták le a sztorikat? – kérdezte Macri.

– Zugfirkászok?

– A BBC nem alkalmaz zugfirkászokat.

– Dehogynem. Téged is alkalmaztak.

Glick elkomorult. – Nem tudom, miért vagy ennyire szkeptikus. Az Illuminátusok létezését számos történelmi dokumentum támasztja alá.

– Ahogy a boszorkányokét, az ufókét és a Loch Ness-i szörnyét is.

Glick végigolvasta a sztorik listáját. – Hallottál valaha egy Winston Churchill nevű pasasról?

– Rémlik valami.

– A BBC történelmi kutatást végzett, egészen Churchill koráig visszamenően. Amúgy hithű katolikus volt. Tudtad, hogy Churchill 1920-ban kiadott egy nyilatkozatot, amelyben elítéli az Illuminátusokat, és egy világméretű összeesküvésre figyelmezteti a briteket?

Macri még mindig kételkedett. – Hol jelent ez meg? A British Tattlerben?

Glick mosolygott. – A London Herald 1920. február 8-ai számában.

– Nem létezik.

– Győződj meg róla a saját szemeddel.

Macri közelebbről is megnézte a cikket. London Herald, 1920. február 8. Ki gondolta volna? – Nos, Churchill paranoiás volt.

– És nem csak ő – mondta Glick tovább olvasva. – Úgy néz ki, hogy Woodrow Wilson három rádióbeszédet mondott 1921-ben, amelyekben arra a növekvő veszélyre figyelmeztetett, hogy az Illuminátusok az ellenőrzésük alá vonhatják az USA bankrendszerét. Akarsz hallani idézeteket a rádióbeszéd szövegéből?

– Nem igazán.

Glick nem várt beleegyezésre. – Azt mondta: *Létezik egy hatalom, amely oly mértékben szervezett, kifinomult, teljes körű és mindent átható, hogy aki jót akar magának, az okosabban teszi, ha ki sem nyitja ellene a száját.*

– Én erről soha nem hallottam semmit.

– Talán azért, mert 1921-ben még kicsi voltál.

– Ez kedves tőled. – Macri nem szívta mellre a gúnyolódást. Tudta, hogy nem tagadhatná le a korát. Negyvenhárom évesen már őszülő csíkok keveredtek gyűrűs, fekete fürtjei közé. Túl büszke volt ahhoz, hogy festesse a haját. A mamája, aki déli volt és baptista, megelégedettségre és önbecsülésre nevelte Chínítát. Egy fekete nő, mondta az anyja, úgysem tagadhatja le, hogy kicsoda. Ha megpróbálná, azonnal belepusztulna. Húzd ki magad, mosolyogj, hadd törjék csak a fejüket, hogy mitől van olyan jó kedved.

– Hallottál már Cecil Rhodesról? – kérdezte Glick.

Macri fölkapta a fejét. – Az angol pénzemberről?

– Igen. Ő alapította a Rhodes-ösztöndíjat.

– Csak azt ne mondd...

– Illuminátus.

– British Standard?

– Nem. A BBC. 1984. november 16.

– Mi írtuk azt, hogy Cecil Rhodes illuminátus?

– De még mennyire. És a hírhálózatunk szerint a Rhodes-ösztöndíjat azért alapították meg évszázadokkal ezelőtt, hogy a legragyogóbb ifjú elméket toborozza az Illuminátusok soraiba az egész világból.

– Ez nevetséges! A nagybátyám is Rhodes-ösztöndíjas volt! Glick rákacsintott. – Akárcsak Bill Clinton.

Macri most már komolyan bedühödött. Ki nem állhatta a szenzációhajhász, rémhírterjesztő riportokat. Viszont eléggé ismerte a BBC-t ahhoz, hogy tudja, csakis gondosan ellenőrzött és több forrásból megerősített anyagokat közöl.

– Van itt valami, amire emlékezni fogsz – mondta Glick. – BBC, 1998. március 5. Chris Mullin parlamenti bizottsági elnök azt követelte a brit parlament valamennyi szabadkőműves tagjától, hogy adjanak számot a kapcsolataikról.

Macri tényleg emlékezett rá. Az indítvány a rendőrökre és a bírákra is kiterjedt. – De hogy jön ez ide?

313

Glick felolvasta: – ...*aggályos, hogy a szabadkőműveseken belüli titkos frakciók jelentős befolyást gyakorolnak a politikai és a pénzügyi rendszerre.*

– Úgy van.

– Elég nagy vihart kavart. A parlamenti szabadkőművesek kikeltek magukból. Jó okkal. A túlnyomó többségükről kiderült, hogy ártatlan emberek, akik csak a hálózatépítési és karitatív munka miatt csatlakoztak a szabadkőművesekhez. Fogalmuk sem volt a testvériség múltbeli összefonódásairól.

– Állítólagos összefonódásairól.

– Nevezd, ahogy akarod. – Glick a cikkeket böngészte. – Ezt nézd meg. A beszámolók egészen Galileiig, a franciaországi Guerenetsig, a spanyol Alumbradosig vezetik vissza az Illuminátusokat. De Karl Marxot és az orosz forradalmat is emlegetik.

– A történelem mindig újraírja önmagát.

– Remek, akarsz valami frissebbet is? Hát ide nézz! A Wall Street Journal egy nemrégi száma is hivatkozik az Illuminátusokra.

Ez már szöget ütött Macri fejébe. – A Wall Street Journal?

– Találd ki, melyik ma Amerikában a legnépszerűbb számítógépes játék az interneten!

– Lefogadom, hogy Pamela Anderson szerepel benne.

– Majdnem eltaláltad. A játék neve *Illuminátusok: az Új Világrend.* Macri ránézett a monitorra Glick válla fölött. – Steve Jackson játéka kiugró siker... a kvázi-történelmi kalandjátékban egy Bajorországból származó ősi, sátánista testvériség át akarja venni a világuralmat. Online elérhetőség... – Macri báván meredt maga elé. – Mi bajuk van ezeknek az illuminátus fickóknak a kereszténységgel?

– Nem csak a kereszténységgel – mondta Glick. – A vallással általában. – Glick vigyorogva fordította felé a fejét. – Ráadásul az imént kapott telefonhívásból úgy tűnik, hogy a Vatikán lehet a szívük csücske.

– Ugyan, menj már. Csak nem gondolod komolyan, hogy a telefonáló fickó tényleg az, akinek mondja magát?

– Az Illuminátusok hírnöke? Aki négy bíboros meggyilkolására készül? – Glick elmosolyodott. – Erősen remélem.

64

Langdon és Vittoria taxija alig több mint egy perc alatt teljesítette az egymérföldes távot a széles Via della Scrofán. A Piazza del Popolo déli oldalán álltak meg röviddel nyolc óra előtt. Lírájuk nem lévén Langdon túlfizette a sofőrt az amerikai dollárjaival. Mindketten kiugrottak a taxiból. A tér nyugodt volt, a népszerű Rosati kávéház – az olasz irodalmárok közkedvelt találkozóhelye – teraszán üldögélő helybeliek nevetésétől eltekintve. A szél kávé és sütemény illatát hozta feléjük.

Langdon még nem tért magához a tévedése okozta megrázkódtatásból. Ám amikor végignézett a téren, már működésbe lépett a hatodik érzéke. A piazza tele volt elmés illuminátus utalásokkal. Nem elég, hogy a tér szabályos ellipszis alakú volt, de a kellős közepén ott állt egy égbenyúló egyiptomi obeliszk – egy szögletes kőoszlop, amely jellegzetes, piramisszerű csúcsban végződött. Az ókori birodalom hadizsákmányaiként idehurcolt piramisok itt is, ott is láthatóak voltak Rómában; a szimbólumkutatók „magas piramisoknak" nevezték a szent piramis alakzatok felhőkarcoló változatait.

Ahogy Langdon tekintete fölfelé vándorolt a monoliton, hirtelen valami más vonta magára a figyelmét a háttérben. Valami még érdekesebb.

– Jó helyen vagyunk – mondta halkan, és érezte, hogy önkéntelenül is óvatossá válik. – Azt nézze meg – mutatott az impozáns Porta del Popolóra, a piazza túlsó végét lezáró, hatalmas kapuzatra. A boltíves építmény évszázadok óta tekint le a térre. A középső boltív legmagasabb pontján egy szimbólumot faragtak a kőbe. – Ugye ismerős?

Vittoria fölnézett a hatalmas csúcsra. – Ragyogó csillag egy háromszögletű kőhalom fölött?

Langdon megrázta a fejét. – A fény forrása egy piramis fölött.

Vittoria elkerekedett szemmel fordult felé. – Mint... mint az USA Nagy Pecsétje?

– Pontosan. A szabadkőműves szimbólum az egydolláros bankjegyen.

Vittoria vett egy nagy levegőt és körbepásztázta a piazzát.
– Nos, hol van az az átkozott templom?

A Santa Maria del Popolo templom úgy állt ott, mint egy rossz helyre került csatahajó, féloldalasan egy domb lábánál, a tér délkeleti csücskében. A XI. századból származó, kőből rakott sasfészket csak még esetlenebbé tette az állványok erdeje a homlokzatán.

Langdonnak összefolytak a gondolatai, miközben a bejárat felé siettek. Csodálkozva bámult fel a templomra. Lehetséges, hogy gyilkosság történjen odabent? Erősen remélte, hogy Olivetti gyors lesz. A pisztoly a zsebében kényelmetlen érzést keltett benne.

A templom főkapujához *ventaglio* vezetett – az a legyezőként szétterülő, ívelt lépcsősor, amely szinte hívogat a belépésre; ez esetben ironikus volt a jelenléte, hiszen állványok, építőipari gépek torlaszolták el az utat, és még egy figyelmeztetőtábla – COSTRUZIONE: NON ENTRARE felirattal – is óva intett a közeledéstől.

Langdon ráébredt, hogy egy átépítés miatt bezárt templom ideális helyszín a gyilkossághoz. Nem úgy, mint a Pantheon. Itt nincs szükség fortélyos módszerekre. Csak be kell jutni.

Vittoria habozás nélkül átbújt a korlátok között, és elindult fölfelé a lépcsőn.

– Vittoria – figyelmeztette Langdon. – Ha még mindig odabent van...

Vittoria mintha meg se hallotta volna. A fő portikuszon át odament a templom egyetlen faajtajához. Langdon a nyomába eredt a lépcsőkön. Mielőtt egy szót is szólhatott volna, a lány megragadta a kilincset és lenyomta. Az ajtó nem engedett.

– Kell, hogy legyen másik bejárat is – mondta Vittoria.

– Valószínű – felelte Langdon zihálva –, de Olivetti egy percen belül itt lesz. Túl veszélyes bemenni. Kintről figyelhetnénk a templomot, amíg...

Vittoria lángoló tekintettel fordult felé. – Ha van másik bejárat, akkor van másik kijárat is. Ha ez a fickó eltűnik, akkor nekünk *fungito*.

Langdon értett annyit olaszul, hogy tudja: Vittoriának igaza van.

A templom jobb oldala mellett húzódó sikátor keskeny és sötét volt, mindkét felől magas falak fogták közre. Vizeletszagtól bűzlött – nem szokatlan jelenség egy olyan városban, ahol hússzor annyi volt a bár, mint a nyilvános vizelde.

Langdon és Vittoria nekivágott a bűzös homálynak. Mintegy tizenöt métert tehettek meg, amikor Vittoria megrángatta Langdon karját, és előremutatott.

Langdon is látta már. Egy igénytelen faajtó nehéz vasalással. Langdon a szokásos *porta sacrát* – a papoknak szolgáló bejáratot – ismerte fel benne. Ezeknek a kapuknak a többségét már hosszú évek óta nem használják, miután az újabb épületek és a zsugorodó telkek miatt ezek a bejáratok nehezen megközelíthető sikátorokba szorultak.

Vittoria az ajtóhoz sietett. Odaérve, jól látható zavarral méregette a zárat. A mögötte érkező Langdon is felfedezte a jellegzetes, kör alakú ajtógombot a kilincs helyén.

– Egy *annulus* – suttogta. Kinyújtotta a kezét és halkan megemelte a karikát. Maga felé húzta, amíg nem kattant. Vittoria idegesen feszengett. Langdon óvatosan elfordította a gyűrűt az óramutató irányában. Simán, elakadás nélkül 360 fokot, teljes kört írt le. Langdon gondterhelten ráncolta a homlokát, majd a másik irányban próbálkozott, ugyanilyen eredménytelenül.

Vittoria végignézett a sikátoron. – Gondolja, hogy van még más bejárat is?

Langdon kételkedett benne. A legtöbb reneszánsz székesegyházat úgy tervezték, hogy alkalmi erődként szolgáljon ar-

ra az esetre, ha lerohanják a várost. A lehető legkevesebb be-
járatot építettek. – Ha volna is másik bejárat – mondta –, azt
valószínűleg a hátsó támaszfalba vágták, inkább kijáratnak,
mint bejáratnak.

Vittoria már indult is.

A nyomába eredő Langdon egyre mélyebbre hatolt a siká-
torban. Kétoldalt körülötte égbe nyúló falak. Valahol egy ha-
rang elütötte a nyolc órát...

Robert Langdon először meg sem hallotta, hogy Vittoria
szólítja. Egy rácsokkal védett színes üvegablaknál időzött, és
megpróbált bekukucskálni a templomba.

– Robert! – hívta hangos suttogással Vittoria.

Langdon odanézett. Vittoria a sikátor végében állt. A temp-
lom háta mögé mutogatott, és közben integetett neki. Lang-
don vonakodva ügetett utána. A hátsó front lábazatából kidu-
dorodó támfal keskeny üreget rejtett – egyfajta szűk folyosót,
amelyet közvetlenül a templom alapzatába vágtak.

– Lehet, hogy bejárat? – kérdezte Vittoria.

Langdon bólintott. – Valójában kijárat, de most ne men-
jünk bele a részletekbe.

Vittoria letérdelt és bekukucskált az átjáróba. – Nézzük
meg az ajtót. Hátha nyitva van.

Langdon kinyitotta a száját, hogy tiltakozzon, de Vittoria
megfogta a kezét és behúzta az alagútba.

– Várjon – mondta Langdon.

A lány türelmetlenül fordult vissza.

Langdon felsóhajtott. – Én megyek elöl.

Vittoria meglepettnek tűnt. – Újabb lovagi gesztus?

319

– Előbb az idősek, utána a szépek.

– Ezt vegyem bóknak?

Langdon elmosolyodott és Vittoria elé kerülve belépett a sötétségbe. – Vigyázzon, lépcső.

Lassan araszolt előre a homályban, egyik kezét a falon tartva. Érdesnek érezte a falat az ujjai alatt. Egy pillanatra felidéződött benne Daedalus ősi mítosza, ahogy a fiú egyik kezével a falat fogva haladt át a Minotaurus labirintusán, abban a hiszemben, hogy egészen bizonyosan a végére jut, ha nem engedi el a falat. Langdon úgy ment előre, hogy maga sem tudta, mit szeretne találni az út végén.

A folyosó kissé összeszűkült, és Langdon lelassította a lépteit. Szorosan maga mögött ott érezte Vittoriát. Ahogy a fal balra kanyarodott, az alagút beletorkollt egy félkör alakú falmélyedésbe. Különös módon itt már nem volt annyira sötét. Langdon egy nehéz faajtó körvonalait vette ki a homályban.

– Ajjaj – mondta.

– Zárva van?

– Csak volt.

– Mi? – kérdezte a mellé érkező Vittoria.

Langdon odamutatott. A belülről kiszüremlő fénycsík megvilágította a résnyire nyitott ajtót... a sarokpántjait azzal a vasrúddal feszítették ki, amely még most ott volt a fába ütve.

Egy pillanatig némán álltak. Aztán, a sötétben, Langdon megérezte Vittoria kezét a mellkasán, ahogy tapogatózva bekúszik a zakója alá.

– Nyugi, professzor – mondta. – Csak magamhoz veszem a pisztolyt.

Ugyanebben a pillanatban a svájci testőrség egy akciócsoportja szóródott szét minden irányban a vatikáni múzeumokban. Sötét volt, és a testőrök az amerikai tengerészgyalogságnál rendszeresített éjjellátó készüléket viseltek. Az infraszemüvegeken keresztül minden kísérteties, zöld színben játszott. Valamennyi testőrnek fejhallgatója volt egy hozzácsatlakozó, antennaszerű detektorral felszerelve, amely ütemesen mozgott előttük – ugyanezzel a műszerrel ellenőrizték hetente kétszer a Vatikánt, elektronikus poloskákat keresve. Módszeresen haladtak előre, behatolva a detektorral a szobrok háta mögé, a falmélyedésekbe, a bútorok alá. Az antennák hangjelzést adnának, ha a legkisebb mágneses mezőt is észlelnék.

Ma este azonban egyáltalán nem szólaltak meg.

65

Santa Maria del Popolo belső tere homályos barlangnak tűnt a gyér fényben. Inkább befejezetlen metróállomásra emlékeztetett, mint katedrálisra. A főhajót akadálypályává változtatták a felszedett padlókövek, raklapok, sittkupacok, talicskák meg egy rozsdás csákány. A boltíves tetőt óriási oszlopok támasztották alá. A levegőben még ott lebegett a vakolat pora a festett üvegablakokon beszűrődő, tompított fényben. Langdon egy nagyméretű Pinturicchio-freskó alatt áll meg Vittoriával, és körülnézett a kibelezett templomban.

Semmi sem moccant. Néma csend.

Vittoria mindkét kezével megmarkolva maga előtt tartotta a fegyvert. Langdon megnézte az óráját. 20:04-et mutatott. Őrültség volt bejönni ide, gondolta. Túl veszélyes. Miközben jól tudta, hogy ha a gyilkos még idebent van, akkor bármelyik ajtón át távozhat, tehát tökéletesen értelmetlen lett volna egy szál pisztollyal őrködni kint a téren. Csakis idebent van esélyük elkapni... feltéve, hogy még itt van. Langdon lelkiismeretfurdalást érzett a baklövése miatt, amivel mindenkit a Pantheonhoz bolondított. Most már nem volt abban a helyzetben, hogy óvatosságra inthesse Vittoriát: elvégre ő volt az, aki miatt ebbe a szorult helyzetbe kerültek.

Vittoria feszülten pásztázta a templomot. – Na – suttogta –, hol lehet ez a Chigi-kápolna?

Langdon a kísérteties félhomályba fúrva tekintetét a katedrális oldalfalait tanulmányozta. A közhiedelemmel ellentétben a reneszánsz székesegyházaknak kivétel nélkül több kápolnájuk van, az olyan hatalmas dómoknak, mint a Notre-Dame több tucat is. A kápolnán nem annyira helyiséget, mint inkább beugrót kell érteni – a templom oldalfalából nyíló, félkör alakú bemélyedést, egy síremlékkel a közepén.

Rossz hírem van, gondolta Langdon felmérve, hogy négy oldalkápolna van mindegyik falon. Összesen nyolc. Noha a nyolc nem volt olyan rettenetesen nagy szám, viszont az építkezés miatt mindegyiknek nagy, áttetsző poliuretán lapokkal függönyözték el a bejáratát, nyilván abból a célból, hogy megvédjék a sírokat a portól.

– Az egyik olyan letakart falmélyedésben lesz – mondta Langdon. – De csak úgy tudjuk kideríteni, melyik a Chigi, ha mindegyikbe benézünk. Ez is amellett szól, hogy várjuk meg Oliv...

– Melyik a bal oldali mellékapszis? – kérdezte Vittoria.

Langdon meglepve nézett rá, hogy ilyen jól ismeri az építészeti szakkifejezéseket. – A bal oldali mellékapszis?

Vittoria a hátuk mögött lévő falra mutatott. A kőbe díszes lapot ágyaztak be. Ugyanaz a szimbólum volt belevésve, mint amit odakint láttak – egy piramis a ragyogó csillag alatt. Mellette elpiszkolódott tábla a következő felirattal:

ALESSANDRO CHIGI CÍMERPAJZSA,
AKINEK SÍRJA E TEMPLOM
BAL OLDALI MELLÉKAPSZISÁBAN VAN

Langdon bólintott. Chigi címerpajzsa a piramis és a csillag? Azon kapta magát, hogy az jár az eszében, vajon a gazdag patrónus Chigi illuminátus volt-e. Odabiccentett Vittoriának:
– Szép munka volt, Nancy Drew.

– Mi?

– Mindegy. Én...

Mindössze néhány méterre tőlük fémdarab koppant a padlón. Az egész templom visszhangzott a csattanástól. Langdon behúzta Vittoriát az egyik oszlop mögé; a lány a hang irányába fordította a fölemelt pisztoly csövét. Csend. Vártak. Majd újra zaj támadt, ezúttal zörgés. Langdon visszatartotta a lélegzetét. *Nem lett volna szabad megengednem, hogy bejöjjünk ide!* A zaj közeledett, és a zörgést csoszogás kísérte, mintha valaki húzná a lábát. Hirtelen előbukkant valami az oszlop talapzatánál.

– *Figlio di puttana!* – szitkozódott halkan Vittoria, hátraugorva. Langdon a lány mellé húzódott.

Az oszlop mellett, egy papírba csomagolt, félig megevett szendvicset vonszolva maga után, hatalmas patkány tűnt fel. Amikor észrevette őket, megállt, egy hosszú másodpercig bámulta Vittoria pisztolycsövét, aztán, látható érdektelenséggel, továbbvonszolta zsákmányát a templomi búvóhelye felé.

– A rohadt... – morogta Langdon a foga között, még mindig kalapáló szívvel.

Vittoria leeresztette a fegyvert, gyorsan visszanyerve az önuralmát. Kikukucskálva az oszlop mögül, Langdon felfedezte az egyik munkás uzsonnásdobozát a padlón, amelyet egy fűrészbakról lökhetett le a találékony rágcsáló.

Langdon erősen figyelt, hogy észlel-e mozgást a bazilikában. – Ha az a fickó még itt van – súgta Vittoriának –, akkor holtbiztos, hogy ezt meghallotta. Tényleg nem akarja megvárni Olivettit?

– Bal oldali mellékapszis – ismételte Vittoria. – Hol lehet?

Langdon vonakodva megfordult és megpróbált újra képességei birtokába jutni. – A dómépítészeti szakkifejezéseket úgy kell értelmezni, mint a színpadi utasításokat: mindent az ellenkező irányban. Langdon szembefordult a főoltárral. Színpadi közép. Aztán a válla fölött hátramutatott a hüvelykujjával.

Mindketten megfordultak és arra néztek, amerre mutatott.

Úgy tűnt, hogy a Chigi-kápolna a harmadik a jobb oldali négy benyíló közül. Szerencsére ugyanazon az oldalon, ahol ők álltak. Szerencsétlenségükre viszont a templom másik végében. Végig kell menniük a katedrálison, elhaladni három másik kápolna előtt, amelyek mindegyikét, akárcsak a Chigi-kápolnát, áttetsző műanyag fólia takarta.

– Várjon – mondta Langdon. – Én megyek elöl.

– Szó sem lehet róla.

– Én voltam az, aki csődöt mondott a Pantheonban.

Vittoria hátrafordult. – De én vagyok az, akinél a pisztoly van.

Langdon kiolvasta a szeméből, hogy mire gondol valójában… *De én vagyok az, aki elvesztette az apját. Én vagyok az, aki segédkezett egy tömegpusztító fegyver létrehozásában. Én akarom elkapni a fickót…*

Langdon érezte, hogy kár is vitatkoznia, ezért inkább engedett. Óvatosan lépkedett Vittoria mellett a bazilika keleti hajójában. Ahogy elhaladtak az első lefüggönyözött alkóv előtt, Langdon olyan feszültséget érzett, mintha valami szürreális játékban versengene. *Jelenésem van a hármas függöny előtt,* gondolta.

A templom csendes volt, a vastag kőfalak feltartóztatták a külvilág minden zaját. Ahogy sorra maguk mögött hagyták a kápolnákat, ember formájú, sápadt szellemalakok bontakoztak ki a zörgő műanyag leplek mögött. Faragott márvány, mondta magának Langdon, remélve, hogy nem téved. Nyolc óra múlt hat perccel. Pontos volt a gyilkos, és kisurrant még Langdon és Vittoria érkezése előtt? Vagy még mindig itt van? Langdon maga sem tudta, melyik lenne a kedvezőbb forgatókönyv.

A második apszis tompán derengett fel a lassan elsötétülő katedrálisban. Mintha egyszerre leszállt volna az éjszaka, és ezt az érzést erősítette a sötétkékre színeződött kép is a festett üvegablakokon túl. Ahogy elhaladtak a második apszis előtt, hirtelen meglebbent mögöttük a műanyag függöny, mintha huzat támadt volna. Langdon azon tűnődött, nem nyitottak-e ki egy ajtót valahol.

Amikor feltűnt előttük a harmadik benyíló, Vittoria lelassított. Maga elé tartva a fegyvert, a fejével intett Langdonnak, hogy nézze meg az apszis melletti sztélét. A gránittömbbe két szót véstek:

CAPELLA CHIGI

Langdon bólintott. Szó nélkül közelítették meg a falmélyedést, egy széles oszlop mögött foglalva el figyelőállást. Vittoria a műanyag függönyre irányozta a pisztolyt. Aztán jelt adott Langdonnak, hogy húzza el a függönyt.

Most kéne imádkozni, gondolta Langdon. Vonakodva nyúlt fel Vittoria válla fölött. Olyan óvatosan, ahogy csak tudta, elkezdte félrehúzni a műanyagot. Az csúszott egy-két centit, aztán hangosan megzizzent. Mindketten megdermedtek. Csönd. Egy pillanat múlva Vittoria, mint egy lassított felvételen, előrehajolt és belesett a keskeny résen. Langdon a lány háta mögül kukucskált befelé.

Egy ideig egyikük sem mert levegőt venni.

– Üres – mondta végül Vittoria leeresztve a pisztolyt. – Elkéstünk.

Langdon nem hallotta. Egy pillanat alatt egy másik világban találta magát, ahol ámulva nézett szét. Soha életében nem képzelte volna, hogy létezik ilyen kápolna. A végig vörösmárvánnyal borított Chigi-kápolna lélegzetelállító volt. Langdon gyakorlott szeme csak úgy falta a látványt. Elgondolni sem lehetett volna ennél „földibb" kápolnát, mintha csak Galilei és az Illuminátusok maguk tervezték volna.

A boltozatos mennyezetet az Illuminátusok csillagai és az

asztronómia hét bolygója ragyogták be. Alattuk az állatöv tizenkét jegye – a csillagászatban gyökerező pogány, földi szimbólumok. A zodiákus közvetlen kapcsolatban volt a földdel, a levegővel, a tűzzel és a vízzel... az erőt, az értelmet, a szenvedélyt és az érzelmet jelképező kvadránsokkal. A föld az erő, idézte föl Langdon.

Még lentebb a falon Langdon a föld négy évszakának – *primavera, estate, autunno, inverno* – szentelt ábrázolást fedezett fel. De mindennél sokkalta hihetetlenebb volt az a két hatalmas építmény, amely az egész teret uralta. Langdon néma csodálattal adózott nekik. Ez nem lehet, gondolta. Egyszerűen lehetetlen! Pedig úgy volt. A kápolna mindkét oldalán, tökéletes szimmetriában, két, három méter magas márványpiramis állt.

– Egy bíborost se látok – suttogta Vittoria. – És gyilkost sem. – Félrehúzta a műanyagot és belépett.

Langdon nem bírta levenni a szemét a piramisokról. Mit keresnek a piramisok egy keresztény kápolnában? A két piramis szembenső lapjába illesztve aranymedalionok... amilyeneket Langdon még sohasem látott... tökéletes ellipszisek. A beégetett korongok tündököltek a lenyugvó nap kupolán át beszűrődő fényében. Galilei ellipszisei? Piramisok? Csillagos kupola? Több illuminátus jegy volt itt, mint amennyit Langdon fejből fel tudott volna sorolni.

– Robert – horkant fel Vittoria rekedt hangon. – Odanézzen!

Langdon sarkon fordult, és azonnal visszazuhant a valóságba, amint megakadt a szeme azon, amit Vittoria mutatott.

– Szentséges ég! – kiáltotta hátrahőkölve.

A padlóról egy csontváz képe – egy aprólékosan kidolgozott márványmozaikból kirakott „kaszás halál" – vigyorgott rá. A csontváz egyik kezében tartott táblán ugyanolyan piramis és csillag volt látható, mint odakint a téren. Ám nem a kép volt az, amelynek látványa megfagyasztotta a vért Langdonban. Hanem az, hogy a mozaik egy kerek kőlapot – egy *cupermentôt* – díszített, amelyet csatornafedélhez hasonlóan süllyesztettek a padlóba, de most elhúzták, és alatta egy üreg sötétlett.

– A démonlyuk – hápogott Langdon. Annyira magával ragadta a mennyezeti freskó, hogy eddig észre sem vette. Habozva közeledett a nyílás felé, ahonnan borzalmas szag áradt ki.

Vittoria eltakarta a száját. – *Che puzza.*

– Kipárolgás – mondta Langdon. – A porladó csontok kigőzölgése. – A kabátujján át vette a levegőt, amikor a lyuk fölé hajolt és lenézett. Sötétség. – Nem látok semmit.

– Gondolja, hogy van odalent valaki?

– Honnan tudjam?

Vittoria a nyílás túlsó végébe mutatott, ahol egy korhadt falétra vezetett le a mélybe.

Langdon megrázta a fejét. – Sötét, mint a pokol.

– Talán lesz egy zseblámpa odakint, a szerszámok között – mondta Vittoria, mintha ürügyet keresne arra, hogy elmeneküljön a bűztől. – Megnézem.

– Vigyázzon! – figyelmeztette Langdon. – Nem tudhatjuk, hogy a gyilkos...

De Vittoria már eltűnt.

Erős akaratú nő, gondolta Langdon.

Ahogy visszafordult a lyukhoz, érezte, hogy megszédül a szagoktól. Lélegzetét visszatartva átdugta a fejét a nyílás peremén és belebámult a sötétségbe. Lassan, ahogy kezdett hozzászokni a szeme, halvány körvonalak bontakoztak ki odalent. Az aknanyílás egy kis kamrába vezetett. Démonlyuk. Langdon azon tűnődött, vajon hány nemzedékét ásták el itt a Chigi-családnak minden ceremónia nélkül. Becsukta a szemét, és várt, amíg annyira ki nem tágul a pupillája, hogy jobban lásson a sötétben. Megborzongott, de kényszerítette magát, hogy helyben maradjon. Hihetek a szememnek? Az ott tényleg egy holttest? A kép elenyészett. Langdon újra becsukta a szemét, és ezúttal még tovább várt, hogy a legcsekélyebb fényt is be tudja fogadni a szeme. Amikor végül ismét kinyitotta, teljességgel megfoghatatlan kép tárult a szeme elé.

Egy kriptát látott, amely kísérteties, kékes fényben fürdött. Halk, sziszegő hang ütötte meg a fülét. Fény derengett az akna meredek falán. Hirtelen egy hosszú árnyék vetődött Langdon fölé. Riadtan húzódott vissza.

– Vigyázzon! – kiáltotta valaki a háta mögül.

Mielőtt Langdon megfordulhatott volna, éles fájdalom hasított a tarkójába. Megfordulva Vittoriát pillantotta meg, egy forrasztólámpával a kezében, amelynek sziszegő lángja kékes fényt hintett szét a kápolnában.

Langdon megtapogatta a nyakát. – Mi a fenét csinál?

– Csak világítani akartam magának – mondta a lány. – De egyenesen belém ütközött.

Langdon rámeredt a hordozható forrasztólámpára.

– Csak ezt találtam – mondta Vittoria. – Nem volt zseblámpa.

Langdon megdörzsölte a nyakát. – Nem hallottam, hogy visszajött.

Vittoria átadta neki a lámpát, és megint elhúzta az orrát a kriptából érkező bűz miatt. – Mit gondol, nem fertőző ez a kipárolgás?

– Reménykedjünk.

Langdon átvette a lámpát, és lassan megindult vele a lyuk felé. A pereméig óvakodott és rávilágított a kripta oldalfalára. Úgy mozgatta a fényt, hogy szemügyre vehesse az üreg kerületét. A kör alakú kripta átmérője mintegy hat méter lehetett. A mélységét úgy kilenc méterre becsülte. A padlózata sötét és foltos volt. Földes. És akkor Langdon meglátta a tetemet.

Ösztönösen hátra akart ugrani. – Itt van – mondta, kényszerítve magát, hogy ne forduljon el. A sápadt alak élesen elütött a földpadló sötétjétől. – Azt hiszem, meztelenre vetkőztették. – Langdonban egyszerre felidéződött Leonardo Vetra csupasz holtteste.

– Az egyik bíboros az?

Langdonnak sejtelme sem volt róla, de elképzelni sem tudta, ki más lehetne. Bámulta a halvány figurát. Mozdulatlan. Élettelen. Vagy mégis... – Langdon elbizonytalanodott. Volt valami nagyon különös a holttest helyzetében. Úgy tűnt, mintha...

Langdon lekiáltott: – Hahó!

– Gondolja, hogy még életben van?

Nem jött válasz odalentről.

– Nem mozdul – mondta Langdon. – De úgy fest... – Nem, az lehetetlen.

– Hogy fest? – kukucskált át Vittoria is a nyílás peremén.

Langdon pislogva meregette a szemét a sötétségbe. – Úgy fest, mintha állna.

Vittoria visszatartotta a levegőt és az akna fölé hajolt, hogy jobban lásson. Egy pillanat múlva visszahúzódott. – Igaza van. Áll! Lehet, hogy életben van, és segítségre szorul. – Lekiáltott a lyukba: – Hahó! *Mi puó sentire?* Hall engem?

Nem jött válasz a mohos üregből. Csak a csend. Vittoria a korhadt létra felé indult. – Lemegyek...

Langdon elkapta a karját. – Nem. Veszélyes. Én megyek le. Vittoria ezúttal nem vitatkozott.

66

Chinita Macri a BBC közvetítőkocsijának utasülésén gubbasztott és őrülten dühös volt. A kocsi a Via Tomacelli egyik sarkán időzött, miközben Gunther Glick Róma térképét böngészte tanácstalanul. Macri félelmét valóra váltva, a rejtélyes hívó újra jelentkezett, és ezúttal megadta a beígért információt.

– Piazza del Popolo – hajtogatta Glick. – Ezt keressük. Van ott egy templom. És abban van a bizonyíték.

– A bizonyíték. – Chinita abbahagyta a szemüveglencséje tisztogatását és a férfi felé fordult. – A bizonyíték arra, hogy meggyilkoltak egy bíborost?

– Ezt mondta.

– És te mindent elhiszel, amit mondanak neked? – Chinita már nem először kívánta azt, hogy bárcsak ő volna a főnök. A videós azonban ki van szolgáltatva az őrült riporter kényekedvének, aki mellé beosztották. Ha Gunther Glick a nyomába akar szegődni egy ócska telefonos tippnek, akkor Macri úgy megy utána, mint a pórázon rángatott kutya.

Ránézett a volán mögött ülő, összeszorított szájú férfira. Biztosan megkeseredett komédiások voltak a szülei, gondolta magában, hogy ilyen nevet adtak neki, mint ez a Gunther Glick. Nem csoda, hogy a fickónak bizonyítási kényszere van. Ámbár a szerencsétlen név és a kiugrásra törő, idegesítő buzgalma ellenére egész aranyos ez a fiú... elbűvölő a maga lihegő, angol, zilált módján. Mint egy felajzott Hugh Grant.

– Ne menjünk vissza inkább a Szent Péter térre? – kérdezte Macri a legtürelmesebb hangján. – Később is megnézhetjük ezt a titokzatos templomot. Már egy órája elkezdődött a konklávé. Mi van, ha a bíborosok meghozzák a döntést, mi meg nem vagyunk ott?

Glick mintha meg sem hallotta volna. – Azt hiszem, itt jobbra kell mennünk. – Tovább tanulmányozta a térképet.

– Igen, ha itt jobbra fordulok... azután mindjárt be balra.

– Glick már be is hajtott az előttük lévő szűk utcába.

– Vigyázz! – ordította Macri. Videotechnikus volt, akinek éles a szeme. Szerencsére Glick is elég gyorsan reagált. Beletaposott a fékbe, elkerülve az ütközést egy négy Alfa Romeóból álló konvojjal, amely a semmiből bukkant elő, és már tovább is húzott. Ahogy elhaladtak Glick kocsija mellett, egymás után lassítottak, és a következő sarkon éles szögben balra kanyarodtak, pontosan azon az útvonalon, amelyet Glick is kinézett magának.

– Eszelősök! – kiáltott utánuk Macri.

Glick megütközve bámult. – Láttad ezeket?

– Igen, láttam! Csaknem megöltek minket!

– Nem, én a kocsikra gondolok – mondta Glick hirtelen izgatottá váló hangon. – Mind egyforma volt.

– Akkor olyan eszelősök, akiknek nincs fantáziájuk.

– Mindegyik kocsi tele volt.

– Na és?

– Négy egyforma kocsi, mindegyik négy utassal?

– Nem hallottál még a telekocsiszervizről?

– Olaszországban? – Glick körülnézett a kereszteződésben. – Ezek még az ólmozatlan benzinről sem hallottak. – Rálépett a gázra és a kocsik nyomába eredt.

Macri hátrazuhant az ülésben. – Mi a fenét művelsz?

Glick végigszáguldott az utcán, majd a négy Alfa Romeót követve balra kanyarodott. – Valami azt súgja nekem, hogy nem csak mi igyekszünk abba a templomba.

67

Lassú volt az alászállás.

Langdon fokról fokra ereszkedett lefelé a recsegő létrán... egyre mélyebbre a Chigi-kápolna padlója alá. A démonlyukba, gondolta. Szemben az akna falával, háttal a kamrának, miközben azon tűnődött, hány sötét, szűkös hellyel szolgál még neki ez a mai nap. A létra minden lépésénél felnyögött, és szinte fullasztó volt a rothadó hullák és a nyirkos falak undok bűze. Langdon kíváncsi lett volna, hol a fenében lehet Olivetti.

Vittoria körvonalai még kivehetők voltak odafönt: forrasztólámpával a kezében világította meg Langdon útját. Ahogy egyre mélyebbre merült a sötétségben, úgy lett egyre gyengébb a kékes fény. És úgy lett egyre penetránsabb a szag.

A tizenkettedik létrafoknál megtörtént a baj. Langdon lába megcsúszott a kipárolgásoktól nyirkos fán, és elvétette a lépést. Előrelendülve, az alkarjával kapta el a létrát, hogy le ne zuhanjon. Szitkozódva a fájdalmas horzsolások miatt, visszatornázta magát a létrára és folytatta az ereszkedést.

Három fokkal lejjebb kis híján megint leesett, de ezúttal nem a létra volt a ludas a félrelépésben. Hanem az ijedtség. Egy üreges falmélyedés került az útjába, és hirtelen szembe találta magát egy sor koponyával. Amikor újra levegőhöz jutott és körülnézett, felfedezte, hogy ezen a szinten a fal tele van polcszerű bemélyedésekkel – sírfülkékkel –, amelyekben csontvázak zsúfolódnak össze. A foszforeszkáló fényben kísérteties kollázsként tűntek fel a rá meredő szemüregek és a málló bordaketrecek.

Csontvázak a tűz fényénél, gondolta fanyar humorral, felidézve, hogy egészen véletlenül valami hasonló élményben volt része a múlt hónapban. Egy este csontok és lángok között. A New York-i Régészeti Múzeum jótékonysági vacsorája – lazacflambé egy brontosaurus-csontváz árnyékában. Langdon Rebecca Strauss – egykori divatmodell, ma a Times művészeti kritikusa, fekete bársonyból, cigarettából és nem éppen visszafogottan hangsúlyozott keblekből kavart forgószél – meghívására vett részt az eseményen. Azóta kétszer is felhívta a hölgy. Langdon nem hívta vissza. Nem úriemberre valló viselkedés, korholta magát, azon tűnődve, vajon menynyi ideig bírná ki Rebecca ebben a bűzbarlangban.

Langdon megkönnyebbült, amikor az utolsó létrafok után végre, ha nem is szilárd talajt, de süppedős földet érzett a talpa alatt. Meggyőzve magát, hogy a falak nem fognak összezáródni körülötte, szétnézett a kriptában. Egy kör alakú, mintegy hatméteres kamrában találta magát. Ismét a szája elé tartott kabátujjon keresztül véve a levegőt, a holttest felé fordult. Bizonytalan kép jelent meg előtte a homályban. Egy fehér tetem körvonalai. Arccal az ellenkező irányban áll. Mozdulatlan. Néma.

Langdon közelebb lépve megpróbálta értelmezni a látványt. A férfi háttal állt neki, Langdon nem láthatta az arcát, de tény, hogy valóban állt.

– Hahó! – szólt rá Langdon a zakóujjon át. Semmi. Ahogy még közelebb ment, feltűnt neki, mennyire alacsony az az ember. Túlságosan alacsony...

– Mit talált? – szólt le odafentről Vittoria, elmozdítva a fényforrást.

Langdon nem válaszolt. Most már elég közel volt ahhoz, hogy mindent lásson. Viszolygás fogta el, amikor megértette. Úgy érezte, mintha összehúzódna körülötte a kamra. Egy nagyon öreg ember emelkedett ki démonként a kripta földes padlózatából... legalábbis félig. Mert derékig a földbe volt temetve. A föld feletti része egyenesen állt. Meztelenre vetkőztették. A kezét a kardinálisok vörös övével kötözték össze a háta mögött. Bénán nyújtózkodott fölfelé, a gerince visszahajlott, mint valami förtelmes homokzsák. A férfi feje hátranyaklott, szeme az ég felé fordult, mintha magához Istenhez könyörögne segítségért.

– Meghalt? – szólt le Vittoria.

Langdon lépett egyet a tetem felé. *Remélem, a saját érdekében.* Amikor már csak egy-két lépésre volt tőle, lenézett a fölfelé tekintő szemre. Kéken és véreresen dagadt ki az üregéből. Langdon lehajolt, hogy meghallgassa, lélegzik-e, de azonnal hátrahőkölt. – Az ég szerelmére!

– Mi az?

Langdon alig bírt megszólalni. – Biztosan halott. Csak megláttam a halála okát. – A látvány borzalmas volt. A férfi száját kipeckelték és teletömték földdel. – Valaki lenyomott egy marék földet a torkán. Megfulladt.

– Földet? – kérdezte Vittoria.

Langdonnak eszébe jutott valami. Föld. Majdnem elfelejtette. A bélyegek. Föld, levegő, tűz, víz. A gyilkos azzal fenyegetőzött, hogy mindegyik áldozatot a tudomány egy-egy ősi elemével fogja megbélyegezni. Az első elem a föld. *Hol démonlyuk rejt földi nyughelyet...* A kipárolgásoktól szédülten Langdon megkerülte a hullát. És közben szimbólumkutató énje újra kétségbe vonta a legendás ambigramma képzőművészeti létrehozásának lehetőségét. Föld? De hogyan? Ám egy pillanattal később már ott is volt előtte a válasz. Az Illuminátusok évszázados mítoszai kavarogtak az elméjében. A billog a kardinális mellkasán kormos volt és még frissen szivárgott. A hús feketére pörkölődött. *La lingua pura...* A tiszta nyelv.

A billogot bámuló Langdon körül forogni kezdett a kripta.

– Föld – suttogta, félrebillentve a fejét, hogy alulról fölfelé is szemügyre vegye a szimbólumot. – Föld.

Aztán, miközben átcsapott fölötte a borzalom hulláma, még egy, végső felismerésre jutott. Hárman vannak még hátra.

68

A Sixtus-kápolnában világító gyertyák puha fénye sem tudta megnyugtatni Mortati bíborost. Hivatalosan is elkezdődött a konklávé. Méghozzá a legbaljóslatúbb körülmények között.

Fél órával ezelőtt, a kijelölt időpontban, Carlo Ventresca *camerlengo* megjelent a kápolnában. Odament a főoltárhoz és elmondta a bevezető imát. Azután széttárta imára kulcsolt kezét, és olyan közvetlen hangon szólt hozzájuk, amilyet Mortati még soha nem hallott e szent hely oltáráról.

– Tudjátok mindannyian – mondta a *camerlengo* –, hogy a mi négy *preferitink* nincs most itt a konklávén. Azt kérem, a néhai Őszentsége nevében, hogy tegyétek a dolgotokat, ahogyan kell... hittel és eltökélten. Csakis Istennek tartoztok elszámolással. – Azzal megfordult, hogy távozzon.

– De – tört ki az egyik kardinálisból – hol vannak?

A *camerlengo* megtorpant. – Azt én meg nem mondhatom.

– Mikor térnek vissza?

– Azt én meg nem mondhatom.

– Jól vannak?

– Azt én meg nem mondhatom.

– Visszajönnek egyáltalán?

Hosszú csönd.

– Higgyetek – mondta a *camerlengo*. És azzal magukra hagyta őket.

Ahogy a hagyomány előírta, nehéz láncokkal kívülről lezárták a Sixtus-kápolna kapuit. Négy svájci testőr posztolt előtte a folyosón. Mortati tudta, hogy most már csak akkor nyílhatnak meg az ajtók az új pápa megválasztása előtt, ha valaki életveszélybe kerül odabent, vagy megérkezik a négy *preferiti*. Mortati imádkozott, hogy az utóbbi történjen meg, de a gyomrában érzett görcs arról tanúskodott, hogy koránt sem biztos ebben.

Tegyük a dolgunkat, szánta el magát Mortati, erőt merítve a *camerlengo* hangjában csengő határozottságból. Tehát azt kérte, hogy szavazzunk? Mi mást kérhetett volna?

Harminc percbe tellett, hogy befejezzék az előkészítő szertartást az első szavazás megtörténte előtt. Mortati türelmesen várakozott a főoltárnál, amíg valamennyi bíboros, a rangoknak megfelelő sorrendben, az oltárhoz járult és elvégezte a kötelező szavazási procedúrát.

Most végre az utolsó kardinális is ott térdelt előtte az oltárnál.

– Krisztus Urunkat hívom tanúmnak – mondta a bíboros,

ahogyan a többiek is előtte –, legyen ő a bírám, hogy annak adom a szavazatomat, akit Isten előtt megválasztásra méltónak tartok.

A kardinális fölállt. Magasra emelte a szavazólapját maga előtt, hogy mindenki lássa. Aztán az oltárhoz lépett, ahol egy nagy kehely tetején egy tál állt. A tálra tette a szavazólapját. Majd kézbe vette a tálat, és arról ejtette bele a szavazatát a kehelybe. A tál közbeiktatása arra szolgált, hogy senki se dobhasson titokban több szavazólapot a kehelybe.

Miután leadta szavazatát, visszatette a tálat a kehelyre, meghajtotta magát a kereszt előtt, és újra elfoglalta a helyét.

Az utolsó szavazatot is leadták.

Eljött az ideje, hogy Mortati munkához lásson.

Rajta hagyva a tálat a kelyhen, Mortati megrázta az edényt, hogy a szavazólapok összekeveredjenek. Azután leemelte a tálat, és véletlenszerűen kihúzott egy szavazólapot. Széthajtogatta. A szavazólap pontosan öt centiméter széles volt. Hangosan felolvasta, hogy mindenki hallja.

– *Eligo in summum pontificem*... – jelentette be, felolvasva a szöveget, amely ott állt valamennyi szavazólap tetején. – Pontifex Maximusnak választom... – Majd bemondta a jelöltnek a szöveg alá írt nevét. Miután felolvasta a nevet, fölemelt egy tűbe fűzött fonalat, és az Eligo szónál átszúrva a papírt, ráhúzta a szavazólapot a fonálra. Majd bevezette a szavazatot egy naplóba.

Ugyanígy járt el a következő szavazólappal. Kiemelt egy lapot a kehelyből, hangosan felolvasta, ráfűzte a fonálra és bejegyezte a naplóba. Mortati szinte azon nyomban érzékelte, hogy az első szavazás érvénytelen lesz. Nincs konszenzus.

Még csak hét szavazatot nézett meg, és már hét kardinális neve merült fel. A lapokon szokás szerint nyomtatott betűk vagy gót betűk szerepeltek, hogy ne lehessen fölismerni a kézírást. Ebben az esetben ironikus volt a titkolózás, hiszen a bíborosok nyilvánvalóan saját magukra szavaztak. Mortati tudta, hogy ennek az átlátszó csalásnak semmi köze a személyes ambíciókhoz. Az időhúzás volt a cél. Az elkerülő manőver. Taktikai fogás, amely arra szolgált, hogy egy kardinális se kapjon annyi szavazatot, hogy nyerhessen... tehát újabb szavazást kell tartani.

A bíborosok a négy *preferitire* vártak...

Amikor az utolsó szavazatot is regisztrálta, Mortati bejelentette, hogy eredménytelen volt a választás.

Fogta a cérnát a felfűzött szavazólapokkal és összekötötte a szál két végét. Majd rátette a szavazatok gyűrűjét egy ezüsttálcára. Hozzáadta a megfelelő vegyszereket és odavitte a tálcát egy kis kéményhez a háta mögött. Itt meggyújtotta a szavazólapokat. Az égő szavazólapokból a hozzáadott vegyszerek miatt fekete füst szállt fel. A füstöt egy cső elvezette a tetőn lévő lyukhoz, amelyen át a kápolna fölé emelkedett, hogy mindenki láthassa. Mortati bíboros ezzel elküldte az első üzenetet a külvilágnak.

Első szavazás. Nincs pápa.

69

L angdon a kipárolgásoktól jóformán fuldokolva küzdötte magát fel a létrán, az akna peremén imbolygó fény felé. Hangokat hallott odaföntről, de nem tudta kivenni a szavak értelmét. A fejében kavarogtak a képek a megbélyegzett kardinálisról.

Föld... föld...

Ahogy nyomult fölfelé, érezte, hogy beszűkül a látótere, és attól félt, hogy eszméletét veszti. Két létrafokra a céltól cserbenhagyta az egyensúlya. Előrelendült, megpróbálva elkapni az akna peremét, de elkésett. Lecsúszott a keze a létráról és csaknem visszazuhant a sötétségbe. Éles fájdalmat érzett a hóna alatt, aztán egyszerre a levegőben lógott, vadul kapálózva lábával a mélység fölött.

A két svájci testőr erős kézzel markolta Langdont a hóna alatt és húzta kifelé. Egy pillanattal később Langdon feje, fuldokolva és levegő után kapdosva kibukkant a démonlyukból. A testőrök kirántották a lyuk szájából, végigvonszolták a kápolnán, és hanyatt fektették a márványpadlón.

Langdon egy másodpercig azt sem tudta, hogy hol van. Csillagokat látott a feje fölött... keringő bolygókat. Elmosódott figurák rohangáltak körülötte. Emberek kiáltoztak. Megpróbált felülni. Az egyik kőpiramis lábánál feküdt. Egy dühös hang ismerős tónusa visszhangzott a kápolnában, és Langdon végre magához tért.

Olivetti üvöltözött Vittoriával. – Hogy a pokolba nem jöttek rá erre előbb?

Vittoria megpróbálta elmagyarázni a helyzetet.

Olivetti a szavába vágott, majd az embereinek kezdett el parancsokat osztogatni. – Hozzátok ki onnan a holttestet! Kutassátok át az egész épületet!

Langdon újra megpróbált felülni. A Chigi-kápolna tele volt svájci testőrökkel. A kápolna bejárati nyílása elől letépték a műanyag függönyt, és friss levegő áramlott Langdon tüdejébe. Ahogy lassan összeszedte magát, meglátta a felé tartó Vittoriát. A lány letérdelt mellé, arca akár egy angyalé.

– Jól van? – Vittoria megfogta Langdon karját és ellenőrizte a pulzusát. Langdon gyengéd érintést érzett a bőrén.

– Köszönöm – ült fel végre. – Olivetti őrjöng.

Vittoria bólintott. – Jó oka van rá. Elszúrtuk.

– Úgy érti, hogy én elszúrtam.

– Ne becsülje le magát. Legközelebb el fogjuk kapni.

Legközelebb? Langdon úgy gondolta, hogy ez kíméletlen megjegyzés volt. Nincs legközelebb! Elvétettük az egyetlen dobásunkat!

Vittoria megnézte Langdon óráját. – Miki szerint negyven percünk van. Szedje össze magát és segítsen megtalálni a következő útjelzőt.

– Mondtam már, Vittoria, hogy azok a szobrok eltűntek. Az *Illuminátusok ösvénye*... – Langdon elakadt.

Vittoria kedvesen mosolygott rá.

Langdon ügyetlenül álló helyzetbe tornázta magát. Szédülten forgott körbe, szemügyre véve a freskókat. Piramisok, csillagok, bolygók, ellipszisek. Hirtelen minden beugrott. Ez a tudomány első oltára! Nem a Pantheon! Most döbbent csak rá, milyen tökéletesen illuminátus ez a kápolna, sokkal finomabb és ravaszabb választás, mint a világhíres Pantheon. A Chigi félreeső helyen van, a szó szoros értelmében egy lyuk a falban, tisztelgés a tudomány egyik jelentős támogatója előtt, földi szimbólumokkal díszítve. Tökéletes.

Langdon nekitámaszkodott a falnak, és felnézett a hatalmas piramisszobrokra. Vittoria fején találta a szöget. Ha ez a kápolna a tudomány első oltára, akkor itt lehet az az illuminátus szobor, amely első útjelzőként szolgál. Langdont felvillanyozta a remény, amikor rájött, hogy van még esélyük. Ha valóban itt van az útjelző, akkor van még egy lehetőségük, hogy elkapják a gyilkost.

Vittoria közelebb lépett. – Felfedeztem, hogy ki volt az ismeretlen illuminátus szobrász.

Langdon fölkapta a fejét. – Mit mond?

– Most már csak azt kell kitalálnunk, melyik szobor az...

– Várjon egy percet! Tudja, hogy ki volt az illuminátus művész? – Langdon éveket töltött azzal, hogy kutatott utána.

Vittoria mosolygott. – Bernini volt az. – Szünetet tartott. – Az a Bernini.

Langdon azonnal tudta, hogy téved. Nem lehetett Bernini. Gianlorenzo Bernini minden idők második leghíresebb szobrásza, akinek fényét csak Michelangelo homályosítja el. Az 1600-as évek során Bernini bármely más művésznél több szobrot alkotott. Sajnos az általuk keresett személy valószínűleg egy névtelen senki.

Vittoria összevonta a szemöldökét. – Látom, nem hozta lázba a hír.

– Bernini nem lehetett.

343

– Miért? Bernini Galilei kortársa volt. És tüneményes szobrász.

– Nagyon híres volt. És katolikus.

– Igen – mondta Vittoria. – Akárcsak Galilei.

– Nem – ellenkezett Langdon. – Korántsem. Galilei tüske volt a Vatikán körme alatt. Bernini pedig a Vatikán csodagyereke. Az egyház imádta Berninit. Ő volt a Vatikán legnagyobb művészeti szaktekintélye. Gyakorlatilag Vatikánvárosban élte le az egész életét!

– Tökéletes álcázás. Az Illuminátusok behatolása.

Langdon érezte, hogy tűzbe jön. – Vittoria, az Illuminátusok úgy utaltak erre a titkos művészükre, mint *il maestro ignoto*... az ismeretlen mester.

– Igen, ismeretlen volt... nekik. Gondoljon a szabadkőművesek titoktartására... csak a páholy legmagasabb vezetői ismerték a teljes igazságot. Galilei titokban tarthatta Bernini igazi kilétét a többség előtt... Bernini saját biztonsága érdekében. Így a Vatikán sohasem tudhatta meg.

Langdon nem volt meggyőzve, de annyit el kellett ismernie, hogy Vittoria érvelésének megvan a maga különös logikája. Az Illuminátusok híresek voltak arról, hogy elzárták a titkos információk útját, és csak a magasabb rangú tagok tudták az igazságot. Működésükben sorsdöntő volt az, hogy titokban maradjon... csak nagyon kevesen ismerték a teljes történetet.

– És Bernini kapcsolata az Illuminátusokkal – tette hozzá Vittoria elmosolyodva – megmagyarázza, miért tervezte ezt a két piramist.

Langdon az óriási piramisok felé fordult, és megrázta a fejét. – Bernini vallásos művész volt. Kizárt dolog, hogy ő faragta volna ezeket a piramisokat.

Vittoria vállat vont. – Akkor mire véli azt a feliratot a háta mögött?

Langdon rámeredt a táblára:

A CHIGI-KÁPOLNA ALKOTÓI
ÉPÍTETTE RAFFAELLO
A TELJES BELSŐ DEKORÁCIÓ GIANLORENZO BERNINI MUNKÁJA

Langdon kétszer is elolvasta a táblát, és még mindig nem volt meggyőzve. Gianlorenzo Berninit Szűz Mária, az angyalok, a próféták és a pápák míves és áhítatos ábrázolásáért ünnepelték. Hogy jutott volna eszébe piramisokat faragni?

Langdon felnézett a fölébe magasodó síremlékekre, és a legteljesebb zavarban érezte magát. Két piramis, mindegyikben egy fényes, ellipszis alakú medalion. Ennél keresztényietlenebb szobrot elképzelni sem lehet. A piramisok, a csillagok odafönt, a zodiákus jegyei. *A teljes belső dekoráció Gianlorenzo Bernini munkája.* Ha ez igaz, ismerte fel Langdon, az azt jelenti, hogy Vittoriának igaza van. Akkor semmi kétség, hogy Bernini volt az Illuminátusok ismeretlen mestere; hiszen senki más nem dolgozott ezen a kápolnán! Az ebből adódó következtetések szinte túl gyorsan jöttek ahhoz, hogysem Langdon feldolgozhatta volna őket.

Bernini Illuminátus volt.

Bernini tervezte az *Illuminátusok ambigrammáját.*

Bernini jelölte ki az *Illuminátusok ösvényét.*

Langdon alig bírt megszólalni. Lehetséges volna, hogy itt, a parányi Chigi-kápolnában a világhíres Bernini elhelyezett egy szobrot, amely megmutatja az utat Rómán át, a tudomány következő oltáráig?

– Bernini – mondta. – Sohase gondoltam volna.

– Ki más, mint egy neves vatikáni művész rendelkezett akkora befolyással, hogy Róma-szerte elhelyezhesse a műveit bizonyos, jól megválasztott katolikus kápolnákban, és létrehozza az *Illuminátusok ösvényét?* Semmiképp sem egy névtelen senki.

Langdon fontolóra vette a dolgot. A piramisokat elnézve azon tűnődött, vajon közülük az egyik lehet-e az útjelző. Esetleg mindkettő? – A piramisok ellenkező irányba néznek – mondta Langdon, maga sem tudva, mit jelenthet ez. – Ugyanakkor egyformák, így hát nem tudom, melyik...

– Nem hinném, hogy a piramis lesz az, amit keresünk.

– De itt nincsen más szobor...

Vittoria félbeszakította, odamutatva Olivetti és néhány embere felé, akik a démonlyuk körül gyülekeztek.

Langdon követte szemével a jelzett irányt, egészen a legtávolabbi falig. Először nem látott semmit. Aztán valaki elmozdult, és ő megpillantotta. Fehér márvány. Egy kar. Egy törzs. És aztán egy faragott arc. Félig elrejtőzve egy falfülkében. Két összefonódott, életnagyságú emberi alak. Langdon szívverése felgyorsult. Annyira elragadta a két piramis és a démonlyuk, hogy ezt a szobrot észre sem vette. A kápolnán és a testőrökön át elindult felé. Ahogy közelebb ért, rögtön ráismert Bernini keze munkájára – az erőteljes képzőművészeti kompozíció, a kidolgozott arcvonások, a ruhák hullámzása, s mindez a legtisztább, hófehér márványból, amelyet a Vatikán csak megszerezhetett. A szobor tárgyát már csak akkor ismerte föl, amikor ott állt közvetlenül előtte. Bámulta a két arcot és csak hápogni tudott.

– Kik ezek? – követelte a mellé érkező Vittoria.

Langdon megbűvölten állt. – *Habakukk és az angyal* – mondta, de a szavait alig lehetett hallani. Meglehetősen jól ismert Bernini-mű volt, amely számos művészettörténeti könyvben szerepelt. Langdon elfelejtette, hogy itt található.

– Habakukk?

– Igen. Az a próféta, aki megjósolta a föld pusztulását.

Vittorián látszott, hogy kínosan érzi magát. – Gondolja, hogy ez az útjelző?

Langdon elképedten bólintott. Soha életében nem volt még ennyire biztos semmiben. Ez volt az első illuminátus útjelző. Semmi kétség. Noha Langdon arra számított, hogy a szobor majd valahogyan „rámutat" a tudomány következő oltárára, azt nem gondolta volna, hogy ezt szó szerint kell érteni. Úgy az angyal, mint Habakukk kinyújtotta a karját és a messzeségbe mutatott.

Langdon azon kapta magát, hogy hirtelen elmosolyodik. – Nem túl rafinált, igaz?

Vittoria izgatottnak, ugyanakkor zavartnak is tűnt. – Azt látom, hogy mutatnak valahová, de ellentmondanak egymásnak. Az angyal az egyik irányba mutat, a próféta a másikba.

Langdon kuncogott. Vittoriának igaza volt. Jóllehet mindkét figura a távolba mutatott, viszont homlokegyenest ellenkező irányba. Azonban Langdon már megoldotta a problémát. Nagy lendülettel tört a kijárat felé.

– Hová megyünk? – szólt utána Vittoria.

– Ki az épületből. – Langdon újra könnyűnek érezte a lábát, miközben az ajtó felé futott. – Látnom kell, milyen irányba mutatnak azok a szobrok!

– Várjon! Honnan tudja, hogy melyikük ujját kell követni?

– A versből – szólt vissza Langdon a válla fölött. – Az utolsó sorból.

– *Angyal vigyázza büszke léptedet?* – Vittoria felnézett az angyal kinyújtott ujjára. Váratlanul elhomályosult a tekintete. – Ó, hogy a francba!

70

(G)unther Glick és Chinita Macri az árnyékban parkolt a BBC közvetítőkocsijával, a Piazza del Popolo túlsó végében. Röviddel a négy Alfa Romeo után érkeztek, még éppen időben, hogy szemtanúi legyenek az események felfoghatatlan láncolatának. Chinitának még mindig sejtelme sem volt arról, hogy mit jelenthet ez az egész, de gondja volt rá, hogy működjön a kamera.

Amint odaértek, Chinita és Glick fiatal férfiak kész hadseregét látta, akik kirontottak az Alfa Romeókból és körülvették a templomot. Néhányan fegyvert rántottak. Az egyik, egy idősebb, szigorú férfi egy csoport élén felrohant a templom homlokzati lépcsőin. A katonák elővették a pisztolyukat és lelőtték a zárakat a bejárati ajtókról. Macri nem hallott semmit, amiből arra következtetett, hogy hangtompítót használtak. A katonák bementek az épületbe.

Chinita azt ajánlotta, hogy maradjanak a helyükön és filmezzenek az árnyékból. Végül is ott fegyveresek vannak, ők pedig a kocsiból is jól láthatják az eseményeket. Glick nem ellenkezett. A tér túlsó oldalán férfiak jöttek-mentek a templom körül. Kiáltoztak egymásnak. Chinita beállította a kamerát, hogy kövesse annak a csapatnak a mozgását, amelyik átkutatta a környéket. Valamennyien, noha civil ruhát viseltek, katonás precizitással tevékenykedtek. – Mit gondolsz, kik lehetnek? – kérdezte Chinita.

– Fene tudja. – Glick feszülten figyelt. – Veszed az egészet?

– Minden kockát.

Glick roppant elégedett volt magával. – Még mindig úgy gondolod, hogy vissza kéne mennünk pápalesőbe?

Chinita nem tudta, mit feleljen. Az nyilvánvaló volt, hogy van itt valami, de elég régóta dolgozott már a médiánál ahhoz, hogy tudja: az érdekesnek tűnő történéseknek gyakran unalmas magyarázatuk van. – Lehet, hogy csak nagy hűhó semmiért – mondta. – Ezek a fickók is megkapták ugyanazt a tippet, mint te, és most ellenőrzik. Talán csak hamis riasztás.

Glick megragadta a karját. – Odanézz! Hozd be! – A templomra mutatott.

Chinita visszaközelített a kamerával a templom lépcsőire. – Üdv, hercegem – mondta, a férfira fokuszálva, aki most lépett ki a templomból.

– Ki ez az elegáns pasas?

Chinita beadott róla egy közelit. – Még sose láttam. – A férfi arcára fokuszált és elmosolyodott. – De azt nem mondom, hogy ezután sem szeretném látni.

Robert Langdon leszáguldott a templom lépcsőin, ki a piazza közepére. Már lassan sötétedett, bár a késő tavaszi nap sokára nyugszik le a déli Rómában. A nap lebukott a környező épületek mögé, és árnyékok sávozták a teret.

– Oké, Bernini – mondta ki hangosan Langdon –, hová a pokolba mutat az angyalod?

Megfordult, és szemügyre vette a templom tájolását, ahonnan az imént jött ki. Elképzelte odabent a Chigi-kápolnát, s abban az angyalszobrot. Habozás nélkül nyugat felé fordult, szembe a lenyugvó nappal. Rohamosan fogyott az idő.

– Délnyugat – mondta, átkozva az üzleteket és lakóházakat, amelyek elfogták a kilátást. – Arra van a következő útjelző.

Langdon erősen törte a fejét, igyekezett lapról lapra felidézni az itáliai művészet történetét. Noha nagyon jól ismerte Bernini életművét, azzal is tisztában volt, hogy a szobrásznak túl sok munkája van Rómában, lehetetlen, hogy egy nem Bernini-szakértő mindegyikről tudjon. Ám figyelembe véve az első útjelző – Habakukk és az angyal – viszonylagos ismertségét, Langdon azt remélte, hogy a második útjelző is van olyan híres, hogy emlékezzen rá.

Föld, levegő, tűz, víz, gondolta. A földet megtalálták – a Föld kápolnájában, hiszen Habakukk próféta volt az, aki megjósolta a föld pusztulását.

A következő a levegő. Langdon kényszerítette magát, hogy gondolkozzon. Egy Bernini-szobor, ami a levegővel kapcsolatos. Semmi sem jutott eszébe. De érezte, hogy mennyire fel van pörögve. Az *Illuminátusok* ösvényén vagyok! Még mindig létezik!

Langdon lábujjhegyre állt, hogy délnyugatra, az akadályok fölött rátaláljon egy toronyra vagy egy katedrálisra. Semmit sem látott. Térképre volt szüksége. Ha kideríthetné, milyen templomok vannak innen délnyugatra, az egyik talán előhívna valamit az emlékezetéből. Levegő, erőltette az agyát. Levegő. Bernini. Szobor. Levegő. Gondolkozz!

Langdon megfordult és visszaindult a székesegyház lépcsőihez. Az állványzat alatt összetalálkozott Vittoriával és Olivettivel.

– Délnyugatra – mondta Langdon zihálva. – A következő templom innen délnyugatra van.

Olivetti hidegen suttogta: – Ezúttal nem téved?

Langdon elengedte a füle mellett. – Szükségünk van egy térképre. Amelyiken rajta vannak Róma templomai.

A parancsnok egy pillanatig tanulmányozta Langdont, változatlan arckifejezéssel.

Langdon megnézte az óráját. – Már csak fél óránk maradt.

Olivetti lement Langdon mellett a lépcsőn, egyenesen a kocsija felé, amely közvetlenül a templom előtt parkolt. Langdon azt remélte, hogy térképért megy.

Vittoria izgatottnak tűnt. – Tehát az angyal délnyugatra mutat? Nem tudja, milyen templomok vannak arrafelé?

– Nem látok semmit azoktól az átkozott épületektől. – Langdon megint szembe fordult a térrel. – És nem ismerem elég jól Róma templomait ahhoz, hogy... – Elhallgatott.

Vittoria kérdőn nézett rá. – Mi az?

Langdon újra végignézett a piazzán. A lépcső tetején most magasabban állt és jobban látott. Még mindig nem tudott kivenni semmit, de rájött, hogy jó irányban tapogatózik. Tekintete felkúszott a feje fölött tornyosuló, rozoga állványerdőn.

Hat emelet magas volt, csaknem elérte a templom rózsaablakát, és jócskán fölé nyúlt a tér többi épületének. Egy pillanat alatt felismerte, mit kell tennie.

A tér másik oldalán Chinita Macri és Gunther Glick a szélvédőre tapadva ült a BBC közvetítőkocsijában.

– Veszed ezt? – kérdezte Gunther.

Macri ráközelített a férfira, aki most fölfelé mászott az állványzaton. – Kissé túl elegáns ahhoz, hogy itt pókembert játsszon, nem gondolod?

– És ki lehet a pókasszony?

Chinita megnézte magának az állványok alatt álló, vonzó nőt. – Lefogadom, hogy szívesen kiderítenéd.

– Nem gondolod, hogy fel kéne hívnom a szerkesztőséget?

– Még nem. Csak figyeljünk. Jobb, ha már van valami a tarsolyunkban, mielőtt bejelentjük, hogy otthagytuk a konklávét.

– Szerinted tényleg megölte itt valaki az egyik vén trottyot?

Chinita kuncogott. – Most már biztos, hogy a pokolra fogsz kerülni.

– De viszem magammal a Pulitzer-díjat is.

71

Az állványzat egyre ingatagabbnak tűnt, ahogy Langdon mind feljebb kapaszkodott. Ám minden lépéssel jobb kilátása nyílt Rómára. Mászott tovább.

Amikor elérte a legfelső szintet, erősebben zihált, mint gondolta volna. Föltornázta magát az utolsó platformra, félrehúzta a műanyag függönyt és felállt. A magasság egyáltalán nem zavarta. Sőt, erőt adott neki.

A látvány lélegzetelállító volt. Mint tűzóceán terült el előtte a piros cserepes római háztetők erdeje, felragyogva a lemenő nap fényében. E magaslati pontról életében először láthatta a levegőszennyezésen és az őrült forgalmon túl az igazi Rómát, az Isten városa – Citta di Dio – ősi gyökereit.

Hunyorogva a napfényben, templomtornyot vagy haranglábat keresett a háztetők fölött. De hiába tekintett egyre távolabbra és távolabbra a láthatár felé, nem látott semmit. Több száz templom van Rómában, gondolta. Kell lennie egynek délnyugatra is! Ha egyáltalán látható, figyelmeztette magát. A pokolba, ha egyáltalán áll még az a templom!

Kényszerítette a szemét, hogy lassabban járja be a távolságot, és újra kezdte a keresést. Természetesen tudta, hogy nem minden templomnak van kiemelkedő tornya, különösen ha kisebb, jelentéktelenebb kápolnáról van szó. Arra már jobb nem is gondolni, hogy az 1600-as évekhez képest – amikor még törvény írta elő, hogy a templomok legyenek a legmagasabb épületek –, milyen drámaian megváltozott Róma. Most, ahogy Langdon elnézte, bérházak, felhőkarcolók, tévétornyok magasodtak a város fölé.

Langdon szeme már másodszor érte el a horizontot, és még mindig nem látott semmit. Egyetlen tornyot sem. A messzeségben, Róma legszélén, Michelangelo masszív templomtornya fogta fel a lenyugvó napot. A Szent Péter-székesegyház. Vatikánváros. Langdon gondolatai elkalandoztak. Azon tűnődött, vajon hogy állnak a bíborosok és vajon a svájci testőrök megtalálták-e az antianyagot. Valami azt súgta neki, hogy nem találták meg... és nem is fogják.

A vers újra ott zakatolt az agyában. Figyelmesen, sorról sorra átgondolta. Hol *démonlyuk rejt földi nyughelyet, ott Santi sírját bizton megleled.* Megtalálták Santi sírját. *A fény ösvényen vár a négy elem...* A megvilágosodás ösvényét Bernini szobrai alkotják. A négy elem a föld, a levegő, a tűz és a víz. *Angyal vezesse büszke léptedet.*

Az angyal délnyugatra mutatott...

– A homlokzati lépcső! – kiáltotta Glick, vadul mutogatva a BBC közvetítőkocsájának szélvédőjén át. – Ott valami történik!

Macri visszairányította a kamerát a főbejáratra. Határozottan történt ott valami. A katonás kinézetű férfi közvetlenül a lépcső lábánál állította le az egyik Alfa Romeót, és felnyitotta a csomagtartóját. Most a teret pásztázta, mintha arról akarna meggyőződni, hogy nem figyel-e valaki. Macri egy pillanatra azt hitte, hogy a férfi kiszúrta őket, de aztán elfordította a tekintetét. Látható elégedettséggel vette kézbe a walkie-talkie-t, és mondott bele valamit.

Szinte azon nyomban mintha egy hadsereg nyomult volna ki a templomból. Akár egy felsorakozó amerikaifutball-csapat, a katonák egyenes vonalba rendeződtek a lépcső tetején. Emberi falként mozogva elindultak lefelé. Mögöttük, szinte tökéletesen láthatatlanul a fal rejtekében, négy katona cipelt valamit. Valami nehezet. Ormótlant.

Glick előrehajolt a műszerfalon. – Ellopnak valamit a templomból?

Chinita még közelebb hozta a képet, a telefotóval próbálkozott, hogy rést találjon a falon. Csak egy tizedmásodpercre, rimánkodott. Csak egyetlen kockát. Csak ennyit szeretnék. De a férfiak egy emberként mozogtak. Gyerünk már! Macri rajtuk maradt, és nem hiába. Amikor a katonák megpróbálták beemelni a tárgyat a csomagtartóba, Macri megtalálta a rést. A sors fintora, hogy éppen az idősebb férfi hibázott. Csak egy másodpercre. De Macri megkapta azt az egy kockát. Valójában több mint tíz kocka volt.

– Hívd a szerkesztőséget – mondta Chinita. – Van egy hullánk!

Messze innen, a CERN-ben, Maximilian Kohler bemanőverezett a kerekes székével Leonardo Vetra dolgozószobájába. Gépies hatékonysággal nekilátott átvizsgálni Vetra iratait. Nem találva meg, amit keresett, átment Vetra hálószobájába. Az éjjeliszekrény felső fiókját zárva találta. A konyhából hozott kés segítségével felfeszítette a zárat.

És a fiókban rábukkant arra, amiért jött.

72

Langdon leugrott az állványzatról és földet ért. Lesöpörte a vakolat porát a ruhájáról. Vittoria odament hozzá.

– Sikerült? – kérdezte.

Langdon megrázta a fejét.

– Betették a bíborost a csomagtartóba.

Langdon a parkoló kocsi felé fordult, ahol Olivetti és egy csapat katona a motorháztetőn szétterített térképet tanulmányozta. – Délnyugatra keresik?

Vittoria bólintott. – Nincs templom. Ide a legközelebbi a Szent Péter-bazilika.

Langdon felnyögött. De legalább egyetértenek. Elindult Olivetti felé. A katonák szétváltak, hogy utat nyissanak neki.

Olivetti felpillantott. – Semmi. De ez nem tüntet fel minden templomot. Csak a nagyobbakat. Úgy ötven van belőlük.

– Hol vagyunk most? – kérdezte Langdon.

Olivetti megmutatta neki a Piazza del Popolót, ahonnan húzott egy egyenes vonalat délnyugati irányban. A vonal jelentős távolságban haladt el a Róma nagyobb templomait jelölő fekete négyzetek mellett. Sajnálatos módon, Róma nagyobb templomai egyben Róma legrégebbi templomai is... azok, amelyek már az 1600-as években is itt álltak.

– Döntéseket kell hoznom – mondta Olivetti. – Biztos az irányt illetően?

Langdon maga elé képzelte az angyal kinyújtott ujját, és érezte, hogy nőttön-nő benne a türelmetlenség. – Igen, uram. Határozottan.

Olivetti megvonta a vállát és újra végigment a vonalon. Az egyenes átszelte a Margherita-hidat, a Via Cola di Rienzót, áthaladt a Piazza del Risorgimentón, és közben egyáltalán nem érintett templomokat, míg végül zsákutcába futott a Szent Péter tér kellős közepén.

– Miért nem jó a Szent Péter? – kérdezte az egyik katona, akinek egy mély sebhely volt a bal szeme alatt. – Az is templom.

Langdon a fejét rázta. – Nyilvános helynek kell lennie. És ez pillanatnyilag a legkevésbé sem tűnik annak.

– De a vonal a Szent Péter téren megy keresztül – tette hozzá Vittoria, átkukucskálva Langdon válla felett. – A tér nyilvános hely.

Langdon már maga is gondolt erre. – Csakhogy ott nincsenek szobrok.

– Nincs egy monolit a közepén?

Vittoriának igaza volt. A Szent Péter téren valóban volt egy egyiptomi monolit. Egy „magas piramis". Különös egybeesés, gondolta. Aztán elhessegette az ötletet. – A Vatikán monolitját nem Bernini faragta. Caligula hozta Rómába. És semmi köze a levegőhöz. – És volt még egy probléma. – Egyébként pedig az elemeknek Rómában kell lenniük. A Szent Péter tér Vatikánvárosban van. Nem Rómában.

– Az attól függ, kit kérdez – szólt közbe az egyik testőr.

Langdon fölnézett. – Micsoda?

– Ez örök vitatéma. A legtöbb térkép Vatikánváros részeként tünteti fel a Szent Péter teret, de mivel kívül esik a városfalakon, a római hatóságok évszázadok óta Róma részének tekintik.

– Ugye csak viccel? – kérdezte Langdon. Sose hallott még erről.

– Gondoltam, megemlítem – folytatta a testőr –, mivel Olivetti parancsnok és Ms. Vetra egy olyan szoborról beszélt, ami a levegővel kapcsolatos.

Langdon elkerekedett szemmel bámult rá. – És tud ilyenről a Szent Péter téren?

– Nem egészen. Valójában nem is szobor. Lehet, hogy semmi jelentősége.

– Azért csak halljuk – erősködött Olivetti.

A testőr vállat vont. – Én is csak azért tudok róla, mert rendszerint a Szent Péter térre vagyok beosztva őrségbe. Minden talpalatnyi helyet ismerek ott.

– A szobor – nógatta Langdon. – Hogy néz ki? – Langdon közben már azon tűnődött, tényleg olyan merészek voltak-e az Illuminátusok, hogy éppen a Szent Péter-székesegyház előtt helyezzék el a második útjelzőjüket.

– Mindennap ott járőrözöm – mondta a katona. – A tér közepén van, pontosan ott, ahová a vonal vezet. Ezért jutott eszembe. Ahogy mondtam, valójában nem is szobor. Inkább egy... kőtömb.

Olivetti dühösnek látszott. – Egy kőtömb?

– Igen, uram. Egy márványkő, amit beágyaztak a térbe. De nem négyszögletes. Hanem egy ellipszis. És a teli pofával fúvó szél képe van belevésve. – A testőr elhallgatott. – Vagyis a levegőé, ha tudományosan akarok fogalmazni.

Langdon elképedve bámult a fiatal katonára. – Ez egy relief? – kiáltott fel hirtelen.

Mindenki ránézett.

– A relief – mondta Langdon – egy szobornak a fele. – A szobrászat a körüljárható formák létrehozásának művészete, de idetartozik a relief is. – Évek óta számtalanszor írta már föl a táblára ezt a meghatározást. – A relief lényegében egy kétdimenziós szobor, mint Abraham Lincoln profilja az egycentesen. Bernini két medalionja a Chigi-kápolnában szintén tökéletes példa erre.

– Bassorelievo? – kérdezte a testőr az olasz képzőművészeti szakkifejezést használva.

– Igen! Féldombormű. – Langdon megkopogtatta ujjperceivel a kocsi motorháztetőjét. – Nem gondolkoztam ezekben a fogalmakban. Az a kőlap a Szent Péter téren, amiről beszél, a *Nyugati szél* címet viseli. De úgy is hívják: *Respiro di Dio*.

– Isten lehelete?

– Igen! A levegő! Maga az eredeti építész faragta ki és helyezte el ott!

Vittorián látszott, hogy összezavarodott. – De én úgy tudtam, hogy a Szent Pétert Michelangelo tervezte.

– Igen, a bazilikát! – kiáltotta Langdon diadalittasan. – De a Szent Péter teret Bernini tervezte!

Miközben az Alfa Romeók karavánja kihúzott a Piazza del Popolóról, a kocsiban ülők túlságosan elfoglaltak voltak ahhoz, hogy észrevegyék a BBC mögöttük haladó furgonját.

73

Gunther Glick a padlóig nyomta a BBC közvetítőkocsijának gázpedálját, így manőverezett a forgalomban a gyorsan haladó négy Alfa Romeo nyomában, amelyek a Ponte Margheritán keresztül áthajtottak a Tiberis túlsó partjára. Normális körülmények között Glick valamelyest hátramaradt volna, hogy ne keltsen gyanút, de ma annak is örült, ha nem vesztette szem elől a konvojt. Azok a fickók szinte repültek.

Macri a munkaállomásánál ült a kocsi hátuljában, és most fejezett be egy telefonbeszélgetést Londonnal. Bontotta a vonalat, és a forgalom zaját túlkiabálva odaüvöltött Glicknek:

– A jó híreket mondjam előbb, vagy a rosszakat?

Glick a homlokát ráncolta. Az otthoni központtal mindig nehéz volt szót érteni. – A rosszakat.

– A szerkesztő őrjöng, hogy otthagytuk a posztunkat.

– Micsoda meglepetés.

– És úgy gondolja, hogy egy csaló adta a tippet.

– Hát persze.

– A főnök még arra is felhívta a figyelmemet, hogy nincs ki mind a négy kereked.

Glick savanyú képet vágott. – Remek. És mi a jó hír?

– Hogy hajlandók megnézni a felvételeinket.

Glick érezte, hogy fanyar mosolyából széles vigyor lesz. Na, majd meglátjuk, kinek nincs ki a négy kereke. – Akkor nyomasd nekik.

– Addig nem tudom átküldeni, amíg meg nem állunk és nincs egy stabil cellaértékem.

Glick kilőtt a kocsival a Via Cola di Rienzóra. – Most nem állhatunk meg. – Majd egy éles balkanyarral a Piazza del Risorgimentón eredt az Alfa Romeók nyomába.

Minden tárgy ide-oda csúszkált a kocsiban, de Macri csak a számítógépes felszerelést bírta megtartani. – Ha összetöröd a jeladómat – figyelmeztette Glicket –, akkor gyalog kell elvinnünk ezt a felvételt Londonba.

– Tartsd ki, bébi. Valami azt súgja nekem, hogy hamarosan megérkezünk.

Macri fölnézett. – Hová?

Glick rámeredt az ismerős bazilikára, amely már ott magasodott közvetlenül előttük. Elmosolyodott. – Pontosan oda, ahonnan elindultunk.

A négy Alfa Romeo rutinosan besorolt a Szent Péter tér körüli forgalomba. Szétváltak, és a piazza külső körének különböző pontjain álltak meg, ahol a férfiak csendben kiszálltak. A civil ruhás testőrök elvegyültek a turistacsoportok és a tér szélén sorakozó közvetítőkocsik között, és abban a pillanatban láthatatlanná váltak. Néhány testőr a kolonnádot körülölelő oszlopok mögött tűnt el. Ők is mintha beleolvadtak volna a környezetükbe. Ahogy Langdon kifelé bámult a szélvédőn, érzékelte, ahogy szoros gyűrűbe fogják a Szent Péter teret.

Miután Olivetti szétküldte a jelenlévő embereit, még beszólt rádión a Vatikánba, hogy további álruhás testőröket rendeljen a piazza közepére, Bernini *Nyugati szél* című domborművéhez. Miközben Langdon a Szent Péter hatalmas, nyílt terét figyelte, nem hagyta nyugodni egy ismerős kérdés. Hogyan akar innen elmenekülni az illuminátus gyilkos? Hogyan hurcol ide egy bíborost a tömegen át, és hogyan öli meg itt, a nyílt színen? Langdon megnézte a Miki egeres óráját. 20.54-et mutatott. Még hat perc van hátra.

Az első ülésen helyet foglaló Olivetti most hátrafordult Langdonhoz és Vittoriához. – Azt szeretném, ha maguk ketten odamennének és ráállnának annak a Bernini-féle téglának, kőnek, vagy fene tudja minek a tetejére. Ugyanaz a taktika. Maguk turisták. Használják a telefont, ha észrevesznek valamit.

Mielőtt még Langdon válaszolhatott volna, Vittoria megfogta a kezét és kihúzta a kocsiból.

A tavaszi nap már lenyugodni készült a Szent Péter-bazilika mögött, egyre sötétebbek lettek az árnyékok, lassan hatalmukba vették az egész piazzát. Langdonon végigfutott a hideg, amikor belépett a hűvös, fekete árnyéksávba. A rengeteg ember között kígyózva azon kapta magát, hogy az arcokat fürkészi, vajon közöttük van-e a gyilkos. Érezte Vittoria kezének melegét.

Ahogy keresztülvágtak az óriási Szent Péter téren, Langdon azt tapasztalta, hogy Bernini piazzája pontosan azt a hatást kelti, amelyet a művész eltervezett: *alázatot váltani ki mindazokból, akik ide belépnek*. Langdon kétségtelenül alázatosnak érezte magát ebben a pillanatban. Alázatosnak és éhesnek, ismerte fel meglepődve, hogy ilyen kicsinyes gondolat jutott eszébe ebben a sorsdöntő helyzetben.

– Az obeliszkhez? – kérdezte Vittoria.

Langdon bólintott, balra kanyarodva a piazzán.

– Idő? – kérdezte meg Vittoria, miközben fürgén, de feltűnés nélkül haladt a cél felé.

– Még öt perc.

Vittoria nem mondott semmit, de Langdon érezte, hogy erősebben szorítja a kezét. Langdon zsebében még mindig ott volt a pisztoly. Nagyon remélte, hogy Vittoria nem akarja majd használni. Elképzelhetetlennek tartotta, hogy a lány fegyvert rántson a Szent Péter téren, és térden lőjön egy gyilkost a nemzetközi média figyelő tekintete előtt. Bár egy efféle eset semmi volna ahhoz képest, hogy ugyanitt megbélyegeznek és legyilkolnak egy bíborost.

Levegő, gondolta Langdon. A tudomány második eleme. Megpróbálta elképzelni a billogot. A gyilkosság módszerét. Újra végigpásztázta a lába előtt elterülő gránitsivatagot – a Szent Péter teret –, amelyet svájci testőrök vesznek körül. Ha a hasszasszinnak tényleg lesz mersze megkísérelni a dolgot, Langdon elgondolni sem tudta, hogyan menekülhetne el.

A piazza közepén ott emelkedett Caligula 350 tonnás egyiptomi obeliszkje. Piramis alakú csúcsáig, amelyre egy vaskeresztet állítottak, huszonöt méteres magasságban tört az ég felé. Elég magasan ahhoz, hogy elkapja az estéli nap utolsó sugarát, amely úgy ragyogtatta fel a keresztet, mintha varázslat történt volna... mintha ebben a keresztben egyesültek volna annak a keresztnek a relikviái, amelyen Krisztust megfeszítették.

Két díszkút fogta közre az obeliszket tökéletes szimmetriában. A művészettörténészek tudják azt, hogy a kutak jelölik ki Bernini ellipszis alakú terének geometrikus fókuszpontjait, de Langdon egészen a mai napig nem gondolkozott el igazán ezen az építészeti furcsaságon. Most hirtelen úgy tűnt fel előtte, mintha Róma tele lenne ellipszisekkel, piramisokkal és geometriai különlegességekkel.

Ahogy közeledtek az obeliszkhez, Vittoria lelassította a lépteit. Mélyeket lélegzett, mintha azt akarná sugalmazni Langdonnak, hogy vele együtt relaxáljon. Langdon igyekezett, leeresztette a vállát és ellazította összeszorított állkapcsát.

Valahol az obeliszk körül ott volt a tudomány második oltára – Bernini *Nyugati szele*, egy ellipszis alakú dombormű –, amelyet nagy merészen a világ leghatalmasabb temploma előtt helyeztek el a Szent Péter téren.

Gunther Glick a Szent Péter teret közrefogó oszlopok árnyékából lesett kifelé. Rendes körülmények között ez a tweedzakós férfi és a khaki rövidnadrágos nő a legkevésbé sem érdekelte volna. Egyszerű turistáknak látszottak, akik élvezik a tér látványosságait. De ma nem voltak rendesek a körülmények. A mai nap a telefonos tippek, a hullák, a Rómában száguldozó, megkülönböztető jelzés nélküli autók és a tweedzakós férfiak napja volt, akik felmásznak az állványzatra, isten tudja, mit keresve. Glick rájuk szánta a mai napját.

Kinézve a térre Macrit pillantotta meg. Pontosan ott volt, ahová Glick parancsolta, a párocska másik oldalán tette a dolgát. Szórakozottan cipelte a videóját, egy unatkozó sajtómunkás látszatát keltve, de Glick szerint még így is feltűnőbb volt a kelleténél. A térnek ebben a távoli sarkában nem voltak riporterek, és a kamerájára ragasztott „BBC" rövidítés máris magára vonta néhány turista figyelmét.

Macri korábban készített felvételeit, a csomagtartóba rejtett meztelen hulláról, éppen most közvetítette a VCR rendszer a furgon hátuljában. Glick tudta, hogy a képek ebben a pillanatban is útban vannak a feje fölött, és meg sem állnak Londonig. Azon tűnődött, mit szól hozzá a szerkesztőség.

Azt kívánta, bárcsak hamarabb találták volna meg a holttestet Macrival, mint a civil ruhás katonák. Az a hadsereg, amelyik most szétszóródott és körülvette a piazzát... Valami nagy dolog van itt készülőben.

A sajtó az anarchia jobbkeze, mondta a gyilkos. Glick azon tűnődött, nem szalasztja-e el a nagy kiugrási lehetőséget. Átnézett a többi közvetítőkocsira a távolban, majd a rejtélyes párt követő Macrit kezdte el figyelni. Valami azt súgta Glicknek, hogy még mindig jók az esélyei...

74

Langdon már jó tíz méterrel előbb meglátta, amit keresett, mielőtt odaért volna. A szanaszét őgyelgő turisták között Bernini *Nyugati szelének* fehér márványellipszise emelkedett ki a tér többi részét alkotó, szürke gránitlapok közül. Vittoria is felfedezhette, mert érezhetően erősödött a szorítása.

– Nyugi – suttogta Langdon. – Vesse be a piranhatrükköt.

Vittoria lazított a szorításán.

Ahogy egyre közelebb jutottak, riasztóan normálisnak tűnt minden. Bolyongó turisták, fecserésző apácák a piazza körül, egy galambokat etető kislány az obeliszk lábánál.

Langdon visszatartotta magát attól, hogy ellenőrizze az óráját. Anélkül is tudta, hogy mindjárt itt az idő.

Amikor már a talpuk alatt volt az ellipszis alakú kő, Langdon és Vittoria egy pillanatra megállt – feltűnés nélkül, mint két turista, akik kötelességtudóan megtekintenek egy közepesen érdekes látnivalót.

– *Nyugati szél* – mondta Vittoria, felolvasva a kő feliratát.

Langdon lenézett a márványreliefre és egyszerre naivnak érezte magát. Sem a művészettörténeti könyveit tanulmányozva, sem a Rómába tett számos utazása során nem fogta fel a *Nyugati szél* jelentőségét.

Egészen mostanáig.

A dombormű ellipszis alakú volt, úgy egy méter hosszú, és egy kezdetleges arcot ábrázolt – az angyalszerű vonásokkal megjelenített *nyugati szelet.* Az angyal szája fújta a szelet, az ő lélegzete volt az az erőteljes fuvallat, amely Bernini ábrázolása szerint a Vatikánnal ellentétes irányban áramlott... Isten lehelete. Ez volt Bernini tisztelgése a második elem, a levegő előtt... a légies zefír, ami egy angyal ajkai közül fúj. Miközben nézte, Langdon még mélyebben ráébredt a relief jelentőségére. Bernini öt, különálló légáramot faragott ki... ötöt! Sőt mi több, a medaliont két fénylő csillag fogta közre. Langdon Galileire gondolt. Két csillag, öt légáramlat, ellipszis, szimmetria... Tompának érezte magát. És megfájdult a feje.

Vittoria egyszer csak elindult, magával húzva Langdont is.

– Azt hiszem, követnek bennünket – mondta.

Langdon felkapta a fejét. – Hol?

Vittoria jó harminc méterre vezette a domborműtől, és csak akkor válaszolt. A Vatikán felé mutatott, mintha fel akarná hívni Langdon figyelmét valamire a dómon. – Ugyanaz a személy végig a nyomunkban volt, amíg átjöttünk a téren. – Vittoria szórakozottan hátrapillantott a válla fölött. – Itt van most is. Még mindig követ.

– Gondolja, hogy a hasszasszin az?

Vittoria megrázta a fejét. – Nem, hacsak az Illuminátusok nem nőket bérelnek fel, BBC-kamerával a vállukon.

Amikor fülsiketítő csengés-bongással megszólaltak a Szent Péter-templom harangjai, Langdon és Vittoria is összerezzent. Eljött az idő. Eltávolodtak a *Nyugati széltől*, hogy megpróbálják lerázni a riporternőt, de most visszaindultak a relief felé.

A zúgó harangok ellenére tökéletesen békésnek tűnt minden. Turisták mászkáltak. Az obeliszk lábánál egy beszívott hajléktalan szunyókált. Egy kislány a galambokat etette. Langdon azon tűnődött, hogy a riporternő nem ijesztette-e el a gyilkost. Nem valószínű, döntötte el magában, felidézve a gyilkos ígéretét. Médiasztárokat csinálok a bíborosaikból.

Ahogy elhalt a kilencedik ütés visszhangja is, nyugodalmas csend ereszkedett a térre.

Azután... a kislány sikítani kezdett.

75

Langdon ért oda elsőnek a sikoltozó kislányhoz.

A halálra rémült gyermek dermedten állt, és az obeliszk lábára mutatott, ahol egy szakadt és elaggott részeg férfi ült magába roskadva a lépcsőn. Szánalmas látványt nyújtott... valószínűleg egy római hajléktalan volt. Ősz haja zsíros csomókban lógott az arcába és egész testét valami mocskos rongy takarta. A kislány még akkor sem hagyta abba a visítást, amikor eliramodott a tömegben.

Langdon érezte, hogy rátör a félelem, amint az emberi roncs felé rohant. Sötét, egyre terjedő folt jelent meg a férfi rongyain. Friss, kiömlő vér.

Azután mintha egy pillanat alatt játszódott volna le minden.

Az öregember összecsuklott és előrebukott. Langdon utánavetette magát, de elkésett. Az ember elzuhant, leesett a lépcsőről és arccal lefelé elterült a kövezeten. Nem mozdult többé.

Langdon térdre rogyott mellette. Vittoria futva érkezett. A tömeg egyre gyülekezett.

Vittoria a férfi torkára helyezte az ujjait. – Még van pulzusa – mondta. – Fordítsuk meg.

Langdon már akcióba is lendült. Megragadta a férfi vállát és a hátára fordította. A bő rongyok úgy váltak le az emberről, akár a rothadó hús. A férfi tehetetlenül a hátára puffant. Mezítelen mellkasának közepén nagy területen megpörkölődött a bőre.

Vittoria eltátotta a száját és hátrahőkölt.

Langdon érezte, hogy mozdulatlanná dermed, helyére szögezi a viszolygás, egyszersmind az ámulat. Elborzasztotta a szimbólum egyszerűsége.

– Levegő – mondta Vittoria elfulladva. – Ő lesz az.

Svájci testőrök tűntek elő a semmiből, parancsokat kiáltottak, üldözőbe vették a láthatatlan gyilkost.

Egy közelben álló turista azt magyarázta, hogy mindössze egy-két perccel ezelőtt, egy sötét bőrű férfi volt olyan kedves, hogy átsegítse ezt a szegény, fulladozó hajléktalant a téren... még mellé is ült egy percre a lépcsőn, mielőtt beleveszett volna a tömegbe.

Vittoria letépte a rongyok maradékát a férfi mellkasáról. Két mély, pontszerű szúrt seb látszott a billog két oldalán, közvetlenül a bordák alatt. Hátrahajtotta az öreg fejét és megpróbálkozott a mesterséges lélegeztetéssel. Langdon nem volt felkészülve arra, ami ezután történt. Ahogy Vittoria levegőt fújt a férfi szájába, a mellkasán lévő két seb sziszegő hangot hallatott, majd úgy spriccelt ki belőlük a vér, mint a vízsugár a bálnák orrnyílásaiból. A sós folyadék Langdon arcába fröccsent.

Vittoria rémülten abbahagyta a lélegeztetést. — A tüdőlebenyek... — dadogta. — Átszúrták őket.

Langdon kitörölte a vért a szeméből, és megnézte a két sebhelyet. A kimeneti nyílások bugyborékoltak. A bíborosnak tönkrement a tüdeje. Ez volt a halál oka.

Vittoria letakarta a tetemet, miközben a svájci testőrök körülállták.

Langdon elvesztette a fejét. Ahogy ott állt teljesen összezavarodva, észrevette a nőt, aki követte őket. Most a BBC-feliratú videokamerával a vállán, lekuporodva filmezett. Összeakadt a tekintetük, és Langdon tudta, hogy a nő mindent felvett. Aztán elillant, mint egy macska.

76

Chinita Macri futásnak eredt. Megszerezte élete nagy sztoríját.

Horgonynak érezte a videokameráját, ahogy keresztülcsörtetett a Szent Péter téren, utat törve magának a sűrűsödő tömegben.

Mintha mindenki az ellenkező irányba igyekezett volna... a zűrzavar felé. Macri megpróbált minél messzebbre jutni. A tweedzakós férfi észrevette, és most az volt az érzése, hogy mások is a nyomában vannak, férfiak vonnak gyűrűt köré, akiket nem láthat.

Macri még mindig elborzadt a képektől, amelyeket az imént rögzített. Azon tűnődött, hogy vajon tényleg az volt-e a halott, akire gondolt. Egyszeriben már nem tűnt olyan őrültnek Glick rejtélyes telefonhívója.

Ahogy a BBC közvetítőkocsija felé sietett, egy határozottan katonás külsejű fiatalember vált ki előtte a tömegből. Találkozott a tekintetük, és mindketten megálltak. A férfi villámsebesen előkapta a walkie-talkie-ját és mondott bele valamit. Aztán elindult Macri felé. Macri sarkon fordult, és hevesen dobogó szívvel újra belevetette magát a tömegbe.

Miközben a karok és a lábak erdejében botladozott, kiemelte a videokazettát a kamerából. Aranyat érő celluloid, gondolta, és hátul az övébe dugta, hogy a kabátja szárnyai eltakarják. Életében először örült annak, hogy van némi súlyfölöslege. Glick, hol a pokolban vagy?

Újabb katona tűnt fel balról, egyre közelebb kerülve Chinitához. Tudta, hogy nem sok ideje maradt. Ismét elbújt a tömegben. Kivett egy üres kazettát a tokból és becsúsztatta a kamerába. Aztán imádkozott.

Már csak harminc méterre volt a BBC közvetítőkocsijától, amikor két férfi bukkant fel közvetlenül az orra előtt, összefont karral. Innen már nem volt menekvés.

– A filmet – vetette oda az egyik. – Gyerünk.

Macri hátralépett és védekezően átfogta a kamerát a két karjával. – Nem adom.

Az egyik férfi félrehúzta a zakóját, elővillantva a fegyverét.

– Lőjön le – mondta Macri, elképedve a hangjában csengő merészségen.

– A filmet – ismételte az első férfi.

Hol az ördögben van Glick? Macri toppantott a lábával és üvöltött, ahogy a torkán kifért: – Én a BBC hivatásos operatőre vagyok! A sajtószabadságról szóló törvény 12. cikkelye szerint ez a film a British Broadcasting Corporation tulajdona!

A férfi meg sem rezzent. A fegyveres tett egy lépést a nő felé. – Én pedig a svájci testőrség hadnagya vagyok, és a Szent Doktrina értelmében, amelynek érvénye kiterjed a területre, ahol most állunk, önt motozásnak vetem alá.

Most már körülöttük is gyülekezni kezdett a tömeg.

Macri ordított: – Semmilyen körülmények között nem adom oda a filmet ebből a kamerából, amíg nem beszéltem a londoni szerkesztőséggel. Azt ajánlom...

A testőrök elhallgattatták. Az egyik kiragadta a kamerát a kezéből. A másik erőteljesen megszorította a karját, és a Vatikán felé kormányozta. – *Grazie* – mondta, átvezetve Macrit a tülekedő tömegen.

Macri imádkozott, hogy ne motozzák meg, és ne találják meg a kazettát. Ha valahogy meg tudná menteni a filmet...

Hirtelen valami elképzelhetetlen dolog történt. Valaki a tömegből benyúlt a kabátja alá. Macri érezte, hogy kirántják az övéből a videokazettát. Visszafordult, de a kikívánkozó szavakat lenyelte. Háta mögött a levegőért kapkodó Glick kacsintott rá, majd beleolvadt az embersűrűbe.

Robert Langdon betántorgott a pápai irodából nyíló privát fürdőszobába. Letörölte a vért az arcáról és a szájáról. Nem a saját vére volt. Hanem Lamassé bíborosé, aki most halt rettenetes halált a zsúfolt téren, a Vatikán előtt. *Szűz áldozatok a tudomány oltárán.* A hasszasszin eddig még valamennyi fenyegetését beváltotta.

Langdon erőtlennek érezte magát, ahogy belenézett a tükörbe. Nyúzott volt a tekintete, és a borosta már kezdett kiütközni az arcán. A helyiség makulátlan és fényűző volt — fekete márvány és arany szerelvények, puha törülközők és illatosított szappanok.

Langdon megpróbálta kiűzni az agyából az imént látott véres billog képét. Levegő. A kép tovább üldözte. Három ambigrammát látott azóta, hogy hajnalban fölébredt... és tudta, hogy még kettő vár rá.

Az ajtón túlról érkező hangokból ítélve Olivetti, a *camerlengo* és Rocher kapitány vitatkozott a következő lépésről. Nyilvánvaló volt, hogy az antianyag keresése mostanáig nem hozott eredményt. Vagy a testőrök hibáztak, vagy a behatoló rejtette el olyan jól a tárolóedényt a Vatikánon belül, hogy Olivetti parancsnoknak ott eszébe sem jutott keresni.

Langdon megtörölte a kezét és az arcát. Aztán megfordult és egy piszoár után nézett. Sehol semmi. Csak egy tál. Fölemelte a tetejét.

Ahogy ott állt, érezte, hogy kiáramlik a feszültség a testéből, és szédítő hullámként reszkettette meg a fáradtság. Olyan sokféle és annyira ellentétes érzelem dúlt benne. Kimerült az étlen-szomjan talpalásban, az *Illuminátusok* ösvényének keresésében, a két brutális gyilkosság látványában. Langdon érezte, hogy egyre inkább retteg a dráma lehetséges végkifejletétől.

Goldolkozz, mondta magának. De üres volt az agya.

Öblítés közben váratlan dolog tudatosult benne. Ez itt a pápa vécéje, gondolta. Éppen az imént vizeltem bele a pápa vécéjébe. Muszáj volt nevetnie. A szent trónus.

78

Londonban a BBC egyik technikusa kiemelt egy videokazettát a műholdas átvevőből, átszáguldott vele a stúdión, berohant a főszerkesztő irodájába, belökte a videolejátszóba és elindította.

Miközben forgott a szalag, beszámolt arról a beszélgetésről, amit az imént folytatott a Vatikánvárosból bejelentkező Gunther Glickkel. Közben a BBC fotóarchívumából megérkezett a hír, hogy sikerült azonosítani a Szent Péter téri áldozatot.

Amikor a főszerkesztő kilépett az irodájából, megkongatott egy tehénkolompot. A szerkesztőségben minden leállt.

– Öt percen belül élő adás! – bömbölte a főnök. – Híranyagot előkészíteni! Médiakoordinátorok, lépjetek kapcsolatba a partnerekkel! Van egy szenzációs sztorink! És filmünk is van hozzá!

Az üzleti kapcsolattartók felragadták a naplóikat.

– Milyen hosszú a film? – kiáltotta az egyik.

– Harminc másodperc – válaszolta a főnök.

– Tartalma?

– Emberölés élőben.

A koordinátorok láthatóan felbátorodtak. – Felhasználás és a licenc ára?

– Fejenként egymillió USA-dollár.

Erre mindenki felkapta a fejét. – Micsoda?

– Jól hallottátok! A tápláléklánc csúcsát akarom! CNN, MSNBC, aztán a három nagy! Ajánljatok fel egy előzetes betekintést. Adjatok nekik öt percet, mielőtt a BBC lehozza az anyagot.

– De hát mi a fene történt? Elevenen megnyúzták a miniszterelnököt?

A főnök megrázta a fejét. – Ez annál is jobb.

Ugyanebben a pillanatban, valahol Rómában, a haszszasszin egy kényelmes karosszékben élvezte a nyugalom egy röpke pillanatát. Áhítattal nézett körül a legendás szobában. Az Illuminátusok templomában ülök, gondolta. Az illuminátus rejtekhelyen. Alig hitte el, hogy még mindig létezik, ennyi évszázad után.

Kötelességtudóan feltárcsázta a BBC riporterét, akivel már korábban is beszélt. Eljött az idő. A világnak még értesülnie kell a megrázó hírekről.

Vittoria Vetra elkortyolt egy pohár vizet és szórakozottan csipegetett a teasüteményből, amit az egyik svájci testőr hozott. Tudta, hogy ennie kell, de nem volt étvágya. A pápai hivatalban óriási zűrzavar uralkodott, a terem visszhangzott a feszült eszmecseréktől. Rocher kapitány, Olivetti parancsnok és vagy fél tucat testőr vitatkozott a veszély mértékén és a következő lépésen.

Robert Langdon a közelben állt és kibámult a Szent Péter térre. Levertnek látszott. Vittoria odament hozzá. – Van valami ötlete?

Langdon nemet intett a fejével.

– Teasüteményt?

Langdonnak felderült a kedve az étel láttán. – Naná. Köszönöm. – Mohón falni kezdett.

A hátuk mögött váratlanul elcsendesedett a társalgás, amikor két svájci testőr kíséretében Ventresca *camerlengo* lépett be a szobába. Ha a kamarás korábban fáradtnak látszott, gondolta Vittoria, akkor most olyan, mint akinek kiszívták minden csepp erejét.

– Mi történt? – kérdezte a *camerlengo* Olivettitől. De az arckifejezéséből ítélve a legrosszabbat már elmondhatták neki.

Olivetti hivatalos tájékoztatása úgy hangzott, mint egy háborús jelentés az áldozatokról. Katonás tömörséggel számolt be a tényekről. – Ebner kardinálist röviddel nyolc óra után holtan találták a Santa Maria del Popolóban. Megfojtották, és egy *EARTH* feliratú ambigrammát billogoztak a mellkasára. Lamassé bíborost tíz perccel ezelőtt gyilkolták meg a Szent Péter téren. Tüdőperforációban halt meg. Őt is megbélyegezték, az *AIR* szó ambigrammájával. A gyilkos mindkét esetben elmenekült.

A *camerlengo* átvágott a termen és sóhajtva leült a pápa íróasztalához. Lehajtotta a fejét.

– Guidera és Baggia bíboros viszont még életben vannak.

A *camerlengo* felvetette a fejét, az arcán fájdalmas kifejezés tükröződött. – Ezzel vigasztalhatjuk magunkat? Két kardinálist meggyilkoltak, parancsnok. És a másik kettő sem maradhat életben, ha nem találják meg őket.

– Meg fogjuk találni – biztosította róla Olivetti. – Én bizakodó vagyok.

– Bizakodó? Eddig csak kudarcokat tudunk felmutatni.

– Nem így van. Két csatát elvesztettünk, *signore*, de meg fogjuk nyerni a háborút. Az Illuminátusok médiacirkuszt akartak csinálni ebből az estéből. De mi keresztülhúztuk a számításukat. Mindkét bíboros tetemét incidens nélkül visszaszállítottuk. Továbbá – folytatta Olivetti –, Rocher kapitány elmondta, hogy jelentős előrehaladást értek el az antianyag felkutatásában.

Itt Rocher kapitány lépett elő vörös barettsapkájában. Vittoria úgy érezte, hogy Rocher valahogy emberibbnek tűnik a többi testőrnél – határozott, de nem annyira merev. Rocher hangja olyan érzelmes és kristálytiszta volt, akár a hegedű hangja. – Azt reméljük, hogy egy óra múlva idehozzuk önnek a tárolóedényt, *signore*.

– Kapitány – mondta a *camerlengo* –, nézze el nekem, ha én kevésbé vagyok reményteli, de az a benyomásom, hogy a Vatikán átkutatásához jóval több időre lenne szükség, mint amennyi a rendelkezésünkre áll.

– Egy teljes kutatáshoz igen. Ám a helyzet áttekintése után meggyőződésem, hogy az antianyag az egyik fehér zónában van... a Vatikán egyik olyan szektorában, amelyet turisták is látogatnak, például a múzeumokban vagy a Szent Péter-bazilikában. Már ezeken a helyeken is áramtalanítottunk, és folyik a keresés.

– Ön csak a Vatikán egy kis százalékát akarja átkutatni?

– Igen, *signore*. Erősen valószínűtlen, hogy a behatoló eljuthatott Vatikánváros belsőbb zónáiba. Az a tény, hogy a hiányzó biztonsági kamerát egy nyilvánosan hozzáférhető helyről, az egyik múzeum lépcsőfordulójából lopták el, nyilvánvalóan arra utal, hogy a behatoló nem jutott messzire. Ennél fogva csak egy másik nyilvános területen helyezhette el a kamerát és az antianyagot. Mi most ezekre a területekre irányítjuk a kutatást.

– De a behatoló elrabolt négy bíborost is. Ez mindenképpen azt jelzi, hogy messzebbre jutott, mint gondolnánk.

– Nem feltétlenül. Nem feledkezhetünk meg arról, hogy a bíborosok a vatikáni múzeumokban és a Szent Péter-bazilikában töltötték a nap jó részét, ahol ma mentesülhettek a tömegtől. Valószínű, hogy az egyik ilyen területen ejtették foglyul a kardinálisokat.

– De hogy jutottak ki velük a falon?

– Ezen még dolgozunk.

– Értem. – A *camerlengo* sóhajtott egyet és felállt. Odament Olivettihez. – Parancsnok, hallani szeretném a kiürítési tervet vészhelyzet esetére.

– Még finomítjuk a részleteit. Addig is, én hiszek abban, hogy Rocher kapitány meg fogja találni a tárolóedényt.

Rocher összeütötte a bokáját, mintha megköszönné, hogy bizalmat szavaztak neki. – Az embereim már átkutatták a fehér zónák kétharmad részét. Jó okunk van a bizakodásra.

A *camerlengo* úgy festett, mint aki nem osztozik a bizakodásban.

Ebben a pillanatban egy mappával és egy térképpel a kezében belépett a szobába az a testőr, akinek sebhely volt a bal szeme alatt. Langdon felé tartott. – Mr. Langdon? Megszereztem azt az információt, amelyet a *Nyugati szélről* kért.

Langdon lenyelte a süteményt. – Remek. Hadd lássuk.

A többiek folytatták a társalgást, miközben Vittoria csatlakozott Roberthez, a testőr pedig szétterítette a térképet a pápa íróasztalán.

A katona rámutatott a Szent Péter térre. – Itt vagyunk. A *Nyugati szél* innen keletre, a Vatikánnal ellentétes irányba fúj. – A testőr vonalat húzott az ujjával a Szent Péter tértől a Tiberis folyón át, a régi Róma szívéig. – Mint láthatják, a vonal keresztülmegy csaknem az egész régi Rómán. Az útvonal mentén mintegy húsz katolikus templom van.

Langdon összeroskadt. – Húsz?

– Lehet, hogy több is.

– Van olyan templom, ami közvetlenül a vonalra esik?

– Némelyik közelebb van hozzá, mint a többi – mondta az őr –, de ha térképre vetítjük a *Nyugati szél* irányát, akkor van némi hibaszázalék.

Langdon egy pillanatra kinézett a Szent Péter térre. Aztán komor képpel megvakarta az állát. – És mi a helyzet a tűzzel? Van valamelyik templomban olyan Bernini-szobor, ami a tűzzel kapcsolatos?

Csönd.

– Mi van az obeliszkekkel? – nógatta Langdon. – Van obeliszk valamelyik templom közelében?

A testőr böngészni kezdte a térképet.

Vittoria látta, hogy Langdon szemében felcsillan a remény, és kitalálta, hogy mire gondol. Igaza van! Az első két útjelző olyan téren vagy olyan tér szomszédságában volt, ahol egy obeliszk áll! Lehet, hogy az obeliszk a visszatérő téma? Az égbetörő piramisok jelölik ki az *Illuminátusok ösvényét*? Minél többet gondolkodott rajta Vittoria, annál tökéletesebbnek tűnt... négy égbenyúló irányjelző, amelyek Róma fölé magasodva a tudomány négy oltárát képviseli.

– Csak találgatok – mondta Langdon –, de azt tudom, hogy számos római obeliszket Bernini idejében állítottak föl, vagy helyeztek át. Nem kétséges, hogy ebben az ő keze is benne volt.

– Vagy pedig – tette hozzá Vittoria –, Bernini már meglévő obeliszkek közelében helyezte el az útjelzőket.

Langdon bólintott. – Úgy van.

– Kár – mondta a testőr. – Mert a nyomvonalon nincs obeliszk. – Végigfuttatta az ujját a térképen. – De még a közelében sem. Semmi.

Langdon sóhajtott.

Vittoriának összeroskadt a válla. Azt hitte, hogy ígéretes az ötlet. Most már világos, hogy ez nem lesz olyan könnyű eset, mint remélték. Azért megpróbált pozitívan gondolkozni.

– Törje a fejét, Robert. Ismernie kell olyan Bernini-szobrot, amelyik a tűzzel kapcsolatos. Bármilyet.

– Higgye el nekem, hogy gondolkozom. De Bernini hihetetlenül termékeny volt. Több száz műve van. Azt reméltem, hogy a *Nyugati szél* egy bizonyos templomra mutat. Valamire, amiről eszembe jut valami.

– *Fuoco*. Tűz – erősködött Vittoria. – Egy Bernini-szobor sem ugrik be?

Langdon vállat vont. – Ott vannak a híres *Tűzijáték* vázlatai, de azok nem szobrok, és különben is Lipcsében vannak, Németországban.

Vittoria a homlokát ráncolta. – És biztos abban, hogy a lélegzet mutatja az irányt?

– Vittoria, látta a domborművet. Tökéletesen szimmetrikus az elrendezése. Egyedül a lélegzetet értékelhetjük jelzésként.

Vittoria tudta, hogy Langdonnak igaza van.

– Nem szólva arról – tette hozzá Langdon –, hogy miután a *Nyugati szél* a levegőt szimbolizálja, jelképes értelmet nyer a lélegzet iránya.

Vittoria bólintott. Tehát a lélegzetet követjük. De hová?

Olivetti jött oda. – Jutottak valamire?

– Túl sok a templom – mondta a katona. – Két tucat, vagy még több. Úgy számolom, hogy mindegyikbe állíthatnánk négy embert...

– Felejtse el – mondta Olivetti. – Már kétszer is elszalasztottuk a fickót, pedig pontosan tudtuk, hogy hol lesz. Ha ennyi embert mozgósítunk, akkor őrizetlenül marad a Vatikán, és a kutatást is le kell fújni.

– Szükségünk van egy kézikönyvre – mondta Vittoria. – A Bernini-művek mutatójára. Ha végigmegyünk a címeken, talán beugrik valami.

– Nem tudom – mondta Langdon. – Ha olyan műről van szó, amelyet Bernini speciálisan az Illuminátusok számára készített, akkor meglehetősen ismeretlen lehet. Valószínűleg nem szerepel a könyvekben.

Vittoria ezt nem volt hajlandó elhinni. – Az első két szobor nagyon is ismert volt. Maga mind a kettőről tudott.

Langdon megvonta a vállát. – Igen.

– Ha látnánk olyan címeket, amelyek a „tűz" szóhoz köthetők, lehet, hogy találnánk egy szobrot, ami a keresett irányban van.

Langdon úgy döntött, hogy egy próbálkozást mindenképpen megér. Olivettihez fordult. – Szükségem van egy listára Bernini műveiről. Az ugye nem valószínű, hogy van itt valahol egy mutatós album Bernini munkáiról?

– Mutatós album? – Olivetti nem egészen értette, hogy mire gondol Langdon.

– Nem érdekes. Bármilyen lista jó. Mi a helyzet a vatikáni múzeumokkal? Ott kell, hogy legyen Bernini-kézikönyv.

A sebhelyes testőr a homlokát ráncolta. – Most nincs áram a múzeumban, ráadásul hatalmas a katalógusterem. A személyzet segítsége nélkül...

– Ez a kérdéses Bernini-mű – szakította félbe Olivetti – azalatt készülhetett, amíg Bernini a Vatikán alkalmazásában állt?

– Szinte bizonyos – mondta Langdon. – Szinte az egész pályája itt telt. A Galilei-ügy idején határozottan itt volt.

Olivetti bólintott. – Akkor van még egy adatforrás.

Vittoria optimizmusa visszatért. – Hol?

A parancsnok nem válaszolt. Félrevonta a testőrt és fojtott hangon tárgyalt vele. A testőr bizonytalannak tűnt, de engedelmesen bólintott. Amikor Olivetti befejezte a tárgyalást, a testőr Langdonhoz fordult.

– Erre parancsoljon, Mr. Langdon. Kilenc óra tizenöt van. Sietnünk kell.

Langdon és a testőr elindult az ajtó felé.

Vittoria utánuk akart menni. – Hadd segítsek.

Olivetti megfogta a karját. – Nem, Ms. Vetra. Beszélnem kell magával. – Parancsoló volt a szorítása.

Langdon és a testőr távozott. Olivetti faarccal terelte arrébb Vittoriát. De bármit is akart mondani neki, nem volt rá alkalma. Hangosan fölrecsegett a walkie-talkie-ja. – *Commandante!*

A szobában mindenki felkapta a fejét.

Gyászos hang szólalt meg a rádióban. – Azt hiszem, jó lenne, ha bekapcsolná a televíziót.

80

Amikor Langdon mindössze két órával ezelőtt távozott a Vatikán titkos archívumából, nem gondolta volna, hogy még egyszer viszontlátja. Most, elfulladva a futólépésben megtett úttól, amelyre a svájci testőr kényszerítette, Langdon ismét ott találta magát az archívum előtt.

Kísérője, a sebhelyes testőr, személyesen vezette keresztül Langdont az átlátszó üvegkockák sorain. Az archívum csendje most valahogy fenyegetőbbnek tűnt, és Langdon hálás volt, amiért a katona megtörte.

– Hátul lesz, azt hiszem – mondta a helyiség végébe kalauzolva Langdont, ahol kisebb fülkék sorakoztak a fal mentén. A testőr végignézte a fülkék jelzeteit, aztán rámutatott az egyikre. – Igen, ez az. Pontosan ott van, ahol a parancsnok mondta.

Langdon elolvasta a címet: *ATTIVI VATICANI*. Vatikáni vagyontárgyak. Átfutotta a tartalommutatót. Ingatlanok... valuta... vatikáni bank... antikvitások... A lista végtelennek tűnt.

– A Vatikán vagyonleltára – mondta a testőr.

Langdon végignézett az üvegkockán. Jézusom. Még a sötétben is meg tudta állapítani, hogy zsúfolásig tele van.

– Azt mondta a parancsnok, hogy bármit is alkotott Bernini a Vatikán támogatásával, annak itt kell szerepelnie a vagyontárgyak között.

Langdon bólintott, elismerve, hogy a parancsnoknak jól működnek az ösztönei. Bernini korában mindaz, amit egy művész a pápa pártfogásával létrehozott, törvény szerint a Vatikán tulajdonává vált. Ez inkább feudalizmus volt, mint támogatás, de a vezető művészek jól éltek és ritkán panaszkodtak. – Beleértve a Vatikánvároson kívüli templomokban található műveket is?

A katona furcsa pillantást vetett rá. – Természetesen. Róma valamennyi katolikus temploma a Vatikán tulajdonában van.

Langdon megnézte a kezében tartott listát. Ott volt rajta annak a több mint húsz templomnak a neve, amelyek a *Nyugati szél* leheletének irányába estek. Közülük az egyikben van a *tudomány harmadik oltára,* és Langdon azt remélte, lesz ideje rájönni arra, hogy melyik az. Más körülmények között szívesen derítette volna fel személyesen a templomokat. Ma azonban csak húsz perce volt rátalálni arra, amit keresnek: a templomra, amelyben egy Berniniszobor a tűz előtt tiszteleg.

Langdon odalépett az üvegkalitka elektronikus forgóajtajához. A testőr nem ment utána. Langdon érezte, hogy elbizonytalanodik. Mosolyogva fordult hozzá. – Nem rossz a levegő. Ritka, de lehet lélegezni.

– Úgy szólt a parancs, hogy kísérjem önt ide, aztán haladéktalanul térjek vissza a biztonsági központba.

– Elmegy?

– Igen. A svájci testőrség nem tartózkodhat az archívumban. Már azzal is megszegtem a szabályzatot, hogy idáig kísértem. A parancsnok figyelmeztetett rá.

– Megszegte a szabályzatot? – *Van ennek fogalma arról, hogy mi folyik itt ma este?* – De hát kinek az oldalán áll a maga parancsnoka?

A testőr arcáról eltűnt a barátságos kifejezés. Rángatózni kezdett a sebhely a szeme alatt. Ahogy Langdonra meredt, hirtelen nagyon emlékeztetett Olivettire.

– Elnézést kérek – mondta Langdon, megbánva, hogy kicsúszott a száján. – Éppen csak... jól jött volna a segítség.

A testőrnek szeme se rebbent. – Arra képeztek ki, hogy parancsokat teljesítsek. És nem arra, hogy vitába szálljak velük. Ha megtalálta, amit keres, azonnal lépjen kapcsolatba a parancsnokkal.

Langdon indulatba jött. – De hol lesz?

A testőr elővette a walkie-talkie-ját, és letette egy közeli asztalra. – Egyes csatorna. – Azzal eltűnt a sötétben.

81

A pápai iroda televíziója egy nagyméretű Hitachi készülék volt, amelyet egy faliszekrényben helyeztek el, szemben az íróasztallal. Most kitárták a szekrényajtókat és mindenki a tévé előtt gyülekezett. Vittoria közelebb lépett. Ahogy kivilágosodott a képernyő, egy fiatal riporter vált láthatóvá. Egy őzikeszemű, barna nő.

– Az MSNBC híreit hallják – jelentette be. – Kelly Horan-Jones élőben jelentkezik Vatikánvárosból. – A nő mögötti felvételen feltűnt a ragyogóan kivilágított Szent Péter-bazilika éjszakai képe.

– Dehogy jelentkezel te élőben – vetette oda Rocher. – Ez csak egy vágókép! Most nem égnek a lámpák a bazilikában.

Olivetti egy pisszegéssel csendre intette.

A riporternő feszült hangon folytatta. – Megrázó híreket kaptunk a ma esti vatikáni választásról. A jelentések szerint Rómában brutálisan meggyilkolták a bíborosi testület két tagját.

Olivetti elkáromkodta magát a bajusza alatt.

Miközben a riporter tovább beszélt, megjelent egy kifulladt testőr. – Parancsnok, a telefonközpontos azt üzeni, hogy égnek a vonalak. Hivatalos állásfoglalást követelnek...

– Kapcsolják ki – mondta Olivetti, egy másodpercre sem véve le a szemét a képernyőről.

A testőr tétovázni látszott. – De parancsnok...

– Tűnés!

A testőr kirohant.

Vittoria megérezte, hogy a *camerlengo* mondani akar valamit, de aztán meggondolta magát. Ehelyett hosszú és szigorú pillantást vetett Olivettire, mielőtt visszafordult volna a televízióhoz. Az MSNBC most bejátszotta a szalagot. A svájci testőrök lecipelik Ebner bíboros holttestét a Santa Maria del Popolo lépcsőin, és beemelik egy Alfa Romeóba. A felvétel kimerevedett és ráközelített a kardinális meztelen testére, amely közvetlenül azelőtt vált láthatóvá, hogy behelyezték volna a kocsi csomagtartójába.

– Ki az ördög csinálta ezt a filmet? – kérdezte Olivetti.

Az MSNBC riportere tovább beszélt. – Feltételezik, hogy ez a németországi Frankfurtból érkezett Ebner bíboros holtteste. A férfiak, akik kihozták a templomból, valószínűleg a svájci testőrség tagjai. – A riporternő igyekezett kellőképpen megindultnak látszani. A kamera ráközelített az arcára, mire ő még ünnepélyesebb lett. – Most pedig az MSNBC figyelmeztetni szeretné kedves nézőit, hogy a következő felvételek kivételesen életszerűek, és alkalmasak lehetnek bizonyos nézők nyugalmának megzavarására.

Vittoria felhorkant a nézők nyugalmáért aggódó álságos be-

jelentés hallatán, hiszen pontosan tudta, hogy ezt mézesma-
dzagnak szánják. Még soha senki nem váltott csatornát egy
ilyen ígéret után.

A riporter megerősítette: — Tehát nagy megrázkódtatást
okozhatnak nézőinknek.

— Milyen felvételek? — követelte Olivetti. — Az előbb már
megmutatták...

A képernyőt betöltő bejátszáson egy párt lehetett látni,
amint keresztülvágnak a Szent Péter téri tömegen. Vittoria
azonnal rájött, hogy önmagát és Robertet látja. A képernyő
sarkában egy felirat volt olvasható: a BBC felvétele. Vittoriá-
nak leesett a tantusz.

— Jaj, ne — mondta ki hangosan. — Csak ezt ne.

A *camerlengo* zavarodottnak tűnt. Olivettihez fordult.
— Mintha azt mondta volna, hogy elkobozták azt a szalagot!

Egyszer csak a televízióban felsikoltott egy gyerek. A kamera
egy kislányt hozott be, aki egy mocskos hajléktalannak látszó
férfira mutatott. Hirtelen Robert Langdon jelent meg a képen,
és megpróbált segíteni a kislánynak. A kamera ráközelített.

A pápai irodában mindenki néma borzadállyal figyelte
a szemük előtt kibontakozó drámát. A bíboros teste arccal
előrezuhant a kövezeten. Vittoria bukkant fel és utasításokat
osztogatott. A képen vér. Egy bélyeg. Hátborzongató és ku-
darcba fulladt kísérlet a szájon át lélegeztetésre.

— Ez a döbbenetes felvétel — mondta a riporter — csak per-
cekkel ezelőtt készült a Vatikán előtt. Forrásaink szerint ez
a francia Lamassé bíboros holtteste. Hogy miként kerültek rá
ezek a ruhák és miért nincs ott a konkláven, arra nincs ma-
gyarázat. A Vatikán egyelőre nem hajlandó nyilatkozni.

– Nem hajlandó nyilatkozni? – mondta Rocher. – Legalább adjanak nekünk egy percet!

A riporter még mindig beszélt, jelentőségteljesen felvonva a szemöldökét. – Noha az MSNBC-nek még nem sikerült megerősteni az értesülést, de forrásaink szerint a gyilkosságokat egy olyan csoport vállalta magára, amely Illuminátusoknak nevezi magát.

Olivetti elvesztette az önuralmát. – Micsoda?!

– … aki többet is meg szeretni tudni az Illuminátusokról, az keresse fel weboldalunkat a…

– Non é possible! – jelentette ki Olivetti. Csatornát váltott.

Az új állomáson egy spanyol külsejű férfi riporter beszélt.

– … az Illuminátusok néven ismert sátánista szekta, amelyről egyes történészek úgy vélik…

Olivetti vadul nyomkodta a távkapcsoló gombjait. Minden egyes csatornán híreket mondtak. A többségük angol nyelvű volt.

– … a svájci testőrök ma este, egy korábbi órában, kihoztak egy holttestet a templomból. Úgy vélik, hogy ez Ebner bíboros…

– … a bazilikában és a múzeumokban kialudtak a fények, ami találgatásokra adhat okot…

– … az összeesküvés-elméletek szakértője. Tyler Tingleyt e megrázó feltámadásról kérdezzük…

– … híresztelések szerint még két további gyilkosságot terveznek ma estére…

– … kérdéses, hogy a pápai koronára legesélyesebbnek tartott Baggia bíboros is ott van-e az eltűntek között…

Vittoria elfordult. Olyan gyorsan történt minden. Az ablakon túl, a gyülekező sötétségben az emberi tragédia mintha mágnesként vonzotta volna a kíváncsiakat a Vatikán elé. Szinte pillanatokként sűrűbb lett a tömeg a téren. Gyalogosok áradata igyekezett errefelé, miközben a média frissiben kiküldött képviselői pakolásztak a közvetítőkocsikban, és figyelőállást foglaltak a Szent Péter téren.

Olivetti letette a távkapcsolót és a *camerlengóhoz* fordult. – *Signore*, elképzelni sem tudom, hogyan történhetett ez meg. Mi elkoboztuk a kazettát, ami a kamerában volt!

A *camerlengo* pillanatnyilag túlságosan döbbent volt ahhoz, hogy meg tudjon szólalni.

Mindenki hallgatott. A svájci testőrök merev vigyázzban álltak.

– Úgy tűnik – mondta végül a *camerlengo*, aki inkább tanácstalannak tűnt, mint haragosnak –, hogy nem úgy kezeltük ezt a válságot, mint ahogy elhitették velem. – Kinézett az ablakon a sűrűsödő embertömegre. – Beszédet kell mondanom.

Olivetti megrázta a fejét. – Nem, *signore*. Pontosan erre számítanak öntől az Illuminátusok... hogy megerősíti őket. Csendben kell maradnunk.

– És azok az emberek ott? – A *camerlengo* kimutatott az ablakon. – Rövidesen több tízezren lesznek. Azután több százezren. Ha tovább folytatjuk ezt a titkolózást, azzal csak veszélyt hozunk rájuk. Figyelmeztetnem kell őket. Azután pedig evakuálnunk kell a bíborosok kollégiumát.

– Van még időnk. Várjuk ki, amíg Rocher kapitány megtalálja az antianyagot.

A *camerlengo* elfordult. – Parancsot akar adni nekem?

– Nem, én csak tanácsot adok. Ha aggódik azokért az emberekért odakint, akkor hivatkozzunk gázszivárgásra és tisztítsuk meg a terepet, de azt veszélyes volna elismernünk, hogy túszok vagyunk.

– Parancsnok, nem mondom még egyszer. Nem fogom arra használni ezt az irodát, hogy erről a pulpitusról hazudjak a világnak. Ha egyáltalán bejelentek valamit, az csak az igazság lehet.

– Az igazság? Hogy sátánista terroristák pusztulással fenyegetik Vatikánvárost? Ezzel csak gyengítjük a pozíciónkat.

A *camerlengo* rámeredt Olivettire. – Lehetne még ennél is gyengébb a pozíciónk?

Rocher hirtelen felkiáltott, felragadta a távkapcsolót és hangerőt adott a televíziónak. Mindenki odafordult.

Az MSNBC adásban lévő riporternője most őszintén nyugtalannak tűnt. Bejátszották mellé a néhai pápa fotóját. – … új híreket kaptunk. Most érkezett a BBC-től… – Kinézett a képből, mintha megerősítést várna, hogy tényleg meg kell tennie ezt a bejelentést. Nyilván meggyőzhették, mert gyászos arckifejezéssel fordult vissza a nézők felé. – Az Illuminátusok az imént magukra vállalták a felelősséget… – A nő tétovázott. – Azt állították, hogy ők a felelősek a pápa tizenöt nappal ezelőtt bekövetkezett haláláért.

A *camerlengónak* leesett az álla.

Rocher elejtette a távirányítót.

Vittoria alig tudta felfogni a bejelentést.

– A Vatikán törvényei szerint – folytatta a nő –, az elhunyt pápát sohasem boncolják fel, így az Illuminátusok állítása nem bizonyítható. Ám az Illuminátusok kitartanak amellett, hogy a néhai pápa halálának oka nem szélütés volt, mint azt a Vatikán hírül adta, hanem mérgezés.

Ismét síri csend lett a teremben.

Olivetti kitört. – Őrültség! Szemenszedett hazugság!

Rocher megint váltogatni kezdte a csatornákat. A bejelentés pestisként terjedt át egyik állomásról a másikra. Mindenütt ugyanazt a sztorit adták le. A szalagcímek egymással versengtek a szenzációhajhászásban:

GYILKOSSÁG A VATIKÁNBAN
MEGMÉRGEZTÉK A PÁPÁT
A SÁTÁN ELÉRTE ISTEN HÁZÁT

A *camerlengo* elfordult. – Isten legyen hozzánk irgalmas.

Ahogy Rocher kapcsolgatott, eljutott a BBC műsorához.

– ... ő adta a tippet a Santa Maria del Popolóban tervezett gyilkosság...

– Állj! – mondta a *camerlengo*. – Vissza.

Rocher visszakapcsolt. A képernyőn egy elegáns férfi ült a BBC hírolvasó asztala mögött. A válla fölött egy fénykép, egy furcsa külsejű, vörös szakállas emberről. A fotó alatt egy felirat: ÉLŐ – GUNTHER GLICK VATIKÁNI TUDÓSÍTÓ. A riporter nyilván telefonon adta le az anyagot, a közvetítővonal recsegett. – ... az operatőröm felvételt készített a Chigi-kápolnából kihozott bíborosról.

– Hogy nézőink is értsék – vette át a szót a londoni műsorvezető –, Gunther Glick, a BBC riportere volt az, aki először leadta a sztorit. Ez idáig kétszer beszélt telefonon az állítólagos illuminátus gyilkossal. Gunther, azt mondtad, hogy az asszasszin másodpercekkel ezelőtt újra jelentkezett az Illuminátusok üzenetével?

– Úgy van.

– És az volt az üzenetük, hogy valamilyen módon az Illuminátusok felelősek a pápa haláláért? – A műsorvezetőnek hitetlenkedő volt a hangja.

– Pontosan. A hívó azt mondta nekem, hogy a pápa halálát nem szélütés okozta, ahogy a Vatikánban hiszik, hanem megmérgezték az Illuminátusok.

A pápai irodában mindenki megdermedt.

– Megmérgezték? – ismételte a műsorvezető. – De... de hogyan?

– Nem árultak el részleteket – válaszolta Glick –, csak annyit mondtak, hogy egy gyógyszerrel ölték meg, aminek a neve... – papírzörgés hallatszott a vonalban – ...Heparin.

A camerlengo, Olivetti és Rocher zavart pillantásokat váltottak egymással.

– Heparin? – kérdezte Rocher idegesen. – De nem ez az...

A camerlengo elsápadt. – A pápa gyógyszere.

Vittoria elképedt. – A pápa Heparint szedett?

– Visszérgyulladása volt – mondta a camerlengo. – Napi egy injekciót kapott.

Rocher értetlenül bámult. – De a Heparin nem méreg. Miért állítják azt az Illuminátusok...

– A Heparin halálos méreg, ha túladagolják – magyarázta Vittoria. – Erős véralvadásgátló. Nagy mennyiségben súlyos belső vérzést és agyvérzést okoz.

Olivetti gyanakodva méregette a lányt. – Maga ezt honnan tudja?

– A tengerbiológusok ezt adják a fogságban tartott tengeri emlősöknek, hogy meggátolják a vérrögök képződését, amit a mozgáshiány idéz elő. Több állat elpusztult már a helytelen adagolás miatt. – Vittoria szünetet tartott. – A Heparin túladagolása olyan tüneteket okoz az ember esetében, amelyek könnyen összetéveszthetők a szélütés tüneteivel... különösen akkor, ha nem kerül sor boncolásra.

A *camerlengo* arcán mélységes zavar tükröződött.

– *Signore* – mondta Olivetti –, ez nyilvánvalóan csak egy trükk az Illuminátusok részéről, hogy publicitáshoz jussanak. Lehetetlen, hogy valaki megmérgezte a pápát. Senki nem férhetett hozzá. De még ha bekapjuk is a csalit, és megpróbálnánk cáfolni az állításukat, hogyan tehetnénk? A pápai törvény tiltja a boncolást. De még egy esetleges boncolásból sem derülne ki semmi. Heparin nyomait találnánk a testében, hiszen naponta kapta az injekciót.

– Igaz. – A *camerlengo* hangja most élesebbé vált. – Mégis van itt még valami, ami zavar engem. A külvilág nem tudhatott róla, hogy Őszentsége gyógyszert kap.

Csönd lett.

– A Heparin-túladagolás jeleit – mondta Vittoria – ki lehet mutatni.

Olivetti megpördült. – Ms. Vetra, ha nem hallotta volna, mit mondtam, a vatikáni törvények tiltják a boncolást. Nem fogjuk kihantolni Őszentsége testét, hogy felvágjuk, csak azért, mert egy ellenségünk előállt egy nevetséges állítással.

Vittoria elszégyellte magát. – Én nem arra gondoltam...

– Nem akart tiszteletlennek mutatkozni. – Én tényleg nem azt javasoltam, hogy exhumálják a pápát... – Habozott. Eszébe villant, hogy Robert mondott neki valamit a Chigi-kápolnában, ami most ott motoszkált az agyában. Megemlítette, hogy a pápai szarkofág mindig a föld felett van, és sohasem cementezik le. Ez még a fáraók korára megy vissza, amikor azt tartották, hogy ha lezárják és eltemetik a koporsót, akkor a halott lelke csapdába esik odabent. A habarcs szerepét a súly töltötte be, hiszen a koporsófedél gyakran száz kilónál is többet nyomott. Elméletileg, jött rá Vittoria, lehetséges volna az, hogy...

– Mik a túladagolás jelei? – kérdezte váratlanul a *camerlengo*.

Vittoria érezte, hogy félelem szorítja össze a szívét.

– A túladagolás vérzést idézhet elő a száj nyálkahártyájában.

– Miben?

– Az áldozatnak vérzik a fogínye. A halál beállta után a vér megalvad és elfeketíti belülről a szájüreget.

Vittoria egyszer látott egy londoni akváriumban készült fotót, ahol egy pár gyilkos bálnát véletlenül túladagolt a gondozójuk. A bálnák élettelenül lebegtek a tartályban, tátott szájuk és a nyelvük szurokfekete volt.

A *camerlengo* nem mondott semmit. Elfordult és kibámult az ablakon.

Rocher hangjában már nyoma sem volt az optimizmusnak.

– *Signore*, ha igaz ez az állítás a mérgezésről...

– Nem igaz – jelentette ki Olivetti. – Teljességgel lehetetlen, hogy egy kívülálló bejuthatott volna a pápához.

– Ha igaz ez az állítás – ismételte meg Rocher –, és a Szentatyát megmérgezték, akkor ez súlyos következményekkel jár az antianyag utáni kutatásunkra. Ez az állítólagos orgyilkosság sokkal mélyebb behatolást feltételez a Vatikánba, mint képzeltük volna. Akkor nem lesz elegendő a fehér zónák átfésülése. Ha elfogadjuk, hogy ilyen mélyre hatoltak, akkor lehet, hogy nem találjuk meg időben az antianyagot.

Olivetti jeges pillantással fojtotta bele a szót alárendeltjébe.
– Kapitány, majd én megmondom, hogy mi legyen.

– Nem – mondta a *camerlengo*, hirtelen visszafordulva. – Én fogom megmondani, hogy mi legyen. – Egyenesen Olivettire nézett. – Túl sokáig vártunk. Húsz percen belül döntést fogok hozni arról, hogy elhalasztjuk-e a konklávét és kiürítjük-e Vatikánvárost. Döntésem megfellebbezhetetlen lesz. Világos?

Olivettinek a szeme se rebbent. Nem is válaszolt.

A *camerlengo* hangja most határozottan csengett, mintha egy rejtett erőforrásból táplálkozna. – Rocher kapitány, fejezzék be a fehér zónák átkutatását, és közvetlenül nekem jelentsen, amikor végzett.

Rocher bólintott, feszengő pillantást vetve Olivettire.

Ezután a *camerlengo* kiválasztott két testőrt. – Azonnal hozzák ide Mr. Glicket, a BBC riporterét, ebbe az irodába. Ha az Illuminátusok kapcsolatban állnak vele, akkor talán a segítségünkre lehet. Menjenek.

A két katona eltűnt.

Most a *camerlengo* a többi testőrhöz címezte a szavait.
– Uraim, nem engedhetem meg, hogy még több emberéletben essen kár ma este. Tíz órára találják meg a még életben lévő két bíborost, és fogják el azt a szörnyeteget, aki felelős ezekért a gyilkosságokért. Érthető voltam?

– De *signore*... – próbált vitatkozni Olivetti –, fogalmunk sincs, hogy hol...

– Mr. Langdon ezen dolgozik. Hozzáértőnek tűnik. Megbízom benne.

Azzal a *camerlengo* az ajtóhoz sietett, frissen támadt elszántsággal lépteiben. Kifelé menet rámutatott három testőrre. – Önök hárman, jöjjenek velem.

A testőrök követték.

A *camerlengo* az ajtóban még megállt. Vittoriához fordult.

– Ms Vetra, ön is. Kérem, jöjjön velem.

Vittoria tétovázott. – Hová megyünk?

A kamarás kiment az ajtón. – Meglátogatunk egy régi barátot.

82

Sylvie Baudeloque, a CERN titkárnője, éhes volt és szeretett volna már hazamenni. Bosszúságára Kohler a jelek szerint túlélte a kórházba szállítást; felhívta Sylvie-t, és azt követelte – nem kérte, követelte –, hogy maradjon benn ma estére. Magyarázatot nem adott.

Sylvie az évek során beprogramozta magát arra, hogy ne vegyen tudomást Kohler kiszámíthatatlan hangulatváltozásairól és különcségeiről – a csöndes módszereiről vagy arról az idegesítő hajlamáról, hogy titokban filmre vegye a megbeszéléseket a kerekes székéhez rögzített hordozható videóval. Sylvie a szíve mélyén abban reménykedett, hogy a főnöke egy szép napon lelövi magát a CERN sportközpontjának lőterére tett heti kiruccanásainak egyikén, de Kohler a jelek szerint kitűnően lőtt.

Most, ahogy Sylvie egyedül ült az íróasztalánál, hallotta, hogy megkordul a gyomra. Kohler még nem tért vissza, és munkát sem adott neki estére. A fenét fogok itt unatkozni és éhezni, döntötte el magában. Hagyott Kohlernek egy üzenetet, és elindult a CERN személyzeti kantinjába egy kis harapnivalóért. Nem jutott el odáig.

Ahogy elhaladt a CERN szabadidős klubhelyiségei előtt a hosszú folyosón, látta, hogy mindenütt be van kapcsolva a televízió, és a sok alkalmazott, aki nyilván az ebédjét hagyta ott a hírek kedvéért, mind a készülékek előtt tolongott. Itt valami nagy dolog történt. Sylvie belépett az első klubhelyiségbe. Tele volt bájtfejűekkel – fékezhetetlen, ifjú számítógép-programozókkal. Amikor Sylvie meglátta az inzertet a televízióban, tátva maradt a szája.

Hallgatta a beszámolót, és nem akart hinni a fülének. Valami ősi testvériség bíborosokat gyilkol? Mit akarnak ezzel bizonyítani? A gyűlöletüket? A hatalmukat? A tudatlanságukat? Ám hihetetlen módon a klubhelyiség hangulata minden volt, csak nem komoly.

Két fiatal technikus pólókkal rohangált, amelyeken Bill Gates képe és a következő felirat díszelgett: *ÉS AZ ÚJ UNDOKOK KAPJÁK ÖRÖKÜL A FÖLDET!*

– Az Illuminátusok! – kiáltotta az egyik. – Nem megmondtam, hogy ezek a fickók tényleg léteznek!

– Hihetetlen! Én azt hittem, hogy csak egy játék.

– Megölték a pápát, öreg! A pápát!

– Vazze! Vajon ezért hány pontot lehet begyűjteni?

Aztán nevetve elszaladtak.

Sylvie csak állt ott és bámult. Mint tudósok között dolgozó katolikus, időnként el kellett viselnie a vallásellenes suttogásokat, de az a társaság, amelyikhez ezek a kölykök is tartoztak, láthatóan kitörő örömmel fogadta az egyház veszteségét. Hogy lehetnek ennyire érzéketlenek? Honnan ez a gyűlölet?

Sylvie számára a templom mindig ártatlan intézménynek tűnt... a közösségi érzés és a befelé fordulás helyének... és néha olyan helynek is, ahol hangosan lehet énekelni anélkül, hogy megbámulnák az embert. A templom jelölte ki életének sarokköveit – temetések, esküvők, keresztelők, ünnepek –, és semmit nem kért érte cserébe. Még a pénzbeni adakozás is önkéntes volt. Sylvie gyerekei minden héten emelkedetten jöttek ki a hittanóráról, eltelve olyan eszmékkel, mint a mások megsegítése vagy önmagunk jobbá tétele. Mi lehet a baj ezzel?

Sylvie sosem szűnt meg csodálkozni azon, hogy a CERN oly sok, úgynevezett „ragyogó elméje" képtelen volt megérteni az egyház jelentőségét. Ezek tényleg azt hiszik, hogy az átlagemberek lelkesedni tudnak a kvarkokért és a mezonokért? Hogy egyenletekkel helyettesíteni lehet azt az emberi szükségletet, hogy higgyünk az isteniben?

Sylvie szédülten haladt végig a folyosón a többi klubhelyiség előtt. Valamennyi tévészoba tele volt. Azon a híváson kezdett el gondolkozni, amelyet Kohler ma kapott a Vatikánból. Véletlen egybeesés? Talán. A Vatikán „figyelmességből" időről időre felhívta a CERN-t, mielőtt kiadta volna az intézetben folyó kutatásokat – elsősorban a nanotechnológiát, amelyet a gensebészetet előmozdító eljárások miatt nehezményeztek – elítélő állásfoglalásait. A CERN oda sem figyelt. A Vatikán nyilatkozatai után néhány perccel már csengett is Kohler telefonja: a technikai újdonságokba befektető cégek hívták, hogy meg akarják vásárolni a felfedezés licencjogait. Nem létezik olyan, hogy rossz sajtó – szokta mondani Kohler.

Sylvie azon tűnődött, ne csipogjon-e rá Kohlerre, akárhol is van, hogy hallgassa meg a híreket. Érdekli egyáltalán? Vagy már hallotta? Hát persze hogy hallotta. Valószínűleg videóra vette az egész riportot azzal a rohadt kis camcorderével, és idén először még el is mosolyodott.

Miután Sylvie végigment a folyosón, egy olyan klubszobában találta magát, ahol levert hangulat uralkodott... szinte melankolikus. Azok a tudósok, akik itt nézték a tévét, a CERN legidősebb és legmegbecsültebb munkatársai közé tartoztak. Oda sem pillantottak Sylvie-re, amikor besurrant és leült egy székre.

A CERN másik végében, Leonardo Vetra jéghideg lakásában Maximilian Kohler befejezte annak a bőrbe kötött naplónak az olvasását, amelyet Vetra éjjeliszekrényéből vett ki. Immár a televízió tudósításait nézte. Pár perc múltán visszatette a helyére Vetra naplóját, kikapcsolta a tévét és elhagyta a lakást.

Messze onnan, Vatikánvárosban, Mortati bíboros újabb adag szavazólapot küldött ki a Sixtus-kápolna kéményén át. Elégette őket és fekete volt a füstjük.

A második szavazás sem hozott eredményt. Még mindig nincs pápa.

A zseblámpák fénye nem birkózhatott meg a Szent Péter-székesegyház áthatolhatatlan sötétségével. Úgy nehezedett rájuk a hatalmas űr a fejük fölött, akár a csillagtalan éjszaka, és Vittoria érezte, hogy úgy terül szét körülötte az üresség, mint a nyílt óceán. Végig szorosan az előresiető svájci testőrök és a *camerlengo* közelében maradt. A magasban felburrogott egy galamb és elrebbent valahová.

Mintha érzékelte volna a szorongását, a *camerlengo* bevárta Vittoriát és a vállára tette a kezét. Az érintés erőt adott neki, mintha a férfi csodás módon Vittoriába helyezte volna azt a nyugalmat, amelyre szüksége volt az előttük álló feladat végrehajtásához.

Mire készülünk? – gondolta Vittoria. Ez őrültség!

De közben tudta, hogy minden kegyeletsértésével és óhatatlan borzalmával együtt elkerülhetetlen, hogy megtegyék. A *camerlengo* előtt álló súlyos döntéshez információra volt szükség... és ez az információ egy szarkofágban rejtőzött a bazilika altemplomaiban. Vittoria azon tűnődött, vajon mit fognak találni. Az Illuminátusok valóban meggyilkolták a pápát? Valóban ilyen messzire elér a kezük? És én tényleg arra készülök, hogy végrehajtsam a világon az első pápai autopsziát?

Vittoria ironikusnak találta, hogy jobban szorong ebben a kivilágítatlan templomban, mint amikor barracudákkal úszik együtt az éjszakában. A természet volt az ő menedéke. A természetet megértette. De az ember működése és lelke rejtély maradt előtte. A sötétségben gyülekező gyilkos halak képe felidézte az odakint tolongó sajtósokat. A megbélyegzett emberek mutogatása a televízióban az apja holttestét juttatta eszébe... és a gyilkos durva nevetését. Vittoria érezte, hogy az indulat elsöpri benne a félelmet.

Ahogy megkerültek egy oszlopot – amely vastagabb volt bármilyen óriásfenyőnél –, Vittoria narancsszínű fényt látott felderengeni. A fény mintha a padló alól sugárzott volna a bazilika közepén. Amint közelebb értek, felismerte, hogy mit lát. A főoltár alá süllyesztett híres szentély volt az – a pompás föld alatti kamra, ahol a Vatikán legszentebb relikviáját őrizték. Ahogy egy vonalba kerültek az üreget elzáró vasráccsal, Vittoria letekintett a ragyogó olajlámpásokkal körberakott aranykoporsóra.

– Szent Péter csontjai? – kérdezte, biztosan tudva, hogy azok. Mindenki tudta, aki járt a Szent Péter-templomban, hogy mi van az aranykoporsóban.

– Valójában nem – mondta a *camerlengo*. – Közkeletű tévedés. Ez nem ereklyetartó. A ládában *pallium*ok vannak... papi övek, amelyeket a pápa ad az újonnan megválasztott bíborosoknak.

– De én úgy tudtam...

– Mint mindenki. Az útikalauzok Szent Péter sírjaként említik, de az igazi sír két szinttel alattunk van, a földbe temetve. A Vatikán a negyvenes években ásatta ki. Senki sem mehet le oda.

Vittoria meg volt rendülve. Ahogy a ragyogó bemélyedéstől eltávolodva ismét belemerültek a sötétségbe, a zarándokokról szóló történetek jártak a fejében, akik sok ezer mérföldet utaztak, hogy láthassák az aranykoporsót, abban a hiszemben, hogy Szent Péter közelében vannak. – Nem kéne ezt elmondani az embereknek?

– Mindenki jól jár azzal, ha érzékelhető kapcsolatba kerül az istenivel... még ha csak képzelt kapcsolatba is.

Vittoria tudósként nem vitathatta a dolog logikáját. Számtalan tanulmányt olvasott már a placebohatásról – a rákot meggyógyító aszpirinről, mert akik kapták, úgy hitték, hogy valamilyen csodagyógyszert szednek. Végül is mi mást jelent a hit?

– A változás – folytatta a *camerlengo* – nem tartozik azon dolgok közé, amelyeket itt a Vatikánban jól tudunk kezelni. A múltbeli hibáink elismerése, a modernizáció... mindig elhárítottuk a történelem során. Őszentsége megpróbált változtatni ezen. – Szünetet tartott. – Megérteni a modern világot. Új utakat keresni Istenhez.

Vittoria bólintott a sötétben. – Ahogy a tudomány teszi?

– Hogy őszinte legyek, a tudomány itt érdektelen.

– Érdektelen? – Vittoria rengeteg szót el tudott képzelni a tudomány jellemzésére, de a modern világban az „érdektelen" jelzőnek nem lett volna helye köztük.

– A tudomány gyógyíthat vagy ölhet. Annak az embernek a lelkétől függ, aki alkalmazza a tudományt. Engem a lélek érdekel.

– Mikor érezte először, hogy elhivatott?

– Mielőtt megszülettem.

Vittoria ránézett.

– Bocsásson meg, de ezt a kérdést mindig olyan furcsának találom. Úgy értem, mindig is tudtam, hogy Istent fogom szolgálni. Az első gondolatom óta. Persze már fiatalember voltam, katona, amikor igazán megértettem, hogy mi a célom.

Vittoria meglepődött. – Ön katona volt?

– Két évig. Megtagadtam a fegyverhasználatot, ezért repülősnek osztottak be. Helikopterre. Az igazat megvallva, időnként még mostanában is repülök.

Vittoria megpróbálta elképzelni a fiatal papot helikoptert vezetve. Különös módon semmilyen nehézséget nem okozott

ott látni őt a pilótafülkében. Ventresca *camerlengóban* olyan határozottság lakozott, ami inkább erősítette, mint gyengítette a meggyőződését. – Repült valaha a pápával?

– Egek, dehogy. Ezt a drága rakományt a hivatásosokra bízzuk. Őszentsége néha megengedte, hogy helikopterrel menjek a gandolfói nyaralóba. – Elhallgatott, és Vittoriára nézett. – Ms. Vetra, szeretném megköszönni a mai segítségét. Nagyon sajnálom, ami az apjával történt. Őszintén mondom.

– Köszönöm.

– Én nem ismertem az apámat. Meghalt még a születésem előtt. Tízéves koromban elvesztettem az anyámat.

Vittoria felkapta a fejét. – Árvaházban nőtt fel? – Egyszerre nagyon közel érezte magához a papot.

– Túléltem egy balesetet. Abban a balesetben halt meg az anyám.

– És ki gondoskodott önről?

– Isten – mondta a *camerlengo*. – A szó szoros értelmében küldött nekem egy másik apát. Egy palermói püspök eljött a betegágyamhoz és magához vett. Akkoriban nem csodálkoztam ezen. Már kisfiúként is ott éreztem Isten óvó kezét a fejem fölött. A püspök megjelenése pusztán csak megerősített abban, amit már régóta gyanítottam, hogy Isten valamiképpen kiválasztott engem a szolgálatára.

– Hitt abban, hogy Isten választotta ki?

– Igen. Ma is hiszek. – A *camerlengo* hangjában nyoma sem volt színlelésnek, csak hálának. – Sok éven át voltam a püspök tanítványa. Végül kinevezték bíborosnak. De azután sem feledkezett meg rólam. Őt tekintem az apámnak. – Zseblámpa fénye világította meg a *camerlengo* arcát, és Vittoria magányosságot látott a szemében.

Egy csoport bukkant ki egy hatalmas oszlop mögül, és a lámpáik fénye egy nyílás fölött találkozott a padlón. Vittoria egy lépcsőt látott lefelé ereszkedni az ürességbe, és hirtelen szeretett volna visszafordulni. A testőrök már lesegítették a *camerlengót* az első lépcsőfokon. Ezután megfogták Vittoria karját.

— Mi lett vele? — kérdezte a lány, miközben lefelé lépegetett, és vigyázott, hogy ne csukoljon el a hangja. — Azzal a bíborossal, aki magához vette.

— Egy másik tisztség kedvéért kilépett a bíborosi kollégiumból.

Vittoria meglepődött.

— Azután pedig, nagy bánatomra, elhunyt.

— *Le mie condoglianze* — mondta Vittoria. — Fogadja részvétemet. Mostanában?

A *camerlengo* megfordult, az árnyékok kihangsúlyozták az arcán tükröződő fájdalmat. — Pontosan tizenöt nappal ezelőtt. Most éppen hozzá igyekszünk.

84

A sötét fényű lámpák melegen ragyogtak az archívum üvegkalitkájában. Ez a fülke sokkal kisebb volt, mint az, amelyikben Langdon korábban kutatott. Kevesebb levegő. Kevesebb idő. Bárcsak megkérte volna Olivettit, hogy kapcsoltassa be a légvisszaforgató ventilátorokat!

Langdon gyorsan azonosította a vagyonleltárnak azt a szakaszát, ahol a *Belle Arti* feliratú kartotékok sorakoztak.

Ezt a szekciót lehetetlen lett volna nem észrevenni. Csaknem nyolc, zsúfolásig megrakott polcot tett ki. A katolikus egyház több millió egyedi műtárgyat birtokolt világszerte.

Langdon átfutotta a polcokat Gianlorenzo Bernini nevét keresve. Középtájt kezdte a kutatást az első sorban, belőve azt a pontot, ahol a B betűnek kellett következnie. Egy pillanat múlva pánikba esett, attól félve, hogy hiányzik a nyilvántartó, de aztán, nagy bosszúságára, felfedezte, hogy a nyilvántartás nem betűrendes. *Mégis, mire számítottam?*

Langdon visszament a gyűjtemény elejére, egy gurulós létrán fölmászott a legfelső polchoz, és így sikerült rájönnie az üvegkalícka rendszerezésére. Figyelmesen átböngészve a felső sorokat, felfedezte, hogy azok a legvaskosabb leltárkönyvek, amelyekben a reneszánsz mesterek – Michelangelo, Raffaello, da Vinci, Botticelli – művei szerepelnek. Langdon most már tudta, hogy híven az üvegkalítka *Vatikáni vagyontárgyak* elnevezéséhez, a nyilvántartások az egyes művészek gyűjteményeinek pénzbeli összértéke szerint vannak besorolva. Raffaello és Michelangelo között Langdon rátalált a Bernini jelzetű leltárkönyvre. Vagy tizenöt centi vastag volt.

Légszomjjal, plusz a testes nyilvántartóval küszködve Langdon leereszkedett a létrán. Aztán, mint egy képregényt olvasó kölyök, lefeküdt a földre és leemelte a borítót.

A vászonkötésű könyv nagyon masszív volt. A nyilvántartást kézzel írták, olasz nyelven. Minden egyes oldalon egyetlen műtárgyat katalogizáltak, amely egy rövid leírást, dátumot, elhelyezést, a felhasznált anyagok árát és néha a mű elnagyolt vázlatát tartalmazta. Langdon végigpörgette a lapokat... összesen több mint nyolcszáz tétel. Bernini szorgalmas ember volt.

Fiatal művészettörténész hallgatóként Langdont elgondolkodtatta, hogyan hozhattak létre olyan sok művet életük során az egyes mesterek. Később csalódottan értesült arról, hogy a híres művészek valójában csak műveik egy kis részét alkották saját kezükkel. Stúdiókat tartottak fenn, ahol fiatal művészeket képeztek ki terveik kivitelezésére. Az olyan szobrászok, mint Bernini, kisméretű agyagszobrokat formáztak, majd másokat bíztak meg azzal, hogy felnagyítsák és márványba faragják őket. Langdon tudta, hogy ha Bernininek személyesen kellett volna teljesítenie valamennyi megbízatását, akkor még ma is dolgozna.

– Mutató – mondta ki fennhangon, megpróbálva kivágni magát az elkalandozó gondolatok pókhálójából. A könyv végére lapozott, azzal a szándékkal, hogy az F betűnél megnézze a *fuoco* – tűz – szót tartalmazó címeket, de az F betűs címek nem együtt voltak. Langdon halkan szitkozódott. Mi bajuk van ezeknek a népeknek a betűrenddel?

A bejegyzések nyilvánvalóan időrendben történtek, darabonként, ahogy Bernini befejezett egy-egy új művet. Mindegyik dátum szerint szerepelt. Ez nem jelentett segítséget.

Ahogy Langdon a listát bámulta, még egy elkedvetlenítő dolog ötlött az eszébe. A keresett szobor címe talán nem is tartalmazza a „tűz" szót. Az előző két munka – a *Habakukk és az angyal*, majd a *Nyugati szél* – sem utalt közvetlenül a földre vagy a levegőre.

Egy-két percet eltöltött azzal, hogy véletlenszerűen lapozgatott a nyilvántartóban, azt remélve, hogy valamelyik illusztráció talán eszébe juttat valamit. De nem. Több tucat ismeretlen művet látott, amelyekről még csak nem is hallott, de sok olyan is volt, amelyet felismert... Dániel és az oroszlán, Apollo és Daphne, továbbá jó néhány díszkút. Amikor meglátta a szökőkutakat, egy pillanat alatt meglódultak a gondolatai. Víz. Azon tűnődött, hogy a tudomány negyedik oltára nem egy szökőkút lesz-e. Egy szökőkút tökéletes hódolat a víz előtt. Langdon azt remélte, hogy elkapják a gyilkost, még mielőtt a vízre kerülne a sor – Bernini több tucat díszkutat faragott Rómában, és a legtöbbjük egy templom előtt áll.

Langdon visszaterelte figyelmét a mostani feladatra. Tűz. Ahogy nézegette a könyvet, Vittoria szavaiból merített erőt. Az első két szobor nagyon is ismert volt. Ő mind a kettőről tudott. Valószínűleg ezt is ismeri. Ezért most az ismerős címeket kezdte el bogarászni a mutatóban. Talált ilyeneket, de semmi nem ugrott be róluk. Langdon ráébredt, hogy így előbb ájul el, mint hogy befejezhetné a kutatást, tehát jobb meggyőződése ellenére úgy döntött, hogy kiviszi a kötetet az üvegkalitkából. Ez csak egy leltárkönyv, mondta magának. Ez nem olyan, mintha egy eredeti Galilei-fóliánst vinnék el. Langdonnak erről eszébe jutott a felső zsebébe süllyesztett fóliáns, és emlékeztette magát arra, hogy távozás előtt vissza kell tennie a helyére.

Gyorsan odanyúlt, hogy fölemelje a kötetet, de közben meglátott valamit, ami megállásra késztette. Noha az indexben keresztül-kasul számos bejegyzés szerepelt, az, amin megakadt a szeme, valahogy furcsának tűnt.

A jegyzet arra utalt, hogy Bernini híres szobra, a *Szent Teréz extázisa* röviddel a leleplezése után elkerült eredeti helyéről, a Vatikánból. Ez önmagában még nem keltette volna fel Langdon figyelmét. Jól ismerte a szobor mozgalmas múlt-

ját. Noha többen mesterműnek tartották, VIII. Orbán pápa ki-
utasította a *Szent Teréz extázisát* a Vatikánból, túlzott szexuá-
lis töltete miatt. Egy kisebb templomot jelölt ki számára, vala-
hol a városban. Langdon pillantása azon akadt meg, hogy
a művet a listáján szereplő öt templom egyikében helyezték el.
Sőt mi több, a bejegyzés azt is tudatta, hogy az áthelyezés *per
suggerimento del artista* – a művész javaslatára – történt.

A művész javaslatára? Langdon összezavarodott. Mi értel-
me volt annak, hogy Bernini egy félreeső helyre vitette a mes-
termunkáját? Minden művész arra vágyik, hogy díszhelyre ke-
rüljön a munkája, nem valami távoli...

Langdon habozott. Hacsak nem...

Szinte félt belegondolni az ötletbe. Lehetséges volna? Berni-
ni szándékosan alkotott ennyire nyílt ábrázolást, hogy rákény-
szerítse a Vatikánt a szobor száműzésére? Egy olyan helyre,
amelyet Bernini maga javasolhatott? Talán egy távoli templom-
ba, amely egy vonalba esik a *Nyugati szél* fúvásának irányával?

Langdonban nőttön-nőtt az izgalom, de a szoborról őrzött
halvány emlékei lehűtötték: hiszen annak a műnek semmi
köze sincs a tűzhöz. Az a szobor, és ezt bárki megerősítheti,
aki látta már, a legkevésbé sem tudományos – inkább lehetne
pornográfnak nevezni, mint tudományosnak. Egy angol kriti-
kus egyszer úgy jellemezte a *Szent Teréz extázisát*, mint *a leg-
kevésbé odaillő díszítményt, amit valaha is elhelyeztek egy katoli-
kus templomban.* Langdon nagyon is megértette a berzenke-
dést. Noha briliáns alkotás, a szobor az egész testét megrázó
orgazmus pillanatában ábrázolja a hátrahanyatló Szent Te-
rézt. Nem éppen vatikáni téma.

Langdon sietősen odalapozott a leltárkönyv leírásához.

Ahogy meglátta a vázlatot, abban a pillanatban váratlanul feltámadt benne a remény. A vázlaton is határozottan úgy tűnt, mintha Szent Teréz átadná magát az élvezetnek, de volt ott egy másik alak is, akinek a jelenlétéről Langdon megfeledkezett.

Egy angyal.

Azonnal eszébe jutott a mocskos pletyka...

Szent Teréz apáca volt, akit azért avattak szentté, mert állítása szerint egy angyal látogatta meg álmában. A bírálók később arra jutottak, hogy ez a találkozás sokkal inkább szexuális, mint spirituális lehetett. A nyilvántartás alján bogarászva, Langdon ismerős szemelvényt fedezett fel. Szent Teréz saját szavai kevés teret adtak a képzeletnek:

> ... *nagy, arany dárdája... csupa tűz volt... újra meg újra belém vágta... bensőmig hatolt... olyan rendkívülien édes érzés öntött el, hogy azt kívántam, bár sose érne véget...*

Langdon mosolygott. Ha ez nem egy komoly aktus metaforája, akkor megeszem a kalapom. A leltárkönyvnek a műről adott ismertetőjén is mosolyognia kellett. Noha a szöveg olaszul volt, vagy féltucatszor szerepelt benne a *fuoco* szó:

> ... *az angyal tűzhegyű dárdája...*
> ... *az angyal fejéből tűzsugarak áramlanak ki...*
> ... *a nő a szenvedély tüzében lángol...*

De Langdon nem volt maradéktalanul meggyőzve addig, amíg újra rá nem pillantott a vázlatra. Az angyal úgy emelte magasba izzó dárdáját, akár egy jelzőtüzet, az irányt mutatva. *Angyal vezesse büszke léptedet.* Még az is jelentősnek tűnt, hogy milyen angyaltípust választott Bernini. Egy szeráfot, ébredt rá Langdon. A szeráf szó szerint azt jelenti: tüzes.

Robert Langdon nem az az ember volt, aki valaha is odaföntről várt volna megerősítést, de amikor elolvasta a templom nevét, ahol a szobor ma látható, úgy döntött, hogy mostantól hívő lesz.

Santa Maria della Vittoria.

Vittoria, gondolta elvigyorodva. Tökéletes.

Amikor álló helyzetbe tornázta magát, Langdon megszédült. Fölpillantott a létrára, azon tűnődve, visszategye-e a könyvet a helyére. A pokolba vele, gondolta. Majd Jaqui atya helyre teszi. Becsukta a könyvet, és ott hagyta a polc lábánál.

Ahogy az üvegkalitka elektronikus kijáratánál világító gomb felé igyekezett, kapkodva szedte a levegőt. De a jó szerencséje így is felvillanyozta a kedvét.

A jó szerencséje azonban elpártolt tőle, mielőtt még elérte volna a kijáratot.

Az üvegkalitka minden előzetes figyelmeztetés nélkül fájdalmas sóhajt hallatott. Eltompultak a fények, működésképtelenné vált a nyitógomb. Majd, akár egy óriási fenevad, amely kileheli a lelkét, az egész archívum teljes sötétségbe borult. Valaki kikapcsolta az áramot.

85

A Vatikán szent altemplomai a Szent Péter-székesegyház fő szintje alatt vannak. Ide temetik az elhunyt pápákat. Vittoria leért a csigalépcső aljára, és ott találta magát az altemplomban. A sötét folyosó a CERN nagy részecskegyorsítójára emlékeztette — fekete volt és hideg. A jelenleg csak a svájci testőrök zseblámpáival megvilágított alagút valahogy anyagtalan érzést keltett. Mindkét oldalon üreges bemélyedések szegélyezték a falakat. Az alkóvok mélyén, amennyire a gyér fényben látni lehetett, szarkofágok testes árnyai rajzolódtak ki.

Jeges borzongás futott végig Vittorián. A hideg miatt van, mondta magának, de tudta, hogy ez csak részben igaz. Olyan érzése volt, hogy figyelik őket, de nem egy hús-vér személy, hanem a sötétség fantomjai. Mindegyik síremlék tetején, teljes pápai ornátusban, ott feküdt az elhunyt pápa életnagyságú hasonmása, halottként ábrázolva, a mellén összefont karral. A kidomborodó alakok mintha a sírjukból keltek volna ki, fölemelve a márványfedelet, akárha szabadulni akarnának földi kötelékeiktől. Ahogy a zseblámpás menet továbbhaladt, úgy jelentek meg és tűntek el újra a pápai sziluettek a falon, mintha egy árnyjátékban járnák haláltáncukat.

Csend borult a kis csapatra, és Vittoria nem tudta volna megmondani, hogy a tisztelet vagy a félelem miatt. Ő mindkettőt érezte. A *camerlengo* lehunyt szemmel lépkedett, mintha vakon is ismerné a járást. Vittoria gyanította, hogy számtalanszor megtehette már ezt a kísérteties sétát a pápa halála óta... talán, hogy iránymutatásért imádkozzon a sírjánál.

Hosszú éveken át a bíboros tanítványa voltam, mondta neki a camerlengo. *Olyan volt nekem, mint az apám.* Vittoria felidézte, hogy a *camerlengo* a bíborosra utalva mondta ezeket a szavakat, aki „megmentette" őt a hadseregtől. Most azonban Vittoria megértette a történet folytatását is. Az a bíboros, aki a szárnyai alá vette a *camerlengót,* később pápai rangra jutott, és magával vitte ifjú pártfogoltját, hogy kamarásként szolgáljon mellette.

Ez sok mindent megmagyaráz, gondolta Vittoria. Mindig is tehetsége volt mások belső indíttatásainak észleléséhez, és a *camerlengóban* volt valami, ami egész nap nem hagyta nyugodni. Amióta csak találkozott vele, azt a szenvedést érzékelte, amely a lélekből fakadt, és személyesebb volt, mint az a roppant válság, amellyel most szembe kellett néznie. Jámbor nyugalma mögött Vittoria egy saját démonaitól gyötört férfit látott. Most már tudta, hogy nem tévedtek az ösztönei. A *camerlengo* nemcsak a Vatikán történelmének legpusztítóbb fenyegetésével néz szembe, hanem ráadásul mentora és barátja nélkül kell cselekednie... egyedül repül.

A testőrök lelassítottak, mintha bizonytalankodnának a sötétségben, hogy pontosan hová is temették a legutóbbi pápát. A *camerlengo* magabiztosan ment tovább, majd megállt egy márvány síremlék előtt, amely mintha fényesebben ragyogott volna, mint a többi. Tetején ott feküdt a néhai pápa kifaragott alakja. Amikor Vittoria felismerte a televízióban már sokat látott arcot, félelem szorította el a szívét. *Mire készülünk mi?*

– Tisztában vagyok vele, hogy nincs sok időnk – mondta a *camerlengo*. – Mégis azt kérem, hogy mondjunk egy rövid imát.

A svájci testőrök megálltak, ahol voltak, és fejet hajtottak. Vittoria követte a példájukat, a szíve hangosan zakatolt a csöndben. A *camerlengo* letérdelt a sír előtt és olaszul imádkozott. Ahogy Vittoria hallgatta a szavait, úgy tört fel belőle a gyász, akár a könnyek... könnyek az ő pártfogójáért... az ő áldott apjáért. A *camerlengo* szavai ugyanúgy illettek Vittoria apjára, mint a pápára.

– Fenséges apám, tanácsadóm, barátom... – A *camerlengo* hangja tompán visszhangzott a falak között. – Te mondtad nekem, amikor fiatal voltam, hogy az a hang a szívemben Isten hangja. Azt mondtad, hogy követnem kell, akármilyen fájdalmas helyekre vezet is. Most is hallom azt a hangot, de lehetetlen feladatokat kér tőlem. Adj nekem erőt. Légy hozzám könyörületes. Amit teszek... mindannak nevében teszem, amiben hiszel. Ámen.

– Ámen – suttogták a testőrök.

Ámen, apám. Vittoria megtörölte a szemét.

A *camerlengo* lassan felállt és ellépett a sírtól. – Tolják félre a fedelet.

A svájci testőrök tétováztak. – *Signore* – mondta az egyik –, a törvény szerint ön parancsol nekünk. – Elhallgatott. – Megtesszük, amit mond...

A *camerlengo* mintha olvasott volna a fiatalember gondolataiban. – Eljön az idő, amikor bocsánatot kérek majd önöktől, amiért ilyen helyzetbe kényszerültek. Ma az engedelmességüket kérem. A Vatikán törvényei arra valók, hogy védelmezzék ezt az egyházat. És most ennek a szellemében parancsolom azt, hogy szegjék meg őket.

Egy pillanatra csend lett, majd a testőrök vezetője kiadta a parancsot. A három férfi letette zseblámpáját a padlóra, és árnyékuk a magasba szökött. Most alulról megvilágítva, elindultak a sír felé. A fejrésznél átfogták karjukkal a márványfedelet, megvetették a lábukat és felkészültek a feladatra. Adott jelre egyszerre megtolták, nekifeszülve a hatalmas tömbnek. Amikor a fedél meg se mozdult, Vittoria azon kapta magát, hogy azt kívánja, bár túl nehéznek bizonyulna. Hirtelen félelem fogta el attól, amit odabent találhatnak.

A férfiak még erősebben tolták, de a kő még mindig nem mozdult.

– *Ancora* – mondta a *camerlengo* feltűrve a reverendája ujját, hogy ő is segítsen az embereknek. – *Ora!* – Mindannyian beleadták az erejüket.

Vittoria már azon volt, hogy felajánlja a segítségét, de éppen akkor megmoccant a fedél. A férfiak újra nekifeküdtek, szinte sikoltott a kő a kövön, és a fedél elfordult a sír tetején, majd ferdeszögben megállt. A pápa faragott feje most hátrahúzódott a falmélyedésbe, míg a lába kilógott a folyosóra.

Mindenki hátralépett.

Az egyik testőr tapogatózva lenyúlt és kézbe vette a zseblámpáját. Majd a sírra irányította. A fénycsóva egy pillanatra remegni látszott, de aztán a testőr erőt vett magán. A másik kettő egyenként követte a példáját. Vittoria még a sötétségben is érzékelte, hogy hátrahőkölnek. Egymás után keresztet vetettek.

A *camerlengo* megborzongott, amikor belenézett a sírba, két vállát mintha súlyos teher nyomta volna. Egy hosszú percig csak állt ott, majd elfordult.

Vittoria attól félt, hogy a holttest száját összeszorította

a *rigor mortis*, a hullamerevség, és neki kell azt javasolnia, hogy feszítsék szét az állkapcsát, ha látni akarják a nyelvét. De már tudta, hogy nem lesz rá szükség. A halott orcái beestek és tátva volt a szája.

A pápa nyelve fekete volt, mint a szurok.

86

Se fény. Se hang.

A titkos archívum tökéletesen sötét volt.

A félelem, ébredt most rá Langdon, kitűnő serkentőszer. Fuldokolva tapogatózott a feketeségben a forgóajtó felé. Megtalálta a falon a gombot és rátenyerelt. Nem történt semmi. Újra próbálkozott. Az ajtó bedöglött.

Vakon forgolódva felkiáltott, de a semmibe hullott a hangja. Egyszerre szorongatni kezdte a helyzet veszélyessége. A tüdeje oxigénért küszködött, miközben az adrenalin megduplázta a pulzusszámát. Úgy érezte magát, mint akit gyomorszájon vágtak.

Amikor teljes súlyával nekifeküdt az ajtónak, egy pillanatra már azt hitte, hogy el fog fordulni. Csillagokat látott az erőlködéstől, de tovább nyomta. És ekkor jött rá, hogy az egész helyiség forog vele, nem pedig az ajtó. A hátratántorodó Langdon nekiment a gurulós létra lábának és nagyot esett. Beleverte a térdét az egyik könyvespolc sarkába. Szitkozódva feltápászkodott és a létra után kezdett nyúlkálni.

415

Megtalálta. Azt remélte, hogy keményfából vagy vasból készült, de csak alumínium volt. Megragadta a létrát és úgy emelte föl, mint egy faltörő kost. Átrohant vele a sötétségen az üvegfal felé. Közelebb volt, mint gondolta. A létra nekiütközött és visszapattant róla. Az ütközés tompa hangjából Langdonnak arra kellett következtetnie, hogy egy alumíniumlétránál sokkal súlyosabb dologra van szüksége, ha át akarja törni az üvegfalat.

Amikor eszébe villant a félautomata pisztoly, feltámadt benne a remény, hogy azon nyomban ki is hunyjon. Nem volt már nála a fegyver: Olivetti kérte el tőle a pápai irodában, mondván, hogy nem akar itt töltött pisztolyokat a *camerlengo* jelenlétében. Akkor ez jó érvnek tűnt.

Langdon újra felkiáltott, de még gyengébb hangot keltett, mint legutóbb.

Következő gondolata a walkie-talkie volt, amelyet ott hagyott a testőr az asztalon, az üvegkalitkán kívül. Mi a fenének nem hozta be magával? Miközben színes csillagok táncoltak a szeme előtt, Langdon kényszerítette magát, hogy gondolkozzon. Máskor is estél már csapdába, mondta magának. Megúsztál te már ennél rosszabbat is. Még csak gyerek voltál, mégis ki tudtad vágni magad. Összezárult körülötted a szorongató sötétség. Gondolkozz!

Langdon leereszkedett a padlóra. A hátára fordult és kinyújtotta a kezét a teste mellett. Az első lépés, hogy visszanyerje az önuralmát.

Relaxálj! Gyűjts erőt!

Most, hogy a szívének már nem a gravitáció ellenében kellett pumpálnia a vért, Langdon pulzusa lassulni kezdett.

Ezt a fogást alkalmazzák az úszók a vér oxigénnel való újra-
töltésére két, szorosan egymást követő versenyszám között.
Rengeteg levegő van itt, mondta magának. Rengeteg. És
most gondolkozz! Várt, félig-meddig arra számítva, hogy bár-
melyik pillanatban visszatérhet az áram. Nem tért vissza.
Ahogy ott feküdt, immár egyenletesebben lélegezve, baljósla-
tú lemondás vett rajta erőt. Békét érzett. Megpróbált küzde-
ni ellene.

Mozdulnod kell, a fene egye meg! De hová...

Langdon csuklóján vidáman világított a Miki egér, mintha
élvezné a sötétséget. 21.33 volt. Még egy fél óra a tűzig. Lang-
don azt hitte, hogy sokkal több idő telt már el. Az agya, ahe-
lyett hogy a menekülésre vonatkozóan szőtt volna terveket,
egyszer csak magyarázatot kezdett követelni. Ki kapcsolta le
az áramot? Rocher terjesztette volna ki a keresést? Olivetti
nem figyelmeztette, hogy itt vagyok? Langdon tudta, hogy pil-
lanatnyilag ez édesmindegy.

Nagyra nyitotta a száját és hátravetette a fejét, hogy minél
mélyebbeket tudjon lélegezni. Minden egyes levegővétel egy
kicsit kevésbé égette a tüdejét, mint az előző. Langdon feje ki-
tisztult. Összeszedte a gondolatait és arra kényszerítette az
agyát, hogy mozgásba lendüljön.

Üvegfalak, mondta magának. De átkozottul vastag az üveg.

Azon tűnődött, hogy vannak-e itt olyan könyvek, amelye-
ket vastag, tűzbiztos acél iratszekrényekben őriznek. Lang-
don többször látott már ilyeneket más archívumokban, de itt
még nem találkozott velük. Egyébként is túl sok időbe telne
a keresgélés a sötétben. Nem mintha fel bírna emelni egy
ilyet, különösen a mostani fizikai állapotában.

És mi a helyzet az olvasóasztallal? Langdon tudta, hogy ebben a fülkében is, ugyanúgy, ahogy a többiben, van egy olvasóasztal középen, a polcok között. Na és? Azt sem tudná megemelni. Arról már nem is beszélve, hogy ha oda akarná vonszolni, úgysem jutna messzire. A polcok teli vannak pakolva és túl keskenyek közöttük az utcák.

Túl keskenyek az utcák...

Langdonnak hirtelen beugrott.

Friss magabiztossággal pattant fel, sajnos túl hevesen. Megszédült az agyába áramló vérlökettől, és támaszért tapogatózott a sötétben. Egy polcban akad meg a keze. Várt egy másodpercet, nyugalomra kényszerítve magát. Minden erejére szüksége lesz ehhez a vállalkozáshoz.

Olyan pozíciót vett fel a polcnál, mint amerikai focista az edzőszánkánál, megvetette a lábát és nekifeszült. *Ha valahogy ki tudnám billenteni a polcot.* De az alig mozdult. Ismét beállt, és lökött egyet rajta. A lába hátracsúszott a padlón. A polc megreccsent, de a helyén maradt.

Emelőre volt szüksége.

Visszatapogatózott a falhoz, egyik kezét az üvegen tartva gyorsan lépkedett a fal mentén, a fülke túlsó vége felé. Hirtelen ott magasodott előtte a hátsó fal, és nekiütközve felsértette a vállát. Langdon átkozódva kerülte meg a polcot, és szemmagasságban belekapaszkodott. Azután a háta mögötti üvegnek vetve az egyik lábát, a polc aljának a másikat, mászni kezdett fölfelé. Könyvek potyogtak körülötte, elrepülve a sötétségben. Nem törődött velük. A túlélés ösztöne már rég elnyomta benne az archivátori illemet. Érzékelte, hogy a koromsötétség elbizonytalanítja az egyensúlyát, ezért lehunyta a szemét, és azt mondta az agyának, hogy kapcsolja ki a vizuális ingereket. Most már gyorsabban mozgott. Minél magasabbra jutott, annál ritkább volt a levegő. A felső polcok után tapogatózott, könyvekre taposva, fogást keresve küzdötte magát fölfelé. Azután, mint egy sziklamászó, aki legyőzte a meredek kőfalat, Langdon felhúzta magát a legfelső szintre. Hátranyújtotta a lábát, és addig sétált fölfelé az üveglapon, amíg már majdnem vízszintesen feküdt.

Most vagy soha, Robert, biztatta egy hang. Mint a lábsúlyzózás a Harvard edzőtermében.

Kábultan nekiveselkedve, odafeszítette mindkét lábát a háta mögötti üvegfalhoz, karjával és mellkasával magához ölelte a polcot, és meglökte. Nem történt semmi.

Levegőért kapkodva újra elhelyezkedett és nyújtott lábbal megint megpróbálta. A polc, még ha csak egy picit is, de megmoccant. Még egyet taszított rajta, mire a polc vagy két centit előrelendült, majd vissza. Langdon előnyére fordította a mozgást, vett egy oxigénmentesnek tűnő lélegzetet és újra nekifeszült. A polc még jobban kibillent.

Mint a hinta, mondta magának. Tartsd a ritmust. Na még egy kicsit.

Langdon rengette a polcot, minden egyes lökésnél egy kicsivel jobban kinyújtva a lábát. Már sajogtak az izmai, de nem vett tudomást a fájdalomról. Az inga mozgásba lendült. Még három löket, biztatta magát.

Elég volt kettő is.

Egy pillanatra bizonytalanul lebegett a súlytalanságban. Azután, miközben a könyvek mennydörgő robajjal zúdultak le a polcról, Langdon és a polc előrezuhant.

A föld felé dőltében nekiütközött a következő polcnak. Langdon kapaszkodott, egész súlyával belefeszülve várta, hogy a második polc is előredőljön. Egy pillanatig nem volt semmi mozgás, Langdont már a pánik kerülgette, míg aztán, recsegve-ropogva a súly alatt, kibillent a második polc is. Langdon megint zuhant lefelé.

Mint óriási dominók, úgy dőltek el a polcok, egyik a másik után. Fém csattant fémen, könyvek repültek mindenfelé. Langdon kapaszkodott, miközben újabb és újabb polcok zúdultak lefelé. Azon tűnődött, vajon hány polc lehet itt összesen. És mennyit nyomhatnak? Nagyon vastag az az üveg a túloldalon...

Langdon polca már csaknem vízszintes helyzetben feküdt, amikor meghallotta a várva várt hangot – egy másfajta ütközés hangját. Messze tőle. Az üvegkalitka másik végén. A fém éles csattanását az üvegen. Körülötte megremegett a fülke, és Langdon tudta, hogy az utolsó polc, a többiek súlyával megfejelve, nekizuhant az üvegfalnak. Ám az ezt követő hang volt a legrettenetesebb, amelyet Langdon valaha is észlelt.

A süket csönd.

Semmi üvegropogás, csak a tompa visszhang, ahogy az üvegről visszapattant a rádőlő polcok súlya. Langdon tágra nyílt szemmel feküdt a könyvkupac tetején. Valahol a távolban recsegés hallatszott. Langon a lélegzetét visszatartva hallgatózott, bár már nem nagyon volt mit visszatartania.

Egy másodperc. Kettő...

Azután, ahogy az eszméletvesztés küszöbén vergődött, Langdon egy messzi sóhajt vélt hallani... repedés futott szét, mint a pókháló, az üvegen. Hirtelen, mintha ágyút sütöttek volna el, szétrobbant az üveg. A polc, amelyen Langdon feküdt, ledőlt a földre.

Mint áhított eső a sivatagban, úgy záporoztak az üvegszilánkok a sötétségben. És hangos sziszegéssel levegő áramlott be a fülkébe.

Harminc másodperccel később a Vatikán altemplomaiban Vittoria egy holttest előtt állt, amikor egy walkie-talkie recsegése törte meg a csendet. A hang, ami beleüvöltött, légszomjról árulkodott. – Itt Robert Langdon! Hall engem valaki?

Vittoria felkapta a fejét. Robert! Alig akarta elhinni, hogy hirtelen mennyire kívánja az ittlétét.

A testőrök értetlenkedő pillantásokat váltottak. Az egyik leakasztotta a rádiót az övéről. – Mr. Langdon? A hármas csatornán beszél. A parancsnok az egyes csatornán várja a jelentkezését.

– Tudom, hogy ő az egyesen van, a fenébe is! De én nem vele akarok beszélni. A camerlengót keresem. Azonnal találja meg nekem valaki.

A titkos archívum homályában Langdon ott állt az üvegtörmelék között és megpróbálta visszanyerni a lélekjelenlétét. Meleg nedvességet érzett a bal karján, és tudta, hogy vérzik. A camerlengo hangja azonnal megszólalt, felijesztve Langdont.

– Itt Ventresca camerlengo. Mi történt?

Langdon megnyomta a gombot, a szíve még mindig dübörgött. – Azt hiszem, valaki éppen most próbált megölni!

Csönd volt a vonalban.

Langdon igyekezett lenyugodni. – Azt is tudom, hol lesz a következő gyilkosság.

Az a hang, amely válaszolt neki, nem a camerlengóé volt. Olivetti parancsnok beszélt: – Mr. Langdon. Egy szót se többet.

angdon órája, amit most vér szennyezett, 21.41-et mutatott, miközben átrohant a Belvedere udvaron, és elérte a szökőkutat a svájci testőrség biztonsági központja előtt. Már nem vérzett a keze, de rosszabb volt, mint ahogy kinézett. Amikor megérkezett, úgy látta, hogy valamennyien összeverődtek – Olivetti, Rocher, a *camerlengo*, Vittoria és egy maroknyi testőr.

Vittoria azonnal hozzá sietett. – Robert, megsebesült.

Mielőtt Langdon válaszolhatott volna, Olivetti termett előtte. – Mr. Langdon, megkönnyebbülten látom, hogy jól van. Elnézést a keresztbe kötésekért az archívumban.

– A keresztbe kötésekért? – kérdezte megütközve Langdon. – Nagyon jól tudta, hogy...

– Én hibáztam – mondta az előrelépő Rocher bűnbánó hangon. – Fogalmam sem volt, hogy az archívumban van. A fehér zónák bizonyos szakaszai össze vannak kötve azzal az épülettel. Kiterjesztettük a kutatásunkat. Én kapcsoltam le az áramot. Ha tudtam volna...

– Robert – mondta Vittoria, kezébe véve és megvizsgálva a férfi sebesült kezét –, a pápát megmérgezték. Az Illuminátusok ölték meg.

Langdon hallotta a szavakat, de alig jutottak el az agyáig. Túlságosan telítve volt. Nem érzett mást, csak Vittoria kezének melegét.

A *camerlengo* selyem zsebkendőt vett elő a reverendájából és átnyújtotta Langdonnak, hogy tisztogassa meg magát. Egy szót sem szólt. Zöld szemében új tűz ragyogott.

– Robert – nógatta Vittoria –, azt mondta, hogy rájött, hol akarják megölni a következő bíborost.

Langdon könnyűnek érezte magát. – Igen, a...

– Ne – avatkozott közbe Olivetti. – Mr. Langdon, amikor arra kértem, hogy egy szót se mondjon többet a walkie-talkie-ba, annak megvolt az oka. – A közelben csoportosuló svájci testőrökhöz fordult. – Bocsássanak meg, uraim.

A katonák bementek a biztonsági központba. Semmi felzúdulás, csak a vak engedelmesség.

Olivetti visszafordult a társasághoz. – Akármilyen fájdalmas is számomra, hogy ezt kell mondanom, a pápánk meggyilkolása olyan bűntett volt, amelyet belső segítség nélkül nem lehetett volna végrehajtani. Mindannyiunk érdekében, többé nem bízhatunk senkiben. Még a testőreinkben sem. – Látszott rajta, hogy szenved, amikor kiejti ezeket a szavakat.

Rocher aggodalmasnak tűnt. – A belső összejátszás azt jelenti...

– Igen – mondta Olivetti. – Veszélybe került a kutatás megbízhatósága. De vállalnunk kell ezt a kockázatot. Folytassák a keresést.

Rocher mintha mondani akart volna valamit, de aztán meggondolta magát, és távozott.

A *camerlengo* vett egy nagy levegőt. De egyelőre nem szólt semmit, és Langdon új eltökéltséget érzett benne, mintha a férfi fordulóponthoz érkezett volna.

– Parancsnok! – A *camerlengo* hangja áthatolhatatlan volt.
– Félbe akarom szakítani a konklávét.

Olivetti lebiggyesztette a száját és morcos képet vágott.
– Ellene vagyok. Van még két óránk és húsz percünk.

– Nincs.

Olivetti hangja most kihívóvá vált. – Mit szándékozik tenni? Egyenként evakuálni a bíborosokat?

– Szándékomban áll megmenteni ezt az egyházat, felhasználva mindazt a hatalmat, amit Isten rám ruházott. Amit tenni fogok, az már nem tartozik önre.

Olivetti kihúzta magát. – Bármit szándékozik is tenni...
– Szünetet tartott. – Nincs rá felhatalmazásom, hogy visszatartsam. Különösen azok után, hogy nyilvánvalóan csődöt mondtam a biztonsági szolgálat vezetőjeként. Csak annyit kérek, hogy várjon. Várjon húsz percet... tíz óra utánig. Ha Mr. Langdon információja helyes, akkor van még egy esélyem, hogy elkapjam a gyilkost. Maradt még egy esély, hogy betartsuk a protokollt és az illendőséget.

– Illendőséget? – A *camerlengo* fojtott nevetést hallatott.
– Ezen mi már rég túl vagyunk, parancsnok. Ha nem vette volna észre, ez itt már háború.

Egy testőr lépett ki a biztonsági központból és a *camerlengót* szólította: – *Signore*, most érkezett a hír, hogy megtalálták a BBC riporterét, Mr. Glicket.

A *camerlengo* bólintott. – Az operatőr hölggyel együtt várjanak rám a Sixtus-kápolna előtt.

Olivetti szeme összeszűkült. – Mire készül?

– Húsz perc, parancsnok. Mindössze ennyit adok önnek.
– Azzal távozott.

Amikor Olivetti Alfa Romeója kihajtott Vatikánvárosból, ezúttal nem követte a jelzés nélküli autók konvoja. Vittoria bekötözte a hátsó ülésen helyet foglaló Langdon kezét azzal az elsősegélykészlettel, amit a kesztyűtartóban talált. Olivetti egyenesen előrebámult. – Oké, Mr. Langdon. Hová megyünk?

88

A kihelyezett és bömbölő sziréna ellenére Olivetti Alfa Romeója látható feltűnés nélkül robogott át a régi Róma szívébe vezető hídon. Mintha az egész forgalom az ellenkező irányba tartott volna, a Vatikán felé; olybá tűnt, hogy a Szentszék egyszeriben a legizgalmasabb szórakozóhellyé vált Rómában.

A hátul ülő Langdon fejében egymást kergették a gondolatok. Azon tűnődött, vajon ezúttal sikerül-e elkapniuk a gyilkost, vajon ő képes lesz-e megadni az ehhez szükséges információkat, vajon nem érnek-e túl későn oda. Mennyi idejük van addig, amíg a *camerlengo* közli a Szent Péter téren összegyűlt sokasággal, hogy veszélyben vannak? Az üvegfülkében történtek még mindig nem hagyták nyugodni. Tévedés.

Olivetti egyszer sem lépett a fékre, miközben a Santa Maria della Vittoria templom felé kormányozta a száguldó Alfa Romeót. Langdon tudta, hogy minden más esetben halálfélelmet érezne. Pillanatnyilag azonban olyan volt, mint akit elkábítottak. Csak a lüktetés a kezében emlékeztette arra, hogy hol van.

A fejük felett sikított a sziréna. Legalább tudja, hogy jövünk, gondolta Langdon. Viszont hihetetlen sebességgel haladtak. Langdon úgy vélte, hogy Olivetti ki fogja kapcsolni a szirénát, amint közelebb érnek.

Most, hogy volt egy nyugodt perce elgondolkodni, Langdon megütközött, amint a pápa meggyilkolásának híre végre eljutott az agyába. Felfoghatatlan volt az egész, mégis, valahogy tökéletesen logikusnak tűnt. Mindig is a behatolás volt az Illuminátusok legnagyobb erőssége – belülről ragadták meg a hatalmat. Nem mintha egy pápa se halt volna még erőszakos halált. Számtalan híresztelés keringett különféle ármánykodásokról, noha boncolás híján egyiket sem lehetett bizonyítani. Mostanáig. A tudósok csak nemrégiben kaptak engedélyt arra, hogy megröntgenezzék V. Celesztin sírját, aki állítólag túlságosan türelmetlen utódja, VIII. Bonifác kezétől halt meg. A tudósok azt remélték, hogy az átvilágítás felfedi a piszkos trükk nyomát – talán egy törött csontot. Hihetetlen, de a röntgensugár egy huszonöt centiméteres tűt tett láthatóvá a pápa koponyájába döfve.

Langdon most felidézett egy sor újságkivágást, amelyet más Illuminátus-kutatók küldtek el neki évekkel ezelőtt. Először azt hitte, hogy csak tréfát űznek vele, ezért elment a Harvard mikrofilmtárába, hogy utánanézzen a cikkek hitelességének. Valódiak voltak. Ma ott őrizte őket a hirdetőtábláján, annak bizonyságául, hogy néha még tiszteletreméltó sajtótermékeket is megfertőz az illuminátus üldözési mánia. A média gyanúsításai egyszerre nem is tűntek már olyan paranoidnak. Langdon tisztán látta maga előtt a cikkeket...

BRITISH BROADCASTING CORPORATION
1998. JÚNIUS 14.

I. János Pál pápa, aki 1978-ban halt meg, a P2 szabadkőműves-páholynak esett áldozatul... A P2 titkos társaság akkor döntötte el, hogy megöli I. János Pált, amikor a pápa elszánta magát arra, hogy elbocsátja Paul Marcinkus érseket, a Vatikáni Bank elnökét. A bankot azzal vádolták, hogy sötét pénzügyi megállapodásokat kötött a szabadkőműves-páhollyal...

NEW YORK TIMES
1998. AUGUSZTUS 24.

Miért viselte a néhai I. János Pál a nappali ingét az ágyában? Miért volt elszakadva? Se vége, se hossza a kérdéseknek. Orvosi vizsgálat nem volt. Villot bíboros megtiltotta a boncolást, azon az alapon, hogy még egyetlen pápán sem hajtották végre autopsziát. Továbbá János Pál gyógyszerei rejtélyesen eltűntek az éjjeliszekrényéből, akárcsak a szemüvege, a papucsa és a végrendelete.

LONDON DAILY MAIL
1998. AUGUSZTUS 27.

... az összeesküvésben benne van egy szabadkőműves-páholy, amelynek csápjai egészen a Vatikánig érnek.

Vittoria zsebében megszólalt a mobiltelefon, szerencsésen kitörölve a rossz emlékeket Langdon agyából.

Vittoria felvette, és látható zavarral hallgatta, amit mondtak neki. Langdon még ebből a távolságból is ráismert a lézerként metsző hangra a vonalban.

– Vittoria? Itt Maximilian Kohler. Megtalálták már az antianyagot?

– Max? Jól van?

– Láttam a híradót. A CERN-t vagy az antianyagot nem említették. Ez jó hír. Mi a helyzet?

– Még nem találtuk meg a tárolóedényt. A helyzet bonyolult. Robert Langdon igazán kitűnő szerzemény. Van egy nyomunk, ami elvezet a bíborosokat gyilkoló férfihoz. Most egyenesen a...

– Ms. Vetra – szakította félbe Olivetti. – Eleget mondott.

Vittoria letakarta a kagylót, és láthatóan bosszús volt. – Parancsnok, a CERN elnökével beszélek. Neki bizonyára joga van...

– Joga van – vágott vissza Olivetti –, ide jönni és részt vállalni a helyzet megoldásából. Ez egy kódolatlan rádiótelefon. Eleget mondott.

Vittoria vett egy nagy levegőt. – Max?

– Talán szolgálhatok önnek némi információval – mondta Max. – Az apjáról... Lehet, hogy tudom, kinek beszélt az antianyagról.

Vittoriának elborult az arca. – Max, az apám nekem azt mondta, hogy nem szólt senkinek.

– Attól félek, Vittoria, hogy az apja mégis elmondta valakinek. Ellenőriznem kell még néhány biztonsági felvételt. Hamarosan ismét jelentkezem. – A vonal megszakadt.

Vittoria sápadtan tette vissza a telefont a zsebébe.

– Jól van? – kérdezte Langdon.

Vittoria bólintott, de remegő ujjai elárulták, hogy hazudik.

– A templom a Piazza Barberinin van – mondta Olivetti, leállítva a szirénát és ellenőrizve az időt. – Kilenc percünk van.

Amikor Langdon megfejtette az első útjelző hollétét, a templom helye egy halvány emléket idézett fel benne. Piazza Barberini. Valahogy ismerős volt a név... volt itt valami, amit nem tudott hová tenni. Langdon most rájött, hogy mi az. Egy metróállomás megnyitása miatt ez a tér viták kereszttüzébe került. Húsz évvel ezelőtt, a földalattivonal kiépítésekor felzúdultak a művészettörténészek, attól tartva, hogy a Piazza Barberini aláásása ledöntheti a tér közepén álló, többtonnás obeliszket. A várostervezők eltávolították az obeliszket, és egy *Triton* nevű, kisebb díszkutat állítottak a helyére.

Bernini korában, jött rá most Langdon, a Piazza Barberinin volt egy obeliszk! Ha eddig bármilyen kétsége volt is a harmadik útjelző helyét illetően, az most teljesen eloszlott.

Egy sarokra a piazzától Olivetti befordult egy sikátorba, elhajtott a közepéig, majd leállította a kocsit. Kibújt a zakójából, feltűrte az inge ujját és betárazta a pisztolyát.

– Nem kockáztathatjuk, hogy felismernek bennünket – mondta. – Maguk ketten benne voltak a televízióban. Azt kérem, hogy a tér túlsó oldaláról, fedezékből figyeljék a főbejáratot. Én hátulról megyek.

Elővette a már ismerős pisztolyt, és átnyújtotta Langdonnak. – Biztos, ami biztos.

Langdon összevonta a szemöldökét. Ma már másodszor bízták rá ezt a fegyvert. Becsúsztatta a felső zsebébe. Közben rájött, hogy még mindig nála van a *Diagramma* fóliánsa. Nem győzte átkozni magát, amiért elmulasztotta visszatenni a helyére. Már látta is maga előtt a Vatikán kurátorát, amint dührohamot kap a gondolattól, hogy ezt a felbecsülhetetlen értékű kincset úgy hurcolják ide-oda Rómában, akár egy turistatérképet. Azután Langdonnak eszébe jutott az üvegtörmelék és a szétdobált könyvek tömege, amit az archívumban maga után hagyott. A kurátor kisebb gondja is nagyobb lesz a fóliánsnál. Már ha az archívum egyáltalán túléli a mai éjszakát...

Olivetti kiszállt a kocsiból és hátramutatott a sikátorban. – A piazza arra van. Tartsák nyitva a szemüket és vigyázzanak, hogy ne vegyék észre önöket. – Ráütött a telefonra az övén. – Ms. Vetra, ellenőrizzük, hogy működik-e a gyorstárcsázás.

Vittoria elővette a mobilját és benyomta azt a gombot, amelyre a Pantheonnál beprogramozta Olivetti hívószámát. A parancsnok néma üzemmódra állított készüléke rezegni kezdett az övén.

Olivetti bólintott. – Rendben. Azonnal értesítsenek, ha látnak valamit. – Kibiztosította a fegyverét. – Én odabent várok. Elkapom azt az istentelent.

Ugyanabban a pillanatban, a közvetlen közelben, megszólalt egy másik rádiótelefon is.

A hasszasszin bejelentkezett. – Tessék.

– Én vagyok – mondta a hang. – Janus.

A hasszasszín elmosolyodott. – Üdvözlöm, mester.

– Lehet, hogy tudnak a helyről. Valaki az útjába akar állni.

– Túl késő lenne. Már megtettem itt az előkészületeket.

– Helyes. Vigyázzon, hogy élve tudjon elmenekülni. További feladatai is vannak.

– Aki az utamba áll, az meghal.

– Aki az útjában áll, az érti a dolgát.

– Arról az amerikai tudósról beszél?

– Hát tud róla?

A hasszasszín felvihogott. – Hidegvérű, de naiv. Már beszéltem vele telefonon. Egy nővel van, aki éppen az ellenkezője. – A gyilkos izgalomba jött, ahogy felidézte magában Leonardo Vetra lányának tüzes vérmérsékletét.

Egy pillanatra csend támadt a vonalban, és a hasszasszín most először érzékelte, hogy a mester tétovázik. Janus végül így szólt: – Iktassa ki őket, ha arra kerül a sor.

A gyilkos mosolygott. – Vegye úgy, hogy el van intézve. – Érezte, hogy egész testét megbizsergeti a várakozás. *Ámbár, a nő lehetne a jutalmam.*

89

A Szent Péter téren kitört a háború.

A piazzán elszabadult az erőszak. A média közvetítőkocsijai úgy sorakoztak fel, mint a hídfőállást foglaló harci járművek. A riporterek úgy rakodták ki a csúcstechnológia esz-

közeit, mint a csatához felfegyverkező katonák. A tévéhálóza-
tok pozícióharcot vívtak körben az egész téren, miközben
egymással versengve vetették be a modern médiaháború leg-
frissebb fegyvereit: a plazmaképernyőket.

A hatalmas videokivetítőket vagy teherautók platójára, vagy
hordozható állványzatokra szerelték föl. A plazmaképernyő
egyfajta hirdetőtáblaként funkcionált, amely a hálózatot rekla-
mozta, úgy sugározva az adott tévétársaság híranyagát és
logóját, akár egy autósmozi. Ha jó helyen állították fel
a kivetítőt − például a történések közelében −, akkor
a rivális hálózat nem tudta úgy leadni a sztorit, hogy közben
ne reklámozza a versenytársát.

A piazza hamarosan multimédiás bemutatóvá, s egyszer-
smind a túlfűtött össznépi virrasztás színterévé változott.
Minden irányból özönlöttek a bámészkodók. A máskor kor-
látlan, nyílt területen immár verekedni kellett a szabad helye-
kért. Az emberek összeverődtek a plazmaképernyők előtt, és
az izgalomtól megkövülten figyelték az élő riportokat.

Mindössze száz méterre onnan, a Szent Péter-bazilika
vastag falai mögött, nyugalmas volt a világ. Chartrand had-
nagy és három másik testőr lépegetett a sötétségben. Infra-
szemüveget viseltek, és a maguk előtt tartott detektorral
pásztázták a templom hajóját. Vatikánváros nyilvánosan
hozzáférhető területeinek átkutatása ez idáig nem hozott
semmilyen eredményt.

− Jobb lesz, ha itt levesszük a szemüvegeket − mondta
a rangidős testőr.

Chartrand már meg is tette. A *pallium*okat rejtő üreghez

közeledtek – a padló alá süllyesztett kamrához a bazilika közepén. Kilencvenkilenc olajmécses világította meg, és a megerősített infravörös fény kárt tehetett volna a szemükben.

Chartrand örömmel szabadult meg a nehéz szemüvegtől, és a nyakát nyújtogatta, miközben leereszkedett az üregbe, hogy azt is átvizsgálja. A kamra gyönyörű volt... arany fényben ragyogott. A hadnagy még sohasem járt idelent.

Úgy tűnt, mintha Chartrand minden egyes itt töltött nappal megtudott volna valami újat a Vatikán titkairól. Közéjük tartoztak ezek az olajmécsesek is. Pontosan kilencvenkilenc égett folyamatosan. Hagyomány volt. A papok szentelt olajjal gondosan újratöltötték a kiégett lámpákat, hogy egy mécses se aludjon ki soha. Azt mondták, égni fognak az idők végezetéig.

De legalábbis éjfél utánig, gondolta Chartrand, és érezte, hogy megint kiszárad a szája.

Chartrand meglóbálta a detektort az olajmécsesek fölött. Ide ugyan nem rejtettek el semmit. Nem lepte meg: a tárolóedény a videofelvétel tanúsága szerint valami sötét helyen lapul.

Ahogy haladt előre a mélyedésben, egy kidomborodó gránitlaphoz ért, amely egy lyukat takart a padlón. A lyukból egy meredek és keskeny lépcső vezetett lefelé. Hallott már történeteket arról, hogy mi van odalent. Hálás volt, hogy oda nem kell lemennie. Rocher parancsa egyértelmű volt: csak a nyilvános területeken keressenek, ne foglalkozzanak a nem fehér zónákkal.

– Mi ez a szag? – kérdezte, elfordulva a gránitlaptól. A kamra bódítóan édes illatot árasztott.

– A lámpák füstje – válaszolta az egyik testőr.

Chartrand elcsodálkozott. – Inkább kölni, mint kerozin illata van.

– Az nem kerozin. Ezek a lámpák közel vannak a pápai oltárhoz, ezért különleges, környezetkímélő elegy van bennük: etanol, cukor, bután és parfüm.

– Bután? – Chartrand feszengve nézegette az olajmécseseket. A testőr bólintott. – Nehogy rád fröcssenjen. Mennyei illata van, de éget, mint a pokol.

A testőrök befejezték a *palliumos* kamra átvizsgálását, és már ismét a bazilikában voltak, amikor megszólaltak a walkietalkie-k.

Új híreket kaptak. A testőrök megrendülten figyeltek.

Nyilván új, negatív fejlemények merültek fel, amelyeket nem lehetett rádión bemondani, de a *camerlengo* úgy döntött, megtöri a hagyományt és bemegy a konklávéra, hogy beszéljen a bíborosokkal. Erre soha nem volt még példa a történelemben. De arra sem, döbbent rá Chartrand, hogy valami újfajta, nukleáris robbanótöltettel aknázzák alá a Vatikánt.

Chartrand-t megnyugtatta, hogy a *camerlengo* vette át az irányítást. A *camerlengo* volt az a személy a Vatikánon belül, akit a legnagyobbra tartott. Egyes testőrök *beátónak* – túlbuzgó vallásosnak – tartották, akinek az istenhite már a megszállottsággal határos, de abban még ők is egyetértettek, hogy ha harcba kell szállni Isten ellenségeivel, akkor a *camerlengo* az a férfi, aki kiáll és keményen küzd.

A svájci testőrök sokat látták ezen a héten a *camerlengót*, aki a konklávé előkészületein dolgozott, és mindenkinek feltűnt, hogy mintha valamivel feszültebb volna a szokásosnál, és zöld szeme még mélyebb tűzben égne. Nem is csoda, nyugtázta mindenki: nem elég, hogy a *camerlengo* a felelős a szent konklávé megtervezéséért, de mindezt akkor kell megtennie, amikor még friss a gyásza elvesztett pártfogójáért, a pápáért.

Chartrand még csak néhány hónapja volt a Vatikánban, amikor megismerte a felrobbant bomba történetét, amely a gyerek szeme láttára végzett a *camerlengo* anyjával. Bomba a templomban... és most ugyanazt éli át újra. Szomorú, de a rendőrség soha nem kapta el azokat a gazembereket, akik elhelyezték a bombát... minden bizonnyal valamilyen keresztényellenes csoport lehetett, mondták, és az eset feledésbe merült. Nem csoda, hogy a *camerlengo* nem tűrte az apátiát.

Pár hónapja, egy békés délutánon Chartrand összefutott a camerlengóval a Vatikánváros kertjében. A *camerlengo* nyilván felismerte, hogy Chartrand új ember itt, és meginvitálta egy kis sétára. Nem beszéltek semmi különösről, de a *camerlengo* elérte, hogy Chartrand azonnal otthonosan érezze magát.

– Atyám – mondta Chartrand –, feltehetek egy furcsa kérdést?

A *camerlengo* elmosolyodott. – Csak akkor, ha én is adhatok rá különös választ.

Chartrand nevetett. – Minden ismerős papot megkérdeztem, és még mindig nem értem.

– Mi az, ami nem hagy nyugodni? – A *camerlengo* rövid, fürge léptekkel haladt, járás közben előrelebbent a reverendája. Fekete, krepptalpú cipője, gondolta Chartrand, mintha a természetét tükrözné vissza... modern, de igénytelen, és látszik, hogy kissé viseltes.

Chatrand vett egy nagy levegőt. – Nem értem ezt a mindenható és jóságos dolgot.

A *camerlengo* mosolygott: – Olvasod a Szentírást?

– Igyekszem.

– Össze vagy zavarodva, mert a Biblia mindenhatónak és jóságosnak nevezi Istent.

– Pontosan.

– A mindenható és jóságos egyszerűen csak annyit jelent, hogy Istennek bármi a hatalmában áll és hogy jók a szándékai.

– Értem a fogalmakat. Csak... mintha itt ellentmondás lenne.

– Igen. A fájdalom az ellentmondás. Az éhező emberek, a háború, a betegség...

– Pontosan! – Chartrand tudta, hogy a *camerlengo* érti őt.

– Szörnyű dolgok történnek a világban. Az emberi tragédiák mintha azt bizonyítanák, hogy Isten nem lehet egyszerre mindenható és jóságos. Ha szeret minket, és ha hatalmában áll változtatni a helyzetünkön, akkor miért nem ment meg minket a fájdalomtól?

A *camerlengo* a homlokát ráncolta. – Ezt kéne tennie?

Chartrand kényelmetlenül érezte magát. Lehet, hogy túl messzire ment? Ez is olyan kérdése volna a vallásnak, amelyet nem szabad feltenni? – Hát... ha Isten szeret bennünket, és meg tud védelmezni, akkor igen. De úgy tűnik, hogy vagy mindenható, de nem törődik velünk, vagy jóságos, de nem áll hatalmában segíteni.

– Vannak gyermekeid, hadnagy?

Chartrand elpirult. – Nem, *signore.*

– Képzeld el, hogy van egy nyolcéves fiad... szeretnéd őt?

– Hát persze.

– Megtennél mindent, ami a hatalmadban áll, hogy megvédelmezd őt a fájdalomtól?

– Persze.

– Engednéd gördeszkázni?

Chartrand meglepődött. A *camerlengo* egy paphoz képest mindig is furcsán e világi volt. – Igen, gondolom – felelte Chartrand. – Biztos, hogy engedném, de figyelmeztetném, hogy vigyázzon magára.

– Azaz te, mint ennek a gyermeknek az apja, ellátnád őt néhány alapvető jó tanáccsal, aztán hagynád, hogy tanuljon a saját hibáiból?

– Nem rohanhatok a nyomában, és nem pátyolgathatom folyton, ha erre gondol.

– De mi van, ha elesik és leveri a térdét?

– Majd megtanul jobban vigyázni.

A *camerlengo* elmosolyodott. – Tehát, bár hatalmadban állna beavatkozni és megvédeni a gyermeket a fájdalomtól, te mégis úgy döntenél, hogy azzal mutatod ki a szereteted, ha engeded tanulni a saját hibáiból?

– Persze. A fájdalom hozzátartozik a fejlődéshez. Így tanulunk.

A *camerlengo* bólintott. – Pontosan.

99

Langdon és Vittoria a tér nyugati sarkán, egy kis mellékutca árnyékából figyelte a Piazza Barberinit. A templom szemben volt velük, kupolája ködösen derengett a teret környező épületek fölött. Az éjszaka kellemes hűvösséget hozott, és Langdon meglepődve tapasztalta, hogy nem lát

embereket. A fejük felett, az ablakokon túl, bömbölő tévé-
készülékek emlékeztették arra, hogy miért tűnt el mindenki.

*...a Vatikán még nem reagált... az Illuminátusok meggyilkoltak
két bíborost... a sátánisták jelenléte Rómában... további spekuláci-
ók a behatolás mértékéről...*

A hírek úgy terjedtek szét Rómában, akár a Nero által tá-
masztott tűzvész. A város és az egész világ feszülten figyelt.
Langdon azon tűnődött, vajon képesek lesznek-e megállítani
ezt a robogó vonatot. Ahogy a teret pásztázva várakozott, fel-
fedezte, hogy a piazza a modern épületek szorításában is
megőrizte ellipszis alakját. Fenn a magasban, mint egy hajda-
ni hősnek emelt modern szentély, hatalmas neonfelirat villo-
gott egy luxusszálló tetején. Vittoria már korábban megmu-
tatta Langdonnak. A felirat kísértetiesen ideillett:

HOTEL BERNINI

– Öt perc múlva tíz – mondta Vittoria, macskaszemmel
fürkészve a teret. Alig mondta ki ezeket a szavakat, amikor
megragadta Langdon karját és behúzta az árnyékba. A tér kö-
zepe felé intett.

Langdon követte a tekintetét. A látványra megmerevedett.

Két sötét figura bukkant fel előttük, épp elhaladva egy utcai
lámpa alatt. Mindketten köpenyt viseltek, a fejükön *mantilla*,
a katolikus özvegyasszonyok hagyományos fátyla. Langdon
nőknek vélte volna őket, de a sötétben ezt nem tudhatta biz-
tosan. Az egyik idősebbnek tűnt és nehezen, összegörnyedve
járt. Nagyobb és erősebb társa támogatta.

– Adja ide a pisztolyt – mondta Vittoria.

– De itt nem...

Vittoria egy macska fürgeségével már be is csúsztatta az ujjait Langdon zakója alá, és a következő pillanatban már villant is a fegyver a kezében. Azután, teljes csöndben, mintha nem is érintené lábával a kockaköveket, bal felé került a téren, az árnyékban osonva, hogy hátulról közelítse meg a párost. Langdon megkövülve állt, és csak nézett Vittoria után. Majd, magában szitkozódva, utánaindult.

A pár lassan haladt, és mindössze fél perc kellett hozzá, hogy Langdon és Vittoria felzárkózva mögéjük kerüljön. Vittoria a lazán összefont karja alá rejtette a fegyvert, ahol nem lehet látni, de egy pillanat alatt előrántható. A lány egyre gyorsított, ahogy csökkent közöttük a távolság, és Langdonnak ki kellett lépnie, hogy le ne maradjon. Amikor a cipője megakadt egy kőben és elbotlott, Vittoria haragos tekintetet vetett rá. De a pár láthatóan nem hallotta meg. Beszélgettek.

Langdon harminclépésnyiről hallotta a hangjukat. A szavakat nem értette. Vittoria egyre sebesebben lépkedett mellette. Lejjebb engedte maga előtt a karját, a pisztoly már kikandikált. Húsz lépés. A hangok már tisztábbak – az egyik hangosabb, mint a másik. Haragos. Zsörtölődő. Langdon felismerte, hogy egy idős asszony hangja. Érdes. Férfias. Hallgatózott, hogy megértse, mit mond, de ekkor egy másik hang hasított az éjszakába.

– *Mi scusi!* – Vittoria barátságos tónusa úgy ragyogta be a teret, akár egy fáklya.

Langdon megfeszült, ahogy a köpenyes pár megtorpant és hátrafordult. Vittoria még közelebb ért hozzájuk, mind gyorsabban járva, mintha nekik akarna menni. Idejük sem lenne reagálni. Langdon rájött, hogy az ő lába is lecövekelt. Hátulról látta, hogy Vittoria még lejjebb engedi a karját, a keze kiszabadul és előrelendül benne a pisztoly. Azután, a lány válla fölött egy arcot pillantott meg az utcai lámpa fényében. A pánik felrántotta a lábát, és Langdon előrevetette magát.

– Vittoria, ne!

Vittoria azonban egy pillanattal előtte járhatott, mert éppoly gyorsan, mint amilyen feltűnés nélkül, újra összefonta a karját, mintha melengetni akarná magát a hűvös éjszakában, és eltüntette a fegyvert. A mellé érkező Langdon kis híján összeütközött a köpenyes párral.

– *Buona sera* – hadarta Vittoria, immár visszakozó hangon. Langdon megkönnyebbülten sóhajtott. Két idős asszony állt előttük, szigorúan méregetve őket a fátyluk alól. Az egyik olyan öreg volt, hogy alig állt a lábán. A másik támogatta. Mindketten rózsafüzért szorongattak. Láthatólag zavarba hozta őket a váratlan leszólítás.

Vittoria mosolygott, bár látszott rajta, hogy remeg. – *Dov'e la chiesa Santa Maria della Vittoria?* – érdeklődött a templom pontos helye iránt.

A két asszony egyszerre mutatott rá egy rézsútosan haladó utcából kiugró épületre ott, ahonnan jöttek. – *E la.*

– *Grazie* – mondta Langdon Vittoria vállára téve a kezét, gyengéden hátrahúzva a lányt. Nem akarta elhinni, hogy csaknem megtámadtak két idős hölgyet.

– *Non si puo entrare* – figyelmeztette őket az egyik asszony. – *E chiusa temprano.*

– Nem mehetünk be? – kérdezte meglepetten Vittoria.

– Korábban zártak? *Perche?*

Mindkét nő egyszerre kezdett el magyarázni. Bosszúsnak tűntek. Langdon csak a töredékét értette a gyorsan pergő olasz beszédnek. Az asszonyok tehát negyedórája még odabent voltak a templomban, és a Vatikánért imádkoztak nagy szükségében, amikor megjelent egy férfi, és közölte velük, hogy a templom ma korábban bezár.

– *Hanno conosciuto l'uomo?* – kérdezte Vittoria feszült hangon. – Ismerték azt a férfit?

A nők a fejüket rázták. A férfi egy *straniero crudo*, egy goromba idegen volt, magyarázták, aki minden jelenlévőt erőszakosan kiterelt, még a fiatal papot és a sekrestyést is, akik azt mondták, hogy kihívják a rendőrséget. De a behatoló csak nevetett, közölve velük, hogy a rendőrök feltétlenül hozzanak magukkal kamerákat.

Kamerákat? – tűnődött Langdon.

Az asszonyok mérgesen kotkodácsoltak és bararabónak nevezték a férfit. Aztán zsörtölődve folytatták útjukat.

– *Bar-arabo?* – kérdezte Langdon Vittoriától. – Barbár?

Vittoriának váratlanul elkomorult az arca. – Nem egészen. Ez egy sértő szójáték. Azt jelenti, hogy *Arabo*... arab.

Langdon megborzongott és a templom körvonalait nézte. Eközben megakadt a szeme a színes ólomüveg ablakokon. A képtől rettegés szorította el a szívét.

A mit sem sejtő Vittoria elővette a mobiltelefonját és megnyomta a gyorstárcsázó gombot. – Figyelmeztetem Olivettit.

Langdon képtelen volt megszólalni, csak kinyújtotta a kezét és megérintette a lány karját. Reszkető kézzel mutatott a templomra.

Vittoriának elnyílt a szája.

Az épületben a festett üvegablakok ördögszemekként parázslottak... az ablakokon belül egyre magasabbra csaptak a lángok.

91

Langdon és Vittoria odarohant a Santa Maria della Vittoria templom főbejáratához, de a faajtót zárva találták. Vittoria három lövést adott le Olivetti félautomatájából az ősrégi zárra, mire az kettéhasadt.

A templomnak nem volt előtere, így a szentély egyetlen szempillantás alatt feltárult előttük, amikor Langdon és Vittoria belökte a főbejárat ajtaját. A látvány annyira bizarr és váratlan volt, hogy Langdonnak be kellett csuknia a szemét, majd ismét kinyitnia, mielőtt befogadta volna.

Pazar barokk templomot látott... arannyal festett falakat és oltárokat. A szentély közepén, pontosan a főkupola alatt tűzifát halmoztak fel magasra, amely most úgy lángolt, akár egy halotti máglya. A tűznyelvek felcsaptak egészen a kupoláig. Ahogy Langdon tekintete fölfelé kapaszkodott, úgy zuhant rá, mint egy zsákmányára lecsapó ragadozó madár, a jelenet igazi borzalma.

Magasan odafönt, a mennyezet bal és jobb oldaláról egyegy füstölőtartó kötél lógott le – ezek arra szolgálnak, hogy meglóbálva őket, tömjént hintsenek a gyülekezetre. Most azonban nem volt tömjéntartó a kötelek végén. És nem is lengtek. Valami egészen másra használták őket...

A kötelekre egy emberi lény volt kifeszítve. Egy meztelen férfi. A csuklójánál fogva kötözték ki, és úgy húzták fel, hogy csaknem kettészakadt a teste. Kiterjesztett két karja mintha csak egy láthatatlan keresztre lett volna felszögelve, amely a levegőben lebeg Isten házában.

A föltekintő Langdont megbénította a látvány. Egy pillanattal később felfedezte a végső iszonyatot. Az öregember élt, és felemelte a fejét. Rettegéssel teli szempár nézett le rájuk néma könyörgéssel. A férfi mellkasán ott volt a beégetett jelkép. Langdon nem látta tisztán, de kevés kétsége volt aziránt, hogy milyen szó áll rajta. Ahogy a lángok egyre magasabbra kúsztak, és már a férfi lábát nyaldosták, kínkeserves kiáltás tört fel az áldozat reszkető testéből.

Mintha valami láthatatlan erő hajtaná, Langdon érezte, hogy hirtelen mozgásba lendülnek az izmai, és rohanni kezdett a főhajón át a máglya felé. Ahogy közeledett, a tüdeje füsttel telt meg. Az *inferno* lábánál a teljes sebességgel érkező Langdon a forróság falába ütközött. Égett a bőr az arcán, hátrazuhant, és kezével eltakarva a szemét végigvágódott a márványpadlón. Támolyogva felállt, és ismét előreindult, fölemelt karjával fedezve magát.

Azonnal rájött: a tűz megközelíthetetlenül forró.

Hátrahúzódva végigpásztázta a templom falait. Egy nehéz faliszőnyeg, gondolta. Ha valahogyan elfojthatnám a... De tudta, hogy itt nem fog falikárpitot találni. *Ez egy barokk templom, Robert, nem valami német várkastély! Gondolkozz!* Visszakényszerítette tekintetét a kifeszített emberre.

Odafönt a magasban füst és lángok kavarogtak a kupolában. A férfi csuklójára erősített kötelek a mennyezetig vezettek, ahol csigákon vetették át őket, majd ismét leereszkedve fémkapcsok rögzítették a templom két oldalfalához. Langdon megnézte magának az egyik fémkapcsot. Magasan volt a falon, de tudta, hogy elérné, és ha meglazítja az egyik kötélszárat, enyhül a feszítés, és a férfi távolabb kerül a tűztől.

Hirtelen magasabbra csaptak a feltörő lángok, és Langdon átható sikolyt hallott a magasból. A férfi lábán a bőr már kezdett megpörkölődni. Így elevenen fog megsülni. Langdon a fémkapocsra szögezte a tekintetét és rohanni kezdett felé.

A templom végében Vittoria egy pad támlájába kapaszkodva próbálta összeszedni magát. A kép a feje fölött iszonyatos volt. Kényszeresen elfordította róla a szemét. Csinálj valamit! Az járt a fejében, hol lehet Olivetti. Találkozott a hasszasszinnal? El tudta kapni? Hol lehetnek most? Vittoria előreindult, hogy segítsen Langdonnak, de egy hang útközben megállította.

A tűz ropogása éppen erősebb lett, de egy másik zaj is belehasított a levegőbe. Valami fémes rezgés. A közelben. Az ütemes pulzálás mintha a bal oldali padsor végéből jött volna. Éles csörgés, mint amikor megszólal a telefon, de kemény és tompa. Vittoria jól megmarkolta a pisztolyt, és továbbment a padok között. A zaj hangosabb lett. Be. Ki. Visszatérő vibrálás.

A padok közötti utca végéhez közeledve rájött, hogy a padló felől jön a hang, az utolsó sor mögül. Ahogy előretartott fegyverrel a kézben lépkedett, ráébredt, hogy a bal kezében is tart valamit – a mobiltelefonját. Rémületében elfelejtette, hogy még odakint, a templom előtt feltárcsázta a parancsnok néma rezgésre beállított telefonját, hogy figyelmeztesse. Vittoria a füléhez emelte a saját mobilját. Még mindig csengetett.

A parancsnok azóta se vette fel. Egyszerre rátört a félelem, és nőttön-nőtt benne, mert Vittoria úgy érezte, tudja már, mi kelti azt a hangot. Remegve előrelépett.

Mintha az egész templom megsüllyedt volna a lába alatt, amikor megakadt a szeme a padlón fekvő élettelen alakon. A hullából nem szivárogtak testnedvek. Kívülről semmi nyoma nem volt az erőszaknak. Csak a parancsnok fejének félelmetes geometriája... a hátranyakló, 180 fokkal kicsavart fej. Vittoria az apja megcsúfolt testének képeivel küzdött.

A parancsnok övére akasztott telefon leért a földre, és ott vibrált a hideg márványkövön. Vittoria kikapcsolta a saját mobilját, mire a jelzés elhallgatott. Akkor egy másik hangot észlelt a csendben. Valakinek a lélegzését a háta mögött, a sötétben.

Fölemelt pisztollyal készült megpördülni, de tudta, hogy már elkésett. A lézersugár forrósága hasított végig a feje tetejétől a talpáig, ahogy a gyilkos könyöke lesújtott a tarkójára.

– Most megvagy – mondta egy hang.

Azután minden elsötétült.

†††

Eközben a szentély bal oldalfala mentén Langdon egy pad tetején nyújtózkodva kaparászott a falon, hogy elérje a fémkapcsot. A kötél még mindig vagy két méterre volt a feje fölött. A templomokban közkeletűen használt kapcsokat magasra szokták helyezni, hogy ne babrálhassanak velük. Langdon tudta, hogy a papok a *piuolo* elnevezésű falétrát használják a kapcsok elérésére. Nyilván a gyilkos is ennek a templomi létrának a segítségével húzta fel az áldozatot. Hol a pokolban van most a létra? Langdon végigpásztázta maga körül a padlót. Halványan úgy rémlett neki, mintha látott volna itt valahol egy létrát. De hol? Egy pillanattal később lehangoltan ébredt rá arra, hogy hol is látta. A tomboló tűz felé fordult. Hát persze, ott volt a magasban a létra, lángoktól körülölelve.

A kétségbeesett Langdon most már az egész templomban kutatott a szemével valami emelvény után, bármi után, aminek a segítségével elérhetné a kapcsot. Ahogy ide-oda tekintgetett, hirtelen az eszébe villant valami.

Hol a pokolban van Vittoria? Eltűnt. Segítségért ment? Langdon kiabálva szólongatta, de nem kapott választ. És hol van Olivetti?

Fájdalmas üvöltés hangzott fel a magasban, és Langdon kiérezte belőle, hogy már késő. Ahogy fölfelé kapaszkodott a tekintete és meglátta a lassan sülő áldozatot, Langdon már csak egyvalamire tudott gondolni. *Vizet. Rengeteg vizet. Ki kell oltani a tüzet. Vagy legalább lelohasztani a lángokat.* – Vízre van szükségem, a fenébe is! – bömbölte fennhangon.

– Az lesz a következő – mordult egy hang a templom végéből.

Langdon sarkon fordult, és csaknem lebukfencezett a padról.

Az oldalfal menti utcán egyenesen felé tartott egy sötét emberi szörnyeteg. Még a tűz fényében is feketén égett a szeme. Langdon felismerte a kezében azt a pisztolyt, amit nemrég még a saját zakója zsebében rejtegetett... és ami Vittoriánál volt, amikor bejöttek a templomba.

A Langdont egyszerre elborító pánikhullám több különböző félelemből tevődött össze. Első ösztönös gondolata Vittoria volt. Mit tett vele ez az állat? Megsebesült? Vagy még rosszabb? Ugyanabban a pillanatban Langdon azt is észlelte, hogy a megfeszített ember hangosabban sikoltozik odafent. A bíboros a halálán volt. Nem lehet már rajta segíteni. Ekkor, ahogy a hasszasszin Langdon mellkasára irányította a pisztolycsövet, a pánik visszahúzódott, és Langdon érzékei kiéleződtek. Amikor kilőtték a golyót, ösztönösen cselekedett. Ellendítve magát a padról, Langdon kiterjesztett karral repült a templomi sorok fölött.

Amikor rázuhant az egyik padra, jobban beütötte magát, mint képzelte, és azonnal legurult a földre. A márvány a hideg acél finomságával fogadta nekiütődő testét. Jobbról lépések közeledtek. Langdon a templom bejárata felé fordult és a padsorok alatt kúszva próbálta menteni az életét.

Magasan a templom padlója fölött Guidera kardinális a kínszenvedés utolsó pillanatait élte át, mielőtt kialudt volna az öntudata. Ahogy végignézett mezítelen testén, látta, hogy felhólyagzik és leválik a bőre a lábáról. A pokolban vagyok, döntötte el. Istenem, miért hagytál el engem? Tudta, hogy ez csakis a pokol lehet, mert felülről lefelé látja a mellkasába sütött billogot... és mégis, valami ördögi varázslat révén, a betűk tökéletesen értelmes szót adnak ki:

92

Három szavazás. Nincs pápa.

Mortati bíboros a Sixtus-kápolnában csodáért kezdett el imádkozni. *Küldd vissza hozzánk a jelölteket!* Már éppen elég hosszúra nyúlt a halogatás. Egyetlen hiányzó jelöltet Mortati még meg tudott volna érteni. De hogy mind négyet? Így nem maradt választási lehetőség. Ilyen körülmények között kétharmados többséget szerezni, hát ahhoz tényleg Istennek magának kellene beavatkoznia.

Amikor lassan megnyíltak a külső ajtó zárjai, Mortati és a teljes bíborosi kollégium egy emberként fordult a kijárat felé. Mortati tudta, hogy az ajtó megnyitása csak egy dolgot jelenthet. A törvény értelmében csak két esetben volt lehetséges megtörni a zárlatot: kivinni egy súlyos beteget vagy bebocsátani a késve érkező bíborosokat.

Megérkezett a négy *preferiti!*

Mortatinak megkönnyebbült a lelke. A konklávé megmenekült.

De amikor megnyílt az ajtó, a résen át nem örömteli látvány tárult elé. Mortati döbbent hitetlenkedéssel meredt a belépő férfira. A Vatikán történetében először lépte át egy *camerlengo* az ajtó lepecsételése után a konklávé megszentelt küszöbét.

Hát mit képzel ez?

A *camerlengo* az oltárhoz ment, és szembefordult a villámsújtotta gyülekezettel. – *Signori* – mondta –, vártam, amíg tehettem. Van valami, amit jogotok van tudni.

93

Langdonnak fogalma sem volt róla, hogy merre tart. A reflex volt az egyedüli iránytűje, amely arra késztette, hogy minél messzebb távolodjon a veszélytől. A könyöke és a térde már sajgott a pad alatt kúszástól. De csak araszolt tovább. Egy hang azt súgta benne, hogy bal felé tartson. *Ha el tudsz jutni a középső utcáig, rohanni kezdhetsz a kijárat felé.* Tudta, hogy ez lehetetlen. A főhajót lángok fala torlaszolja el. Langdon agya eshetőségek után kutatott, miközben vakon mászott tovább. A lépések egyre közeledtek jobbról.

Amikor megtörtént, felkészületlenül érte Langdont. Azt hitte, hogy még három métert tehet meg a pad alatt, mielőtt eléri a templom elejét. Rosszul hitte. Váratlanul elfogyott a feje fölül a menedék. Egy pillanatra megdermedt, félig kilógva a templom elülső részének kövezetére. Balra tőle, a fal mélyedéséből, Langdon mostani békaperspektívájából nézve egy monumentális tárgy emelkedett ki, az a műtárgy, amely idehozta. Közben egészen megfeledkezett róla. Bernini szobra, a *Szent Teréz extázisa* úgy jelent meg előtte, akár egy pornográf csendélet... a hátrahanyatló szent, gerince ívbe hajlik a gyönyörtől, szája nyögésre nyílik, míg fölötte az angyal magasba emeli tűzdárdáját.

Pisztolygolyó csapódott be a padba Langdon feje fölött. Érezte, hogy úgy lendül előre a teste, mint az elstartoló rövidtávfutónak. Csak az adrenalintól hajtva, alig is tudatában annak, hogy mit tesz, hirtelen futásnak eredt, és összegörnyedve, behúzott fejjel sprintelt jobbra, a templom bejárata felé. Ahogy a golyók cikáztak körülötte, Langdon ismét lebukott, és uralmát vesztve saját mozgása felett csúszott végig a márványpadlón, mielőtt bele nem ütközött a jobb oldali falba vágott fülke rácsába.

Ekkor látta meg őt. Mint gyűrött rongycsomó hevert a templom végében. Vittoria! Csupasz lába kicsavarodott a teste alatt, de Langdon valahogy megérezte, hogy lélegzik. Nem volt ideje segíteni neki.

A gyilkos már megkerülte a bal oldali padsort a templom túlsó végében, és könyörtelenül közeledett. Langdon tudta, hogy egy szempillantás, és mindennek vége. A gyilkos fölemelte a fegyvert, Langdon pedig azt az egy dolgot tette, amit tehetett. Átgurította testét a korlát felett, be a falfülkébe. Ahogy padlót fogott a túloldalon, golyózápor kezdte verni a balusztrád márványoszlopait.

Langdon sarokba szorított állatnak érezte magát, miközben beljebb kúszott a félköríves mélyedésben. Előtte a falfülke egyetlen tárgya csúfosan időszerűnek tűnt: egy szarkofág volt az. Talán az enyém, gondolta Langdon. Még a stílusa is passzolt: kicsi, dísztelen márványurna, úgynevezett *scatola*. Temetés jutányos áron. A koporsó két márványtömbön állt a padlón, és Langdon a rést méricskélte, hogy vajon be tudna-e bújni alá.

Lépések visszhangzottak a háta mögül.

Mivel más esélyt nem látott, Langdon a padlóhoz simult és kúszni kezdett a szarkofág felé. Megragadta a két márványlábat és nekilátott, hogy bepréselje testét a síremlék alá. Dörrent a fegyver.

A pisztolylövéssel egy időben Langdon olyasmit élt át, amit még életében soha... az egyik golyó szinte súrolta a bőrét. Sziszegő légáramlatot érzékelt, majd egy ostorcsapást, ahogy a közvetlenül mellette elsuhanó lövedék belecsapódott a márványba. Porzott a kő a nyomában. A meglóduló véráram hatására Langdon úgy siklott előre, akár egy mellúszó, és beerőltette magát a koporsó alá. A márványon hason csúszva átmászott a szarkofág túlsó oldalára. Zsákutca.

Langdon most szembetalálta magát a fülke hátsó falával. Semmi kétsége nem volt afelől, hogy ez a szűk kis hely a szarkofág mögött lesz a sírja. Méghozzá hamarosan, ébredt rá, amikor meglátta a résen át felé irányuló pisztolycsövet. A haszszasszin a padlóval párhuzamosan tartotta a fegyvert, amely egyenesen Langdon gyomrára szegeződött.

Ezt nem lehet elhibázni.

Langdon homályosan érezte, ahogy a tudatalattija önvédelemre szólítja. Hasra vetette magát, a koporsóval párhuzamosan. Fejét lelógatta, tenyerével a padlóra támaszkodott; érezte, hogy felszakad a sebe, amelyet az archívum üvegcserepei ejtettek rajta. Nem törődve a fájdalommal felnyomta magát. Esetlenül tornászva fölfelé a testét, elemelte hasát a padlótól, ugyanabban a pillanatban, amikor elsütötték a pisztolyt. Érezte az alatta elsüvítő, majd a porózus mészkőbe csapódó golyók rezgéshullámait. Szemét lehunyva, harcolva a fáradtság ellen, Langdon azon imádkozott, hogy legyen vége a mennydörgésnek.

És vége lett.

A fegyverropogás zaját az üres tár hideg kattanása követte.

Langdon lassan kinyitotta a szemét, szinte félt attól, hogy

zajt csap a megrebbenő szemhéjával. A reszkető fájdalommal küzdve megtartotta magát ebben a testhelyzetben, ívbe görbülve, akár a macska. Nem mert még levegőt sem venni. A dobhártyája megsüketült a durranásoktól, feszülten hallgatózott, hogy észleli-e a gyilkos távozó lépteit. Csend. Vittoriára gondolt, alig várva, hogy segíthessen neki.

Most fülsiketítő hang törte meg a csendet. Szinte nem is emberi. A zsigerekből jövő erőlködés ordítása.

Langdon feje fölött a szarkofág mintha egyszerre az oldalára dőlt volna. Langdon a földre vetette magát, miközben több száz kilós súly készült rázuhanni. A gravitáció legyőzte a súrlódást, és először a fedél indult meg, lecsúszott a koporsóról és Langdon mellett a padlóra zuhant. Most a kőláda következett, amely legördült márványtámaszairól, és rá akart borulni Langdonra.

Langdon tudta, hogy a leboruló szarkofág vagy maga alá fogja zárni, vagy agyonüti az egyik peremével. Behúzta a lábát és a fejét, behajlította a testét és a két oldalához szorította a karját. Aztán lehunyta a szemét, és várta a megsemmisítő ütközést.

Amikor bekövetkezett, az egész padló beleremegett alatta. A szarkofág felső pereme csak milliméterekkel kerülte el a feje búbját, de minden foga összekoccant az állkapcsában. Jobb karja, amelyről biztosra vette, hogy össze fog zúzódni, csodával határos módon sértetlennek tűnt. Szemét kinyitva egy fénypászmát látott. A kőláda jobb oldali pereme nem zuhant egészen a padlóra, hanem még ott ingott a támaszon. Közvetlenül Langdon feje felett, aki így szó szerint a saját halálával nézett farkasszemet.

A sír eredeti lakója ott lógott fölötte, a rothadó tetemekre jellemző módon odatapadva a koporsó fenekéhez. A csontváz bizonytalankodott egy pillanatig, akár a vonakodó szerelmes, majd egy reccsenéssel megadta magát a gravitációnak és elszakadt nyughelyétől. Rázuhanva magához ölelte Langdont, korhadó csontokat és port zúdítva a szemébe és a szájába.

Mielőtt Langdon reagálhatott volna, egy tapogatózó kar nyúlt be a szarkofág alatti résen, úgy kúszva át a tetemen, mint egy éhes python. Addig tátogatott, amíg meg nem találta és vasmarkába nem fogta Langdon nyakát. Langdon megpróbált küzdeni a gégéjét szorongató kéz ellen, de kiderült, hogy a bal zakóujja beszorult a koporsó pereme alá. Csak a fél karja volt szabad, ami eleve eldöntötte a csatát.

Langdon behúzta lábát a rendelkezésére álló szűk kis térbe, és talpával keresni kezdte a feje fölött lógó kőurna fenekét. Megtalálta. Behúzta és megfeszítette a lábát. Azután, miközben a kéz egyre jobban elszorította a nyakát, Langdon lehunyta a szemét és faltörő kosként kilökte a lábát. A koporsó, ha csak kicsit is, de megmozdult. Ennyi is elég volt.

A szarkofág éles csikordulással lecsúszott a támaszáról és a padlóra dőlt. A gyilkos karja beszorult a kőkoporsó pereme alá; a férfi elfojtott fájdalomkiáltást hallatott. A kéz elengedte Langdon nyakát, és tekeregve, rángatózva eltűnt a sötétben. Amikor a gyilkos végre kiszabadította a karját, a koporsó egy végső csattanással landolt a márványpadlón.

Tökéletes sötétség. Újra.

És csönd.

A felborult szarkofág másik oldaláról nem hallatszottak dühödten dobogó léptek. Senki sem lesett befelé. Nem történt semmi. Ahogy Langdon ott feküdt a sötétben a szétszórt csontok között, a köré záródó feketeséggel küzdve, a lányra terelte a gondolatait.

Vittoria. Élsz még?

Ha Langdon tudta volna az igazságot – azt, hogy hamarosan milyen borzalmak várnak Vittoriára –, azt kívánta volna, a lány érdekében, hogy bárcsak halott lenne.

94

Mortati ott ült a Sixtus-kápolnában megdöbbent bíboros társai között, és igyekezett felfogni az imént hallott szavakat. Előtte, a gyertyák fényétől megvilágítva, a *camerlengo* éppen befejezte a történetet, amelyből olyan fokú gyűlölet és gonoszság derült ki, hogy Mortati minden tagja reszketett. Elrabolt bíborosokról, megbélyegzett bíborosokról, meggyilkolt bíborosokról beszélt a *camerlengo*. Az Illuminátusok ősi testvériségéről beszélt, rég elfeledett félelmeket ébresztve fel, a társaság feltámadásáról és az egyház elleni bosszúhadjáratáról. Fájdalmas hangon a néhai pápáról beszélt a *camerlengo*... akit az Illuminátusok mérgeztek meg. És végül, szinte suttogássá halkuló hangon, egy pusztító, új technológiáról, az antianyagról, amely kevesebb mint két órán belül megsemmisüléssel fenyegeti Vatikánvárost.

Amikor befejezte, mintha maga a Sátán szippantotta volna ki a levegőt a teremből. Senki sem bírt mozdulni. A *camerlengo* szavai ott visszhangoztak a sötétségben.

Az egyetlen hang, amit Mortati hallott, egy televíziós kamera ide nem illő zümmögése volt a háttérből — egy elektronikus eszközé, amelynek jelenlétére nem volt még példa a konklávék történetében, de ezt az eszközt maga a *camerlengo* rendelte ide. A kardinálisok legteljesebb elképedésére a *camerlengo* a BBC két riporterének — egy férfinak és egy nőnek — a kíséretében lépett be a Sixtus-kápolnába, és közölte, hogy ünnepélyes bejelentését élőben fogják közvetíteni a világnak.

Most, egyenesen a kamerának beszélve, a *camerlengo* előrelépett. — Az Illuminátusokhoz — mondta mélyebb hangszínre váltva —, és azokhoz a tudósokhoz szólok, akiket illet. — Szünetet tartott. — Megnyertétek a háborút.

A csend immár a kápolna legrejtettebb zugaiba is behatolt. Mortati hallotta saját szívének kétségbeesett dübörgését.

— A kerekek már régóta mozgásba lendültek — folytatta a *camerlengo*. — Győzelmetek elkerülhetetlen. Soha nem volt ez még ennyire világos, mint ebben a pillanatban. A tudomány az új Isten.

Miket beszél ez? — gondolta Mortati. Megőrült? És ezt az egész világ hallja!

— Orvostudomány, elektronikus kommunikáció, űrutazás, génsebészet... ezek azok a csodák, amelyekről ma a gyerekeinknek mesélünk. Ezek azok a csodák, amelyeket annak bizonyságául hirdetünk, hogy a tudomány adja meg nekünk a válaszokat. A szeplőtelen fogantatásról, az égő csipkebokorról és a kettéváló tengerről szóló régi mesék már nem érvényesek. Az Isten kiment a divatból. A tudomány megnyerte a csatát. Megadjuk magunkat.

Értetlenség és zavar lett úrrá az egész kápolnán.

– De a tudomány győzelméért – tette hozzá a *camerlengo* erőteljesebb hangon –, mindannyiunknak fizetni kell. És súlyos lesz a fizetség.

Csönd.

– A tudomány enyhítheti a betegség és a lélekölő robot kínjait, elláthat bennünket szórakozásunkat és kényelmünket szolgáló megannyi kütyüvel, de egy olyan világba vet minket, amelyben nincsenek csodák. A naplemente hullámhosszakra és frekvenciákra zsugorodott. A világegyetem bonyolult titkai matematikai képletekre egyszerűsödtek. Még saját emberi lényként birtokolt önértékelésünk is megsemmisült. A tudomány azt állítja, hogy a Földbolygó, minden lakójával csak jelentéktelen porszem a nagyszabású tervben. Kozmikus véletlen. – Szünetet tartott. – A technológia, amelyről azt ígérték, hogy össze fog kötni, inkább elválaszt bennünket. Immár valamennyien elektronikusan rá vagyunk csatlakozva a világra, mégis végtelenül egyedül vagyunk. Erőszak, megosztottság, megtévesztés és árulás zúdul ránk. A szkepticizmus erény lett. A cinizmus és a bizonyítékok követelése a felvilágosultság jele. Csoda-e, hogy az emberek ma depressziósnak és vesztesnek érzik magukat, sokkal inkább, mint a történelem során bármikor? Van valami, ami szent a tudomány számára? A tudomány válaszokat keresve, a meg nem született magzatainkkal kísérletezik. Sőt arra készül, hogy átrendezze bennünk a DNS-sorozatot. Egyre kisebb és kisebb darabokra hasítja Isten világát, miközben az értelmét keresi... de csak további kérdéseket talál.

Mortati ámulva figyelt. A *camerlengóból* most szinte hipnotikus erő áradt. Olyan határozottság volt a mozdulataiban és a tónusában, amilyennel még sohasem találkozott a Vatikán oltára előtt. A férfi hangjából meggyőződés és szomorúság csendült ki.

– A tudomány és a vallás között régóta folyó háború véget ért – mondta a *camerlengo*. – Ti győztetek. De nem becsületes eszközökkel. Nem azzal, hogy megadtátok a válaszokat. Azzal győztetek, hogy radikálisan átállítottátok a társadalmat, amely immár használhatatlanoknak tekinti a korábban sarokköveknek számító igazságokat. A vallás nem bírja az iramot. A tudomány exponenciálisan növekszik. Úgy táplálja önmagát, mint egy vírus. Minden új felfedezés kaput nyit egy következő felfedezésnek. Az emberiségnek több ezer évébe került, hogy eljusson a keréktől az autóig. De az autótól eljutni az űrbe, már csupán néhány évtizedbe telt. Manapság hetekben mérjük a tudományos haladást. Túl vagyunk pörögve. Egyre mélyül közöttünk a szakadék, és ahogy a vallás mind jobban lemarad, az emberek spirituálisan légüres térben találják magukat. Az értelemért kiáltunk. Higgyék el nekem, valóban kiáltozunk. Ufókat látunk, egy másik világgal vagy szellemekkel keresünk kapcsolatot, testen kívüli élményekkel, agykontrollal kísérletezünk... mindezeken a hóbortos ötleteken ott van a tudományos máz, pedig gyalázatosan esztelenek. A magányos és elkínzott modern lélek kétségbeesett kiáltásai ezek, a lelkünké, amelyet megnyomorít a saját felvilágosultsága és arra való képtelensége, hogy a technikán kívül bármiben értelmet találjon.

Mortati érezte, hogy előrehajol a székében. A többi bíborossal és a világ tévénézőivel együtt szinte itta a pap szavait. A *camerlengo* nem alkalmazott szónoki fordulatokat, sem vitriolos gúnyt. Nem hivatkozott a Szentírásra, sem Jézus Krisztusra. Modern kifejezéseket használt, dísztelenül és egyszerűen... így közvetítette a régi üzenetet. Abban a pillanatban Mortati megértette, miért volt olyan kedves ez a fiatalember a néhai pápa számára. A közöny, a cinizmus és a technika istenítésének korában az ilyen emberek a realisták, mint a *camerlengo;* akik meg tudják szólítani a lelkünket, mint most ez a férfi, azok az egyház utolsó reménységei.

A *camerlengo* most még erőteljesebben beszélt. – Azt mondják, a tudomány fog minket megmenteni. Én azt mondom, a tudomány elpusztít bennünket. Galilei kora óta az egyház megpróbálja lassítani a tudomány könyörtelen iramát, néha helytelen eszközökkel, de mindig a legjobb szándékoktól vezettetve. A kísértés azonban túl nagy ahhoz, hogy az ember ellen tudjon állni. Figyelmeztetlek benneteket, nézzetek szét magatok körül. A tudomány nem tartotta be az ígéreteit. A hatékonyság és az egyszerűség ígérete nem hozott mást, mint környezetszennyezést és káoszt. Megosztott és bolond faj vagyunk... a pusztulás útján járunk.

A *camerlengo* itt szünetet tartott, majd a kamerára szögezte a tekintetét.

– Ki ez az Isten-tudomány? Ki az az Isten, aki hatalmat ad a népének, de nem ad hozzá erkölcsi kereteket, amelyek megszabnák, hogyan éljen ezzel a hatalommal? Miféle Isten az, aki megengedi egy gyermeknek, hogy játsszon a tűzzel, de nem figyelmezteti a veszélyekre? A tudomány nyelve nem nyújt támpontot a jóról és a rosszról. A tudományos könyvek elmondják nekünk, hogyan lehet beindítani a nukleáris reakciót, de egyetlen fejezetük sem tárgyalja azt a kérdést, hogy ez jó vagy rossz elgondolás. Azt mondom a tudománynak: az egyház elfáradt. Kimerített minket az, hogy megpróbáltunk támpontokat adni. Felemésztettük forrásainkat a hadjáratban, amelynek során az egyensúlyt akartuk képviselni, miközben ti vakon törtétek magatokat a még kisebb chipekért és a még nagyobb profitért. Nem kérdezzük, hogy miért nem szabályozzátok magatokat, hiszen hogyan is tehetnétek? A világotok olyan gyorsan halad, hogy ha megállnátok akár csak egyetlen pillanatra is, hogy felmérjétek tetteitek következményeit, valaki, aki még hatékonyabb, azon nyomban elszáguldana mellettetek. Tehát haladtok tovább. Ti terjesztitek a tömegpusztító fegyvereket, de a pápa az, aki beutazza a világot és könyörög a vezetőknek, hogy tanúsítsanak mérsékletet. Ti élőlényeket klónoztok, de az egyház az, amely emlékezetünkbe idézi cselekedeteink erkölcsi vonatkozásait. Ti arra ösztönzitek az embereket, hogy telefonon, videoképernyőn és számítógépen kapcsolódjanak egymáshoz, de az egyház az, amely kitárja kapuit, és arra int, hogy személyes kapcsolatot keressünk, mivel arra teremtettek minket. Ti az életmentő kutatások nevében képesek vagytok megölni a még meg nem született magzatot is. És megint csak az egyház az, amely rámutat ennek az érvelésnek a hamisságára. Miközben ti tudatlannak nevezitek az egyházat. Ki hát a tudatlanabb? Az az ember, aki nem ismeri a villámlás magyarázatát, vagy az, aki nem tiszteli félelmetes erejét? Ez az egyház a kezét nyújtja felétek. Mindenki felé. És mégis, ti ellökitek a felétek nyújtott kezet. Mutassatok bizonyítékot Isten létezésére, mondjátok. Én meg azt mondom, használjátok a távcsöveiteket, nézzetek rá az égboltra, és feleljetek: hát lehetséges az, hogy nincsen Isten? – A *camerlengó*nak most könnyek szöktek a szemébe. – Azt kérditek, milyen az Isten. Én azt kérdem, honnan való ez a kérdés? A válasz egy és ugyanaz. Nem látjátok Istent a tudományotokban? Hogyan lehet őt nem észrevenni? Azt állítjátok, hogy már a legkisebb változás a gravitáció nagyságában vagy egy atom súlyában elég lett volna ahhoz, hogy világegyetemünk élettelen köddé váljon a mennyei égitestek csodálatos tengere helyett, és mégsem vagytok képesek meglátni ebben Isten kezét? Tényleg annyival könnyebb abban hinni, hogy egyszerűen csak jó lapot húztunk a sokmilliárdos pakliból? Olyan spirituális csődbe jutottatok, hogy inkább hisztek a matematikailag lehetetlenben, mint egy nálunk nagyobb hatalomban?

– De akár hisztek Istenben, akár nem – mondta a *camerlengo* elszántságtól csengő hangon –, ezt már el kell hinnetek. Amikor az emberi faj elveti magától a mi igazságunkat egy nálunk nagyobb hatalomról, akkor elveszítjük a számon kérhetőség tudatát. A hit... valamennyi hit... figyelmeztetés arra, hogy van valami, amit mi nem érthetünk, valami, ami előtt számot kell adnunk... A hittel számon kérhetők vagyunk mások és önmagunk előtt, egy magasabb igazság előtt. A vallás nem hibátlan, de csak azért, mert maga az ember sem hibátlan. Ha a külvilág úgy tudná látni ezt az egyházat, ahogyan én... ha túllátna ezen falak rituáléján... egy modern csodát látna... tökéletlen, egyszerű lelkek testvériségét, amely nem akar többet, mint a részvét hangján szólni egy túlpörgött világban.

A *camerlengo* most odamutatott a bíborosi testületre, és a BBC operatőrnője, ösztönösen követve a kezét elkezdte pásztázni a gyülekezetet.

– Kimentünk a divatból? – tette fel a kérdést a *camerlengo*.

– Ezek a férfiak itt dinoszauruszok? Hát én? Valóban nincs szüksége a világnak olyanokra, akik szót emelnek a szegényekért, a gyengékért, az elnyomottakért, a meg nem született gyermekért? Valóban nincs szükségünk ezekre a lelkekre, akik, bár tökéletlenek, arra szánják az életüket, hogy rimánkodjanak nekünk: kövessük az erkölcs jelzőkaróit, hogy el ne tévedjünk?

Mortati most döbbent rá, hogy a *camerlengo*, tudatosan vagy sem, nagyszerű módszert alkalmazott. Megmutatva a kardinálisokat, megszemélyesítette az egyházat. Vatikánváros már nemcsak egy épület, hanem népe is van – olyan emberek, akik, miként a *camerlengo*, Isten szolgálatában töltötték az életüket.

– Ma este egy meredély szélén gubbasztunk – mondta a *camerlengo*. – Senki sem engedheti meg magának a közönyös beletörődés luxusát. Akár a Sátánnak, akár romlottságnak vagy erkölcstelenségnek tekintitek ezt a gonoszt... a sötét erő létezik, és napról napra hatalmasabb. Ne kicsinyeljétek le. – A *camerlengo* suttogóra halkította a hangját, és a kamera ráközelített. – Ez az erő, jóllehet óriási, nem legyőzhetetlen. Az isteni erő elbír vele. Hallgassatok a szívetekre. Hallgassatok Istenre. Együtt elhátrálhatunk a szakadék szélétől.

Mortati csak most értette meg. Hát ez volt az ok. Megsértette a konklávét, de nem volt más lehetőség. Drámai és kétségbeesett könyörgés volt ez a segítségért. A *camerlengo* egyszerre szólt az ellenségeihez és a barátaihoz. Kérve kért mindenkit, legyen barát vagy ellenség, hogy lássák meg a fényt és vessenek véget ennek az őrületnek. Bizonyára lesz olyan a hallgatók között, aki ráébred az ördögi terv esztelenségére és kiáll a jó ügyért.

A *camerlengo* letérdelt az oltárnál. – Imádkozzatok velem.

A bíborosok kollégiuma térdre hullt, hogy csatlakozzon hozzá az imában. Odakint a Szent Péter téren és az egész földkerekségen... a megdöbbent világ együtt térdelt velük.

95

A hasszasszin elhelyezte eszméletlen zsákmányát a furgon hátuljában, és engedélyezett magának egy percet, hogy gyönyörködjön a lány kiterített testében. Nem volt olyan gyönyörű, mint a pénzért vett asszony, de volt benne valami állati erő, amely feltüzelte a férfit. Harmatos bőre ragyogott a verítéktől. Pézsmaillat áradt belőle.

Miközben a hasszasszin a jutalmában gyönyörködött, nem vett tudomást a karjában lüktető fájdalomról. A lezuhanó szarkofág okozta sérülés sajgott ugyan, de jelentéktelen volt... bőven kárpótolta érte az, aki itt feküdt előtte. És megvigasztalta az a tudat is, hogy az amerikai, aki ezt tette vele, mostanra már valószínűleg halott.

Bámulva tehetetlen foglyát, a hasszasszín beitta a látványt. Becsúsztatta tenyerét a blúza alá. Tökéletesnek érezte a mellét a melltartó alatt. Igen, mosolygott. Nagyon is sokat érsz. Ellenállva a késztetésnek, hogy most rögtön birtokba vegye, becsukta a kocsiajtót és elhajtott az éjszakában.

Semmi szükség nem volt rá, hogy ehhez a gyilkossághoz is riassza a sajtót... megteszik helyette a lángok.

††††

Sylvie a CERN-ben döbbenten ülte végig a *camerlengo* beszédét. Soha nem volt még ennyire büszke arra, hogy katolikus, és soha nem szégyellte még így, hogy a CERN-ben dolgozik. Ahogy távozóban végigment a szabadidős részlegen, levert és komoly hangulatot érzékelt valamennyi tévészobában. Mire visszaért Kohler irodájába, már mind a hét telefon csengett. Mivel a média telefonjait sohasem kapcsolták be Kohler irodájába, a bejövő hívások csak egy dolgot jelenthettek.

Geld. Pénz.

Az antianyag-technológiának máris akadnak rajongói.

Gunther Glick a Vatikánban szabályosan szárnyalt a boldogságtól, miközben a *camerlengo* nyomában távozott a Sixtus-kápolnából. Glick és Macri éppen az imént adta le az évtized élő közvetítését. Méghozzá micsoda adás volt! A *camerlengo* mindenkit lenyűgözött.

Már a folyosón haladva, a *camerlengo* odafordult Glickhez és

Macríhoz. – Megkértem a svájci testőrséget, hogy szedjenek össze önöknek néhány fotót... a megbélyegzett bíborosokról és Őszentsége holttestéről. Figyelmeztetem önöket, hogy egyik sem kellemes látvány. Szörnyű égési sebek. Megfeketedett nyelvek. De szeretném, ha megmutatnák őket a világnak.

Glick már eldöntötte, hogy Vatikánvárosban örökké karácsony van. *Azt szeretné, ha exkluzív képeket közvetítenék a halott pápáról?* – Biztos benne? – kérdezte Glick, megpróbálva elrejteni az izgatottságát.

A *camerlengo* bólintott. – A svájci testőrök átadnak majd egy élő videofelvételt is az antianyag-tároló edényről a visszaszámlálóval.

Glick csak lesett. *Karácsony. Karácsony. Karácsony!*

– Az Illuminátusok hamarosan rá fognak jönni – jelentette ki a *camerlengo* –, hogy erősen túlbecsülték önmagukat.

96

Akár egy visszatérő téma valami démoni szimfóniában, úgy borult rá újra a fojtogató sötétség.

Se fény. Se levegő. Se kijárat.

Langdon csapdába esve feküdt a fölborult szarkofág alatt, és érezte, hogy az öntudata vészesen közel jár a kihunyáshoz. Megpróbálta másfelé terelni a gondolatait, mindegy hová, csak el a köré záródó térről. Langdon valamilyen logikai műveletre akarta ösztökélni az agyát... matematikára, zenére, bármire. De nem volt benne helye a megnyugtató gondolatoknak. *Nem tudok megmozdulni! Nem kapok levegőt!*

Zakójának becsípődött ujja szerencsére kiszabadult, amikor a koporsó lezuhant, úgyhogy Langdonnak most már két használható karja volt. De hiába nyomta fölfelé szűkös cellájának mennyezetét, a kőurna meg sem mozdult. Akármilyen különös is, de azt kívánta, bárcsak ne szabadult volna ki a zakója ujja. Az legalább egy kicsiny rést hagyott volna némi levegőnek.

Ahogy Langdon fölemelt karja nekifeszült a tetőnek a feje fölött, a visszacsúszó ruhaujj alól egy régi barát halvány fénye köszöntötte. Miki volt az. A rajzfilmfigura zöldes arca mintha gúnyosan nézett volna rá.

Langon végigpásztázta a sötétséget, nem látja-e bármilyen nyomát fénynek, de nem maradt rés a koporsó pereme és a padló között. Átkozott talján maximalisták, szitkozódott, ezúttal kárhoztatva ugyanazt a mesteri tökélyt, amelynek tiszteletére a diákjait tanította... makulátlan élek, hibátlan párhuzamosok, és hozzá még a legtisztább és legrugalmasabb carrarai márvány.

A precizitás fojtogató is lehet.

– Emeld meg ezt a francos követ – mondta ki fennhangon, még nagyobb erőt fejtve ki. A koporsó alig észrevehetően megmoccant. Állkapcsát megfeszítve újra nekiveselkedett. Olyan nehéz volt, akár egy sziklatömb, ám ezúttal majdnem egy centire sikerült megemelnie. Reszkető derengés áradt be hozzá, amíg az urna vissza nem zuhant a helyére. Langdon zihálva feküdt a sötétben. Megpróbálta a lábát használni, ahogy korábban is tette, de most, hogy a szarkofág újból leborult, nem volt elég hely, hogy kiegyenesítse a térdét.

Ahogy közeledett a klausztrofóbiás pánikroham, Langdont

megrohanták a képek a körülötte összezsugorodó szarkofág-
ról. Minden maradék értelmét bevetve küzdött az elhatalma-
sodó tévképzetek ellen.

– Szarkofág – jelentette ki hangosan, annyi tudományos el-
fogulatlansággal, amennyi csak kitelt tőle. De ma mintha még
a műveltsége is ellene dolgozott volna. A szarkofág a görög
„hús" jelentésű *szarx* és az „enni" jelentésű *phagein* szavak
összetétele. Csapdába estem egy urnában, amely a szó szoros
értelmében húsevő.

A csontokról leevett hús képe csak gyászos emlékeztető
volt arra vonatkozóan, hogy Langdon emberi maradványok
között hever. Erre a gondolatra elfogta az émelygés és kirázta
a hideg. De adott egy ötletet is.

Vakon tapogatózva a koporsóban, Langdon rátalált egy
csontdarabra. Talán egy borda? Nem érdekelte. Neki csak egy
ékre volt szüksége. Ha fel tudná emelni az urnát, akár csak
résnyire, és a pereme alá csúsztathatná a csontszilánkot, ak-
kor talán elég levegőhöz jutna...

Egész testében kinyújtózva Langdon odaszorította a csont
laposabbik végét a padló és a koporsó közötti réshez, miköz-
ben a másik kezével fölfelé nyomta a követ. Az urna meg se
mozdult. Még egy picit sem. Újra próbálkozott. Egy pilla-
natra úgy tűnt, mintha kissé megremegett volna, de ez volt
minden.

Miközben a döglesztő bűz és az oxigénhiány kiszorította
az erőt a testéből, Langdon arra is ráébredt, hogy már csak
egyetlen kísérletre maradt ideje. Azt is tudta, hogy ahhoz
mindkét karjára szüksége lesz. Összeszedte magát, odatolta
a csont vékonyabb részét a réshez, áthelyezte a testét, és a vál-

lának feszítve a csontot, beillesztette a helyére. Vigyázva, hogy ki ne mozdítsa, maga fölé emelte mind a két karját. Miközben a fojtogató bezártság már a torkát szorongatta, érezte, hogy egyre inkább hatalmába keríti a pánik. Langdon ma már másodszor esett csapdába egy levegőtlen helyen. Nagyot üvöltve minden erejét beleadta egyetlen kirobbanó mozdulatba. Az urna, csak egy pillanatra, felemelkedett a padlóról. De az is elég volt. A vállával kitámasztott csontdarab belecsúszott a táguló résbe. Amikor a koporsó megint visszazuhant, a csont eltörött. De Langdonnak ezúttal sikerült kitámasztania az urnát. Látta a halvány fénycsíkot a perem alatt.

Kimerülten csuklott össze. Reménykedve várta, hogy elmúljon a torkát fojtogató érzés. De csak rosszabb lett, ahogy teltek a másodpercek. Ha jött is be némi levegő a résen, az érzékelhetetlen volt. Langdon azon tűnődött, elég lesz-e ahhoz, hogy életben maradjon. És ha igen, mennyi ideig? Ha elájul, honnan tudják meg egyáltalán, hogy itt van?

Langdon felemelte ólomnehéz karját, hogy még egyszer megnézze az órát. 22.12. Remegő ujjakkal küszködött az órával egy utolsó játék kedvéért. Elhajlította az egyik parányi mutatót és megnyomott egy gombot.

Ahogy elhomályosult az öntudata és közelebb húzódtak a falak, Langdon érezte, hogyan árasztják el a régi félelmek. Megpróbálta azt képzelni, mint már annyiszor, hogy még rengeteg ideje van, hogy egy nyílt mezőn fekszik. De most nem segített ez a módszer. A rémálom, amely gyerekkora óta üldözte, megint visszatért...

Olyanok itt a virágok, mint egy festményen, gondolta a gyermek, ahogy kacagva futkározott a réten. Azt szerette volna, ha a szülei is vele tartanának. De a szülők a sátorveréssel voltak elfoglalva.

– Ne kalandozz el túl messzire – mondta az anyja.

Ő úgy tett, mintha nem hallotta volna, és beszaladt a fák közé. Most, száguldozva e pompás mezőn, a kisfiú egy kőrakásra bukkant. Rájött, hogy ez valami régi ház alapja lehet. Nem ment a közelébe. Okosabb volt annál. Egyébként is, valami más ragadta meg a figyelmét – egy ragyogó boldogasszony papucsa, a legritkább és leggyönyörűbb virág New Hampshireben. Eddig még csak könyvben látott ilyet.

A kisfiú izgatottan indult a virág felé. Letérdelt. Puhának és üregesnek érezte a talajt maga alatt. Rájött, hogy a virág kivételesen termékeny földet talált magának. Egy rothadó fadarabból nőtt ki.

Lázba jőve a gondolattól, hogy hazaviheti ezt az értékes kincset, a kisfiú utánakapott... kinyújtotta ujjait a virág felé.

Nem érte el.

Ijesztő hang kíséretében megnyílt alatta a föld.

A három másodpercig tartó zuhanás szédítő rémületében a fiú biztosan tudta, hogy meg fog halni. Esés közben felkészült a csonttörő ütközésre. Amikor leért, mégsem érzett fájdalmat. Csak valami puhát.

És hideget.

Először a mély folyadék felszínére érkezett, majd egy szűk helyen zuhant tovább a feketeségbe. Irányérzéket vesztve bukfencezett lefelé, tapogatva a minden oldalról köréje záruló, csupasz falakat. Valahogyan, szinte ösztönösen, a felszínre vergődött.

Fény.

Halvány. Odaföntről. Úgy tűnt, mintha mérföldekre lenne.

Karjával csapkodott a vízben, az üreg falait keresve, hogy valamiben megkapaszkodhasson. Csak a sima kő. Egy elhagyott kút korhadt deszkafedele szakadt be alatta. Segítségért kiáltott, de kiáltásait visszaverte a szűk akna. Újra meg újra kiáltott. Feje fölött lassan elsötétült a szabálytalan lyuk.

Leszállt az éjszaka.

A sötétségben mintha megtekeredett volna az idő. Elzsibbadtak a tagjai, miközben taposta a vizet a kút mélyén, és csak kiabált és kiabált. Rémképek gyötörték, már látta, hogy ráomlik a fal, és elevenen betemeti. Sajgott a karja a kimerültségtől. Néha mintha hangokat hallott volna. Újra kiáltott, de tompának, fojtottnak érezte a saját hangját... mint egy álomban.

Ahogy haladt előre az éjszaka, úgy mélyült el az akna. A falak hangtalanul húzódtak befelé, centiméterről centiméterre. A kisfiú ellenük szegülve küszködött. Aztán kimerülten fel akarta adni. Ám érezte, hogy a víz fenntartja, lehűti égő félelmeit, amíg el nem csitulnak.

Amikor megérkezett a mentőcsapat, a fiú már alig volt eszméleténél. Öt órán át taposta a vizet. Két nappal később a Boston Globe címoldalán a következő címmel jelent meg a történet: *A kisfiú, aki megúszta.*

A hasszasszín mosolyogva hajtott be a furgonnal a Tiberis folyóra néző behemót kőépítménybe. Egyre beljebb hatolt a zsákmányával... egyre magasabbra kígyózott fölfelé a kőalagútban, hálát adva, hogy ilyen karcsú a szállítmánya. Odaért az ajtóhoz.

Az Illuminátusok temploma, gondolta büszkén. Az ősi illuminátus tanácsterem. Ki gondolna arra, hogy éppen itt van? Odabent lefektette a lányt egy bársonypamlagra. Aztán nagy szakértelemmel hátrakötözte a karját és megbéklyózta a lábát. Tudta, hogy amire vágyik, azzal várnia kell az utolsó küldetés végrehajtásáig. Víz.

Mégis, gondolta, megengedhet magának egy pillanatnyi élvezetet. Letérdelve a lány mellé, végighúzta kezét a combján. Sima. Még följebb hatolt. Sötét ujjai belopóztak a rövidnadrág szára alá. Még följebb.

Megállt. Türelem, intette magát, amikor érezte, hogy izgalomba jön. Vár a munka.

Egy percre kilépett a szoba magas kőbalkonjára. Hagyta, hogy az esti szél lassan lehűtse a vágyát. A mélyben a Tiberis nyargalt. A Szent Péter kupolájára emelte a tekintetét, amely egy kilométerre tőle, csupaszon ragyogott a média reflektorainak fényében.

— Az utolsó órád — mondta ki hangosan, a keresztes háborúk során lemészárolt sok ezer muzulmánra gondolva. — Éjfélkor találkozol az Isteneddel.

Háta mögött a nő megmoccant. A hasszasszín visszafordult. Azt fontolgatta, hagyja-e, hogy magához térjen. Nem ismert erősebb afrodiziákumot, mint látni a rettegést egy nő szemében. Győzött a józan belátás. Jobb lesz, ha eszméletlen marad, amíg ő távol van. Noha megkötözte, és úgysem tudna elmenekülni, a hasszasszín nem akarta, hogy visszatérve a küszködéstől kimerülten találja. Azt akarom, hogy megőrizd az erődet... nekem.

Kissé megemelve a lány fejét a nyaka alá csúsztatta a kezét, és közvetlenül a koponya alatt rátalált arra a lyukra, amit koronának vagy meridiánnak is neveznek. Számtalanszor használta már ezt a nyomáspontot. Nagy erővel beleszorította a hüvelykujját a puha porcogóba, és érezte, ahogy benyomódik. A nő azonnal elernyedt. Húsz perc, gondolta. Ő lesz a tantaluszi kínokat átélő betetőzés egy tökéletes nap végén. Miután a lány szolgált neki és belehalt, ő majd kiáll a balkonra, és nézi az éjféli tűzijátékot a Vatikánban.

Hátrahagyva a pamlagon öntudatlanul heverő zsákmányát, a hasszasszín lement egy fáklyával megvilágított verembe. Az utolsó feladat. Odament az asztalhoz, és megcsodálta a szent fémalakzatokat, amelyeket neki készítettek ide.

Víz. Ez lesz a végső.

Leemelt egy fáklyát a falról, ahogy ma már három ízben, és elkezdte melegíteni a végét. Amikor a tárgy már fehéren izzott, átvitte a cellába.

Odabent egyetlen ember állt néma csendben. Öregen és magányosan.

– Baggia bíboros – sziszegte a gyilkos. – Imádkoztál már?

Az olasz szemében nem volt félelem. – Csak a te lelkedért.

471

98

A tűzoltóság hat *pompierója*, akik kimentek a Santa Maria della Vittoria templomban bejelentett tűzre, halon gázzal fékezte meg a lángokat. A víz olcsóbb lett volna, de a keletkező pára tönkretette volna a kápolna freskóit, és a Vatikán tisztes fizetséggel honorálta a római *pompierit* az egyház birtokában lévő épületekben végzett gyors és körültekintő munkáért.

A tűzoltók hivatásukból eredően naponta találkoztak emberi tragédiákkal, de ez a templomi kivégzés olyan volt, amelyet soha nem fognak tudni elfelejteni. Részben keresztre feszítés, részben akasztás, részben máglyahalál: a jelenet mintha csak egy rémtörténetből elevenedett volna meg.

Sajnos a sajtó szokás szerint előbb ért oda, mint a tűzoltók. Rengeteg videofelvételt készítettek, mielőtt a *pompierők* megtisztították volna a templomot. Amikor a tűzoltók végül levágták az áldozatot és lefektették a padlóra, senkinek nem volt kétsége a személyazonosságát illetően.

– Guidera bíboros – suttogta az egyik. – Barcelonából.

Az áldozat mezítelen volt. Testének alsó része sötétlilára színeződött, a combján tátongó repedésekből vér szivárgott. A singcsontjai szabadon kiálltak. Az egyik tűzoltó hányt. Egy másiknak ki kellett mennie a levegőre.

Az igazi borzalmat azonban a kardinális mellkasába sütött bélyeg váltotta ki. Az egység vezetője döbbent iszonyattal járta körül a holttestet. *Lavoro del diavolo,* mondta magában. Ez az ördög műve, maga a Sátán tette. Gyerekkora óta először keresztet vetett.

– *Un' altro corpo!* – kiáltotta valaki. Az egyik tűzoltó újabb holttestet talált.

Az egység vezetője azonnal felismerte a második áldozatot. A svájci testőrség szigorú parancsnoka olyan ember volt, akit nem sokan kedveltek a közrendvédelmi szerveknél. A vezető felhívta a Vatikánt, de minden vonaluk foglalt volt. Tudta, hogy nem számít. A svájci testőrség perceken belül úgyis értesülni fog a dologról a televízióból.

Miközben a vezető felmérte a kárt, megpróbálva rekonstruálni, hogy mi történhetett a helyszínen, felfedezte azt a falfülkét, amelyen golyó ütötte lyukak éktelenkedtek. A koporsó lezuhant a támaszáról, és valamilyen küzdelem során felborult. Minden szanaszét... Ez itt már a rendőrség és a Szentszék dolga, gondolta a főnök, és elfordult.

De egy félfordulat után megtorpant. Valamilyen hangot hallott a koporsó alól. Olyan hang volt, amelyet egyetlen tűzoltó sem hall szívesen.

– Bomba! – kiáltotta. – *Tutti fuori!*

Amikor a tűzszerészek visszafordították a koporsót, kiderült, hogy a csipogó hang forrása egy elektronikus eszköz volt. Zavartan bámulták.

– *Medico!* – kiáltotta végül az egyikük. – Orvost!

– Jelentkezett már Olivetti? – kérdezte a kimerültnek látszó *camerlengo* Rocher kapitánytól, aki visszakísérte őt a Sixtus-kápolnából a pápai hivatalba.

– Nem, *signore*. A legrosszabbtól tartok.

Megérkezve az irodához, a *camerlengo* nehéz hangon szólalt meg: – Kapitány, én ma már semmit sem tehetek itt. Attól félek, hogy már eddig is túl sokat tettem. Itt fogok imádkozni az irodában. Nem akarom, hogy zavarjanak. A többi most már Isten kezében van.

– Igen, *signore*.

– Késő van, kapitány. Találja meg azt a tárolóedényt.

– Folytatjuk a kutatást. – Rocher bizonytalannak tűnt.

– Úgy látszik, nagyon jól elrejtették azt a fegyvert.

A *camerlengo* megrándult, mintha gondolni sem akarna erre. – Igen. Pontban 23.15-kor, ha az egyház még mindig veszélyben van, arra kérem, hogy evakuálja a bíborosokat. Az ön kezébe helyezem a biztonságukat. És még valamit kérek. Hagyja, hogy azok az emberek méltósággal vonuljanak el erről a helyről. Engedje meg nekik, hogy kimenjenek a Szent Péter térre, és felsorakozzanak a többiek mellé. Nem akarom, hogy az maradjon az utolsó kép erről az egyházról, hogy megrettent öregembereket csempész ki a hátsó ajtón.

– Rendben lesz, uram. És ön? Önért is eljöhetek 23.15-kor?

– Erre nem lesz szükség.

– *Signore*?

– Majd távozom, ha úgy érzem, hogy itt az ideje.

Rocher azon tűnődött, vajon a *camerlengo* együtt akar-e süllyedni a hajóval.

A *camerlengo* kinyitotta a pápai iroda ajtaját és belépett.

– Tulajdonképpen... – szólalt meg visszafordulva –, volna még valami.

– *Signore?*

– Mintha hideg lenne az iroda ma este. Reszketek.

– Nem működik az elektromos fűtés. – Megengedi, hogy tüzet rakjak?

A *camerlengo* fáradtan mosolygott. – Köszönöm. Nagyon köszönöm önnek.

†††

Rocher magára hagyta a *camerlengót*, aki egy kis Szűz Mária-szobor előtt imádkozott a tűz fényénél. Hátborzongató látvány volt. Egy fekete árnyék térdel a reszkető fényben. Miközben Rocher a folyosón haladt, odarohant hozzá egy testőr. Rocher a gyertyák lángjánál is felismerte, hogy Chartrand hadnagy az. Fiatal, zöldfülű és lelkes.

– Kapitány – kiáltotta Chartrand egy mobiltelefonnal hadonászva. – Úgy néz ki, hogy a *camerlengo* beszéde elérte a hatását. Jelentkezett valaki, és azt állítja, hogy olyan információja van, amivel segíthet nekünk. A Vatikán egyik privát mellékére telefonált. Fogalmam sincs, honnan jutott hozzá a számhoz. Rocher megtorpant. – Micsoda?

– A rangidős tiszttel akar beszélni.

– Tudunk már Olivettiről?

– Nem, uram.

A kapitány átvette a telefont. – Itt Rocher kapitány. Én vagyok itt a rangidős tiszt.

– Rocher – mondta a hang. – Elmagyarázom, hogy ki vagyok. Azután elmondom, hogy mit kell most tennie.

Amikor a telefonáló befejezte és a vonal megszakadt, Rocher földbe gyökerezett lábbal állt. Tudta már, hogy kitől kapja a parancsokat.

Sylvie Baudeloque a CERN-ben lázasan próbált lépést tartani a Kohler hangpostájára befutó licencjogigényekkel. Amikor az igazgató asztalán megszólalt a magántelefon, Sylvie felugrott. Senki sem ismerte azt a számot. Fölemelte a kagylót.

– Tessék!

– Ms. Baudeloque? Itt Kohler igazgató. Lépjen kapcsolatba a pilótámmal. Öt percen belül álljon készen a gép.

100

Robert Langdonnak, amikor kinyitotta a szemét és egy barokk freskóval díszített kupola alatt találta magát, fogalma sem volt arról, hogy hol van, és hogy mennyi ideig volt eszméletlen. Füst gomolygott a feje fölött. Valami elfedte a száját. Egy oxigénmaszk. Félrehúzta. Szörnyű szag terjengett a helyiségben – az égett hús szaga.

Langdon érezte, hogy szaggat a feje. Megpróbált felülni. Egy fehér ruhás férfi térdelt mellette.

– *Riposati!* – mondta a férfi visszafektetve Langdont. – *Sono il paramedico.*

Langdon megadta magát az ápolónak; ugyanúgy forgott vele a világ, mint ahogy a füst a feje felett. Mi az ördög történhetett? A pánik halvány emlékei futottak át az agyán.

– *Sorcio salvatore* – mondta az ápoló. – Az egér... megmentő.

Langdon ezt már végképp nem értette. Megmentő egér?

A férfi a Miki egeres órára mutatott Langdon csuklóján. Langdonnak kezdett kitisztulni a feje. Eszébe jutott, hogy ébresztésre állította az órát. Miközben bambán bámulta a számlapot, az időt is konstatálta. 22.28.

Abban a pillanatban fölpattant.

És egyszeriben mindenre emlékezett.

Langdon a főoltár mellett állt a tűzoltók vezetőjével és néhány emberével. Kérdésekkel bombázták. Langdon nem figyelt oda. Neki is voltak kérdései. Az egész teste sajgott, de tudta, hogy azonnal cselekednie kell.

A templom másik végéből egy *pompiero* közeledett felé. – Újra megnéztem, uram. Csak Guidera bíboros és a svájci testőrparancsnok holttestét találtuk meg. Nőnek semmi nyoma.

– *Grazie* – mondta Langdon, de maga sem tudta, hogy most megkönnyebbülést vagy rémületet kellene-e éreznie. Utoljára a padlón látta Vittoriát, eszméletlen állapotban. Most pedig eltűnt. És az egyetlen lehetséges magyarázat távolról sem megnyugtató. A gyilkos nem finomkodott a telefonban. *Egy nő, akiben van spiritusz. Egészen felizgatott.* Lehet, hogy én talállak meg téged, még mielőtt véget ér az éjszaka. És akkor...

Langdon körülnézett. – Hol van a svájci testőrség?

– Még nem értük el őket. Bedugultak a Vatikán vonalai.

Langdon levertnek és magányosnak érezte magát. Olivetti meghalt. A bíboros is halott. Vittoria eltűnt. Ő meg egy szempillantás alatt fél órát veszített el az életéből.

Hallotta odakintről a sajtó lármáját. Azt gyanította, hogy hamarosan adásba kerülnek a felvételek a harmadik bíboros borzalmas haláláról, de az is lehet, hogy már bemutatták őket. Langdon abban reménykedett, hogy a *camerlengo* már régóta felkészült a legrosszabbra, és akcióba lépett. Evakuálják azt az átkozott Vatikánt! Elég volt a játszadozásból! Veszítettünk!

Langdon hirtelen ráébredt, hogy valamennyi megrázkódtatása – amely arra indította, hogy megpróbáljon segíteni a Vatikán megmentésében, a négy kardinális kiszabadításában, hogy szemtől szembe találkozott azzal a testvériséggel, amelyet évek óta tanulmányozott – kitörlődött az agyából. A háború elveszett. Most új kényszerítőerő mozgatta. Egyszerű volt. Tiszta. Elemi.

Megtalálni Vittoriát.

Váratlan ürességet érzett magában. Langdon sokszor hallotta, hogy a kiélezett helyzetek közelebb vihetnek egymáshoz két embert, mintha több évtizede ismernék egymást. Most tapasztalhatta, hogy ez igaz. Vittoria távollétében olyasmit érzett, amit már évek óta nem. Magányosságot. A fájdalom erőt adott neki.

Minden mást kiűzve az agyából Langdon egy célra összpontosított. Azért imádkozott, hogy a hasszasszin nehogy a munka elé helyezze az élvezetet. Langdon tudta, hogy ebben az esetben máris késő volna. Nem, mondta magának, van még időd. Vittoria foglyul ejtőjének most dolga van. Fel kell bukkannia még egyszer, utoljára, mielőtt örökre nyoma vész. A tudomány utolsó oltára, gondolta Langdon. A gyilkosnak van még egy feladata. Föld. Levegő. Tűz. Víz.

Megnézte az óráját. Még harminc perc. Langdon, otthagyva a tűzoltókat elindult Bernini szobra, a *Szent Teréz extázisa* felé. Bernini útjelzőjét nézve ezúttal nem volt kétsége afelől, hogy mit keres.

Angyal vezesse büszke léptedet...

Közvetlenül a hátrahanyatló szent fölött, aranyos lángtól övezve, ott magasodott Bernini angyala. Az angyal hegyes végű tűzdárdát tartott a kezében. Langdon követte szemével a lándzsa irányát, s közben a templom jobb oldala felé fordult. A falba ütközött a tekintete. Megvizsgálta a pontot, ahová a dárda hegye mutat. Nem volt ott semmi. Langdon természetesen tudta, hogy a dárda messze a falon túlra mutat az éjszakában, valahol Rómában.

– Milyen irány az? – fordult vissza Langdon frissen született elszánással a tűzoltó egység vezetőjéhez.

– Milyen irány? – nézett arra a tűzoltó, amerre Langdon mutatott. Bizonytalan volt a hangja. – Nem tudom... nyugat, azt hiszem.

– Milyen templomok vannak arrafelé?

A főnök zavara nőttön-nőtt. – Sok van. Miért?

Langdon a homlokát ráncolta. Persze hogy sok van.

– Szükségem van egy várostérképre. Most rögtön.

A főnök kiszalasztott valakit a tűzoltóautóhoz egy térképért. Langdon visszafordult a szoborhoz. Föld... Levegő... Tűz... VITTORIA.

Az utolsó útjelző a víz, mondta magának. Bernini. Víz. Ott van valahol egy templomban. Egy tű a szénakazalban. Végigpörgette az agyában az összes Bernini-szobrot, amit csak fel tudott idézni. Melyik lehet az, amelyet a víznek szentelt? Langdonnak beugrott Bernini *Tritonja*. Aztán rájött, hogy a görög tengeristen kútja itt van ezen a téren, a templom előtt, és teljesen rossz irányba esik. Kényszerítette magát, hogy gondolkozzon. Milyen alakot faraghatott Bernini a víz előtt tisztelegve? *Neptunusz és Apolló?* Sajnos az a szobor a londoni Victoria & Albert Múzeumban van.

– *Signore!* – futott be egy tűzoltó a térképpel.

Langdon megköszönte és kiterítette az oltáron. Azonnal tudta, hogy éppen a megfelelő emberhez fordult: a tűzoltósági Róma térképe a lehető legrészletesebb volt. – Most hol vagyunk? – A férfi megmutatta neki. – Itt, a Piazza Barberinin.

Langdon újra megnézte az angyal lándzsáját, most már a térképhez igazítva. A főnök nem tévedett. A térkép szerint a dárda nyugatra mutat. Langdon a jelenlegi helyzetéből kiindulva egy nyugati irányban haladó vonalat húzott a térképen. És szinte ugyanabban a pillanatban lelohadtak a reményei. Mintha minden centiméter mellett, ahol az ujja elhaladt, lett volna egy apró, fekete kereszttel jelölt épület. A templomok. Teli volt velük a város. Langdon ujja végül kifutott a templomok közül, és beleveszett Róma külvárosaiba. Langdon fújt egyet, és ellépett a térképtől. A francba.

Befogva Róma egészét a tekintetével, megállapodott azon a három templomon, ahol az első három bíborost megölték. A Chigi-kápolna... a Szent Péter... és most ez...

Most együtt látva őket Langdonnak feltűnt valami furcsa az elhelyezkedésükben. Valahogy azt képzelte, hogy a templomok véletlenszerűen vannak szétszórva Rómában. De ez határozottan nem így volt. Legyen bármennyire valószínűtlen, a három templom szisztematikusan helyezkedett el egy hatalmas, az egész várost magában foglaló háromszögben. Langdon még egyszer ellenőrizte. Nem csak képzelődött. – *Penna* – mondta hirtelen, anélkül hogy felnézett volna.

Valaki átnyújtott neki egy golyóstollat.

Langdon bekarikázta a három templomot. Meglódult a szívverése. Harmadszor is ellenőrizte a bejelöléseket. Szabályos háromszög!

Langdon első gondolata a Nagy Pecsét volt az egydolláros bankjegyen – a mindent látó szemet magában foglaló háromszög. De ennek nem volt semmi értelme. Hiszen csak három pontot jelölt be. Pedig összesen négynek kell lennie.

Hol a pokolban lehet a víz? Langdon tudta, hogy bárhová helyezné is a negyedik pontot, elrontaná a háromszöget. Az egyetlen lehetőség a szimmetria megtartására, ha a háromszögön belül, mégpedig a közepében jelöli ki a negyedik pontot. Megnézte a térképen, hogy mi van ott. Semmi. De az elképzelés nem hagyta nyugodni. A tudomány négy elemét egyenrangúnak tekintették. A víz nem lehet különleges; nem lehet a többiek középpontjában.

Az ösztöne azonban azt súgta, hogy ez a szisztematikus elrendezés nem lehet véletlen. *Nem látom a teljes képet!* Ez csak egy alternatíva volt. A négy pont nem háromszöget ad ki; együtt egy másmilyen alakzatot képeznek.

Langdon megnézte a térképet. Talán négyszöget? Jóllehet a négyszögnek nincs szimbolikus értelme, de legalább szimmetrikus. Langdon rátette az ujját a térképen az egyik pontra, amely négyszöggé alakítaná a háromszöget. Azonnal látta, hogy a tökéletes négyzet nem jön össze. Az eredeti háromszög sarkai elmosódtak, és egy eltorzult oldalú négyszöget alkottak.

Miközben a többi lehetséges pontot tanulmányozta a háromszög körül, váratlan dolog történt. Észrevette, hogy a korábban, az angyal dárdájának irányában húzott vonal tökéletesen metszi az egyik lehetséges pontot. Langdon döbbenten karikázta be. Immár négy tintával írott jelzés volt előtte a térképen, amely egy suta, papírsárkányszerű rombuszt vagy gyémántot adott ki.

Langdon a homlokát ráncolva nézte. A rombusz sem illuminátus jelkép. Elgondolkozott. Aztán megint...

És akkor váratlanul eszébe ötlött az Illuminátusok híres gyémántja. Ez persze nevetséges volt. Elhessegette a gondolatot. Amúgy ez a gyémánt hosszúkás − mint egy sárkány −, aligha példázhatná azt a tökéletes szimmetriát, amelyet annyira csodáltak az Illuminátusok gyémántjában.

Amikor odahajolt, hogy megvizsgálja, hová is tette az utolsó jelet, Langdon meglepődve fedezte fel, hogy a negyedik pont Róma ünnepelt tere, a Piazza Navona kellős közepén van. Tudta, hogy a téren áll egy jelentős templom, de korábban már végigvezette az ujját ezen a vonalon, és számításba vette a templomot is. Legjobb tudomása szerint nem voltak benne Bernini-művek. A Santa Agnese templom Szent Ágnes, egy gyönyörű, ifjú szűz után kapta a nevét, akit egész életére szexuális rabszolgaságra ítéltek, mert nem volt hajlandó megtagadni a hitét.

Kell lennie valaminek abban a templomban! Langdon törte a fejét, maga elé idézve belülről a templomot. Egyetlen ott lévő Bernini-szoborról sem tudott, még kevésbé olyanról, amelynek köze lenne a vízhez. A térképen kirajzolt alakzat is zavarta. Egy rombusz. Gyémánt. Ahhoz túl szabályos volt, hogy véletlen legyen, de ahhoz nem volt elég pontos, hogy valami értelmet találjon benne. Sárkány? Langdon azon tűnődött, hogy nem rossz pontot jelölt-e ki. Mit néztem el?

További harminc másodpercbe telt, amíg váratlanul rádöbbent a válaszra, de akkor olyan lelkesültség kerítette hatalmába, amelyet még soha nem tapasztalt egész tudományos pályája során.

Az illuminátus lángelme, úgy tűnt, sohasem nyugszik.

A forma, amely a szeme előtt volt, egyáltalán nem gyémánt akart lenni. A négy pont csak azért alkotott rombuszt, mert Langdon az egymást követő pontokat kötötte össze. Az Illuminátusok az ellentétekben hisznek! Langdon ujjai remegtek, miközben a tollával összekötötte az egymással átellenben lévő pontokat. Egy óriási crucifix rajzolódott ki előtte a térképen. Hiszen ez egy kereszt! A tudomány négy eleme bontakozott ki a szeme láttára... egy hatalmas, az egész várost befogó kereszt képében.

Ahogy ámulva nézte, egy verssor tért vissza az agyába, akár egy régi barát, aki most új arcát mutatja.

A város útjait keresztezed,
S a fényösvényen vár a négy elem...

Lassan kitisztult a köd. Langdon rájött, hogy a válasz itt volt egész este az orra előtt. Az illuminátus vers megnyitotta az utat a megfejtéshez: elmondta, hogyan helyezkednek el az oltárok. A keresztalakzat a megoldás!

A „keresztezed" ravaszul kétértelmű. Langdon eredetileg úgy olvasta, hogy a nyomvonalat követve keresztül kell mennie Rómán. Miközben mennyivel többet mondott el! Valójában egy újabb, rejtett utalás volt.

A kereszt alak a térképen, ébredt rá Langdon, az illuminátus kettősség végső kifejeződése. A tudomány négy elemét egy vallásos szimbólum adta ki. Galilei illuminátus ösvénye egyszerre tisztelgett a tudomány és Isten előtt!

A kirakós játék többi darabja most már szinte azonnal a helyére került.

Piazza Navona.

A Piazza Navona kellős közepén, a Szent Ágnes-templom előtt áll Bernini egyik legünnepeltebb szobra. Aki csak Rómában jár, elmegy megnézni.

A Négy folyó kútja!

Bernini hibátlan hódolata a víz előtt. *A Négy folyó kútja* az Óvilág négy fő folyóját, a Nílust, a Gangeszt, a Dunát és a Rio Platát örökíti meg.

Víz, gondolta Langdon. Az utolsó útjelző. Tökéletes.

Annál tökéletesebb, a hab a tortán, jött rá Langdon, hogy Bernini díszkútjának tetején egy obeliszk nyúlik a magasba.

Az elképedt tűzoltókat faképnél hagyva, Langdon elindult a templomon át Olivetti élettelen teste felé.

Most 22.31 van, gondolta. Rengeteg időm maradt. Langdon a nap folyamán először érezte azt, hogy az események előtt jár.

A padok takarásában letérdelt Olivetti mellé, diszkréten magához vette a parancsnok félautomatáját és a walkie-talkie-t. Langdon tudta, hogy segítséget kell kérnie, de erre nem ez volt a megfelelő hely. A tudomány utolsó oltárát most még titokban kell tartani. Ha a média és a szirénázó tűzoltóság ellepi a Piazza Navonát, az csak ront a helyzeten.

Langdon szó nélkül kisurrant az ajtón, kikerülve az újságírókat, akik hordákban özönlöttek befelé a templomba. Áthaladt a Piazza Barberínin. Az árnyékban bekapcsolta a walkie-talkie-t. A Vatikánt akarta elérni, de csak zúgást hallott a készülékben. Vagy hatótávolságon kívül volt, vagy be kellett volna ütnie valamilyen azonosító kódot. Langdon hiába állítgatta a bonyolult tárcsákat és gombokat. Hirtelen rájött, hogy így nem fog működni a segélykérő terve. Sarkon fordult, utcai fülkét keresve. Egyet sem látott. De úgyis foglaltak lennének a Vatikán vonalai.

Egyedül volt.

Langdon, érezve hogy kezd elpárologni korábbi önbizalma, egy pillanatra megállt és felmérte nyomorúságos állapotát: csupa por a csontoktól, megsebesült, eszméletlenül kimerült és éhes. Langdon visszanézett a templomra. Füst kígyózott a kupola fölött a média reflektorainak és a tűzoltóautók lámpáinak fényében. Langdon azon tűnődött, visszamenjen-e segítséget kérni. Ám az ösztöne azt súgta, hogy a hozzá nem értők lelkes segítsége csak hátráltatná. Ha a hasszasszín meglátná, hogy jövünk... Vittoria jutott az eszébe, és tudta, hogy ez az utolsó esélye, ha szembe akar nézni a lány elrablójával.

Piazza Navona, gondolta, felmérve, hogy elég sok idő kell, amíg odajut, és figyelőállást foglal. Megpróbált taxi után nézni, de az utcák jóformán kihaltak voltak. Úgy tűnt, még a taxisofőrök is a televíziót nézik valahol. A Piazza Navona csak egy mérföldre van innen, de Langdon nem akarta gyaloglással vesztegetni az értékes időt. Hátrapillantott a templomra, azt fontolgatva, nem kölcsönözhetne-e valakitől egy járművet.

Egy tűzoltóautót? Egy közvetítőkocsit? *Térj már észhez!*

Érzékelve, hogy múlnak a percek és csökkennek az esélyek, Langdon elhatározta magát. Előhúzta a fegyvert a zsebéből, és az alkatától olyannyira idegen dolgot tett, amire csak egy magyarázat lehetett: valamiféle megszállottság hajtja. Odarohant a közlekedési lámpánál várakozó egy szál Citroën szedánhoz, és a nyitott ablakon át a vezetőnek szegezte a pisztolyt:

– *Fuori!* – üvöltötte. – Kifelé!

A reszkető férfi kiszállt.

Langdon beugrott a volán mögé és beletaposott a gázba.

101

Gunther Glick egy zárka padján ült a svájci testőrség hivatalában. Minden istenhez imádkozott, aki csak az eszébe jutott. *Add, hogy ne legyen álom.* Ez volt élete nagy fogása.

Mindenki annak érezte volna a helyében. E pillanatban a világ minden riportere boldogan cserélne Glickkel. Ébren vagy, mondogatta magának. És sztár vagy. Dan Rathert eszi a sárga irigység.

Macri mellette ült, és kissé bávatagnak tűnt. Glick nagyon is meg tudta érteni. Nem elég, hogy exkluzív közvetítést adtak a *camerlengo* beszédéről, de ők mutatták be az egész világnak azokat a borzalmas fotókat a bíborosokról és a pápáról – az a nyelv! –, továbbá egy élő videofelvételt, az antianyagot tartalmazó, visszaszámláló tárolóedényről. Hihetetlen!

Mindezt természetesen a *camerlengo* kívánságára tették, tehát semmi nem indokolta, hogy Glicket és Macrit bezárva tartsák a svájci testőrség fogdájában. Eltekintve Glick vakmerő húzásától, mert olyasmit is hozzáadott az anyagához, amelyet a svájci testőrök nem értékeltek. Glick tudta, hogy azt a beszélgetést nem az ő fülének szánták, de egyszerűen nem lehetett kihagyni! Egy újabb szenzáció Glicktől!

– Az irgalmas szamaritánus? – nyögött fel mellette a padon Macri, aki hallhatóan nem volt elragadtatva a dologtól.

Glick mosolygott. – Briliáns, nem igaz?

– Briliánsan hülye.

Glick tudta, hogy csak irigykedik. Nem sokkal a *camerlengo* beszéde után Glick véletlenül megint jó helyen volt a megfelelő pillanatban. Meghallotta, hogy Rocher új parancsokat ad az embereinek. Kiderült, hogy Rocher telefonhívást kapott egy rejtélyes személytől, aki a kapitány állítása szerint sorsdöntő információval szolgálhat a válságos helyzetben. Rocher szavaiból arra lehetett következtetni, hogy az idegen segíthet nekik, majd felkészítette a testőröket a vendég érkezésére.

Noha az információ nyilvánvalóan bizalmas volt, Glick azt tette, amit bármelyik hivatásos riporter tett volna – skrupulusok nélkül. Keresett egy sötét zugot, utasította Macrit, hogy indítsa el a közvetítőkamerát, és leadta a hírt.

– Megrázó új fejlemények Isten városából – jelentette be a szemét meregetve a nagyobb hatás kedvéért. Majd azzal folytatta, hogy egy titokzatos vendég érkezését várják a Vatikánban, aki meg fogja menteni a helyzetet. Az irgalmas szamaritánus, Glick ezzel az elnevezéssel illette – tökéletes név egy arc nélküli embernek, aki az utolsó órában hajtja végre a jó cselekedetet. A többi tévétársaság felkapta a hangzatos elnevezést, és Glick újabb lépést tett a halhatatlanság felé.

Briliáns vagyok, gondolta elégedetten. Peter Jennings épp most dőlt a kardjába.

Glick persze nem állt meg itt. Ha már sikerült magára irányítania a világ figyelmét, akkor bolond lett volna nem bedobni a saját kis összeesküvés-elméletét.

Briliáns. Elképesztően briliáns.

– Átvertél minket – mondta Macri. – Jól felfújtad a dolgot.

– Ezt meg hogy érted? Nagy voltam!

Macri hitetlenkedve bámult rá. – George Bush, az előző elnök? Mint illuminátus?

Glick mosolygott. Világosabb már nem is lehetne. George Bush bizonyítottan 33. fokozatú szabadkőműves, és ő volt a CIA vezetője, amikor az ügynökség bizonyítékok hiányában lezárta az Iluminátusok ellen folytatott nyomozást. Meg az a sok beszéd az „ezer fénypontról" meg az „Új Világrendről"... Bush nyilvánvalóan illuminátus.

– És amit a CERN-ről mondtál? – kérdezte szemrehányó-
an Macri. – Holnap hosszú sorban fognak állni az ügyvédek
az ajtód előtt.

– A CERN? Ugyan már! Ez egyértelmű! Gondold csak vé-
gig! Az Illuminátusok az ötvenes években tűntek el a föld
színéről, pontosan akkor, amikor a CERN-t alapították.
A CERN a világ legfelvilágosultabb koponyáinak a gyűjtőhe-
lye. Tele van magánalapítványi pénzekkel. Létrehoztak egy
olyan fegyvert, amely meg tudja semmisíteni az egyházat, az-
után... ezt kapd ki!... elveszítették!

– Tehát tudtára adod a világnak, hogy a CERN az Illuminá-
tusok új bázisa?

– Nyilvánvaló! A testvériségek nem szoktak eltűnni. Az
Illuminátusoknak menniük kellett valahová. A CERN tökéle-
tes rejtekhely a számukra. Nem azt mondom, hogy a CERN-
ben mindenki illuminátus. Valószínűleg úgy működik, mint
egy nagy szabadkőműves-páholy, ahol a tagok többsége ártat-
lan, de a felső vezetés...

– Hallottál már arról, hogy rágalmazás? És arról, hogy
felelősség?

– És te hallottál már arról, hogy hivatásos újságírás?

– Újságírás? Légből kapott baromságokkal dobálózol! Ki
kellett volna kapcsolnom a kamerát! És mi az ördögöt zagy-
váltál össze a CERN logójáról? Még hogy sátánista szimbó-
lum! Elment az eszed?

Glick mosolygott. Macri nyíltan kimutatta az irigységét.
A CERN logója a világ legbriliánsabb csele. A *camerlengo* be-
széde óta minden tévécsatornán a CERN-ről és az antianyag-
ról beszélnek. Egyes hírstúdiókban a CERN logója a háttérkép.

A logó amúgy elég szokványosnak tűnik – két egymást metsző kör jelképezi a két részecskegyorsítót, és öt érintőleges vonal a részecskebelövő csöveket. Az egész világ ezt a logót bámulta, de Glick volt az, aki amatőr szimbólumkutatóként elsőnek látta meg benne az elrejtett illuminátus jelképet.

– Te nem vagy szimbólumkutató – figyelmeztette Macri –, csak egy mázlista riporter. Meg kellett volna hagynod a szimbólumfejtést annak a harvardi fickónak.

– A harvardi fickó nem vette észre – mondta Glick. Pedig teljesen világos annak a logónak az illuminátus jelentéstartalma!

Glick titokban sugárzott a büszkeségtől. Noha a CERN-nek több gyorsítója van, a logójukon csak kettő szerepel. A kettő az Illuminátusok számjegye a dualitásra. Noha a legtöbb részecskegyorsítónak csak két belövőcsöve van, a logón öt látható. Az öt az Illuminátusok pentagrammájára, az ötágú csillagra utal. És most jön a csel – ami a legbriliánsabb az egészben. Glick kimutatta, hogy a körök és a vonalak a logóban együtt egy nagy 6-os számjegyet adnak ki, és amikor a logót elforgatják, előtűnik még egy 6-os... azután még egy. A logó összesen három hatost tartalmaz! 666! Az ördög száma! A bestia jele!

Glick egy zseni.

Macri úgy nézett rá, mintha be akarna neki húzni egyet.

Glick tudta, hogy majd elmúlik az irigysége, és már egy másik gondolatot dédelgetett magában. Ha a CERN az Illuminátusok főhadiszállása, akkor vajon ott rejtegethetik a hírhedt illuminátus gyémántot? Glick az interneten olvasott róla: *az ősi elemekből született hibátlan gyémánt, aki látja, döbbent csodálattal adózik a tökéletességének.*

Glick azon tűnődött, hogy vajon az Illuminátusok gyémántjának holléte lesz-e az újabb titok, amelyet még ma éjjel meg fog fejteni.

102

Piazza Navona. A *Négy folyó kútja.*

Rómában az éjszakák, akárcsak a sivatagban, meglepően hidegek tudnak lenni, még egy meleg nap után is. Langdon a Piazza Navona szélén gubbasztott, összehúzva magán a zakóját. Mint a távoli forgalom elmosodó zaja, úgy jutott el hozzá az egész városban visszhangzó tévéhíradók kakofóniája. Megnézte az óráját. Még tizenöt perc. Hálás volt ezért a néhány pillanatnyi nyugalomért.

Kihaltnak tűnt a tér. Bernini mesterműve félelmetes boszorkányossággal sustorgott vele szemben. A medencében pezsgő víz szivárványos párát lövellt fölfelé a víz alatti reflektorok megvilágításában. Langdon hűvös elektromosságot érzett a levegőben.

A kút legrabulejtőbb sajátossága a mérete volt. Már önmagában a középponti mag – egy rücskös szürkemárványból faragott hegy, amelyet vizet terelő üregek és barlangok szabdaltak – több mint hat méter magasan tört az ég felé. A sziklán pogány figurák ékeskedtek. A csúcson pedig egy obeliszk, amely további tizenkét méterrel növelte a magasságot. Langdon tekintete felkúszott rajta. Az obeliszk hegyén, elmosódott árnyként rajzolódva ki az égen, egy magányos galamb üldögélt némán.

Egy kereszt, gondolta Langdon, még mindig álmélkodva a Római átvezető útjelzők elrendezésén. A *Négy folyó kútja* volt a tudomány utolsó oltára. Néhány órája, a Pantheonban Langdon még meg volt győződve arról, hogy az *Illuminátusok ösvénye* megszakadt, és ő sosem mehet végig rajta. Kishitű ostobaság volt. Valójában az egész ösvény érintetlenül megmaradt. Föld, levegő, tűz, víz. És Langdon követte az utat... az elejétől a végéig.

Nem egészen a végéig, emlékeztette magát. Az ösvényen öt állomás van, nem csak négy. A negyedik útjelzőnek, a szökőkútnak valamilyen módon utalnia kell a végcélra – az Illuminátusok szent rejtekhelyére, az Illuminátusok templomára. Langdon azon tűnődött, hogy nem oda vitte-e a hasszaszszin Vittoriát.

Azon kapta magát, hogy a kút figuráit tanulmányozza, nem adnak-e valamilyen iránymutatást a rejtekhelyhez. *Angyal vezesse büszke léptedet.* De szinte ugyanabban a pillanatban megszállta egy nyugtalanító felismerés. Ezen a díszkúton nincsenek angyalok. Legalábbis onnan, ahol Langdon állt, egyet sem lehetett látni... és korábbról sem emlékezett rájuk. A *Négy folyó kútja* pogány műalkotás. Valamennyi faragványa profán – emberek, állatok, még az ormótlan örvös tatu is. Aligha illene közéjük egy angyal.

Rossz helyre jöttem? Végiggondolta a négy obeliszk kereszt alakú elrendezését. Ökölbe szorította a kezét. Ez a kút tökéletes.

Még csak 22.46 volt, amikor a piazza túlsó végében egy fekete furgon húzott ki a mellékutcából. Langdon figyelemre sem méltatta volna, ám a kocsinak nem égtek a lámpái. Akár a holdfényes öbölben cirkáló cápa, úgy hajtott végig a furgon a tér körül.

Langdon összehúzta magát, meglapult az árnyékban a Szent Ágnes-templomhoz felvezető széles lépcsősor mellett. Felgyorsuló pulzussal lesett ki a térre.

Két teljes kör megtétele után a jármű Bernini szökőkútja felé vette az irányt. A medence mellett állt meg, olyan közel a pereméhez, hogy vizes lett az oldala. A leparkolt jármű tolóajtaját mindössze néhány centiméter választotta el a pezsgő víztől.

Pára terült szét.

Langdont rossz előérzet gyötörte. Korábban érkezett volna a hasszasszin? Méghozzá furgonnal? Langdon úgy képzelte el, hogy a gyilkos gyalog vezeti át áldozatát a piazzán, ahogy az a Szent Péter téren történt, és Langdon tisztán célba veheti. De ha a hasszasszin furgonon jött, akkor megváltoztak a játékszabályok.

Hirtelen eltolták a kocsi oldalajtaját.

A furgon padlóján, kínok közt fetrengve, egy meztelen ember hevert. A férfit több méter hosszú, nehéz lánccal tekerték körül. Hiába küzdött a vasszemekkel, mert túl súlyosak voltak. Az egyik láncszem úgy vágott bele a férfi szájába, mint a ló zablája, elfojtva segélykiáltásait. Langdon ekkor megpillantotta a második alakot is, aki a fogoly háta mögött tett-vett a sötétben, mintha az utolsó előkészületekkel foglalatoskodna.

Langdon tudta, hogy másodpercek alatt cselekednie kell.

Magához véve a fegyvert kibújt a zakójából és a földre ejtette. Nem akart egy tweedzakóval bajlódni, és Galilei *Diagram-mája*t sem szándékozott a víz közelébe vinni. Maradjon csak itt a dokumentum, ahol szárazon és biztonságban van.

Langdon jobbfelé settenkedett. A kút medencéjéhez köze-ledve pontosan szembekerült a furgonnal. A kút robusztus középső része elvette tőle a kilátást. Felegyenesedve futni kezdett a medence felé. Azt remélte, hogy a víz zubogása el-nyomja a lépteinek zaját. Amikor odaért a kúthoz, átmászott a peremén és belépett a pezsgő habok közé.

A víz a derekáig ért és jéghideg volt. Langdon összeszorí-totta a fogát és megindult előre. A kút csúszós fenekét még veszélyesebbé tették azok a pénzérmék, amelyeket a turisták dobáltak be, hogy szerencsét hozzanak. Langdon érezte, hogy neki most nem lenne elég a puszta jó szerencse. Ahogy szétterült körülötte a vízharmat, azon tűnődött, vajon a hi-deg vagy a félelem teszi-e, hogy remeg a pisztoly a kezében.

A kút közepére érve balfelé került. Erőteljesen gázolt előre, a márványtömbökbe kapaszkodva. Kilesett egy hatalmas, fara-gott ló takarásából. A furgon mindössze öt méterre volt tőle. A hasszasszin a jármű padlóján guggolt, keze a bíboros lánc-ba tekert testén; arra készült, hogy a nyitott ajtón át begurít-sa a szökőkútba.

A derékig vízben álló Robert Langdon fölemelte a fegyvert, és a párából kibontakozva úgy érezte magát, mint valami vízi cowboy a végső összecsapás előtt. – Ne mozduljon. – Lang-don hangja biztosabb volt, mint a keze a fegyverrel.

A hasszasszin felnézett. Egy pillanatra mintha zavarba jött volna, mintha kísértetet látna. Aztán gonosz mosolyra húzó-dott az ajka. Megadóan fölemelte a karját. – *Így megy ez.*

– Szálljon ki a kocsiból.

– Vizesnek látszik.

– Korábban érkezett.

– Alig várom, hogy megkapjam a jutalmam.

Langdon célzásra emelte a pisztolyt. – Habozás nélkül lőni fogok.

– Most is habozik.

Langdon érezte, hogy az ujja ráfonódik a ravaszra. A bíboros most mozdulatlanul feküdt. Kimerültnek tűnt, talán már a halálán volt. – Szabadítsa ki.

– Felejtse el. Hiszen a nő miatt jött. Ne tettesse magát.

Langdon legyőzte a késztetést, hogy kurta véget vessen a vitának. – Hol van a lány?

– Biztos helyen. Várja, hogy visszatérjek.

Életben van, csillant meg Langdon előtt a reménysugár.

– Az Illuminátusok templomában?

A gyilkos elmosolyodott. – Soha nem találja meg azt a helyet.

Langdon alig merte elhinni. Még áll a menedék. Célba vette a gyilkost. – Hol van?

– Évszázadokon át titokban maradt a helye. Még előttem is csak nemrégiben fedték fel. Inkább meghalok, mint hogy elárúljam a rám bízott titkot.

– Anélkül is megtalálom.

– Túlbecsüli magát.

Langdon a kút felé intett. – Ide is eltaláltam.

– Mint már annyian. Az utolsó lépés a legnehezebb.

Langdon közelebb ment, óvatosan emelve a talpát a vízben. A hasszasszín feltűnően nyugodtnak látszott, ahogy a feje fölé emelt karral guggolt a furgon hátsó részében. Langdon a mellkasát vette célba, azt fontolgatva, hogy mi lenne, ha egyszerűen lelőné, és véget vetne az egésznek. Nem. Tudja, hol van Vittoria. Tudja, hol van az antianyag. *Ki kell szednem belőle!*

A furgon sötétjéből a hasszaszín a támadóját nézte, és kénytelen volt derűs szánakozást érezni iránta. Bátor az amerikai, ezt már bizonyította. De gyakorlatlan. Amit szintén bizonyított már. A merészség gyakorlat nélkül pedig, öngyilkosság. A túlélésnek megvannak a szabályai. Ősrégi szabályok ezek. És az amerikai valamennyit megszegte.

Nálad volt az előny... a meglepetés ereje. Eljátszottad.

Az amerikai határozatlan... az a legvalószínűbb, hogy segítségre vár... vagy talán egy nyelvbotlásra, hogy valamilyen információt szerezzen.

Sohase kérdezz, amíg nem tetted ártalmatlanná az ellenfeledet. A sarokba szorított ellenségnél nincs veszélyesebb.

Az amerikai megint beszél. Próbálkozik. Manőverezik.

A gyilkos kis híján hangosan felnevetett. Ez itt nem egy hollywoodi film... itt nincsenek hosszú dialógusok fegyverrel a kézben a végső leszámolás előtt. Most jön a vége. Azonnal.

A gyilkos, anélkül hogy levette volna a szemét Langdonról, óvatosan kitapogatta a furgon tetejét, amíg meg nem találta, amit keresett. Mereven maga elé nézve megmarkolta a tárgyat.

Azután megjátszotta a lehetőséget.

A mozdulat teljességgel váratlan volt. Langdon egy pillanatig azt hitte, hogy érvényüket veszítették a fizika törvényei. A gyilkos maga elé nyújtott lábakkal mintha a levegőben lebegett volna, bakancsával meglökve a bíboros testét, amitől a láncba csavart ember kirepült az ajtón. A medencébe csobbanó test szétfröcskölte a vizet.

Ahogy az arcába spriccelt, Langdon túl későn fogta fel a történteket. A gyilkos megmarkolta a furgon egyik bukócsövét, és úgy lendítette előre magát. Így repült most felé a hasszasszin, lábbal előre, a felcsapódó vízharmatban.

Langdon meghúzta a ravaszt, és a hangtompító pukkanó hangot adott. A golyó a hasszasszin bal bakancsába fúródott. Ugyanabban a pillanatban a gyilkos mindkét talpa nekiütközött Langdon mellkasának, aki hátrazuhant a nagy erejű rúgástól.

A két férfi beleesett a felcsapódó, véres vízbe.

Ahogy a jéghideg víz körülzárta a testét, Langdon elsőnek a fájdalmat érzékelte. Ezt követte az életösztön. Ráébredt, hogy a fegyver már nincs a kezében. Kirepült belőle. Lebukott és a csúszós feneket tapogatta. Fémbe ütközött a keze. Egy marék aprópénz. Kiengedte a markából. Kinyitotta a szemét és a derengő vizet kémlelte, amely úgy pezsgett körülötte, mint egy hideg jacuzzi.

Ösztönösen fel akart bukni levegőért, de a félelem odalent tartotta. Állandó mozgásban. Nem tudhatta, honnan érkezik a következő támadás. Meg kell találnia a pisztolyt! Kétségbeesetten kotorászott maga előtt a fenéken.

Nálad az előny, mondta magának. *A saját elemedben vagy.* Langdon még az átázott garbójában is kitűnő úszó volt. *A víz a te elemed.*

Amikor Langdon ujjai másodszor is fémbe ütköztek, biztos volt benne, hogy visszatért a szerencséje. A tárgy, amit megfogott, nem aprópénz volt. Megmarkolta és húzni kezdte maga felé, de rá kellett jönnie, hogy nem a tárgy mozog, hanem ő siklik előre a vízben. A tárgy mintha rögzítve lett volna.

Langdon még el sem érte a bíboros vonagló testét, amikor már tudta, hogy a férfit a víz alá lehúzó vaslánc egy darabja akadt a kezébe. A test lassan jött felfelé... akár egy horgony. Langdon még erősebben húzta. Amikor a kardinális feje a felszínre bukkant, az öregember kétségbeesetten tátogott levegő után. Aztán heves rándulással átfordult a teste, és a csúszós lánc kisiklott Langdon kezéből. Baggia bíboros úgy süllyedt le ismét, mint egy kő, és elmerült a habzó vízben.

Langdon lebukott, és tágra nyitott szemmel vizslatott a homályban. Megtalálta a kardinálist. Ezúttal, miközben megragadta, félrecsúszott a lánc Baggia mellkasán... felfedve az újabb gyalázatot... a megpörkölődött húsba beleégetett szót.

Egy pillanattal később két bakancs jelent meg Langdon látóterében. Az egyik vérben ázott.

$\mathfrak{R}$obert Langdon vízilabdásként ennél keményebb felszín alatti csatákat is átélt már. Az uszoda víztükre alatt, a bírók szemének láthatatlanul dúló ádáz küzdelmek a legdurvább birkozómeccsekkel vetekszenek. Langdont rúgták, karmolták, lefogták, sőt egyszer még meg is harapta egy dühös védőjátékos, akitől Langdon folyton megszökött.

Langdon persze tudta, hogy Bernini szökőkútjának hideg vize jó messzire esik a Harvard uszodájától. Most nem sportból küzdött, hanem az életéért. Már másodszor csaptak össze. És itt nincsenek bírók. Nincs visszavágó. A két karban, amely a medence feneke felé nyomta az arcát, olyan erő munkált, amely kétséget sem hagyott afelől, hogy az az ember ölni akar.

Langdon ösztönösen pörgött, mint egy torpedó. *Szabadulj ki a fogásból!* De a szorítás nem engedett, hiszen a támadó olyan előnyt élvezett, amely a vízipólóban egyetlen védőjátékosnak sem adatik meg: két lábbal állt a szilárd talajon. Langdon kicsavarodott, ő is próbálta megvetni maga alatt a lábát. A hasszaszin mintha szívesebben használta volna az egyik karját... de attól még nagyon erős volt a szorítása.

Langdon ekkor már tudta, hogy nem fog szabadulni. Megtette azt az egy dolgot, ami az eszébe jutott. Felhagyott azzal, hogy megpróbáljon a felszínre bukkanni. Ha nem mehetsz északra, tarts keletnek. Összeszedve maradék erejét Langdon delfincsapást tett a lábával, és esetlen pillangóúszó módján behúzta maga alá a karjait. A teste előresiklott.

A hirtelen irányváltás váratlanul érte a hasszasszint. Langdon oldalazó mozgása arra kényszerítette, hogy utánanyúljon, kibillenve az egyensúlyából. Enyhült a szorítása, és Langdon még egyszer kirúgott. Olyan érzés volt, mint amikor kiakad a vontatóhorog. Langdon egyszerre kiszabadult. A felszínre bukkant, kifújva tüdejéből az elhasznált levegőt. Mindössze egy lélegzetvételhez jutott. Roppant erejével már újra ott volt a nyakában a hasszasszin, és a vállára nehezedve teljes súlyával nyomta lefelé. Langdon kapálózott, hogy meg tudja vetni a lábát, de a hasszasszin meglendítve a magáét leterítette Langdont.

Újra a víz alá került.

Langdon izmai sajogtak, ahogy vonaglott a testével a vízben. Ezúttal hiába manőverezett. A bugyborékoló vízben a medence fenekét pásztázta a pisztoly után. Minden elhomályosult előtte. Itt még jobban pezsgett a víz, több volt a buborék. Vakító fény világított az arcába, ahogy a gyilkos egyre mélyebbre nyomta, a szökőkút fenekéből kiemelkedő reflektor felé. Langdon kinyújtotta a kezét és megragadta a lámpatestet. Forró volt. Megpróbálta kirántani a helyéből, de csuklópántokkal volt rögzítve, és csak forgott a kezében. Minden belefektetett erő kárba veszett.

A hasszasszin még mélyebbre nyomta.

Langdon ekkor látta meg. Pontosan az arca alatt feküdt, a bedobált pénzérmék között. Egy keskeny, fekete henger. Olivetti pisztolyának hangtompítója! Langdon érte nyúlt, de ahogy az ujjai a henger köré fonódtak, nem fémet tapintott, hanem műanyagot. Amikor maga felé húzta, a hajlékony gumitömlő úgy pattant hozzá, akár egy vékony kígyó. Olyan hatvan centi hosszú lehetett, és buborékok áramlottak a végén. Langdon egyáltalán nem a pisztolyt találta meg. Ez csak a szökőkút egyik ártalmatlan *spumantója* volt... az az eszköz, amely pezsgésbe hozza a vizet.

Alig egy lépésnyire tőle Baggia bíboros érezte, hogy a lelke távozni készül megkínzott testéből. Noha egész életében készült erre a pillanatra, azt sohasem képzelte volna, hogy ilyen lesz a vég. Földi porhüvelye a kínok kínját állta ki... megégették, megsebesítették, és most mozdíthatatlan súly tartja a víz alatt. Emlékeztette magát arra, hogy az ő szenvedése semmi ahhoz képest, amit Jézusnak kellett elviselnie.

Meghalt a bűneimért...

Baggia hallotta a közelében tomboló élethalálharcot. A gondolatát sem tudta elviselni. Az elrablója arra készült, hogy kioltson egy másik életet... azét a kedves idegenét, aki megpróbált segíteni.

A kínok kínját kiálló Baggia a hátán feküdt, és a vizen át fölnézett a fekete égre. Egy pillanatra azt hitte, hogy csillagokat lát odafent.

Eljött az idő.

Megszabadulva minden kétségtől és félelemtől Baggia kinyitotta a száját és kilehelte utolsónak hitt lélegzetét. Nézte, ahogy a lelke áttetsző buborékok alakjában felszáll a mennyország felé. Aztán, reflexszerűen, kitátotta a száját. A víz jeges tőrként hatolt belé. A fájdalom nem tartott tovább pár másodpercnél.

Utána... béke.

A hasszaszin nem vett tudomást a lábában égő fájdalomról, hanem a fuldokló amerikaira koncentrált, akit maga alá nyomott a bugyborékoló vízben. *Akkor fejezd is be.* Minden erejét beleadta, abban a tudatban, hogy Robert Langdon ezt már nem élheti túl. És jól számított: az áldozata egyre kevésbé küzdött. Langdon teste egyszer csak megmerevedett, és hevesen remegni kezdett.

Igen, gondolta a hasszaszin. A merevgörcsök. Amikor a víz bejut a tüdőbe. Tudta, hogy ezek a merevgörcsök nemigen tartanak tovább öt másodpercnél.

Most hat másodpercig tartottak.

Aztuán, pontosan úgy, ahogyan a hasszaszin várta, az áldozata egyszer csak kinyúlt. Mint egy nagy, leeresztő léggömb, Robert Langdon kiadta minden erejét. Vége volt. A hasszaszin még harminc másodpercig lenyomva tartotta, hogy a tüdőszövetek minden részébe behatoljon a víz. Érezte, ahogy Langdon teste, immár önmagától, fokozatosan alámerül a fenékre. A hasszaszin végül elengedte. A médiára kétszeres meglepetés fog várni a Négy folyó kútjában.

– *Tabban!* – szitkozódott a hasszaszin, amikor kimászott a kútból és megvizsgálta vérző lábujját. A bakancs orra kiszakadt, a nagylábujja végét elvitte a golyó. Dühöngve saját vigyázatlanságán leszakította a nadrágja hajtókáját és betömte az anyagot a bakancs orrába. Fájdalom hasított a lábszárába.

– *Ibn al-kalb!* – A hasszaszin ökölbe szorította a kezét és még beljebb nyomta a szövetet. A vérzés enyhült, már csak szivárgott.

A fájdalomról az élvezetre terelve a gondolatait, a hasszaszin beszállt a furgonba. Rómában bevégezte a munkáját.

Pontosan tudta, mivel fogja megvigasztalni magát. Vittoria Vetra megkötözve vár rá. A hasszasszin, még fázva és ázottan is, érezte, hogy megkeményedik.

Megszolgáltam a jutalmamat.

A város másik végében Vittoria a fájdalomra tért magához. A hátán feküdt. Mintha kövek lennének a csontjai helyén. Merevek. Törékenyek. Fájt a karja. Amikor megpróbált mozdulni, görcsös rángásokat érzett a vállában. Egy másodpercbe tellett, amíg felfogta, hogy a két keze össze van kötözve a háta mögött. Az első reakciója a zavar volt. *Álmodom?* De amikor megpróbálta felemelni a fejét, a koponyájába hasító fájdalom a tudtára adta, hogy ébren van.

A zavara félelemmé alakult át, ahogy felmérte a helyzetét. Nyers kőfalak között találta magát; a nagy és szépen berendezett helyiséget fáklyák világították meg. Valami régi tanácsterem. Kör alakban elrendezett, ódivatú padokkal.

Vittoria most hideg fuvallatot érzett a bőrén. Nem messze tőle nyitva álltak a kettős ajtók, amelyek egy balkonra vezettek. Vittoria esküdni mert volna arra, hogy a ballusztrád rései között a Vatikánt látja.

104

Robert Langdon a Négy folyó kútjának fenekén, a bedobált pénzérméken feküdt. Még mindig a szájában tartotta a műanyag csövet. A *spumantón* keresztül a medencébe pumpált levegő, amely pezsgésbe hozta a vizet, szennyezett volt és kaparta Langdon torkát. De nem panaszkodott. Elvégre életben volt.

Nem tudta biztosan, mennyire élethűen sikerült utánoznia a vízbe fulladt embert, de mivel az egész élete a víz körül forgott, nem volt éppen járatlan a témában. A tőle telhető legjobb alakítást nyújtotta. A vége felé még a maradék levegőt is kifújta a tüdejéből, és abbahagyta a lélegzést, hogy izomtömege levigye a medence fenekére a testét.

Hála az égnek, a hasszasszin bevette, és távozott.

A kút fenekén heverő Langdon ezután annyit várt, amennyit csak bírt. Már kezdett fulladozni. Azon tűnődött, vajon itt van-e még valahol a hasszasszin. Szívott egyet a cső maró levegőjéből, aztán elengedte és úszni kezdett a kút fenekén, amíg el nem érte a központi szoborcsoportot. Ott fölment a víz színére, és a hatalmas márványfigurák árnyékában, észrevétlenül kidugta a fejét.

A furgon eltűnt.

Langdon csak ezt akarta tudni. Teleszívta a tüdejét friss levegővel, és elindult arrafelé, ahol Baggia bíboros elsüllyedt. Langdon tudta, hogy a férfi már minden bizonnyal eszméletlen, és kevés az esély az életben maradására, de meg kellett próbálnia. Amikor Langdon megtalálta a testet, megvetette kétfelől a lábát, benyúlt a vízbe és megragadta a bíboros köré tekert láncot. Aztán húzni kezdte. Amikor a kardinális kiemelkedett a vízből, Langdon látta, hogy már felakadt és kidülledt a szeme. Nem volt jó jel. Se lélegzést, se pulzust nem észlelt.

504

Tudta, hogy úgysem sikerülne fölemelnie a testet és átjuttatni a szökőkút peremén, ezért vonszolni kezdte Baggia bíborost a vízben a középponti márványdomb alatti üreg felé. Itt sekélyebb lett a víz, és volt egy lejtős perem is. Langdon, amennyire tudta, felhúzta a meztelen testet a peremre. Éppen hogy csak sikerült.

Aztán munkához látott. Összeszorítva a kardinális láncokba fogott mellkasát kipumpálta a vizet a tüdejéből. Majd hozzálátott a mesterséges lélegeztetéshez. Lassan és gondosan számolt. Szándékosan. Ellenállt a késztetésnek, hogy túl erősen és túl gyorsan fújjon. Langdon három percen át kísérletezett az öregember újjáélesztésével. Öt perc elteltével már tudta, hogy vége.

Il preferito. A férfi, akiből pápa lett volna. És most holtan feküdt előtte.

Valamiképpen még most is, elnyúlva az árnyékban, a félig a víz alatt lévő kőperemen, Baggia bíboros nyugodt méltóságot árasztott. A víz puhán csapott át a mellkasa felett, mintha gyászolna... mintha megbocsátásért esedezne, amiért végső gyilkosa lett ennek az embernek... mintha megpróbálná tisztára mosni azt a megpörkölt sebet, amelyen a neve olvasható.

Langdon gyöngéden végigsimított a férfi arcán és lezárta felakadt szemét. Közben érezte, hogy kimerülten megborzong és feltörnek belőle a könnyek. Megütközött rajta. Azután, évek óta először, Robert Langdon sírni kezdett.

105

Az érzelmileg megviselt Langdont beborító köd lassan feloszlott, miközben otthagyva a halott bíborost visszatért a mély vízbe. A kimerült és magányos Langdon félig-meddig arra számított, hogy össze fog omlani. Ehelyett azt érezte, hogy új késztetés születik benne. Legyőzhetetlen. Heves. Azt kellett tapasztalnia, hogy az izmait váratlan erő feszíti meg. Az agya, mintha nem akarna tudomást venni szívének fájdalmáról, félrelökte a múltat, és a Langdon előtt álló egyetlen, kétségbeejtő feladatra összpontosított. *Találd meg az Illuminátusok rejtekhelyét. Segíts Vittoriának.*

Bernini szökőkútjának hegyszerű alakzata felé fordulva Langdon megújult reménnyel vetette bele magát az utolsó illuminátus útjelző felfedezésébe. Tudta, hogy valahol az összetorlódó figurák tömegében ott kell lennie a nyomravezetőnek, amely a rejtekhelyre utal. Ám ahogy megvizsgálta a díszkutat, gyorsan elszálltak a reményei. A segno szavai mintha gúnyosan bugyborékoltak volna körülötte. *Angyal vezesse büszke léptedet.* Langdon felnézett a faragott alakokra. Ez egy pogány kút! Sehol egy átkozott angyal!

Amikor Langdon végzett a szobrok meddő szemrevételezésével, ösztönösen felkapaszkodott a tekintete az előtte magasodó kőoszlopon. A négy útjelző, gondolta, gigantikus keresztként helyezkedik el Rómában.

Az obeliszken található hieroglifákat böngészve azon

tűnődött, nem az egyiptomi szimbólumok között rejtették-e el a nyomravezetőt. Azonnal elvetette az ötletet. A hieroglifák évszázadokkal előzték meg Bernini korát, és a megfejtésük is csak a Rosetti-kő felfedezése után vált lehetővé. De mi van akkor, kockáztatta meg Langdon, ha Bernini odavésett közéjük egy szimbólumot? Amely észrevétlen maradt a többi betűrajz között.

Belekapaszkodva ebbe a halvány reménysugárba Langdon még egyszer körbejárta a kutat és végigtanulmányozta az obeliszk mind a négy oldalát. Két percébe tellett, és amikor eljutott az utolsó oldalig, minden reménye elveszett. Semmit nem látott, amit utólag véshettek volna be a hieroglifák közé. Hogy az angyalokról már szó se essék.

Langdon megnézte az óráját. Pontosan tizenegy volt. Maga sem tudta, hogy repül vagy cammog-e az idő. Vittoria és a hasszasszín rémképei üldözték, miközben körbevonszolta magát a kút mentén, és az újabb, eredménytelen kör végére érve csak a frusztrációja növekedett. A levert és kimerült Langdon legszívesebben összeesett volna. Hátravetette a fejét, hogy beleüvöltsön az éjszakába.

De torkán akadt a hang.

Langdon egyenesen az obeliszk csúcsára meredt. A legtetején ott ült az a valami, amelyet már korábban is látott, de nem foglalkozott vele. Most azonban szöget ütött a fejébe. Angyalnak nem angyal. Távolról sem. Első látásra még csak nem is úgy tekintett rá, mint Bernini szökőkútjának részére. Azt hitte, hogy egy élőlény, a városi hulladékpusztítók egy példánya gubbaszt a magas oszlopon.

Egy galamb.

Langdon felfelé meregette a szemét, de a körülötte képződő pára elhomályosította a látását. Az ott egy galamb, vagy nem? Tisztán látta a fej és a csőr körvonalait, ahogy egy csillagképpel a háttérben kirajzolódtak az égen. Ám az a madár meg se rezzent azóta, hogy Langdon ide érkezett, még az alatta dúló heves küzdelem sem riasztotta meg. Pontosan ugyanúgy ült ott, mint amikor Langdon megjelent a téren. Ott gubbasztott az obeliszk csúcsán és rendületlenül nézett nyugat felé.

Langdon bámulta egy másodpercig, aztán benyúlt a medencébe és kimarkolt némi aprópénzt. Fölhajította őket a magasba. Sikerült eltalálnia a gránit obeliszk felső színtjét. A madár meg se mozdult. Langdon tett még egy kísérletet. Ez egyik érme ezúttal telibe talált. A fémen csattanó fém halk hangja verődött vissza a téren.

Az az átkozott madár bronzból volt.

Te angyalt keresel, nem galambot, figyelmeztette magát Langdon. De már elkésett vele. Beugrott az összefüggés. Langdon rájött, hogy az a madár nem egy közönséges galamb akar lenni.

Hanem békegalamb.

Langdon jóformán nem is volt tudatában annak, hogy mit tesz: belecsobbant a medencébe és mászni kezdett fölfelé a középső szoborcsoporton, hatalmas karokba és fejekbe kapaszkodva húzódzkodott egyre magasabbra. Félúton az obeliszk talapzata felé kiemelkedett a párából, és már tisztábban látta a madár fejét.

Semmi kétség. Ez egy békegalamb. A madár csalókán sötét színe Róma szennyezett levegőjének volt köszönhető, amely patínát adott a bronznak. A megfejtés váratlanul érte.

Ma már látott egy galambpárt a Pantheonban. A galampár nem hordozott jelentést. Ez a galamb azonban egyedül volt. A magányos galamb a béke angyalának pogány szimbóluma.

A felismerés szinte szárnyakat adott Langdonnak az obeliszkig vezető út hátralévő részére. Bernini az angyal pogány szimbóluma mellett döntött, hogy elrejthesse egy pogány szökőkút alakjai között. *Angyal vezesse büszke léptedet.* A galamb az angyal! Langdon elgondolni sem tudott volna büszkébb magaslatot az utolsó illuminátus útjelző számára, mint ennek az obeliszknek a csúcsát.

A madár nyugat felé nézett. Langdon megpróbálta követni a tekintetét, de nem látott túl az épületek felett. Még magasabbra hágott. Teljesen váratlanul egy nisszai Szent Gergely-idézet hívódott elő az emlékezetéből: *Amikor a lélek megvilágosodik... egy gyönyörű galamb alakját ölti magára.*

Langdon az ég felé kapaszkodott. A galamb felé. Most már szinte repült. Elérte az obeliszk talapzatát, ahonnan már nem tudott feljebb jutni. De elég volt egyetlen pillantás, hogy belássa: nincs is rá szükség. Egész Róma ott terült el a szeme előtt. A látvány lélegzetelállító volt.

Bal felől a média kaotikus reflektorai világították körbe a Szent Péter teret. Jobbra a Santa Maria della Vittoria füstölgő kupolája. Szemben vele, a távolban a Piazza del Popolo. Alatta a negyedik és egyben utolsó pont. Egy óriási kereszt obeliszkekből.

Langdon remegve nézett föl a galambra. Megfordulva a helyes irányba állt, majd a horizontra emelte a tekintetét.

Abban a pillanatban meglátta.

Mennyire nyilvánvaló. Milyen világos. Milyen ravaszul egyszerű.

Ahogy most elnézte, Langdon alig akarta elhinni, hogy ennyi éven át titokban maradhatott az Illuminátusok rejtekhelye. Az egész város elmosódni látszott, miközben a folyó túloldalán, vele szemben emelkedő, monumentális kőépítményt bámulta. Az egyik leghíresebb műemlék Rómában. A Tiberis partján áll, átlós vonalban a Vatikánnal. Az épület geometriája erőteljes − egy kör alakú vár egy négyszögletes erődön belül, míg a falakon kívül egy ötszögletű park veszi körül az egész építményt.

A kőből rakott ősi erődítmény drámai hatást keltett a díszkivilágításban. Magasan a vár tetején monumentális bronzangyal tört az égnek. Az angyal lefelé, pontosan a vár közepére mutatott a kardjával. És mintha ez még nem volna elég, a híres Angyalhíd vitt közvetlenül és egyenesen a vár főbejáratához... hatásos rávezetés, amelyet a maga Bernini által kifaragott, tizenkét nagyméretű angyal ékesített.

Végső, lenyűgöző felfedezésként Langdon arra is rájött, hogy Bernini egész várost átfogó obeliszk-keresztje tökéletes illuminátus módszerrel van kialakítva: a kereszt függőleges szára pontosan a várhoz vezető híd közepén halad keresztül, két egyenlő részre osztva az Angyalok hídját.

Langdon magához vette a tweedzakóját, de távol tartotta vizes testétől. Bepattant a lopott kocsiba, rátette cuppogós cipőjét a gázpedálra és elhajtott az éjszakában.

106

23.07 volt. Langdon kocsija száguldott a római éjszakában. Végigsöpörve a folyóval párhuzamos Lungotevere Tor di Nonán Langdon már látta is maga előtt úti célját, amely hegyként magasodott jobb felől.

Castel Sant' Angelo. Az Angyalvár.

Minden előzetes figyelmeztetés nélkül, hirtelen feltűnt a keskeny Angyalok hídjának – a *Ponte Sant' Angelónak* – a felhajtója. Langdon rálépett a fékre és elrántotta a kormányt. Még időben kanyarodott, de a híd el volt barikádozva. Csúszott vagy három métert, majd nekiütközött egy sor alacsony kőtömbnek, amelyek elállták az útját. Langdon előrebukott, miközben a kocsi nagyot rázkódva leállt. Elfelejtette, hogy az Angyalok hídjának védelmében kitiltották innen a járműforgalmat.

Langdon remegve kimászott a meggyűrődött autóból, és már sajnálta, hogy nem választott más útvonalat. Még nyirkos volt a ruhája a szökőkút vizétől, és most rázta a hideg. Belebújt a tweedzakójába, és hálát adott az égnek a Harris márka dupla szövéséért, amely az átázott ing ellenére is szárazon tartotta a *Diagramma* fóliánsát. Vele szemben, a híd másik oldalán, hegyként magaslott az erőd. Langdon futásra ösztökélte sajgó és kimerült testét.

Kétfelől ösztövér díszsorfalként maradtak el mögötte egyenként Bernini kőangyalai, amelyek mintha a végső cél felé terelték volna Langdont. *Angyal vezesse büszke léptedet.*

A vár egyre magasabbnak tetszett, ahogy közeledett, olyan volt, akár egy megmászhatatlan csúcs, amelyet most még a Szent Péternél is tiszteletet parancsolóbbnak érzett. Párafelhőket kibocsátva rohant a bástya felé, a citadella kerek középpontjára szögezve tekintetét, amelynek tetejéről egy monumentális, kardot tartó angyal hasított bele az égbe.

A vár elhagyatottnak tűnt.

Langdon tudta, hogy évszázadokon át a Vatikán használta az épületet sírhelyként, erődként, pápai rejtekhelyként, az egyház ellenségeinek börtöneként és múzeumként. Most kiderült, hogy más lakói is voltak a várnak – az Illuminátusok. Valahogy hátborzongató érzést keltett. Noha az épület a Vatikán tulajdona, csak szórványosan vették igénybe, és Berninì számos felújítást végzett rajta az évek során. Manapság azt beszélik, hogy a várfalak titkos bejáratokkal vannak átlyuggatva, rejtekutakkal és cellákkal. Langdonnak szemernyi kételye sem volt aziránt, hogy az angyal és az ötszögletű park szintén Bernini műve.

Megérkezve a vár hatalmas, kettős kapuja elé, Langdon nekiveselkedett a fának. Nem lepte meg, hogy mozdítani se bírja. Szemmagasságban két vaskopogtatót látott. Langdon nem próbálkozott velük. Hátralépett és felmérte a nyers kőfalat. Ez az erődítmény ellen tudott állni a barbárok, a pogányok, a mórok seregeinek. Langdon méltán érezte úgy, hogy nem sok esélye volna betörni a falat.

Vittoria, gondolta Langdon. *Odabent vagy?*

Gyors léptekkel elindult a külső fal mentén. Kell lennie másik bejáratnak is!

Nyugatnak tartva, a második kitüremkedő körbástya megkerülése után Langdon elfulladva érkezett meg egy kis parkolóba a Lungotere Angelo mellett. Ezen a falon talált egy második bejáratot: egy függőhíd volt, felhúzva és lezárva. Langdon ismét fölfelé emelte a tekintetét.

A vár egyedüli fényforrásai a homlokzat díszkivilágítását adó, külső reflektorok voltak. A falba vágott apró ablakok mind sötétnek tűntek. Langdon pillantása még magasabbra vándorolt. A központi torony csúcsán, harminc méterre a földtől, közvetlenül az angyal kardja alatt, egy balkon nyúlt ki. A márvány mellvéden halvány fény remegett, mintha fáklyafény égne odabent a szobában. Langdon megállt, és ázott testén hirtelen végigfutott a hideg. Egy árnyék? Feszülten várt. Aztán újra megpillantotta. Bizsergést érzett a gerincében. Van ott valaki odafenn!

– Vittoria! – kiáltotta, nem bírván parancsolni magának, de hangját elnyelte az alant csapkodó Tiberis. Miközben a köröket rótta, azon tűnődött, vajon hol a pokolban van a svájci testőrség. Hallották egyáltalán az adását?

A parkoló túlsó végében egy óriási közvetítőkocsi parkolt. Langdon futni kezdett felé. Pocakos férfi ült a kabinban fülhallgatóval a fején, és a potmétereket állítgatta. Langdon dörömbölt a kocsi oldalán. A férfi megriadt, szemrevételezte Langdon víztől csöpögő ruházatát és lekapta a fejéről a fülhallgatót.

– Mi a gond, pajtás? – Ausztrál akcentusa volt.

– Szükségem van a telefonjára – hadarta Langdon.

A férfi vállat vont. – Nincs tárcsahang. Egész éjjel hiába próbálom. Túlterheltek a vonalak.

Langdon fennhangon elkáromkodta magát. – Látott valakit bemenni oda? – mutatott a felvonóhídra.

– De még mennyire. Egy fekete furgon járt ki-be egész éjjel.

Langdon úgy érezte, mintha gyomorszájon vágták volna.

– A mázlista – mondta az *aussi* a torony felé intve a szemével, majd homlokráncolva mutatta, hogy idelentről viszont alig látni valamit a Vatikánból. – Lefogadom, hogy odaföntről zavartalan a kilátás. Nem sikerült átvergődnöm a Szent Péter téri forgalmon, ezért innen filmezek.

Langdon oda sem figyelt. Lehetőségek után kutatott.

– Mit gondol? – kérdezte az ausztrál. – Tényleg létezik az az irgalmas szamaritánus?

Langdon visszafordult. – Hogyan?

– Hát nem hallotta? A svájci testőrség kapitánya kapott egy telefont valakitől, aki azt állítja, hogy sorsdöntő információi vannak. Már úton is van a fickó. Én csak azt tudom, hogy ha megoldja a válságot, akkor az jó hatással lesz a nézettségre.

– A férfi nevetett.

Langdon egyszerre összezavarodott. Iderepül egy irgalmas szamaritánus, hogy segítsen? Tudja valahonnan az a személy, hogy hol van az antianyag? Akkor miért nem mondta meg rögtön a svájci testőröknek? Miért kell ehhez idejönnie? Valahogy furcsának tűnt, de Langdonnak nem volt most ideje ezt bogozgatni.

– Hé – mondta az *aussi*, jobban megnézve magának Langdont. – Nem maga az a fickó, aki benne volt a tévében? Aki megpróbált segíteni a bíborosnak a Szent Péter téren?

Langdon nem válaszolt. Hirtelen megakadt a szeme a közvetítőkocsi tetejére erősített szerkezeten – egy összecsukható karhoz rögzített parabolaantenna volt az. Langdon újra felmérte a várat. A külső sáncfal tizenöt méter magas lehet.

A belső erőd még magasabb. Páncélba zárt védmű. Innen nézve eszméletlenül magasan volt a csúcsa, de talán, ha feljutna a külső falra...

Langdon visszafordult az újságíróhoz, és rámutatott a parabolaantenna karjára. – Milyen magasra lehet ezt kinyítni?

– Mi? – kérdezte értetlenül a férfi. – Tizenöt méterre. Miért?

– Álljon el a kocsival. Parkoljon le a fal mellett. Segítségre van szükségem.

– Mi a fenéről beszél?

Langdon elmagyarázta.

Az aussinak elkerekedett a szeme. – Megőrült? Ez egy kétszázezer dolláros teleszkópos antenna! Nem pedig létra!

– Érdekli a nézettség? Olyan információim vannak, hogy maga lesz a nap hőse – fogadkozott Langdon kétségbeesetten.

– Kétszázezer dollárt érő információk?

Langdon elmondta neki, amit tudott, cserébe a viszontszolgálatért.

Kilencven másodperccel később Robert Langdon már a műholdas antenna tetején lengett a szélben, tizenöt méterre a földtől. Előrehajolva megragadta az első körbástya peremét, felhúzta magát a falra és leugrott a vár alacsonyabb bástyájára.

– Akkor most tartsa be a szavát! – kiáltott utána az aussi.

– Mondja meg, hol van az az ember!

Langdon bűntudatosan adta meg ezt az információt, de hát az üzlet az üzlet. Egyébként valószínű, hogy a hasszasszin maga is értesíti a sajtót. – Piazza Navona – kiáltotta vissza Langdon. – A díszkútban van.

Az aussi letekerte a parabolaantennát és elszáguldott learatni a babérjait.

Magasan a város felett, egy kőcellában a hasszasszín levetette átázott bakancsát és bekötözte sebesült lábujját. Fájt, de nem annyira, hogy ettől ne tudná jól érezni magát.

Odafordult a zsákmányához.

A lány a szoba sarkában, a hátán feküdt egy kezdetleges díványon, a keze összekötözve a háta mögött, a szája kipeckelve. A hasszasszín elindult felé. A lány már magához tért, és ez kedvére volt a gyilkosnak. Meglepte, hogy nem félelmet, hanem tüzet látott a szemében.

Majd megjön a félelem is.

107

Robert Langdon körberohant a vár külső bástyáján, hálát adva a reflektorok fényéért. Miközben a falat kerülte, lenézett az udvarra, amely úgy festett, mint a régi hadieszközök múzeuma – katapultok, kupacba rakott márvány ágyúgolyók és más félelmetes szerkentyűk egész arzenálja. A kastély egy része napközben nyitva áll a turisták előtt, és az udvar egy területét visszaállították eredeti állapotába.

Langdon szeme felmérte a központi erőd előtti udvart. A kerek citadella harminchárom méter magasba szökött, a tetején ágaskodó bronzangyalig. Az emeleti balkonról még mindig világosság szűrődött ki. Langdon szeretett volna fölkiabálni, de győzött a jobbik esze. Meg kell találnia az utat, hogy bejusson.

Megnézte az óráját.

23.12.

Lerohant a kőrámpán, amely a fal belső oldalán húzódott, és lejutott az udvarba. Talajszintre érve, az árnyékban haladt tovább az óramutató irányában az erőd körül. Három kapubejárat mellett is elment, de mindegyik be volt falazva. Hogyan jutott be a hasszasszin? Langdon folytatta útját. Két újabban létesített bejáratot látott, de mindkettő le volt lakatolva kívülről. Itt nem mehetett be. Langdon továbbfutott.

Már csaknem az egész építményt megkerülte, amikor meglátta maga előtt az udvart kettészelő, köves kocsibehajtót. Az egyik végében, a vár külső falán felfedezte a függőhíd kivezető szakaszát. A másik végén a behajtó eltűnt az erőd belsejében. A kocsibejáró valami alagútfélében folytatódhatott – egy, a központi építmény falában tátongó nyílásban. *Il traforo!* Langdon olvasott már a vár *traforójáról*, egy óriási, spirális rámpáról, amely az erődön belül kanyarog felfelé, és a lovas katonák használták, hogy gyorsabban lejussanak odafentről. A hasszasszin ott hajtott be a furgonnal! Az alagutat lezáró kapu most nyitva volt, bebocsátva Langdont. Szinte túláradó örömmel rohant az alagút felé. De ahogy elérte a nyílást, lelohadt az izgalma.

A rámpa lefelé vezetett.

A rossz irányba. A *traforónak* ez a szakasza nyilvánvalóan a pincékhez vitt, nem a magasba.

A sötét nyiladék – amely mintha véget nem érően kanyargott volna lefelé a mélybe – szájánál állva Langdon tétovázott, és újra felnézett a balkonra. Esküdni mert volna, hogy mozgást látott odafenn. Határozd el magad! Más lehetősége nem lévén, megindult lefelé az alagútban.

Magasan a feje fölött a hasszasszin megállt a zsákmánya előtt. Végigsimított a lány karján. Akár a krém, olyan volt a bőre. Mámorító volt arra gondolni, hogyan fogja felfedezni testének rejtett kincseit. Vajon hány módon tehet erőszakot rajta?

A hasszasszin tudta, hogy megérdemelte ezt a nőt. Jól szolgálta Janust. A lány a hadizsákmány, és amikor végzett vele, le fogja húzni a díványról, és térdre kényszeríti. Akkor majd a lány szolgál neki. A végső megadás. Aztán, amikor az élvezete a tetőfokára hág, el fogja vágni a nő torkát.

Ghayat assa'adah, így nevezik az ő nyelvén. Az élvezetek csúcsa. Utána, saját dicsőségében fürödve, kiáll a balkonra, és végigélvezi az Illuminátusok győzelmének betetőzésé... a bosszút, amelyre oly sokan és olyan régóta vágytak.

Az alagút egyre sötétebb lett. Langdon csak ment lefelé. Egy teljes kör megtétele után a föld alatt minden fény eltűnt. Az alagút kiegyenesedett, Langdon mozgása lelassult, és lépteinek visszhangjából rájött, hogy egy nagyobb terembe jutott. Fényt vélt derengeni maga előtt a homályban... valamilyen gyenge világosság elmosódott visszfényeit. Előretartott kézzel továbbment. Sima felületbe ütközött. Króm és üveg. Egy jármű volt az. Tapogatózva megtalálta az ajtót, és kinyitotta.

A kocsiban égett a belső világítás. Hátralépve azonnal ráismert a fekete furgonra. Érezte, hogy irtózat fogja el, egy másodpercig mozdulatlanul meredt maga elé, azután lehajolt és keresgélni kezdett, abban a reményben, hogy talál egy fegyvert a helyett, amelyet elveszített a szökőkútban. Semmit sem talált. Ráakadt viszont Vittoria mobiltelefonjára. Összetörve, használhatatlanul. A látványa félelemmel töltötte el Langdon szívét. Azon imádkozott, hogy ne érkezzen túl későn.

Bekapcsolta a furgon reflektorait. Az éles fényben testet öltött körülötte a tér: sötét árnyékokba borult, egyszerű helyiségben volt. Langdon úgy vélte, hogy egykor lovakat és muníciót tarthattak benne. És zsákutca volt.

Nincs másik kijárat. *Rossz irányba jöttem!*

Az ereje végén járó Langdon otthagyta a furgont, és a falakat kezdte el vizsgálni maga körül. Sehol egy ajtó. Sem átjáró. Az angyalra gondolt az alagút bejárata fölött, és azon tűnődött, hogy csak véletlen egybeesés-e. Nem! Eszébe jutott, mit mondott a gyilkos a szökőkútnál. *A lány az Illuminátusok templomában van... várja, hogy visszatérjek.* Langdon már túl messzire jutott ahhoz, hogy most kudarcot valljon. Vadul zakatolt a szíve. A frusztráció és a gyűlölet már kikezdte a józan eszét.

Amikor meglátta a vért a padlón, Langdon első gondolata Vittoria volt. De ahogy követte a szemével a vérfoltokat, rájött, hogy azok valójában véres lábnyomok. Hosszú lépések. És csak a bal láb nyomán véresek. A hasszasszin!

Langdon a lábnyomokat követve a terem sarkába jutott, miközben elnyúló árnyéka egyre elmosódottabb lett. Minden újabb lépés csak növelte a tanácstalanságát. Úgy tűnt, hogy a véres lábnyomok egyenesen a helyiség sarkába vezetnek, és ott elvesznek.

Amikor Langdon odaért a sarokba, nem akart hinni a szemének. Egy gránitlap a padlón nem simult bele a többi közé. Langdon felfedezett egy újabb jelzést is. A gránittömb tökéletes pentagramma alakra volt faragva, és úgy illesztették be a padlóba, hogy csúcsa a sarokba mutatott. A falak találkozásánál ügyesen elrejtett, keskeny nyílás szolgált kijáratul. Langdon átcsusszant rajta. Egy átjáróba jutott. Egy fakorlát maradványaival találta szemben magát, amely az alagút eltorlaszolására szolgált egykoron.

Azon túl meglátta a fényt.

Langdon futásnak eredt. Átmászott a sorompón és a fény felé sietett. Az átjáró hamarosan egy másik, nagyobb folyosóba torkollott. Egyetlen fáklya világított a falán. Langdon a vár azon részében járt, ahová nem volt bevezetve az áram... amelyet nem látnak a turisták. Nappali fénynél is félelmetes lehetett ez a helyiség, de a fáklyavilág csak még fenyegetőbbé tette.

Il prigione.

A várbörtön. Vagy egy tucat szűk cellából állt, a vasrácsokat már megette a rozsda. Az egyik nagyobb cella azonban épen maradt, és Langdon olyasmit vett észre a padlóján, amitől csaknem elállt a szívverése. Fekete reverendák és vörös övek hevertek a padlón. Ezen a helyen tartotta a bíborosokat!

A cella közelében egy vasajtó volt a falban. Résnyire nyitva állt, és Langdon valami átjárófélét látott mögötte. Futni kezdett arrafelé. De megtorpant, mielőtt odaért volna. A vérnyomok nem az átjáróba vezettek. Amikor Langdon meglátta a boltív fölé vésett szavakat, már tudta is az okát.

Il Passetto.

Langdon megdöbbent. Számtalanszor hallott már erről az alagútról, de azt nem tudta, hogy pontosan hol lehet a bejárata. A *Passetto* – a kis átjáró – egy keskeny, alig egy kilométeres alagút volt, amely a Vatikánnal kötötte össze az Angyal-várat. Jó néhány pápa használta már menekülésre, amikor a Vatikánt ostromolták... továbbá kevésbé jámbor pápák is igénybe vették, hogy fölkereshessék a szeretőjüket vagy végig-nézhessék ellenségeik kínvallatását. A feltételezések szerint manapság feltörhetetlen zárak őrzik az alagút mindkét végét, amelyeknek a kulcsait egy vatikáni széfben tartják. Langdont hirtelen rémület fogta el attól, hogy úgy érezte, már tudja, ho-gyan jártak ki-be az Illuminátusok a Vatikánba. Azt forgatta a fejében, vajon ki van odabent, aki elárulta az egyházat és ki-csempészte a kulcsokat. Olivetti? Az egyik svájci testőr? Nem mintha számított volna.

A vérnyomok a padlón a börtön túlsó végébe vezettek. Langdon követte őket. Ott egy rozsdás vasajtó lógott a zsa-nérjain. Leverték róla a láncot, és most résnyire nyitva állt. Az ajtón túl meredek csigalépcső kanyargott fölfelé. Itt is feltűnt a padlón egy ötágú csillag alakú kőlap. Langdon re-megve nézte, és azon tűnődött, vajon Bernini maga ragadott-e vésőt, hogy kifaragja a kőtömböt. Feje fölött a boltívet egy kis faragott kerub díszítette. Ez volt az.

A vérnyomok fölfelé vezettek a lépcsőn.

Langdon tudta, hogy mielőtt nekivág, fegyvert kell szerez-nie. Bármilyen fegyvert. Talált egy jó méteres vasrudat az egyik cella mellett. Éles és hegyes a vége. Noha rettenetesen nehéz volt, tudta, hogy hiába keresne jobbat. Abban bízott, hogy a meglepetés ereje és a hasszasszin sebesülése együtt elég lesz ahhoz, hogy nála legyen az előny. De leginkább azt remélte, hogy nem érkezik túl későn.

A csigalépcső fokai kopottak voltak, és meredeken kanyarogtak fölfelé. Langdon a zajokra fülelve kapaszkodott mind magasabbra. Nem hallott semmit. Ahogy egyre följebb jutott, úgy halványult el a börtönből jövő fény. Már teljes sötétségben haladt, a falon tartva az egyik kezét. Még magasabbra hágott. Galilei szellemét érzékelte a feketeségben, aki ugyanezen a lépcsőn járt, alig várva, hogy megoszthassa mennyei látomásait a tudomány és a hit más embereivel.

Langdon még mindig megrendülést érzett, ha a rejtekhely hollétére gondolt. Az Illuminátusok tanácsterme egy vatikáni tulajdonban lévő épületben volt. Semmi kétség, amíg a vatikáni testőrök pincékben és ismert tudósok házában kutattak odakint a városban, addig az Illuminátusok itt találkoztak egymással... közvetlenül a Vatikán orra előtt. Langdon egyszerre megértette, mennyire tökéletes volt ez így. Bernini, mint az itteni átalakítások legfőbb építésze korlátlanul működhetett a várban... senki nem szólt bele, hogy milyen változtatásokat hajt végre a saját elképzelései szerint. Hány titkos bejáratot nyittathatott? Hány ravasz díszítményben rejtett el útjelzőket?

Az Illuminátusok temploma. Langdon tudta, hogy már közel jár hozzá.

Ahogy a lépcső elkeskenyedett, Langdon érezte, hogy öszszezárul körülötte az átjáró. A történelem árnyai suttogtak a sötétben, de ő folytatta útját. Amikor meglátta maga előtt a vízszintes fénycsíkot, rájött, hogy néhány fokra áll egy lépcsőfordulótól, ahol egy vele szemben lévő ajtó alól szűrődik ki a fáklyavilág derengő fénye. Némán indult tovább.

Langdonnak fogalma sem volt arról, hogy hol jár most a váron belül, de azt tudta, hogy már elég magasra hágott. Most már közel kell lennie a csúcshoz. Maga elé képzelte a monumentális angyalszobrot a tetőn, és azt gyanította, hogy pontosan a feje fölött lehet.

Vigyázz rám, angyal, gondolta, és marokra fogta a vasrudat. Azután halkan az ajtóhoz lépett.

Vittoriának sajgott a karja. Amikor először magához tért, és észlelte, hogy itt fekszik a díványon, azt gondolta, hogy ha ellazítja magát, akkor ki tudja szabadítani a kezét. De kifutott az időből. A vadállat visszatért. És most itt állt fölötte, mezítelen és izmos mellkassal, amelyet sebhelyek borítanak az átélt harcok nyomán. A szeme, mint két fekete rés, ahogy a testét méregeti. Vittoria megérezte, hogy már azon fantáziál, miket fog tenni vele. A hasszaszin lassan, mintha csak kínozni akarná, kicsatolta átázott övét és ledobta a padlóra.

Vittoria rémült irtózatot érzett. Lecsukta a szemét. Amikor újra kinyitotta, egy rugós kést látott a hasszaszin kezében. És közvetlenül az ő arca előtt pattintotta ki.

Vittoria meglátta saját rettegő tükörképét a pengében.

A hasszaszin lefelé fordította a pengét és végighúzta a hátát a lány hasán. A lány beleborzongott a hideg fém érintésébe. A férfi megvető pillantással a rövidnadrág derékrésze alá csúsztatta a pengét. Vittoria visszatartotta a levegőt. A penge oda-vissza mozgott, lassan, veszélyesen... még lejjebb. Azután a férfi előrehajolt, és forró lélegzettel suttogott a fülébe.

– Ez a penge vágta ki az apád szemét.

Vittoria tudta, hogy abban a pillanatban képes volna ölni.

A hasszaszin újra lefelé fordította a pengét, és fölfelé indult vele a khaki rövidnadrág szövetén. Hirtelen megállt, és felnézett. Volt valaki a szobában.

– Tűnjön el onnan – hörögte egy mély hang az ajtóból.

Vittoria nem láthatta, hogy ki beszél, de megismerte a hangját. Robert! Életben van!

A hasszasszin úgy nézett rá, mintha kísértetet látna. – Mr. Langdon, magának bizonyára őrangyala van.

108

Langdon a másodperc tört része alatt mérte fel a környezetet és jött rá, hogy a szent helyen van. A hosszúkás terem, noha öreg és megkopott, díszítményei bővelkedtek a már jól ismert szimbólumokban. Ötszögletű padlólapok. Bolygókat ábrázoló freskók. Galambok. Piramisok.

Az Illuminátusok temploma. Tiszta és egyszerű. Robert Langdon megérkezett.

Közvetlenül előtte, a balkonra nyíló ajtó háttere előtt ott állt a hasszasszin. Félmeztelenül hajolt Vittoria fölé, aki megkötözve feküdt, de nagyon is életben volt. Langdont óriási megkönnyebbüléssel töltötte el a látványa. Egy pillanatra találkozott a szemük, és heves érzelmek áramlottak közöttük – hála, kétségbeesés, elszántság és sajnálat.

– Hát újra találkozunk – mondta a hasszasszin. Ránézett a Langdon kezében tartott vasrúdra, és hangosan felnevetett.

– Ezúttal így akar elintézni?

– Engedje el a lányt.

A hasszaszin Vittoria torkának szegezte a kést. – Megölöm.

Langdon nem kételkedett benne, hogy a hasszaszin képes lenne rá. Nyugalmat erőltetett a hangjába. – Gondolom, ő csak örülne neki... jobban járna vele.

A hasszaszin elmosolyodott a sértésen. – Igaza van. A nő sokat ér. Pazarlás lenne megölni.

Langdon előrelépett, megmarkolta a rozsdás vasrudat és a hasszaszin felé emelte a hegyes végét. A kezén szerzett sérülés éles fájdalommal hasított belé. – Engedje el.

A hasszaszin mintha egy pillanatig fontolóra vette volna a felszólítást. Fújt egyet és leengedte a vállát. Nyilvánvaló volt a megadás gesztusa, ám ugyanabban a másodpercben váratlan gyorsasággal lendült előre a karja. Sötét izmok villantak, és már szelte is a fényes penge a levegőt Langdon mellkasa felé.

Hogy az ösztön, vagy a kimerültség rogyasztotta-e meg a térdét abban a pillanatban, azt Langdon nem tudta, de a kés elsüvített a bal füle mellett és mögötte ért padlót. A hasszaszin nem jött zavarba. Rámosolygott Langdonra, aki most térdepelve szorította a vasrudat. A gyilkos eltávolodott Vittoriától, és zsákmányát cserkésző oroszlánként közeledett Langdon felé.

Miközben Langdon lábra állt, újra felemelve a rudat, egyszerre zavarónak érezte magán a garbót és a nadrágot. A félmeztelen hasszaszin sokkal gyorsabban mozgott, a seb a lábán egyáltalán nem lassította le. Langdon megérezte, hogy olyan emberrel áll szemben, aki hozzáedződött a fájdalomhoz. Langdon, életében először, azt kívánta, bárcsak egy jó nagy puska volna nála.

A hasszasszín lassan körözött, mintha élvezné a dolgot, és ügyelve, hogy Langdon ne férhessen hozzá, közeledett a késhez a padlón. Langdon elállta az útját. Ekkor a gyilkos hátrálni kezdett Vittoria felé. Langdon ismét az útját állta.

– Van még időnk – próbálkozott Langdon. – Mondja meg, hol van a tárolóedény. A Vatikán többet tudna fizetni, mint az Illuminátusok.

– Milyen naiv.

Langdon feléje szúrt a rúddal. A hasszasszín félreugrott. Langdon, maga előtt tartva fegyverét egy pad mögé került, hogy megpróbálja sarokba szorítani a hasszasszint az ovális teremben. *Ennek az átkozott helynek nincsenek is sarkai!* Különös módon a hasszasszín nem igyekezett támadni vagy menekülni. Mintha csak játszott volna Langdonnal. Hideg fejjel várakozva.

De mire vár? A gyilkos tovább körözött, mindig mesterien helyezkedve. Olyan volt az egész, mint egy végtelen sakkjátszma. Langdon egyre nehezebbnek érezte a fegyvert a kezében, és egyszerre tudni vélte, mire vár a hasszasszín. Ki akarja őt fárasztani. És nem is eredménytelenül. Langdont hirtelen fáradtság fogta el, az adrenalin egymagában már kevés volt ahhoz, hogy éber maradjon. Tudta, hogy el kell szánnia magát.

A hasszasszín mintha olvasott volna Langdon gondolataiban, megint helyzetet változtatott: úgy tűnt, hogy a szoba közepén álló asztal felé akarja terelni Langdont. Langdon sejtette, hogy lennie kell valaminek azon az asztalon. Valami megcsillant a fáklyafényben. Fegyver? Langdon nem vette le a szemét a hasszasszinról, miközben közelebb manőverezte magát az asztalhoz. Amikor a hasszasszín hosszú, álnok tekintetet vetett az asztalra, Langdon megpróbált ellenállni a csalárd kísértésnek. De győzött az ösztön. Csak egy pillanatra. Megvolt a baj.

Egyáltalán nem fegyver volt az. A látvány egy másodpercre rabul ejtette.

Egy nemes patínával borított, kezdetleges rézládika állt az asztalon. A láda ötszög alakú volt. Nyitva a fedele. Öt kibélelt rekeszben öt billog sorakozott benne. Kovácsoltvasból voltak – öt nagy, domború szerszám fanyéllel. Langdonnak szemernyi kételye sem volt afelől, hogy mi áll rajtuk.

ILUMINATI, EARTH, AIR, FIRE, WATER.

Illuminátusok, föld, levegő, tűz, víz.

Langdon visszakapta a fejét, attól félve, hogy a hasszasszín ráveti magát. De nem. A gyilkos csak várt, mintha egyenesen felüdítené a játék. Langdon kényszerítette magát, hogy újra az ellenfelére összpontosítson, farkasszemet nézett vele, és feléje sújtott a rúddal. De nem tudta kiverni a ládikó képét a fejéből. A billogok önmagukban is lenyűgözők voltak – hiszen az Illuminátus-kutatók egy része még csak nem is hitt e művek létezésében –, de Langdon hirtelen ráébredt, hogy látott még valamit a ládában, ami baljós érzést keltett benne. Miközben a hasszasszín tovább manőverezett, Langdon még egy lopott pillantást vetett az asztalra.

Te jó Isten!

Az öt billog rekeszei a ládika szélén sorakoztak. De volt egy rekesz a közepén is. Ez most üresen állt, de nyilvánvaló, hogy ehhez is tartozott egy billog... jóval nagyobb a többinél és tökéletes négyzet alakú.

A támadás váratlanul jött.

A hasszasszin úgy csapott le rá, mint egy ragadozó madár. Langdon, miután mesterien elvonták a figyelmét, megpróbált ellenállni, de úgy érezte, mintha nem is fémet, hanem egy fadarabot tartana a kezében. Túl lassan hárított. A hasszasszin félreugrott. Miközben Langdon igyekezett megtartani a rudat, a hasszasszin keze előrelendült és megragadta. Erősen markolta, és semmi jelét nem adta annak, hogy sebesült az egyik karja. A két férfi ádázul küzdött. Langdon érezte, hogy kitépik a rudat a kezéből, és égető fájdalom fut át a tenyerén. Egy pillanattal később már ő nézett szembe a vasrúd hegyes végével. A vadászból üldözött vad lett.

Langdont mintha forgószél csapta volna meg. A hasszasszin körözött, és immár mosolyogva szorította Langdont a fal felé. – Hogy is van az az amerikai közmondás? – gúnyolódott. – A kíváncsiságról meg a macskáról?

Langdon alig is tudott összpontosítani. Átkozta saját elővigyázatlanságát, miközben a hasszasszin egyre közeledett. Ennek így semmi értelme. Egy hatodik illuminátus billog? Kitört belőle a méltatlankodás: – Soha még csak nem is hallottam a hatodik billogról!

– Szerintem meg igen. – A hasszasszin vihogva terelte tovább Langdont az ovális terem fala mentén.

Langdon semmit sem értett. Határozottan tudta, hogy soha nem hallott róla. Csak öt illuminátus billog van. Hátrált és közben a helyiséget pásztázta valami fegyver után.

– Az ősi elemek tökéletes egyesülése – mondta a hasszasszin. – Az ötödik billog a legnagyszerűbb. Bár tartok tőle, hogy már sohasem fogja látni.

Langdon inkább attól tartott, hogy mást sem nagyon fog

látni. Tovább hátrált, valamilyen lehetőség után kutatva. – És látta már ezt az ötödik billogot? – kérdezte Langdon, megpróbálva időt nyerni.

– Egy napon talán részem lesz ebben a megtiszteltetésben. Igyekszem megszolgálni. – Langdon felé bökött, mintha élvezné a játszmát.

Langdon megint hátralépett. Az volt az érzése, mintha a hasszaszin valami láthatatlan irányba terelné a fal mentén. De hová? Langdon nem engedhette meg magának azt a luxust, hogy hátranézzen. – És hol van az a billog? – kérdezte.

– Nincs itt. Nyilvánvaló, hogy csakis Janus birtokában lehet.

– Janus? – Langdonnak semmit sem mondott a név.

– Az Illuminátusok vezetője. Hamarosan megérkezik.

– Az Illuminátusok vezetője ide fog jönni?

– Hogy használatba vegye az utolsó billogot.

Langdon rémült pillantást küldött Vittoria felé. A lány furcsán nyugodtnak látszott, lehunyt szemével elzárta magát a külvilágtól, lassan, egyenletesen... mélyen lélegzett. Ő lenne az utolsó áldozat? Vagy én?

– Ostoba feltételezés – horkant fel a hasszaszin Langdon pillantását követve. – Maguk ketten érdektelenek. Persze meg fognak halni, az már biztos. De akiről én beszélek, az utolsó áldozat, ő igazán veszélyes ellenség.

Langdon megpróbálta kihámozni a hasszaszin szavainak értelmét. Egy veszélyes ellenség? Hiszen a legfőbb bíborosok már mind halottak. A pápa is halott. Az Illuminátusok mindenkit kiirtottak. Langdon a hasszaszin szemének ürességében találta meg a választ.

A *camerlengo.*

Ventresca *camerlengo* volt az az ember, aki az egyetlen reményt jelentette a világnak a megpróbáltatás órájában. A *camerlengo* többet ártott ma este az Illuminátusoknak, mint az összeesküvés-elméletek terjesztői évtizedek alatt. És most fizetnie kell. Nyilvánvaló, hogy ő az Illuminátusok végső célpontja.

– Soha nem férkőzhet hozzá – mondta Langdon provokációs szándékkal.

– Én nem – válaszolta a hasszasszin, további hátrálásra kényszerítve Langdont a falnál. – Ezt a megtisztelő feladatot maga Janus fogja végrehajtani.

– Az Illuminátusok vezére személyesen akarja megbélyegezni a *camerlengót*?

– A hatalom előjogokkal jár.

– De hiszen most senki sem juthat be a Vatikánba!

A hasszasszin önelégülten mosolygott. – Hacsak nem várják tárt karokkal.

Langdon itt végképp összezavarodott. Pillanatnyilag egyetlen embert várnak a Vatikánban, azt, akit a sajtó irgalmas szamaritánusként emleget... akiről Rocher azt állította, hogy sorsdöntő információi vannak...

Langdon megdöbbent. *Te jó ég!*

A hasszasszin elvigyorodott, láthatóan élvezve Langdon riasztó felismerését. – Én is eltöprengtem azon, hogyan fog bejutni Janus. Aztán a furgonban meghallgattam a rádiót... azt a riportot az irgalmas szamaritánusról. – Mosolygott. – A Vatikán tényleg tárt karokkal várja Janust.

Langdon kis híján hátraesett. *Janus a szamaritánus!* Hihetetlen cselfogás volt. Az Illumátusok vezetője díszkíséretet fog kapni a *camerlengo* irodájába. De hogyan tudta Janus becsapni Rocher kapitányt? Vagy Rocher is benne van? Langdonon végigfutott a hideg. Amióta majdnem ott fulladt meg a titkos archívumban, Langdon már nem bízott benne maradéktalanul.

A hasszaszín váratlanul felé szúrt, oldalba találva Langdont.

Langdon hátraugrott, és kitört belőle az indulat. – Janus soha nem jut ki élve!

A hasszaszín megvonta a vállát. – Vannak ügyek, amelyekért érdemes meghalni.

Langdon megérezte, hogy a hasszaszín komolyan beszél. *Janus öngyilkos küldetéssel megy a Vatikánba? Becsületbeli ügynek tekinti?* Langdon agya egy teljes, rémisztő kört járt be egyetlen pillanat alatt. Az illuminátus összeesküvés elérte célját. Az a pap, akit az Illuminátusok a pápa meggyilkolásával akaratlanul is hatalomra juttattak, veszélyes ellenséggé vált. A bosszú beteljesítésének végső aktusaként az Illuminátusok vezére végezni fog vele.

Langdon egyszer csak azt érezte, hogy eltűnik mögüle a fal. Hideg légáramlat csapta meg, ahogy hátrafelé botladozott, ki az éjszakába. A balkon! Most már tudta, mit tervelt ki a hasszaszín.

Langdon azonnal érzékelte maga mögött a mélységet – az udvart harminc méterrel a balkon alatt. Látta befelé jövet. A hasszaszín nem vesztegette az időt. Nagy lendülettel rohamra indult. A dárda Langdon törzsére irányult. Langdon hátraugrott, így a rúd hegye csak az ingét érte el. De már újra közeledett. Langdon még hátrább hőkölt, amíg meg nem érezte maga mögött a balusztrádot. Langdon biztos volt benne, hogy a következő döfés már halálos lesz, ezért megkísér tette a lehetetlent. Oldalra vetődve előrenyúlt és megragadta a rudat; szúró fájdalom hasított a tenyerébe. De nem engedte el. A hasszasszin nem jött zavarba. Amikor egy pillanatra egy másnak feszültek, szemtől szembe, Langdon orrát megcsapta a hasszasszin bűzös lehelete. A rúd kezdett kicsúszni a ke zéből. A hasszasszin túlságosan erős volt. Langdon végső kétségbeesésében kinyújtotta a lábát, azzal sem törődve, hogy egyensúlyát veszítheti, és megpróbált rátiporni a gyilkos sebe sült lábujjára. De profival volt dolga, aki úgy helyezkedett, hogy védje a gyenge pontját.

Langdon kijátszotta az utolsó kártyáját. Tudta, hogy nincs több húzása.

A hasszasszin két karja előrezúdult, nekiszorította Lang dont a mellvédnek. A korlát pontosan a fenekéig ért, azon túl a nagy semmit érezte a háta mögött. A hasszasszin kereszt ben fogta a rudat és Langdon mellkasának nyomta. Langdon háta ívbe hajlott a mélység felett.

– *Ma'assalamah* – morogta a hasszasszin. – Viszlát.

És ádáz könyörtelenséggel egy utolsót lökött ellenfelén. Langdon súlypontja kibillent, ahogy a lába elemelkedett a földtől. A túlélés egyetlen esélyeként megragadta a korlátot, miközben átbucskázott a mellvéden. A bal keze lecsúszott ró la, de a jobbal megtartotta. Ott lógott fejjel lefelé, fél kézzel és a lábával kapaszkodva... minden erejét megfeszítve, hogy le ne zuhanjon.

A fölé magasodó hasszasszin meglendítette a rudat a feje felett, arra készülve, hogy utoljára még lesújtson. A fegyver már közelített, amikor Langdon előtt megjelent egy látomás.

Talán a halál közelsége, talán a vak félelem tette, de abban a pillanatban úgy rémlett neki, mintha fényes aura venné körül a hasszasszint. Az egyre erősödő sugárzás mintha a semmiből keletkezett volna a gyilkos háta mögött... olyan volt, akár egy növekvő tűzgolyó.

A lesújtani készülő hasszaszin keze félúton megállt, elejtette a rudat és borzalmasat sikoltott kínjában.

A vasrúd elrepült Langdon mellett, ki az éjszakába. A hasszasszin sarkon fordult, és Langdon egy felhólyagzott égési sebet látott a férfi hátán. Amikor Langdon felhúzta magát, Vittoria állt ott vele szemben, és lángoló tekintettel nézett farkasszemet a hasszasszinnal.

Vittoria egy fáklyát forgatott maga előtt, a lángok beragyogták bosszúálló arcát. Langdonnak sejtelme sem volt, hogyan szabadult ki, de nem is törődött vele. Visszamászott a mellvéd belső oldalára.

A küzdelem rövidnek ígérkezett. A hasszasszin gyilkos ellenfél volt. Őrjöngő üvöltéssel vetette rá magát a lányra. Vittoria megpróbált elugrani, de a férfi elkapta a fáklyát, hogy kicsavarja a kezéből. Langdon nem vesztegette az időt. Leugrott a balusztrádról és ökölbe szorított kézzel rácsapott az égési sebre a hasszasszin hátán.

A sikoly visszhangja mintha egészen a Vatikánig elhatolt volna.

A hasszasszin egy pillanatra megdermedt, ívbe feszült a háta kínjában. Elengedte a fáklyát, és Vittoria azonnal az arcába vágott vele. A megperzselt hús sistergő hangot adott, és a hasszasszinnak kisült a bal szeme. Újra felsikoltott, és az arca elé kapta a kezét.

– Szemet szemért – sziszegte Vittoria. Ezúttal úgy csapott le a fáklyával, mint egy doronggal, és az ütéstől hátratántorodó hasszaszszín nekiesett a korlátnak. Langdon és Vittoria ugyanabban a pillanatban ugrott utána, és mindketten nagyot löktek rajta. A hasszaszszín teste átfordult a korláton és kizuhant az éjszakába. Már nem üvöltött. Az egyetlen hang az volt, ahogy megroppant a gerince, mikor szétvetett tagokkal ráesett egy ágyúgolyóhalomra odalent az udvarban.

Langdon megfordult és kérdőn nézett Vittoriára. A lány derekán és vállán meglazult köteldarabok lógtak. A szeme úgy égett, mint a pokol.

– Houdini is jógázott.

109

Időközben a Szent Péter téren a svájci testőrség sorfala parancsokat kiáltozott és megindult előre, hogy megpróbálja visszaszorítani a tömeget oda, ahol nagyobb biztonságban lehet. Eredménytelenül. A tömeg túl sűrű volt, és sokkal jobban érdekelte a Vatikán küszöbönálló végzete, mint a saját biztonsága. A média kivetítői odafönt a magasban éppen a visszaszámláló antianyag-tároló edényről közvetítettek élő felvételt – amely közvetlenül a svájci testőrség biztonsági monitoráról származott – a camerlengo jóvoltából. Sajnos a visszaszámláló tárolóedény a legkevésbé sem riasztotta el a sokadalmat. A téren összegyűlt emberek megnézték a levegőben lógó apró folyadékcseppet, és úgy döntöttek, távolról sem olyan veszélyes, mint hitték. Az órán pedig azt látták, hogy kis híján negyvenöt perc van a detonációig. Rengeteg idejük van még bámészkodni.

Ám abban kivétel nélkül egyetértettek a svájci testőrök, hogy a *camerlengo* merész lépése, amikor megismertette a világot az igazsággal, és a média rendelkezésére bocsátotta az Illuminátusok gonosztetteiről tanúskodó képanyagot, bölcs húzás volt. Az Illuminátusok minden bizonnyal arra számítottak, hogy a Vatikán a szokott módon hallgatni fog szorult helyzetéről. Ezúttal nem így történt. Carlo Ventresca *camerlengo* tiszteletet parancsoló ellenfélnek bizonyult.

Mortati bíborost a Sixtus-kápolnában nyugtalanság fogta el. Már elmúlt 23.15. Számos bíboros tovább imádkozott, de voltak, akik a kijárat körül gyülekeztek, láthatóan aggódva a késői időpont miatt. Néhány kardinális ököllel kezdte el verni az ajtót.

Az ajtó előtt álló Chartrand hadnagy meghallotta a dörömbölést, és nem tudta, hogy mit tegyen. Megnézte az óráját. Itt volt az idő. Rocher kapitány szigorú parancsot adott, hogy amíg nem szól, nem lehet kiengedni a bíborosokat. Egyre erősebben döngették az ajtót, és Chartrand egyre kínosabban érezte magát. Azon tűnődött, hogy a kapitány nem feledkezett-e meg a dologról. Rocher meglehetősen kiszámíthatatlanul viselkedett a rejtélyes telefonhívás óta.

Chartrand elővette a walkie-talkie-ját. – Kapitány? Itt Chartrand. Túlléptük az időt. Kinyithatom a Sixtus-kápolnát?

– Az ajtó zárva marad. Azt hiszem, világos parancsot adtam.

– Igen, uram. Én csak...

– Hamarosan megérkezik a vendégünk. Vegyen maga mellé néhány ember, és menjenek fel őrködni a pápai iroda ajtaja elé. A *camerlengo* ne hagyja el az irodát.

– Tessék, uram?

– Mi az, amit nem ért, hadnagy?

– Semmi, uram. Máris indulok.

Odafönt a pápai irodában a *camerlengo* csendesen meditálva bámult bele a tűzbe. *Adj nekem erőt, Istenem. Tégy velünk csodát.* Megpiszkálta a széndarabokat, és azon tűnődött, vajon túléli-e a mai éjszakát.

110

Éjjel tizenegy óra huszonhárom perc.

Vittoria remegve állt az Angyalvár balkonján és könnyben úszó szemmel nézett le Rómára. Annyira vágyott arra, hogy átölelje Robert Langdont, de nem volt rá képes. Érzéketlenné vált a teste. Át kellett állnia. Újra felmérnie önmagát. Az a férfi, aki megölte az apját, holtan hevert odalent, és Vittoria is csaknem áldozatául esett.

Amikor Langdon keze megérintette a vállát, a belé áramló meleg csodás módon megtörte a jégpáncélt. A teste borzongva új életre kelt. Felszállt a köd, és Vittoria meglátta, milyen szörnyű állapotban van Robert: csuromvizes, tele sebekkel. A poklok poklán mehetett keresztül, hogy megmentse őt.

– Köszönöm... – suttogta Vittoria.

Langdon fáradtan mosolygott, és emlékeztette a lányt arra, hogy inkább ő tartozik neki hálával – az a képessége, amivel gyakorlatilag kicsavarta a vállát, mindkettőjüket megmentette. Vittoria megtörölte a szemét. Örökké ott állt volna a férfival, de a haladék csak rövid időre szólt.

– Ki kell jutnunk innen – mondta Langdon.

Vittoriának máshol járt az esze. Elnézett a Vatikán felé. A világ legkisebb országa bántóan zártnak tűnt, ahogy fehéren derengett a média reflektorerdejének fényében. Vittoria legnagyobb rémületére a Szent Péter tér még mindig tele volt emberekkel. A svájci testőrségnek láthatóan mindössze ötven méterrel – közvetlenül a bazilika előtt – sikerült megtisztítania a terepet. A *piazzát* körülfogó embergyűrű most még szorosabbra zárult, a biztonságos távolságban állók előrenyomakodtak, hogy jobban lássanak, csapdába ejtve a közelebb lévőket. Túl sűrű a tömeg, gondolta Vittoria. *Rettenetesen sűrű!*

– Visszamegyek – közölte egyszerűen Langdon.

Vittoria hitetlenkedve fordult felé. – A Vatikánba?

Langdon beszámolt neki a szamaritánusról, és a küszöbönálló cselvetésről. Egy Janus nevű ember, az Illuminátusok vezetője személyesen megy oda, hogy megbélyegezze a *camerlengót*. Az Illuminátusok fölényének végső bizonytékaként.

– Vatikánvárosban senki nem tud erről – mondta Langdon. – Nem tudok kapcsolatba lépni velük, és az a fickó bármelyik percben megérkezhet. Figyelmeztetnem kell a testőröket, még mielőtt beengedik.

– De úgysem nem tudna átjutni a tömegen!

Langdon hangjában magabiztosság csengett. – Van másik út is. Bízzon bennem.

Vittoria már nem először érezte azt, hogy a művészet‑történész olyasmit tud, amit ő nem. – Én is megyek.

– Nem. Miért kockáztassunk mindketten?

– Meg kell találnom a módját, hogy kihozzam onnan azo‑kat az embereket. Iszonyú veszély...

Ebben a pillanatban megremegett alattuk a balkon. Fülsiketítő moraj rázkódtatta meg az egész várat. Aztán fehér fény vakította el őket a Szent Péter tér irányából. Vittoria csak egyre tudott gondolni: *Te jó ég! Korábban semmisült meg az antianyag!*

De robbanás helyett hatalmas éljenzés hangzott fel a tö‑megből. Vittoria hunyorogva bámult a fénybe. A média ref‑lektorainak zárótüze volt az, amely most mintha rájuk irá‑nyult volna! Mindenki feléjük fordult, kiabáltak és mutogat‑tak. Még erősebb lett a morajlás. Egyszerre örömtelivé vált a hangulat a Szent Péter téren.

Langdon semmit sem értett. – Mi az ördög...

A fejük felett kereplő zaj támadt az égben.

A hátuk mögötti torony takarásából, minden előzetes fi‑gyelmeztetés nélkül, kibukkant a pápai helikopter. Alig két méterrel felettük dübörgött el odafent, a Vatikán felé tartva. Ahogy a reflektorok fényében úszva elhaladt, a vár megreme‑gett. A fények követték a távolodó helikoptert, Langdon és Vittoria balkonja hirtelen ismét sötétbe borult.

Vittoriát az elkésettség nyugtalanító érzése fogta el, miköz‑ben figyelték a lassító és a Szent Péter tér fölött megálló ha‑talmas gépet. A helikopter porfelhőt kavarva leereszkedett a bazilika és a tömeg közötti szabad területen és a székesegy‑ház lépcsősora előtt landolt.

– Valami utat emlegetett – mondta Vittoria. A fehér már‑

vány háttér előtt egy apró figurát lehetett látni, amint kilép a Vatikánból és elindul a helikopter felé. Vittoria semmiképpen sem ismerte volna fel, ha nincs a fején a vörös barettsapka. – Díszfogadás. Az ott Rocher.

Langdon ökle lesújtott a mellvédre. – Valakinek figyelmeztetni kell őket! – És már indult is.

Vittoria elkapta a karját. – Várjon! – Ebben a pillanatban felfigyelt valamire, és nem akart hinni a szemének. Reszkető ujjal mutatott a helikopter felé. Még ilyen nagy távolságból sem lehetett eltéveszteni. A lebocsátott rámpán feltűnt egy másik figura... egy figura, aki olyan sajátosan mozgott, hogy semmilyen kétség fel sem merülhetett a kiléte felől. Noha ez a figura ült, mégis erőlködés nélkül, egyre gyorsabban haladt át a szabad térségen.

Királyként közlekedett elektromos trónszékén.

Maximilian Kohler volt az.

111

Kohler émelygett a Belvedere csarnok pompájától. Valószínűleg egy egész évi rákkutatást lehetne finanszírozni pusztán a mennyezet aranyleveleiből. Rocher egy csigavonalban kanyargó, a mozgássérülteknek fenntartott rámpán vezette fölfelé Kohlert az apostoli palotába.

– Lift nincs? – követelőzött Kohler.

– Nincs áram. – Rocher az elsötétült épületben lobogó gyertyákra mutatott. – Része a kutatási stratégiánknak.

– Amely minden bizonnyal csődöt mondott.

Rocher bólintott.

Kohlert újabb köhögőroham fogta el, de tudta, hogy már nem tart sokáig. A gondolat a legkevésbé sem riasztotta.

Amikor elérték a legfelső emeletet és elindultak a folyosón a pápa irodája felé, négy svájci testőr futott eléjük teljes zavarban. – Kapitány, ön itt? Azt hittük, hogy a vendégnek olyan információi vannak...

– Kizárólag a *camerlengóval* hajlandó beszélni.

A testőrök gyanakodva léptek hátra.

– Jelentsék a *camerlengónak* – közölte Rocher parancsolóan –, hogy Maximilian Kohler, a CERN igazgatója látni kívánja. Azonnal.

– Igen, uram! – Az egyik testőr futva indult a *camerlengo* irodája felé. A többiek a helyükön maradtak. Nyugtalanul tanulmányozták az elöljárójukat. – Egy pillanat, kapitány. Bejelentjük a vendégét.

Kohler azonban nem várt. Fürgén megfordította a kerekes székét és átmanőverezett a testőrök között.

A testőrök sarkon fordultak és a nyomába eredtek. – *Fermati!* Uram! Álljon meg!

Kohler undorodott tőlük. Még a világ legelitebb biztonsági emberei sem mentesek attól a szánalomtól, amelyet mindenki érez a nyomorékokkal szemben. Ha Kohler egészséges lenne, a testőrök lefogták volna. A kriplik ártalmatlanok, gondolta Kohler. Legalábbis ezt hiszi róluk a világ.

Kohler tudta, hogy nagyon kevés ideje van elvégezni azt, amiért ide jött. Azt is tudta, hogy talán itt fog meghalni ma éjszaka. Magát is meglepte, hogy ez milyen kevéssé érdekli.

A halál az az ár, amelyet kész volt megfizetni. Túl sok mindent kellett elviselnie élete során, nem hagyhatja, hogy egy olyan ember, mint Ventresca *camerlengo*, tönkretegye a művét.

– *Signore!* – kiáltották a testőrök, elébe kerültek és elállták az utat a folyosón. – Nem mehet tovább! – Egyikük fegyvert rántott és Kohlernek szegezte.

Kohler megállt.

Rocher bűntudatos képpel közbeavatkozott. – Kérem, Mr. Kohler. Csak egy pillanat az egész. Bejelentés nélkül senki sem léphet be a pápai irodába.

Kohler látta Rocher tekintetében, hogy nincs más választása, mint várni. Jól van, gondolta Kohler. Akkor várunk.

És mintha csak kínozni akarnák, a testőrök éppen egy ember nagyságú, aranyozott tükör előtt állították meg Kohlert. Taszította saját torz alakjának tükörképe. Az eddig féken tartott ősi harag újra a felszínre tört. Erőt adott neki. Itt van az ellenségei között. Ezek az emberek rabolták el a méltóságát. Ők voltak azok. Miattuk nem érezhette soha egy asszony simogatását... miattuk nem húzhatta ki magát, amikor átvett egy kitüntetést. Miféle igazság birtokában vannak ezek? Hol a bizonyíték, az ördögbe is! Egy ósdi meséket tartalmazó könyvben? Az eljövendő csodák ígéretében? A tudomány naponta teremti a csodákat!

Kohler egy pillanatra belenézett saját megkövült tekintetébe. Lehet, hogy az egyház keze által halok meg ma éjjel, gondolta. De nem ez lesz az első eset.

Egyszerre tizenegy éves volt újra, az ágyában feküdt a szülei frankfurti udvarházában. Ágyneműje a legfinomabb euró-

541

pai vásznakból készült, de most veríték itatta át. A kis Max úgy érezte, mintha tűz égetné, és elképzelhetetlen kínok közt hánykolódott a teste. Az ágya mellett, immár két napja, ott térdeltek a szülei. Imádkoztak.

Hátul, az árnyékban Frankfurt három legjobb orvosa állt.

– Kérem, hogy fontolják meg újra! – mondta az egyik orvos. – Nézzenek a fiúra! Emelkedik a láza. Szörnyű fájdalmai vannak. És veszély fenyegeti!

De Max tudta, mit fog válaszolni az anyja, még mielőtt kinyitotta volna a száját. – *Gott wird ihn beschuetzen.*

Igen, gondolta Max. *Isten megvédelmez engem.* Az anyja hangjában csengő meggyőződés erőt adott neki. *Isten megvédelmez minket.*

Egy órával később Max úgy érezte, mintha egy autó gázolt volna át a testén. Sírni sem tudott, hiszen nem kapott levegőt.

– Nagyon szenved a gyermekük – mondta egy másik orvos.

– Legalább a fájdalmát hadd csillapítsam. Egyetlen injekció, itt van a táskámban...

– *Ruhe, bitte!* – hallgattatta el Max apja a doktort, anélkül hogy kinyitotta volna a szemét. És csak imádkozott tovább.

– Kérlek, apám! – akarta sikoltani Max. – Engedd meg nekik, hogy elmulasszák a fájdalmat! – De a szavait elfojtotta egy köhögőroham.

Egy óra elteltével még szörnyűbb lett a fájdalom.

– Megbénulhat a fia – figyelmeztetett az egyik orvos.

– Akár meg is halhat! Vannak gyógyszereink, amelyek segítenének rajta!

Frau és Herr Kohler hallani sem akart róla. Nem hittek a gyógyszerekben. Hogy is vehetnék a bátorságot, hogy beavatkozzanak Isten tervébe? Még odaadóbban imádkoztak. Végtére is Isten áldotta meg őket ezzel a fiúval, akkor miért venné most el tőlük a gyermeket? Az anyja azt suttogta Maxnak, hogy legyen erős. Elmagyarázta, hogy Isten próbára akarja tenni... mint Ábrahámot a bibliai történetben... ez a hit próbája. Max igyekezett hinni, de a fájdalom elviselhetetlen volt.

– Én ezt nem bírom nézni! – mondta végül az egyik orvos, és kirohant a szobából.

Hajnalra Max már alig volt magánál. Testének minden izma görcsben rángatózott. Hol van Jézus? – tűnődött. Hát nem szeret engem? Max érezte, ahogy elszökik az élet a testéből.

Az anyja elaludt az ágya mellett, de a keze még most is öszsze volt kulcsolva. Max apja a szoba túlsó végében az ablaknál állt, és kibámult a hajnalba. Úgy tűnt, mintha transzban lenne. Max hallotta, ahogy halkan mormolja szűnni nem akaró könyörgéseit.

Ekkor történt, hogy Max érzékelte, amint egy alak föléje hajol. Angyal? Max alig látta. A szeme bedagadt. Az alak súgott valamit a fülébe, de nem egy angyal hangján. Max az egyik orvosra ismert benne... arra, aki már két napja ült a sarokban, nem ment el, hanem rimánkodott Max szüleinek, engedjék meg, hogy beadjon a gyermeknek egy új, angol gyógyszert.

– Sosem bocsátanám meg magamnak – suttogta a doktor –, ha most nem tenném meg. – És ezzel az orvos gyöngéden felemelte Max vézna karját. – Bárcsak előbb megtettem volna!

Max apró szúrást érzett a karjában – a fájdalom mellett alig észrevehetőt.

Aztán az orvos csöndesen összepakolta a felszerelését. Mielőtt távozott volna, Max homlokára tette a kezét. – Ez meg fogja menteni az életedet. Őszintén hiszek ennek a gyógyszernek az erejében.

Max perceken belül úgy érezte, mintha valami varázslat áradna szét az ereiben. A melegség egész testét átjárta, csillapítva kínjait. Végül, napok óta először, Max elaludt.

Amikor lement a láza, az anyja és az apja isteni csodának tartotta. De amikor kiderült, hogy a fiuk nyomorék marad, elkeseredtek. Tolószéken hordták a gyereket a templomba és tanácsért könyörögtek a papnál.

– Isten kegyes volt hozzátok – mondta nekik a pap –, ezért maradhatott életben a fiú.

Max hallgatta, de nem szólt semmit.

– De nem tud járni a gyermekünk! – siránkozott Frau Kohler.

A pap szomorúan ingatta a fejét. – Igen. Úgy látszik, Isten megbüntette őt, mert nem volt elég erős a hite.

– Mr. Kohler! – kiáltotta a visszatérő svájci testőr. – A *camerlengo* azt mondja, hajlandó fogadni önt.

Kohler felnyögött, és megindult székével a folyosón.

– Meglepte őt a látogatása – mondta a testőr.

– Ebben biztos vagyok – mondta Kohler. – Egyedül szeretnék beszélni vele.

– Az lehetetlen – mondta a testőr. – Senki...

– Hadnagy – dörrent rá Rocher –, a találkozó Mr. Kohler óhaja szerint fog lezajlani.

A testőr leplezetlen hitetlenkedéssel nézett rá.

A pápai iroda ajtaja elé érve Rocher engedélyezte a testőröknek, hogy megtegyék a szokásos biztonsági intézkedéseket, mielőtt bebocsátják Kohlert. A hordozható fémdetektor használhatatlannak bizonyult Kohler kerekes székének elektronikus eszközeivel szemben. A testőrök megmotozták, ám anynyira zavarba hozta őket a férfi nyomoréksága, hogy nem végeztek alapos munkát. Nem találták meg a szék aljához rögzített revolvert. És egyéb tárgyakat sem vettek el tőle... így azt sem, amelyről Kohler tudta, hogy feledhetetlen záradéka lesz a ma esti események láncolatának.

Amikor Kohler megjelent a pápai irodában, Ventresca *camerlengo* egyedül volt, imádkozva térdelt a haldokló tűz mellett. Nem nyitotta ki a szemét.

– Mr. Kohler – mondta a *camerlengo*. – Azért jött, hogy mártírt csináljon belőlem?

112

Az *Il Passetto* névvel illetett keskeny alagút beláthatatlanul nyúlt el Langdon és Vittoria előtt, miközben utat törtek Vatikánváros felé. A Langdon kezében tartott fáklya csak néhány métert világított be előttük. A két oldalfal nagyon közel volt egymáshoz, a mennyezet alacsony. A levegő dohos szagot árasztott. Langdon futott elöl a sötét folyosóban, Vittoria szorosan a nyomában.

Az Angyalvár elhagyása után az alagút meredeken szökött

fölfelé, amíg el nem érte az egyik kőbástya alsó vonalát, amely úgy nézett ki, mint egy római vízvezeték. Itt a folyosó ismét kiegyenesedett, és megkezdte titkos útját Vatikánváros felé.

Futás közben Langdon agya kaleidoszkópként újra meg újra összerendezte ugyanazokat a zavaros képeket – Kohler, Janus, a hasszaszszín, Rocher... egy hatodik billog? *Szerintem hallott már arról a hatodik billogról,* mondta neki a gyilkos. *A legnagyszerűbb valamennyi közül.* Langdon viszont szinte biztos volt abban, hogy még nem hallott róla. Az összeesküvés-elméleteket felidézve sem jutott eszébe egyetlen utalás sem az esetleges hatodik billogra. Se a valódira, se egy képzeltre. Szóbeszédek keringtek az aranykészletről és az Illuminátusok hibátlan gyémántjáról, de a hatodik billogot sehol sem említették.

– Kohler nem lehet Janus! – jelentette ki Vittoria, miközben tovább rohantak a vízvezeték belsejében. – Ez elképzelhetetlen!

Az *elképzelhetetlen* volt az a szó, amelynek használatáról Langdon leszokott a mai este során. – Nem tudom – ordította vissza futás közben. – Kohlert súlyos sérelem érte, továbbá igen komoly befolyással is rendelkezik.

– Ez a válság szörnyetegként tüntetné fel a CERN-t! Max soha nem tenne olyasmit, ami árthatna a CERN hírnevének!

Langdon egyfelől tudta, hogy a CERN óriási sajtónyilvánosságot kapott ma este, köszönhetően annak, hogy az Illuminátusok mindenáron szenzációt akartak csinálni az eseményekből. Csakhogy, tűnődött, mennyire árt ez a CERN-nek valójában? Az egyház részéről érkező kritika egyáltalán nem jelent nekik újdonságot. Voltaképpen, minél többet gondolkozott rajta Langdon, annál inkább úgy találta, hogy ez a válság csak előnyére válhat a CERN-nek. Ha a publicitást vesszük, akkor ma este kétségtelenül az antianyag vitte el a pálmát. Arról beszél az egész világ.

– Tudja, mit mondott P. T. Barnum, a nagyvállalkozó? – szólt hátra Langdon a válla felett. – *Nem érdekel, mit beszélnek rólam, csak helyesen ejtsék ki a nevemet!* Lefogadom, hogy a népek titokban már sorban állnak az antianyag-technológia licencéért. És miután éjfélkor tanúi lesznek annak, hogy mire képes valójában...

– Nem logikus – mondta Vittoria. – A tudományos eredmények nyilvánosságra hozatala nem azt jelenti, hogy bizonyítjuk pusztító erejüket! Higgye el nekem, ez nagyon roszszat tesz az antianyagnak!

Langdon fáklyája már csak pislákolt. – Akkor meglehet, hogy sokkal egyszerűbb a képlet. Kohler arra játszhatott, hogy a Vatikán titokban tartja az antianyagot... nem lesz hajlandó igazolni az Illuminátusok hatalmát azzal, hogy beismeri egy ilyen veszélyes fegyver létezését. Kohler úgy számolhatott, hogy a Vatikán szokás szerint hallgatni fog a fenyegetésről, de a *camerlengo* megváltoztatta a játékszabályokat.

Vittoria erre már nem válaszolt. Némán loholtak tovább az alagútban.

A forgatókönyv egyszeriben új értelmet nyert Langdon számára. – Igen! Kohler álmában sem gondolt arra, amit a *camerlengo* tett. A *camerlengo* megtörte a Vatikán hagyományos titkolózását, és a nyilvánosság elé vitte a válságot. Maradéktalanul őszinte volt. Az Isten szerelmére, még a tévében is bemutatta az antianyagot! Briliáns válaszlépés volt, amellyel keresztülhúzta Kohler számítását. És ami az egészben a legironikusabb, hogy saját fegyverüket fordította az Illuminátusok ellen. Ráadásul egy új egyházi vezető is színre lépett a *camerlengo* személyében. Kohler most azért jött, hogy megölje!

– Max gazember – jelentette ki Vittoria –, de nem gyilkos. Soha nem lett volna képes részt venni az apám megölésében.

Langdon fejében maga Kohler adta meg a választ. A tiszta tudomány hívei a CERN-ben veszélyesnek tartották Leonardót. A tudomány és Isten egyesítése nem más, mint a tudományosság végső elárulása. – Kohler talán már hetekkel korábban rájött az antianyagprojektre, és nem nézte jó szemmel a vallási következményeit.

– Tehát megölte miatta az apámat? Nevetséges! Max Kohler egyébként sem tudhatott a projekt létezéséről.

– Amíg maga távol volt, az apja meggondolhatta magát, és beavathatta Kohlert, hogy tanácsot kérjen tőle. Éppen maga mondta azt, hogy az apját aggasztották egy ilyen veszélyes anyag előállításának erkölcsi következményei.

– És Maximilian Kohlertől kért erkölcsi iránymutatást? – horkant fel Vittoria. – Azt kötve hiszem!

Az alagút enyhén nyugatnak kanyarodott. Minél gyorsabban rohantak, annál halványabb lett a fáklya fénye. Langdon félve gondolt arra, milyen lenne ez a hely, ha végleg kihunyna. Koromfekete.

– Mellesleg – érvelt Vittoria –, miért vette volna a fáradságot Kohler, hogy ma reggel felhívja magát, és a segítségét kérje, ha ő maga áll az egész ügy mögött?

Langdon is végiggondolta már ezt. – A telefonhívással fedezte magát. Így senki sem vádolhatja meg azzal, hogy semmit nem tett a válság kitörésekor. Valószínűleg nem számított arra, hogy ilyen messzire jutunk.

Langdon dühítőnek találta a gondolatot, hogy Kohler felhasználta. Az ő bevonásával hitelesítette az Illuminátusok létezését. A média egész este Langdon tudományos minősítésére és publikációira hivatkozott, és bármilyen nevetségesen hangzik is, de egy harvardi professzor jelenléte a Vatikánban valamiképpen a paranoid képzelgések szintje fölé emelte az egész vészhelyzetet, és arról győzte meg a kételkedőket szerte a világban, hogy az Illuminátusok testvérisége nemcsak történelmi tény, de olyan erő, amellyel számolni kell.

– Az a BBC-riporter – mondta Langdon – azt hiszi, hogy a CERN az Illuminátusok új gyülekezőhelye.

– Micsoda? – Vittoria megbotlott Langdon mögött. Föltápászkodott és futott tovább. – Mit mondott?

– Élő adásban a szabadkőműves-páholyokhoz hasonlította a CERN-t... maga az intézmény ártatlan, de tudtán kívül a keblén melengeti az illuminátus testvériséget.

– Istenem, ez tönkre fogja tenni a CERN-t.

Landon nem volt ebben olyan biztos. Akárhogy is, az elmélet hirtelen már nem tűnt annyira légből kapottnak. A CERN a tudomány legerősebb menedéke. Számos ország tudósainak ad otthont. Kifogyhatatlannak tűnő magánalapítványi források állnak a rendelkezésére. És Maximilian Kohler igazgatja.

Kohler maga Janus.

– Ha Kohler nincs benne – kockáztatta meg Langdon –, akkor miért jött ide?

– Valószínűleg megpróbál véget vetni ennek az őrületnek.

Támogatást akar adni. Talán valóban irgalmas szamaritánusként cselekszik! Rájöhetett, hogy ki tudott az antianyagprojektről, és segíteni akar az információval.

– A gyilkos azt mondta, azért jön, hogy megbélyegezze a *camerlengót*.

– Térjen már észre! Ez egy öngyilkos küldetés lenne. Max sose jutna ki élve.

Langdon megfontolta a dolgot. Talán éppen ez benne a lényeg.

Egy vasajtó körvonalai bontakoztak ki előttünk a homályból, amely elállta az útjukat a folyosón. Langdonnak kihagyott a szívverése. Ám amikor a közelébe értek, kiderült, hogy az ősrégi zárat kiiktatták. A kapu nyitva állt.

Langdon megkönnyebbülten sóhajtott, amikor igazolva látta a gyanúját, hogy a titkos alagutat valóban használták. Méghozzá nemrégiben. Éppenséggel ma. Langdonnak nem sok kétsége volt afelől, hogy ezen át csempészték ki a négy megrettent bíborost.

Futottak tovább. Langdon már hallotta is bal felől a kaotikus hangzavart. A Szent Péter térről jött. Közeledtek.

Újabb, még vastagabb kapuhoz érkeztek. Ez sem volt bezárva. Innentől elhalkult mögöttük a Szent Péter tér lármája, és Langdon azt észlelte, hogy áthaladtak Vatikánváros külső fala alatt. Azon tűnődött, vajon hová vezet a Vatikánon belül ez az ősi járat. A kertbe? A székesegyházba? A pápai lakosztályba?

Ekkor, minden előzetes figyelmeztetés nélkül, véget ért az alagút.

Az útjukat álló súlyos ajtó olyan volt, mint egy szegecselt vasból készült, vastag fal. Az utolsókat pislákoló fáklya világánál Langdon még láthatta, hogy a kapu tökéletesen síma – se kilincs, se ajtógomb, se kulcslyuk, se sarokvas nincsen rajta. Nem átjárható.

Hirtelen rátört a pánik. Építésznyelven szólva ezt a ritkaságszámba menő ajtótípust *senza chiave* néven illetik – ez biztonsági okokból csak az egyik oldalról nyitható kaput jelent –, és ők most a másik oldalán álltak. Langdon minden reménye kihunyt – akárcsak a kezében tartott fáklya.

Megnézte az óráját. Miki egér felderengett.

23.29.

Langdon dühödt üvöltéssel elhajította a fáklyát, és dörömbölni kezdett az ajtón.

113

𝕍alami nem volt rendben.

Chartrand hadnagy ott állt a pápai iroda ajtaja előtt, érzékelte a mellette álló katona feszengését, és tudta, hogy nincs egyedül az aggodalmával. A magánkihallgatás, amelyet ők biztosítottak, Rocher állítása szerint meg fogja menteni a Vatikánt a pusztulástól. Ezért nem értette Chartrand, hogy miért jeleznek mégis veszélyt az ösztönei. És miért viselkedik ilyen furcsán Rocher?

Határozottan nem volt rendben valami.

Rocher kapitány Chartrand jobbján állt, és mereven nézett maga elé; máskor éles tekintete most szokatlanul távolinak tűnt. Chartrand alig ismert rá a kapitányra. Rocher mintha nem lett volna azonos önmagával az előző óra óta. Érthetetlen döntéseket hozott.

Valakinek jelen kellene lennie a találkozón! – gondolta Chartrand. Hallotta, hogy Maximilian Kohler bereteszelte maga után az ajtót. Hogyan engedhette ezt meg Rocher?

De sok minden más is zavarta a hadnagyot. A bíborosok. A bíborosok még mindig be vannak zárva a Sixtus-kápolnában. Ez tökéletes esztelenség. A *camerlengo* rendelkezése szerint már negyedórája evakuálni kellett volna őket! Rocher felülbírálta a döntést, és erről nem értesítette a *camerlengót*. Amikor Chartrand hangot adott az aggodalmának, Rocher csaknem leharapta a fejét. A svájci testőrségben nem volt szokás megkérdőjelezni a parancsokat, és most Rocher volt itt a nagykutya.

Fél óra, gondolta Rocher, lopva rápillantva svájci óra kronométerére a folyosó kandelábereinek gyér fényében. *Könyörgöm, igyekezzen!*

Chartrand nagyon szerette volna hallani, mi történik az ajtó túlsó oldalán. Azt azonban tudta, hogy nincs senki, aki jobban kezelhetné a válságot, mint a *camerlengo*. Emberpróbáló éjszaka volt ez a mai a kamarásnak, de ő meg sem rezzent. A szeme közé nézett a veszélynek... igazsága, őszintesége példát mutatott a többieknek. A *camerlengóra* gondolva Chartrand büszke volt arra, hogy katolikus. Az Illuminátusok hibát követtek el, amikor ujjat húztak Ventresca *camerlengóval*.

Ám ebben a pillanatban váratlan zaj zökkentette ki Chartrand-t a gondolataiból. Dörömbölés. A folyosó vége felől jött. Távoli és tompa, de szűnni nem akaró zaj. Rocher kapitány felkapta rá a fejét. Chartrand-hoz fordult és a folyosó felé mutatott. Chartrand elértette. Bekapcsolta a zseblámpáját, és indult, hogy utánanézzen.

A dörömbölés most még elszántabb lett. Chartrand harminc métert futott a folyosón, amíg egy elágazáshoz nem ért. A hang mintha a fordulón és a Sala Clementínán túlról jött volna. Chartrand sehogyan sem értette. Csak egyetlen szoba van ott hátul – a pápa magánkönyvtára. Őszentsége magánkönyvtárát zárva tartották a pápa halála óta. Senki sem lehet odabent!

Chartrand végigfutott a második folyosón is, befordult a sarkon, és a könyvtár bejáratához rohant. A faajtó kicsi volt, de zord őrszemként állt a sötétben. A dörömbölés valahonnan belülről jött. Chartrand tétovázott. Soha nem járt még a magánkönyvtárban. Senki sem mehetett be oda, csakis a pápa kíséretében.

Chartrand vonakodva fogta meg az ajtógombot és elfordította. Ahogy számított is rá, zárva találta. Az ajtóra szorította a fülét. A dörömbölés még hangosabb lett. Aztán valami mást is hallott. Hangokat! Valaki kiáltozott!

Nem értette a szavakat, de érzékelte a pánikot a hangban. Valaki csapdába esett a könyvtárban? A svájci testőrök nem elég lelkiismeretesen jártak el az épület kiürítésekor? Chartrand habozott, azt fontolgatva, hogy ne menjen-e vissza, jelenteni Rocher kapitánynak. A pokolba vele. Chartrand felkészítették arra, hogy döntéseket hozzon, és most e szerint cselekedett. Előhúzta az oldalfegyverét, és beleeresztett egy golyót a zárba. A lövés átütötte a fát és az ajtó feltárult.

Chartrand semmit sem látott a küszöbön túl, csak feketeséget. Bevilágított a zseblámpájával. Négyzet alakú szoba – keleti szőnyegek, magas tölgyfa polcok könyvekkel megpakolva, bőrhuzatú klubfotel és márványkandalló. Chartrand hallott már történeteket erről a helyről – háromezer muzeális kötet és jelenkori újságok, folyóiratok százai, minden, ami Őszentségét csak érdekelte. A dohányzóasztalon tudományos és politikai lapok. Most már tisztábban hallotta a dörömbölést. Chartrand a hang felé irányította a zseblámpa fényét. A túlsó falon, az ülőgarnitúra mögött volt egy hatalmas vasajtó. Feltörhetetlennek tűnt, akár egy széf. Négy nehéz zárja volt. Az ajtó közepébe vésett apró betűk láttán Chartrand -nak elállt a lélegzete.

IL PASSETTO

Chartrand csak bámult. A pápa titkos menekülési útvonala! Chartrand természetesen hallott már a *passetto* létezéséről, olyanokat is beszéltek, hogy valaha itt, a könyvtárban volt a bejárata, de már ezer éve nem használták azt az alagutat! Ki dörömbölhet a túloldalán?

Chartrand fogta a zseblámpát és megkopogtatta az ajtót. Az ajtó másik oldalán fojtott örömkiáltás hallatszott. A dörömbölés abbamaradt, míg a kiabálás felerősödött. Chartrand alig értette a szavakat a barikádon át.

– ... Kohler... hazudik... a *camerlengo*...

– Ki van ott? – üvöltött vissza Chartrand.

– ... ert Langdon... Vittoria Ve...

Chartrand eleget hallott ahhoz, hogy összezavarodjon. *Azt hittem, hogy meghaltak!*

– ... az ajtó... – kiáltották a hangok. – Nyissa...

Chartrand szemügyre vette a vasajtót, és konstatálta, hogy csak dinamittal lehetne beszakítani. – Lehetetlen! – ordította. – Túl vastag!

– ... a találkozó... ne hagyják... *erlengo*... veszély...

Noha Chartrand-t a kiképzése felvértezte a pánikkal szemben, most mégis félelem fogta el az utolsó szavak hallatán. Jól értette? Hevesen dobogó szívvel fordult volna meg, hogy visszarohanjon az irodához. De hirtelen mozdulatlanná dermedt. Megakadt a szeme valamin, az ajtón... valamin, ami még annál is megrendítőbb volt, mint amit az imént hallott. Az ajtó valamennyi nehéz zárjában benne volt a kulcs. Chartrand nem akart hinni a szemének. Itt vannak a kulcsok? Elképedten meregette a szemét. Ennek az ajtónak a kulcsait egy széfben kellett volna őrizni! Hiszen már évszázadok óta nem használták ezt a rejtekutat!

Chartrand a földre dobta a zseblámpáját. Megragadta az első kulcsot, és elfordította. A zárszerkezet rozsdás volt és merev, de működött. Valaki nemrégiben kinyithatta. Chartrand áttért a következő zárra. Majd a harmadikra. Amikor az utolsó kulcsot is elfordította, nekiveselkedett a vasnak. Az ajtó nyikorogva feltárult. Felkapta a zseblámpát és bevilágított az átjáróba.

Robert Langdon és Vittoria Vetra úgy állt ott, mint két szellemalak, majd betántorogtak a könyvtárba. Mindketten rongyosnak és nyúzottnak tűntek, de kétségtelenül éltek.

– Mi történt? – kérdezte Chartrand. – Mi folyik itt? Honnan kerültek ide?

– Hol van Max Kohler? – követelte Langdon.

Chartrand arrafelé mutatott. – Magánkihallgatáson a *camer*...

Langdon és Vittoria elrohant a hadnagy mellett, ki a sötét folyosóra. Chartrand megfordult, és ösztönösen a hátukra irányozta a pisztolyát. De rögtön le is engedte, és utánuk futott.

Rocher nyilván meghallotta, hogy jönnek, mert mire odaértek a pápai irodához, a kapitány már szétvetett lábbal védőállást foglalt az ajtó előtt és rájuk szegezte a fegyverét. – *Alt!*

– A *camerlengo* veszélyben van! – üvöltötte Langdon, miközben megállt és a megadás jeleként fölemelte a karját. – Nyissa ki az ajtót! Max Kohler meg akarja ölni a *camerlengót!*

Rocher bosszúsnak tűnt.

– Nyissa ki az ajtót! – mondta Vittoria is. – Gyorsan!

De már késő volt.

Vérfagyasztó üvöltés hallatszott a pápai irodából. A *camerlengo* volt az.

114

Ez a hang másodpercek alatt véget vetett a vitának.

Még el sem halt Ventresca *camerlengo* sikolya, amikor Chartrand félretolta a kapitányt és feltépte a pápai iroda ajtaját. A testőrök berontottak. Langdon és Vittoria a nyomukban.

Hátborzongató jelenet tárult eléjük.

A szobát csak a gyertyák fénye és a haldokló tűz világította meg. Kohler a kandalló mellett, ügyetlenül állt a kerekes székénél. A *camerlengóra* célzott a kezében tartott pisztollyal, aki

Kohler lába előtt feküdt a földön, és vonaglott kínjában. Reverendája feltépve, mezítelen mellkasa feketére pörkölődött. Langdon nem tudta kivenni a szimbólumot a terem másik végéből, de látta, hogy egy nagy, szögletes billog hever a padlón Kohler mellett. A fém még mindig vörösen izzott.

A svájci testőrség két tagja habozás nélkül cselekedett. Tüzet nyitottak. A golyók behatoltak Kohler mellkasába, és ő hátratántorodott. Belezuhant a kerekes székbe, mellkasából bugyborékolva tört fel a vér. A fegyvere végigszánkázott a padlón.

Langdon döbbenten állt az ajtóban.

Vittoria mintha megbénult volna. – Max... – suttogta.

A *camerlengo*, még mindig a földön fetrengve, Rocher felé gurult, és az első boszorkányüldözők babonás rémületével, ujjal mutatott Rocher-ra, miközben azt az egyetlen szót üvöltötte: – ILLUMINÁTUS!

– Gazember – mondta Rocher, és futva indult a *camerlengo* felé. – Te szenteskedő gaz...

Ezúttal Chartrand reagált ösztönösen, három golyót eresztve Rocher hátába. A kapitány arccal előrezuhant a kövezeten, és saját vérébe fagyva mozdulatlanná merevedett. Chartrand és a testőrök azonnal a *camerlengóhoz* rohantak, aki saját testét szaggatta görcsös fájdalmában.

A borzadály kiáltása tört fel mind a két testőrből, midőn meglátták a *camerlengo* mellkasába égetett billogot. A második testőr felülről lefelé olvasta a bélyeget, és rémült tekintettel azonnal hátrahőkölt. Chartrand, akit ugyanolyan iszonyattal töltött el a szimbólum látványa, ráhúzta a sebhelyre a *camerlengo* elszakított reverendáját, hogy eltakarja a tekintetek elől.

Langdon kábultan haladt át a termen. Fölülemelkedve az

esztelenség és az erőszak ködén, megpróbálta értelmezni azt, amit látott. Egy nyomorék tudós, a szimbolikus hatalomátvétel végső aktusaként, behatolt Vatikánvárosba és billogot sütött az egyház legmagasabb rangú tisztségviselőjébe. *Vannak ügyek, amelyekért érdemes meghalni,* mondta a hasszasszin. Langdon azon tűnődött, vajon hogyan tudott egy mozgássérült férfi a *camerlengo* fölébe kerekedni. Igaz, Kohlernek fegyvere volt. Nem az számít, hogyan tette! Kohler teljesítette a küldetését!

Langdon közelebb ment a borzalmas jelenet színteréhez. A *camerlengót* ellátták, és Langdon úgy érezte, mintha vonzaná magához a Kohler kerekes széke mellett, a padlón heverő, még füstölgő billog. *A hatodik billog?* Minél közelebb ért hozzá, annál nagyobb lett a zavara. A billog tökéletes négyzet alakú volt, meglehetősen nagy és minden bizonnyal az Illuminátusok rejtekhelyén látott ládika kitüntetett, középső rekeszéből származott. *A hatodik, egyben utolsó billog,* mondta a hasszasszin. *A legnagyszerűbb valamennyi közül.*

Langdon letérdelt Kohler mellé, és a tárgy után nyúlt. A fémből még mindig forróság áradt. Megragadta a fanyelet és fölemelte. Maga sem tudta, mire számított, de semmiképpen sem arra, amit látott.

Langdon hosszan és értetlenül bámulta. Semmit sem tudott kivenni belőle. Miért kiáltottak fel a testőrök a borzadálytól, amikor megpillantották? Négyzet alakban elrendezett, értelmetlen kacskaringók. *A legnagyszerűbb valamennyi közül?* Szimmetrikusnak szimmetrikus, ennyit tudott megállapítani Langdon, miközben elforgatta, de zavaros az egész.

Amikor Langdon egy kezet érzett a vállán, abban a hiszemben nézett föl, hogy Vittoria az. A kezet azonban vér borította. Maximilian Kohleré volt, aki ki akart kapaszkodni a kerekes székből.

Langdon elejtette a billogot és feltápászkodott. *Kohler még életben van!*

A kerekes székébe visszazuhant, haldokló igazgató bár gyengén, de még lélegzett, fuldokolva kapkodva a levegőt. Kohler Langdon szemébe mélyesztette a tekintetét, és ugyanazzal a megkövült pillantással nézett rá, amivel ma délelőtt, a CERN-be érkezésekor fogadta Langdont. A halál küszöbén csak még szúrósabb lett a tekintete, megvetés és gyűlölet tükröződött benne.

A tudós testén remegés futott végig, és Langdon megérezte, hogy valamilyen mozdulatra készül. A szobában mindenki a *camerlengóval* volt elfoglalva, Langdon kiáltani akart nekik, de nem jött ki hang a torkán. Lenyűgözte az erő, amely életének utolsó másodperceiben sugárzott Kohlerből. Az igazgató, reszketve az erőfeszítéstől, felemelte a karját, és kivett egy kis műszert a kerekes szék karfájából. Akkora volt, mint egy gyufásdoboz. Remegő kézzel felé nyújtotta. Langdon egy pillanatig attól félt, hogy valami fegyver az. De egészen más volt.

– Adja... – Kohler szaggatott suttogással ejtette ki az utolsó szavakat. – Adja át ezt... a médiának. – Kohler összeroskadt, és nem mozdult többé, a tárgy az ölébe esett.

Langdon megrendülten nézegette az eszközt. Elektronikus volt. A *SONY RUVI* szavak álltak az előlapján. Langdon a legújabb, hiper-miniatűr kézi camcorderre ismert benne. Van kurázsi a fickóban, gondolta.

Kohler nyilvánvalóan felvette a búcsúüzenetét, amelyet öngyilkos küldetése után a világ tudomására szeretett volna hozni... bizonyára valami szentbeszéd a tudomány fontosságáról és a vallás kártékonyságáról. Langdon úgy döntött, hogy mára már elege volt az ügyből, amit ez az ember képviselt. Mielőtt még Chartrand-nak feltűnhetett volna Kohler kamerája, Langdon elsüllyesztette a legmélyebb zakózsebében. *A pokolba Kohler búcsúüzenetével!*

Végül a *camerlengo* hangja törte meg a csendet. Megpróbált felülni. – A bíborosok – nyögte Chartrand-nak.

– Még mindig a Sixtus-kápolnában vannak! – kiáltotta Chartrand. – Rocher kapitány azt parancsolta...

– Evakuálni... most. Mindenkit.

Chartrand utasította a testőröket, hogy rohanjanak és engedjék ki a bíborosokat.

A *camerlengo* arcát eltorzította a fájdalom. – Helikopter... álljon elő... vigyenek a kórházba.

115

A Szent Péter téren a svájci testőrség pilótája a Vatikán parkoló helikopterének műszerfala előtt ült és a halántékát masszírozta. Akkora volt körülötte a zűrzavar és a lárma, hogy elnyomta a lassan pörgő rotorok hangját. Ez itt nem ünnepélyes, gyertyafényes virrasztás volt. Csak azon csodálkozott, hogy még nem tört ki zendülés.

Már huszonöt perc sem volt hátra éjfélig, de az emberek még mindig összezsúfolódtak a téren, egyesek imádkoztak, mások siratták az egyházat, és voltak olyanok is, akik szitkozódva kiabálták, hogy az egyház csak azt kapja, amit megérdemel, míg néhányan apokaliptikus szöveget kántáltak a Bibliából. A pilóta feje megfájdult a média reflektorainak a szélvédőn visszatükröződő villódzásától. Hunyorogva nézett ki a zajongó tömegre. Az emberek feje fölött táblák jelentek meg.

AZ ANTIANYAG AZ ANTIKRISZTUS!
TUDÓSOK = SÁTÁNISTÁK
HOL VAN MOST AZ ISTENETEK?

A pilóta felnyögött, a feje egyre jobban hasogatott. Megfordult benne, hogy a szélvédőre teríti a fényvédő fóliát, hogy legalább ne lásson ki, de tudta, hogy perceken belül fel kell szállnia. Chartrand hadnagy az imént közölte vele rádión a szörnyű hírt. Maximilian Kohler megtámadta a *camerlengót*, és súlyosan megsebesítette. Chartrand, az amerikai és az a nő már úton vannak ide a *camerlengóval*, akit kórházba kell vinni.

A pilóta személyesen felelősnek érezte magát a támadásért. Szemrehányást tett magának, amiért nem hallgatott a megérzéseire. Amikor fölvette Kohlert a repülőtéren, látott valamit a tudós megkövült tekintetében. Nem tudta, mi lehet az, de nagyon nem tetszett neki. Nem mintha számítana. Rocher volt a főnök, és a kapitány szentül állította, hogy ez a fickó fogja megmenteni őket. Rocher a jelek szerint rossz lóra tett.

A tömeg felmorajlott, és a pilóta arrafelé nézve meglátta a bíborosok sorát, ahogy ünnepélyesen kivonulnak a Vatikánból a Szent Péter térre. A kardinálisok megkönnyebbülését, hogy végre távozhatnak a robbanás epicentrumából, hamarosan zavarodottság váltotta fel, amelyet a bazilika előtti látvány idézett elő.

A tömeg zaja ismét felerősödött. A pilóta azt hitte, széthasad a feje. Jó lett volna egy aszpirin. Vagy inkább három. Nem szeretett begyógyszerezve repülni, de néhány aszpirin bizonyára nem árt annyit a reflexeknek, mint ez az őrjítő fejfájás. Elővette az elsősegélydobozt, amelyet egy ládában tartottak a két első ülés között, különféle térképek és kézikönyvek társaságában. Amikor megpróbálta felnyitni, kiderült, hogy zárva van. Keresni kezdte a kulcsot, de aztán feladta. Most már biztos, hogy ez nem az ő napja. Újra masszírozni kezdte a halántékát.

A sötétbe borult székesegyházban Langdon, Vittoria és két testőr erőltetett menetben, zihálva igyekezett a főbejárat felé. Mivel nem találtak ennél alkalmasabbat, egy keskeny asztalon cipelték négyen a sebesült *camerlengót*, úgy egyensúlyozva a magatehetetlen testtel, mintha hordágyat vinnének. Most már hallhatóvá vált a kapun túl az embertömeg kaotikus lármája. A *camerlengo* már alig volt öntudatánál. És már alig maradt idő.

116

23.39, éjszaka. Langdon a többiekkel együtt kilépett a Szent Péter-székesegyházból. A vakító fény bántotta a szemét. A média reflektorainak fényét úgy verte vissza a fehér márvány, mint a napsütést a havas tundra. Langdon hunyorgott, megpróbált menedéket keresni a homlokzat hatalmas oszlopai mögött, de minden irányból áradt felé a fény. Vele szemben óriási videokivetítők sora magasodott a tömeg fölött.

A nagyszabású lépcsősor tetején állva, amely levezetett a *piazzára*, Langdon úgy érezte magát, mint lámpalázas színész a világ legnagyobb színpadán. Valahonnan a vakító fényeken túlról hallotta a helikopter zaját és a százezrek hangjából öszszeadódó morajt. Bal felől a bíborosok menete most vonult ki a térre. Látható megrökönyödéssel torpantak meg valamennyien a lépcsőkön zajló jelenet láttán.

– Most vigyázzanak – figyelmeztetett Chartrand, amikor megindultak lefelé a lépcsőn a helikopter irányában.

Langdon úgy érezte, mintha víz alatt mozognának. Mindkét karja sajgott a *camerlengo* és az asztal súlyától. Azon tűnődött, vajon lehetne-e ez a pillanat még ennél is kevésbé méltóságteljes. Aztán megjött a válasz. A BBC két riportere vágott át a tér megtisztított, üres részén, hogy visszatérjen a sajtó által elfoglalt területre. De a tömeg morajlása arra késztette őket, hogy megforduljanak. Glick és Macri futni kezdett Langdonék felé. Macri a magasba emelte bekapcsolt kameráját. Itt vannak a keselyűk, gondolta Langdon.

– Alt! – kiáltotta el magát Chartrand. – Menjenek vissza! De a riporterek nem álltak meg. Langdon úgy számolta, hogy hat másodperc kell ahhoz, amíg a többi tévétársaság újra átveszi a BBC élő közvetítését. Tévedett. Csak két másodperc kellett. Mintha valamiféle közös tudat kapcsolná össze őket, a *piazza* valamennyi kivetítője eltüntette a viszszaszámláló órát és a nyilatkozó Vatikán-szakértőket, hogy ugyanazt a képsort kezdje el mutatni helyettük – a bazilika lépcsőin zajló suta jelenetet. Akárhová nézett Langdon, a *camerlengo* tehetetlen testéről készült technicolor közelképet látta.

Ez nem helyes, gondolta Langdon. Szeretett volna leszaladni a lépcsőn, és közbeavatkozni, de nem tehette. Egyébként sem ment volna vele semmire. Langdon meg nem mondta volna, hogy a tömeg lármája vagy a hűvös éjszakai levegő váltotta-e ki, de abban a pillanatban bekövetkezett az, amire senki nem számított.

Mintha lidérces álomból ébredne, a *camerlengo* kinyitotta a szemét és hirtelen felült. A „hordágy" cipelői annyira meglepődtek, hogy nem tudtak alkalmazkodni a váratlan súlyponteltolódáshoz. Az asztal előrebillent. A *camerlengo* csúszni kezdett lefelé. Letéve az asztalt, megpróbálták újra egyensúlyba hozni, de elkéstek vele. A *camerlengo* lecsúszott az asztalról. De hihetetlen módon nem a földre esett. Amikor lába megérintette a márványt, bizonytalanul fölegyenesedett. Állt egy másodpercig, látszott rajta, hogy azt sem tudja, hol van, azután, mielőtt bárki közbeléphetett volna, előrelendült és tántorogva megindult a lépcsőn Macri felé.

– Ne! – üvöltött fel Langdon.

Chartrand utánavetette magát, megpróbálta elkapni a *camerlengót*. De a *camerlengo* tágra nyílt, eszelős tekintettel fordult hozzá: – Engedjen!

Chartrand hátraugrott.

És a helyzet csak súlyosbodott. A *camerlengo* szétszakított reverendája, amelyet Chartrand húzott össze a mellkasán, egyre jobban szétnyílt. Langdon egy pillanatig azt remélte, hogy a helyén marad, de egy másodperc alatt semmivé foszlottak a reményei. A reverenda lecsúszott a *camerlengo* válláról, és meg sem állt a derekáig.

A tömegbe markoló döbbenet mintha egyetlen pillanat alatt körbejárta volna a világot, hogy máris visszatérjen a térre. Kamerák forogtak, vakuk villogtak. A média képernyői az egész földkerekségen a *camerlengo* megbélyegzett mellkasát közvetítették, hátborzongató nagyításban. Volt, ahol kimerevítették, és 180 fokkal elforgatták a képet.

Az Illuminátusok végső győzelme.

Langdon rámeredt a kivetítőn látható szimbólumra. Noha annak a billognak a lenyomata volt, amelyet nemrég még a kezében tartott, csak most jutott el hozzá az értelme. Tökéletesen értelmes volt. A jelkép bámulatos ereje úgy vágta mellbe Langdont, mint egy vonat.

A nézőpont. Langdon megfeledkezett a szimbólumtan első

törvényéről. Mikor nem négyzet a négyzet? Ahogy arra sem gondolt, hogy a vasbillogok, akárcsak a gumibélyegzők, mindig más képet mutatnak, mint a lenyomatuk.

Miközben nőttön-nőtt a káosz, a régi illuminátus idézet új értelmet nyerve visszhangzott a fejében: *az ősi elemekből született hibátlan gyémánt, aki látja, döbbent csodálattal adózik a tökéletességének.*

Langdon most már tudta, hogy igaz a legenda.

Föld, levegő, tűz, víz.

Earth, Air, Fire, Water.

Az Illuminátusok gyémántja.

117

Robert Langdonnak szemernyi kétsége sem volt afelől, hogy a Szent Péter téren e pillanatban végigsöprő káosz és hisztéria felülmúlt mindent, amit Vatikánváros valaha is látott. Se csata, se keresztre feszítés, se zarándoklat, se misztikus látomás... semmi nem érhetett fel a szent hely kétezer éves történelmében azzal a drámával, ami most zajlott.

Miközben kibontakozott a tragédia, Langdon furcsa elidegenedettséget érzett, mintha itt a lépcső tetején, Vittoria mellett állva, magasan a történések fölött lebegne. Az esemény hosszúra nyúlt, mintha egy időhurokban menne végbe... lassan araszolt előre a téboly...

A megbélyegzett *camerlengo*... aki a világ szeme elé akarja tárni...

Az Illuminátusok gyémántja... felfedi diabolikus zsenialitását...

A visszaszámláló óra a Vatikán történetének utolsó húsz percét mutatja...

A dráma azonban még csak most kezdődött.

A *camerlengo*, mintha egy súlyos megrázkódtatást követően révületbe esett volna, egyszerre hatalmasra nőtt, démonok szállták meg. Motyogni kezdett, mintha láthatatlan szellemeknek suttogna, fölnézett az égre és Isten felé emelte a karját.

– Szólj! – üvöltötte a *camerlengo* a mennyeknek. – Igen, hallom!

Langdon abban a pillanatban megértette. És nehéz lett a szíve, akár a kő.

Láthatóan Vittoria is tudta már. Falfehér lett. – Sokkos állapotban van – mondta. – Hallucinál. Azt hiszi, hogy Istennel beszél.

Lépjen már közbe valaki, gondolta Langdon. Nyomorúságos és méltatlan vég volt ez. *Kórházba kell vinnie ezt az ember!*

Alattuk, a lépcsőn Chinita Macri lecövekelve filmezett, nyilvánvalóan megtalálta az ideális látószöget. A felvett képek azonnal megjelentek a tér fölött, a médiakivetítőin... mint egy végtelenített autós mozi, amely mindegyre ugyanazt a borzalmas tragédiát vetíti.

Az egész jelenet rendkívül emelkedett volt. A *camerlengo*, megszaggatott reverendájában, a mellkasába égetett billoggal, olybá tűnt, mint egy viharvert bajnok, aki megjárta a poklokat is a megvilágosodásnak ezért a pillanatáért. Üvöltve szólította az eget.

– *Ti sento, Dio!* Hallak, Istenem!

Chartrand iszonyattal az arcán hőkölt hátra.

A tömeget rabul ejtő és elnémító igézet azonnal és egyetemesen hatott. Egy pillanatra mintha az egész földkerekség elcsendesedett volna... a televíziók elé szögezett emberek egyszerre tartották vissza a lélegzetüket.

A *camerlengo* ott állt a lépcsőn, szemben az egész világgal, és kitárta a karját. Szinte krisztusi alaknak tetszett mezítelen és megsebzett testével. Az ég felé emelte a karját, föltekintett és így kiáltott: – *camerlengo*.

A tömeg továbbra is néma csendben figyelt.

– *Grazie, Dio!* – kiáltott fel ismét a *camerlengo.* Mint a viharfelhőkön áttörő napfény, úgy áradt szét az öröm az arcán.
– *Grazie, Dio!*
Köszönöm neked, Istenem? Langdon csak bámult értetlenül.

A *camerlengo,* kísérteties átlényegülése betetőzéseként, fényt sugárzott. Föltekintett az égboltra, miközben hevesen bólogatott. És ezt kiáltotta a mennyeknek: – *Ezen a kősziklán építem fel az én anyaszentegyházamat!*

Langdon ismerte a szavakat, de sejtelme sem volt arról, miért ezt kiabálja a *camerlengo.*

A *camerlengo* visszafordult a sokaság felé, és újra beleordította a levegőégbe: – *Ezen a kősziklán építem fel az én anyaszentegyházamat!* – Aztán a magasság felé nyújtotta a kezét és hangosan felnevetett. – *Grazie, Dio! Grazie!*

Ez az ember kétségtelenül megőrült.

A világ megigézve figyelt.

A tetőpontot azonban valami olyasmi jelentette, amire senki sem számított.

Egy végső, boldog felujjongás után a *camerlengo* megfordult és berohant a Szent Péter-székesegyházba.

118

$\mathfrak{T}$izenegy óra negyven, éjjel.

Langdon soha nem képzelte volna, hogy tagja lesz annak a kétségbeesett csapatnak, amely a *camerlengo* nyomában bevetette magát a bazilikába. Hát még hogy ő álljon az élére! De Langdon volt legközelebb a bejárathoz, és ösztönösen cselekedett.

Ott fog meghalni, gondolta Langdon, és berontott a fekete ürességbe. – Camerlengo! Álljon meg!

Az áthatolhatatlan sötétség falába ütközött. Pupillája összeszűkült a kinti vakító fényben, és most alig látott tovább az orránál. Lefékezett és megállt. Valahol, az előtte elterülő feketeségben, hallotta a camerlengo reverendájának suhogását, ahogy a pap vakon rohant bele a semmibe.

Vittoria és a testőrök sem késlekedtek. Zseblámpák villantak fel, de itt szinte halott volt a fényük, reményük sem volt bevilágítani a székesegyház beláthatatlan mélységeit. A fénycsóvák ide-oda söpörtek, hol egy oszlopot, hol a padló egy darabját téve láthatóvá. A camerlengónak nyoma sem volt.

– Camerlengo! – ordította Chartrand, félelemmel a hangjában. – Várjon, signore!

Az ajtó felől hallatszó lárma hatására mindenki hátrafordult. Chinita Macri hatalmas árnyéka tornyosult a bejáratban. A vállára emelt kamera tetején világító vörös lámpa jelezte, hogy még mindig adásban van. Glick a háta mögött futott, mikrofonnal a kezében, és azt kiabálta, hogy álljon meg.

Langdon nem akart hinni a szemének. Mit keresnek ezek itt?

– Kifelé! – dörrent rájuk Chartrand. – Semmi keresnivalójuk itt!

De Macri és Glick nem tágított.

– Chinita! – kiáltotta most Glick rémült hangon. – Ez öngyilkosság! Én nem megyek tovább!

Macri nem vett róla tudomást. Megnyomott egy gombot a kameráján. Kigyulladt a tetejére szerelt reflektor, mindenkit elvakítva a fényével.

Langdon eltakarta az arcát és szomorúan hátat fordított. A fene egye meg! Ám amikor újra föltekintett, azt látta, hogy körülötte a templom harmincméteres körben kivilágosodott. Abban a pillanatban a *camerlengo* hangja verődött vissza valahonnan a messzeségből. – *Ezen a kősziklán építem fel az én anyaszentegyházamat!*

Macri a hang felé fordult a kamerájával. A távolban, a reflektor hatósugarán túli szürke zónában, fekete ruhaanyag libbent, ismerős figura villant fel, ahogy futva távolodott a bazilika főhajójában.

Egy pillanatra mindenki elbizonytalanodva nézett a különös látomás után. Aztán megtört a varázs. Chartrand elrobogott Langdon mellett, és a *camerlengo* után vetette magát. Langdon a nyomában. Végül a testőrök és Vittoria.

Macri alkotta az utóvédet, megvilágítva a többiek útját és közvetítve a síri üldözést a világnak. Glick hangosan átkozódva követte a menetet, rémülten és zihálva kommentálva az eseményeket.

A Szent Péter-székesegyház főhajója, ahogy Chartrand hadnagy egyszer kimérte, hosszabb volt, mint egy olimpiai futballpálya. Ma este azonban kétszer olyan hosszúnak tűnt. Ahogy a testőrök kilőttek a *camerlengo* után, a hadnagy azon törte a fejét, vajon hová igyekszik a pap. A *camerlengo* nyilvánvalóan sokkos állapotban volt, amelyet a pápai irodában átélt fizikai megpróbáltatás és a szeme előtt lejátszódó vérengzés idézett elő. Valahol a templom egy távoli pontján, ahová már nem hatott el a BBC-kamera reflektora, felcsendült a *camerlengo* örömteli hangja. – *Ezen a kősziklán építem fel az én anyaszentegyházamat!*

Chartrand tudta, hogy a pap a Szentírásból idéz – Máté 16:18 –, ha nem téved. *Ezen a kősziklán építem fel az én anyaszentegyházamat!* Szinte kegyetlenség, hogy éppen ezt az idézetet kiabálja, amikor az anyaszentegyház a pusztulása küszöbén áll. Semmi kétség, hogy a *camerlengo* megőrült.

De valóban megőrült?

Chartrand lelke egy röpke pillanatra megrezzent. A szent látomások és isteni üzenetek mindig is vágybeteljesítő öncsalásnak tűntek a szemében – túlbuzgó elmék termékeinek, akik azt hallják, amit hallani szeretnének. *Isten nem avatkozik be közvetlenül!*

Egy pillanattal később azonban mintha a Szentlélek maga szállt volna le, hogy meggyőzze a tévedéséről. Chartrand-nak látomása támadt.

Ötven méterrel előtte, a bazilika közepén feltűnt egy szellemalak... áttetsző, derengő körvonalakkal. A félmeztelen *camerlengo* volt a sápadt tünemény. Mintha anyagtalan lett volna a teste, amelyből fény sugárzott. Chartrand megtántorodott, érezte, hogy valami elszorítja a szívét. A *camerlengóból* fény áradt! És mintha egyre erősebben világítana. Aztán lassan alámerült... mind mélyebbre, amíg, mintegy varázsütésre, bele nem veszett a padló sötétjébe.

Langdon is látta a fantomot. Egy pillanatra ő is azt hitte, hogy csodás látomásnak lett tanúja. De ahogy a megdöbbent Chartrand hadnagyot hátrahagyva futni kezdett arra, ahol a *camerlengo* eltűnt, rájött, hogy mi történt. A *camerlengo* elérkezett a *palliumok fülkéjéhez* – ahhoz a padlóba süllyesztett kamrához, amelyet kilencvenkilenc olajmécses világított meg. A mécsesek alulról jövő fényében tűnt szellemalaknak a *camerlengo*. Azután, ahogy megindult lefelé a lépcsőn, olybá tűnt, mintha beleolvadna a padlóba.

Langdon elfulladva ért oda a mélyedés pereméhez, és letekintett a padló alá süllyesztett kamrába. Tekintetével bejárta a lépcsőt. Odalent, az olajmécsesek aranyló fényében megpillantotta a *camerlengót*, amint a márványkamrát átszelve siet a híres aranyládikát rejtő szobába vezető üvegajtók felé.

Mit akarhat itt? – tűnődött Langdon. Csak nem hiszi azt, hogy az aranyládika…

A *camerlengo* feltépte az ajtót és berohant. Ám furcsa mód rá sem nézett az aranyládikóra, elfutott mellette. Két méterrel a láda mögött letérdelt, és rángatni kezdte a padlóba mélyesztett vasrostélyt.

Langdon elborzadva figyelte, mert most már rájött, hová igyekszik a *camerlengo. Te jó Isten, csak ezt ne!* Leszaladt a lépcsőn, hogy megállítsa. – Atyám! Ne!

Ahogy Langdon kinyitotta az üvegajtót és felé rohant, látta, hogy a *camerlengónak* sikerült felemelnie a rostélyt. A pántokkal rögzített vasrács fülsiketítő döndüléssel kicsapódott, és feltárult alatta a szűk akna a meredek lépcsővel, amely a sötét űrbe vezetett. A *camerlengo* már leereszkedni készült, amikor Langdon megragadta csupasz vállát és visszahúzta. A férfi bőre csúszós volt a verítéktől, de Langdon erősen tartotta.

A *camerlengo* jól látható megütközéssel fordult felé. – Mit csinál?

Langdont meglepte a férfi tekintete. A *camerlengo* most a legkevésbé sem tűnt úgy, mintha transzban lenne. Tiszta, éles pillantása világos eltökéltséget sugárzott. Kínszenvedés volt látni a mellkasába sütött billogot.

– Atyám – kérlelte Langdon, a lehető legnyugodtabb hangon –, nem mehet le oda. El kell hagynunk az épületet.

– Fiam – mondta a *camerlengo* kísérteties józansággal. – Az imént üzenetet kaptam. Tudom, hogy...

– *Camerlengo!* – Chartrand érkezett meg a többiekkel. Macri kamerájának fényében lerohantak a lépcsőn, be a kamrába.

Amikor Chartrand meglátta a felnyitott rostélyt a padlón, rettegés jelent meg a szemében. Keresztet vett, majd hálás pillantást küldött Langdon felé, amiért megállította a *camerlengót*. Langdon megértette; elég sokat olvasott a Vatikán épületegyütteséről ahhoz, hogy tudja, mi van a vasrács alatt. Az egész keresztény világ legszentebb helye. *Terra santa.* Szent föld. Egyesek *Necropolis*nak, a holtak városának nevezték. Mások katakombáknak. A klérus néhány kiválasztott tagjának elbeszélése szerint, akik az idők során lejutottak oda, a *Necropolis* föld alatti kripták sötét labirintusa, amely nyomtalanul elnyelheti az eltévedt látogatót. Távolról sem az a hely volt, ahol szívesen üldözték volna a *camerlengót*.

– *Signore* – könyörgött Chartrand. – Sokkos állapotban van. El kell hagynunk az épületet. Nem mehet le oda. Öngyilkosság lenne.

A *camerlengo* egyszerre lehiggadt. Szép nyugodtan Chartrand vállára tette a kezét. – Köszönöm, hogy aggódsz értem és szolgálod az egyházat. Nem tudom megmondani, hogyan, mert magam sem értem. De megvilágosodásom volt. Tudom, hol van az antianyag.

Mindenkinek leesett az álla.

A *camerlengo* a csapathoz fordult. – *Ezen a kősziklán építem fel az én anyaszentegyházamat!* Ez volt az üzenet. Egyértelmű, hogy mit jelent.

Langdon még mindig képtelen volt felfogni, hogyan hiheti a *camerlengo*, hogy Isten szólt hozzá, és még kevésbé értette az üzenet megfejtését. *Ezen a kősziklán építem fel az én anyaszentegyházamat?* Jézus mondta ezeket a szavakat, amikor kiválasztotta Pétert első apostolának. Mi köze ennek bármihez is?

Macri előrébb lépett, hogy közelképet adhasson. Glick néma volt, mintha megkövült volna.

A *camerlengo* egyre gyorsabban beszélt. – Az Illuminátusok a mi egyházunk sarokkövén helyezték el pusztító fegyverüket. Az alapokon. – Lemutatott a lépcsőn. – Azon a kősziklán, amelyre egyházunk épült. És én tudom, hogy hol van az a szikla.

Langdon biztos volt benne, hogy itt az ideje erőszakot venni a *camerlengón*, és elcipelni innen. Bármilyen tisztának tűnt is a pap, esztelenségeket beszélt. Kőszikla? Sarokkő az alapzatban? *Ez a lépcső itt nem az alapzathoz vezetett, hanem a holtak városába!* – Ez az idézet csak egy metafora, atyám! Valójában itt nincs semmiféle kőszikla!

A *camerlengo* furcsán szomorúnak látszott. – Igenis van kőszikla, fiam. – Lemutatott az aknába. – *Pietro e la pietra.*

Langdon megdermedt. Egy pillanat alatt minden megvilágosodott előtte.

Beleborzongott az igazság tiszta egyszerűségébe. Ahogy ott állt a többiekkel, lenézve a hosszú lépcsőn, rá kellett ébrednie, hogy valóban egy kőszikla van odalent a sötétben, a templom alatt.

Pietro e la piatra. Péter az a kőszikla.

Péter hite Istenben annyira szilárd volt, hogy Jézus kősziklának nevezte – Péter volt az a tántoríthatatlan hűségű tanítvány, akinek a vállán Jézus felépítette ezt az egyházat. Ezen a szent helyen, ismerte fel Langdon – a Vatikán-dombon – feszítették keresztre és temették el Pétert. Az első keresztények kis szentélyt emeltek a sírja fölött. Ahogy a kereszténység terjeszkedett, úgy lett a szentély egyre nagyobb, rétegről, rétegre, míg végül ebben a monumentális bazilikában csúcsosodott ki. Az egész katolikus hit, a szó legszorosabb értelmében, Szent Péterre épült. A kősziklára.

– Az antianyag Szent Péter sírján van – mondta a *camerlengo* kristálytiszta hangon.

Az információ látszólag természetfölötti forrása ellenére Langdon vaslogikát érzett benne. Immár fájdalmasan világossá vált, hogy csakis Szent Péter sírján lehet az antianyag. Az Illuminátusok a bosszú szimbolikus tetteként a kereszténység szívén helyezték el az antianyagot, a szónak egyszerre kézzelfogható és képes értelmében. A legmélyebbre hatoltak.

– És ha e világi bizonyítékra van szükség – mondta a *camerlengo*, némi türelmetlenséggel a hangjában –, akkor közlöm, hogy nyitva találtam a rostélyt. – Rámutatott a padlón heverő vasrácsra. – Sosem tartottuk nyitva. Valakinek odalent kellett járnia... nemrégiben.

Mindenki lebámult a lyukba.

Egy pillanattal később a *camerlengo* megtévesztő fürgeséggel sarkon fordult, felragadott egy olajmécsest és megindult lefelé az aknában.

119

A kőlépcső meredeken ereszkedett le a föld alá. Itt fogok meghalni, gondolta Vittoria, megmarkolva a vastag kötélkorlátot, miközben a többiek nyomában lépkedett a töredezett köveken. Noha Langdon megpróbálta visszatartani a *camerlengót*, hogy lemenjen az aknába, Chartrand közbelépett, és lefogta az amerikait. A fiatal testőr most már kételkedés nélkül hitt abban, hogy a *camerlengo* tudja, mit csinál.

Rövid huzakodás után Langdon kiszabadította magát, és követte a *camerlengót*; Chartrand szorosan a nyomukban. Vittoria ösztönösen indult utánuk.

És most lefelé rohant a meredek fokokon, ahol minden elvétett lépés halálos zuhanással fenyegetett. Lent, a mélyben a *camerlengo* olajmécsesének aranyló fénye látszott. A háta mögött hallotta az utánuk siető BBC-riporterek lépteit. A kamera reflektorfénye megnyúlt árnyékokat vetett az akna falára, megvilágítva Chartrand-t és Langdont. Vittoria nem akarta elhinni, hogy a világ tanúja lesz ennek az őrültségnek. *Kapcsolják ki azt az átkozott kamerát!* De közben tudta, hogy a fénye nélkül azt sem látnák, hogy hová mennek.

Ahogy folytatódott ez a különös hajsza, Vittoriában viharosan kavarogtak a gondolatok. Mit tehetne odalent a *camerlengo?* Még ha meg is találja az antianyagot, semmire sem maradt már idő!

Vittoria meglepve tapasztalta, hogy a megérzése azt súgja neki: a *camerlengónak* alighanem igaza van. Már-már nemes és könyörületes lépésnek tetszett, hogy három emelettel a föld alatt helyezték el az antianyagot. Mélyen odalent – hasonlóan egy Z-laborhoz – viszonylag zárt rendszerben semmisül meg az antianyag. Nem lesz hőhatás, nem lesznek repkedő szilánkok, amelyek megsebezhetnék a bámészkodókat, csak biblikusan megnyílik a föld, és az égbetörő bazilikát elnyeli a kráter.

Kohler méltányosságból döntött volna így? Hogy megkímélje az emberéletet? Vittoria még mindig nem tudta elképzelni, hogy az igazgató részt vett ebben. Azt elfogadta, hogy gyűlöli a vallást... de ez a borzalmas összeesküvés-sorozat nem vallott rá. Ilyen mélységes lett volna benne a sérelem érzése? Hogy a Vatikán pusztulását kívánta? Hogy felbérelt egy hasszasszint? Hogy meggyilkolta az apját, a pápát és négy bíborost? Felfoghatatlannak tűnt. És hogyan sikerült Kohlernek megszerveznie mindezt a Vatikán falain belül? Rocher Kohler belső embere volt, figyelmeztette magát Vittoria. Rocher illuminátus volt. Nem kétséges, hogy Rocher kapitánynak mindenhová volt kulcsa: a pápa magánlakosztályához, a Passettóhoz, a *Necropolishoz*, Szent Péter sírjához, akárhová. El tudta helyezni az antianyagot Szent Péter sírján – ezen a szigorúan elzárt helyen –, miközben azt a parancsot adta az embereinek, hogy ne vesztegessék az időt a Vatikán elzárt területeinek átkutatásával. Rocher tudta, hogy soha senki nem fogja megtalálni a tárolóedényt.

De Rocher nem számíthatott arra, hogy a *camerlengo* üzenetet kap az égből.

Az üzenet. A hit nagy ugrása volt ez, amelynek elfogadásáért Vittoria még mindig küszködött. Isten valóban kommunikált volna a *camerlengóval?* Vittoria zsigerből nemmel válaszolt volna erre a kérdésre, csakhogy neki éppen az összefüggések fizikája volt a szakterülete – a rendszerek kölcsönös kapcsolatainak tanulmányozása. Naponta volt tanúja csodás kommunikációnak – tengeri teknős ikertojásokat szétválasztottak és egymástól sok ezer mérföldre lévő laborokba szállítottak, és a tojások így is ugyanabban a másodpercben keltek ki... hatalmas kiterjedésű medúzatelepek pulzálnak tökéletes összhangban, mintha egyetlen agy vezérelné őket. Láthatatlan kommunikációs vonalak húzódnak mindenütt, gondolta. *De Isten és ember között is?*

Vittoria azt kívánta, bár itt volna az apja, és hitet adna neki. Egyszer elmagyarázta már tudományos nyelven az isteni kommunikációt, és Vittoria akkor hitt neki. Még mindig emlékezett arra a napra, amikor imádkozni látta az apját, és azt kérdezte tőle: – Apa, minek bajlódsz azzal, hogy imádkozol? Isten nem válaszolhat neked.

Leonardo Vetra atyai mosollyal nézett fel rá a meditációjából. – A lányom kételkedik. Tehát te nem hiszed, hogy Isten szólni tud az emberhez? Hadd fogalmazzam meg a dolgot a te nyelveden. – Levette a polcról az emberi agy modelljét és letette Vittoria elé. – Bizonyára tudod, hogy az emberek normális körülmények között csak nagyon kis százalékát használják agyuk kapacitásának. Ám ha érzelmileg túlfűtött helyzetbe kerülnek, például fizikai trauma, nagy öröm, vagy nagy ijedtség éri őket, vagy mélyen elmerülnek a meditációban, hirtelen heves mozgásba lendülnek a neuronok, amelynek hatására különös világossággal kezdenek el gondolkozni.

– Na és? – kérdezte Vittoria. – Csak attól, hogy világosan gondolkodunk, még nem beszélhetünk Istennel.

– Aha! – kiáltott fel Vetra. – Csakhogy a látszólag megoldhatatlan problémák figyelmet érdemlő megoldásai gyakran épp ezekben a világos pillanatokban születnek meg. Ezt nevezik a guruk magasabb tudatállapotnak. A biológusok módosult tudatállapotnak. És a pszichológusok érzékelés fölöttinek. – Vetra szünetet tartott. – A keresztények pedig meghallgatott imának. Az isteni kinyilatkoztatás – tette hozzá mosolyogva – néha csak annyit jelent, hogy ráhangolod az agyadat arra, amit a szíveddel már úgyis tudsz.

Most, miközben Vittoria lefelé ereszkedett, bele a sötétségbe, megérezte, hogy az apjának igaza lehetett. Hát olyan nehéz elhinni, hogy a *camerlengót* ért trauma előidézte azt az állapotot az elméjében, amelyben egyszerűen „rájött" az antianyag helyére?

Valamennyien istenek vagyunk, mondta Buddha. *Valamennyien tudunk mindent. Csak meg kell nyitnunk az elménket, hogy meghalljuk saját bölcsességünket.*

A megvilágosodásnak ebben a pillanatában történt, miközben Vittoria egyre mélyebbre hatolt a föld alá, hogy érezte, amint megnyílik az elméje... és felszínre bukkan a saját bölcsessége. Immár kételkedés nélkül ráérzett arra, mik a *camerlengo* szándékai. Amikor tudatosult benne, olyan félelem kerítette hatalmába, amelyhez foghatót még sohasem élt át.

– Camerlengo, ne! – kiáltott le az aknába. – Nem ért semmit! – Vittoria mag elé képzelte a Vatikánvárost körülvevő emberek sokaságát, és megfagyott benne a vér. – Ha felhozza az antianyagot... mindenki meghal!

Langdon egyszerre három lépcsőfokot véve fogott talajt. Az átjáró összeszűkült, mégsem érzett klausztrofóbiát. Ezt az egykor bénító szorongását felülírta egy sokkal nagyobb rémület. – Camerlengo! – Langdon úgy észlelte, mintha közelebb lenne az olajmécses derengése. – Ott kell hagynia az antianyagot, ahol van! Nincs más választásunk!

Langdon kimondta ugyan ezeket a szavakat, mégsem tudott hinni bennük. Nem elég, hogy elfogadta a camerlengo isteni megvilágosodását az antianyag hollétét illetően, de most még a Szent Péter-bazilika – a világ egyik legnagyobb építészeti remeke, s benne valamennyi műtárgy – elpusztítása mellett érvel.

De az emberek odakint... nincs más lehetőség.

A sors kegyetlen iróniájának tűnt, hogy csak a templom pusztulása árán lehet megmenteni az embereket. Langdon úgy vélte, az Illuminátusokat mulattatta a dolog szimbolikus jelentése.

Hűvös és nyirkos levegő áradt az alagút mélyéből. Valahol odalent van a szent Necropolis... Szent Péter és megszámlálhatatlan korai keresztény temetkezési helye. Langdonon végigfutott a hideg, és csak remélni merte, hogy ez nem öngyilkos küldetés.

Egyszerre mintha megállt volna a camerlengo lámpása. Langdon gyorsan közeledett felé.

A lépcső alja hirtelen bontakozott ki a homályból. Az átjárót három koponyával díszített, kovácsoltvas kapu zárta el. A *camerlengo* éppen ki akarta nyitni a kaput. Langdon odaugrott és becsapta a kaput, elállva a *camerlengo* útját. A többiek döngő léptekkel száguldottak lefelé a lépcsőn, mindenki kísértetiesen fehér volt a BBC reflektorának fényében... különösen Glick, aki lépésről lépésre egyre sápadtabb lett.

Chartrand megragadta Langdont. – Engedje átmenni a *camerlengót*!

– Nem! – mondta Vittoria felülről, elfulladt hangon. – Most rögtön vissza kell mennünk! Nem hozhatják ki innen az antianyagot! Ha kivisszük, mindenki meghal odafent!

A *camerlengo* hangja meglepően józan volt. – Bíznunk kell... valamennyiünknek. Nagyon kevés az időnk.

– Nem érti – mondta Vittoria. – Egy felszíni robbanás sokkal rosszabb, mintha a föld alatt menne végbe!

A *camerlengo* a lányra nézett, zöld szemében értelem világlott. – Ki beszél itt felszíni robbanásról?

Vittoria elbámult. – Tehát itt hagyja?

A *camerlengo* eltökéltsége hipnotikus hatást keltett. – Nem lesz több halál ma este.

– De atyám...

– Kérlek benneteket... legyen egy kis hitetek. – A *camerlengo* hangja kérlelő suttogásra váltott. – Senkitől nem várom el, hogy velem tartson. Mindenki szabadon távozhat. Én csak azt kérem, hogy ne avatkozzatok bele az isteni parancsolatba. Hadd tegyem meg azt, amivel megbíztak. – A *camerlengo* tekintete feszültté vált. – Meg akarom menteni ezt a templomot. És képes vagyok rá. Az életemre esküszöm.

Ezután úgy szakadt le a csönd, akár a mennydörgés.

120

Éjjel tizenegy ötvenegy.

A Necropolis szó szerint azt jelenti: a holtak városa.

Mindaz, amit Robert Langdon valaha is olvasott erről a helyről, nem volt elegendő ahhoz, hogy felkészítse a látványra. A hatalmas föld alatti üreg tele volt málladozó mauzóleumokkal, amelyek kis házikókként sorakoztak a barlang padlózatán. A levegőt átjárta az enyészet szaga. A pusztuló síremlékek között szűk ösvények kanyarogtak, amelyek töredezett téglákkal és márványlapokkal voltak kikövezve. A föld kiásatlan részei ezer oszlopként támasztották alá az agyagos mennyezetet, amely árnyas égboltként borult a kis falu fölé.

Íme a holtak városa, gondolta Langdon, a tudományos kíváncsiság és a nyers félelem között ingadozva. A többiekkel együtt mind mélyebbre hatolt a kanyargós járatokon.

Chartrand volt az első, aki a *camerlengo* hatása alá kerülve áthaladt a kapun, ezzel is bizonyítva, hogy hisz a *camerlengó*ban. Glick és Macri a *camerlengo* javaslatára nagylelkűen ráállt, hogy a kamera lámpájával segíti a kutatást, de még a rájuk váró dicsőséggel együtt is — már ha sikerül élve kijutniuk innen — kétséges volt, milyen motívumok vezérlik a két riportert. Vittoria volt a legkevésbé lelkes a társaságból, és Langdont erősen nyugtalanította, hogy a női megérzésre emlékeztető szorongást lát a szemében.

Túl késő már, gondolta Langdon, miközben a többiek után sietett Vittoriával. Már nem szállhatunk ki.

Vittoria néma volt, de Langdon tudta, hogy mindketten ugyanarra gondolnak. Kilenc perc nem elég arra, hogy kimenekülhessenek Vatikánvárosból, ha a *camerlengo* tévedett.

Ahogy futottak a mauzóleumok között, Langdon érezte, hogy fárad a lába, és meglepve észlelte, hogy a csapat immár egy emelkedőn halad fölfelé. A magyarázat, amikor végre eszébe ötlött, megborzongatta. Az előtte fekvő terület topográfiája Krisztus idejére megy vissza. Langdon lába az eredeti Vatikán dombját taposta! Hallotta már a vatikáni tudósok azon állítását, hogy Szent Péter sírja majdnem a Vatikán-domb tetején van, és mindig elgondolkoztatta, vajon honnan tudják. Onnan, hogy még most is megvan az az átkozott domb!

Langdon úgy érezte magát, mintha a történelem lapjain futna keresztül. Valahol előtte ott volt Szent Péter sírja – az ősi keresztény relikvia. Nehezére esett elképzelni, hogy az eredeti sírt mindössze egy szerény kápolna jelölte. Ma már nem így van. Ahogy Péter hírneve nőttön-nőtt, új szentélyeket emeltek a régi fölé, és immáron százharmincöt méter magas volt a tiszteletadás, egészen Michelangelo kupolájáig, amelynek csúcsa néhány milliméteres eltéréssel pontosan az eredeti sír fölé esett.

Tovább kapaszkodtak fölfelé a tekergő járatokon. Langdon megnézte az óráját. Még nyolc perc. Az járt a fejében, vajon örök időkre csatlakoznak-e az itt nyugvókhoz.

– Vigyázat! – bömbölte Glick a hátuk mögött. – Kígyófészkek! Langdon még jókor vette észre. Egy sor apró lyuk a lábuk előtt, az ösvény földjében. Langdon egy ugrással elkerülte.

Vittoria is átszökkent az apró lyukak felett. Mikor ismét futásnak eredtek, aggodalmas hangon kérdezte: – Kígyófészkek?

– Valójában nem – nyugtatta meg Langdon. – Bízzon bennem, nem érdemes foglalkozni velük. – A lyukak, ahogy az imént rájött, tápláló csatornák voltak. Az első keresztények hittek a test feltámadásában, és szó szerint a holtak „táplálására" használtak ezeket a lyukakat: a szűk csatornákon keresztül tejet és mézet juttattak le a föld alatti kríptákba.

A *camerlengo* érezte, hogy elgyengül.

Rohant tovább, erőt merítve abból, amivel Istennek és embernek tartozik. *Mindjárt ott leszünk.* Borzalmas kínokat élt át. *Szellemünk sokkal nagyobb fájdalmakat képes ránk hozni, mint a testünk.* Mégis fáradtságot érzett. Tudta, hogy nagyon kevés maradt csak vissza a drága időből.

– Megmentem az egyházadat, Uram. Esküszöm.

A *camerlengo* hálás volt a BBC háta mögött világító reflektoráért, ám ennek ellenére magasra emelte az olajmécsest. *Én vagyok a jelzőtűz a sötétségben. Én vagyok a fény.* A lámpa kotyogott, ahogy futott vele, és egy pillanatra megijedt, hogy kiloccsan a gyúlékony olaj és megégeti. A mai estére már elég volt az égési sérülésekből.

Ahogy közeledett a domb tetejéhez, egész teste verítékben fürdött, zihálva kapkodta a levegőt. De amikor fölért a nyeregre, úgy érezte, mintha újjászületett volna. Botladozva állt meg a lapos kis földdarabon, ahol annyiszor időzött már. Az ösvény itt véget ért. A Necropolis váratlanul meredek földfalba torkollott. Ez állt egy kis táblán: *Mausoleum S.*

La tomba di San Pietro. Szent Péter sírja.

Vele szemben, derékmagasságban, egy nyílás volt a falban. Itt nem hivalkodtak aranytáblák. Nem szóltak a fanfárok.

Csak egy egyszerű lyuk a falban, mögötte egy kis barlang egy szerény, málladozó szarkofággal. A *camerlengo* benézett a lyukba és kimerülten elmosolyodott. Hallotta, ahogy a többiek felkapaszkodnak utána a dombra. A *camerlengo* letette az olajlámpást, és letérdelt, hogy imát mondjon.

Köszönöm neked, Istenem. Mindjárt vége lesz.

Odakint a téren, a megdöbbent bíborosok gyűrűjébe fogva, Mortati a média kivetítőjén figyelte a kripta mélyén kibontakozó drámát. Már maga sem tudta, hogy mit higgyen. Valóban azt látja az egész világ, amit ő? Isten valóban szólt a *camerlengóhoz*? Valóban ott lesz az antianyag Szent Péter...

– Nézzétek! – hördült fel a sokaság.

– Ott van! – Egyszerre mindenki a képernyőre mutogatott.

– Csoda történt!

Mortati fölnézett. A kamera látószöge bizonytalan volt, de éppen elég tiszta képet adott. Egy feledhetetlen képet.

A hátulról filmezett *camerlengo* imádkozva térdelt a földes padlón. Előtte, a falban egy szabálytalan, kezdetleges lyuk. Az üregben, az ősrégi kőtörmelék között, egy terrakotta koporsó. Noha Mortati csak egyszer látta életében, azonnal tudta, hogy ki van benne.

San Pietro.

Mortati volt annyira naiv, hogy azt higgye, az örömnek és az ámulatnak a tömegből felzúgó kiáltásait a kereszténység egyik legszentebb relikviája láttán érzett lelkesedés váltotta ki. De nem Szent Péter sírja volt az, amely előtt önkéntelenül is imádkozva és hálát adva omlottak térdre az emberek. Hanem egy tárgy a sír tetején.

Az antianyag tárolóedénye. Ott volt... ahol egész nap... elrejtőzve a Necropolis sötétjében. Fényesen. Könyörtelenül. Halálosan. A *camerlengo* helyes kinyilatkoztatást kapott.

Mortati csodálattal bámulta az áttetsző hengert. A folyadékcsepp még mindig ott lebegett a közepén. A tárolóedény körül vörösen villódzott a barlang, ahogy a kijelző visszafelé számlálta az élet utolsó perceit.

Szintén a sír tetején, néhány centiméterre a tárolóedénytől, a svájci testőrség vezeték nélküli biztonsági kamerája, amelyet a tárolóedényre irányítottak, és amely egész idő alatt közvetítette a képét.

Mortati abban a meggyőződésben vetett keresztet, hogy ez volt a legfélelmetesebb kép, amelyet valaha látott. Ám egy pillanattal később rá kellett döbbennie, hogy létezik ennél rosszabb is.

A *camerlengo* hirtelen felállt. Kezébe vette az antianyagot és szembefordult a többiekkel. Az arcán a legteljesebb koncentráció tükröződött. Maga mögött hagyva a csapatot, visszaindult a Necropolisból, ugyanazon az úton, amelyen jött, lefelé futva a dombról.

A kamera befogta Vittoria Vetrát, akit megdermesztett a rémület. – Hová megy? Camerlengo! Hiszen azt mondta...

– Higgyetek! – kiáltotta futás közben a *camerlengo*.

Vittoria most Langdonhoz fordult. – Mit tegyünk?

Robert Langdon próbálta megállítani a *camerlengót*, de Chartrand odarohant és közbeavatkozott, láthatóan osztozva a *camerlengo* meggyőződésében.

A BBC kamerája most mintha egy hullámvasútról közvetített volna, ugráltak, rángatóztak a képek. A zavarodottság és a rettegés egy-egy pillanatra kimerevedő felvételein kaotikus gyászmenet botladozott az árnyékok között, vissza a Necropolis bejárata felé.

Odakint a téren Mortati ijedten hápogott: – Ide fogja hozni azt a tárgyat?

Szerte a világban a *camerlengo* jelent meg a tévéképernyőkön, amint kifelé rohan a Necropolisból, maga előtt tartva az antianyagot. – Ma éjjel már nem lesz több halál!

De a *camerlengo* tévedett.

121

A *camerlengo* pontban éjjel 23.56-kor rontott ki a Szent Péter-székesegyház kapuján. A média reflektorainak vakító fényében botladozva úgy tartotta maga előtt az antianyagot, mint valami félelmetes áldozati ajándékot. Saját alakját látta égő tekintetével, félmeztelenül és sebzetten, ahogy óriásként magasodott a tér fölé a videokivetítőkön. A Szent Péter téri sokaságból feltörő zúgás semmihez sem volt fogható, amit a *camerlengo* idáig hallott – sírás, sikoly, kántálás, ima... A tisztelet és a rettegés elegye.

Szabadíts meg a gonosztól, suttogta.

Teljesen kimerítette az erőltetett menet a Necropolisban. Kis híján bekövetkezett a katasztrófa. Robert Langdon és Vittoria Vetra az útját akarták állni, hogy visszadobják a tárolóedényt föld alatti rejtekhelyére, és aztán kifussanak menedéket keresni. Elvakult bolondok!

A *camerlengo* félelmetes tisztasággal ismerte fel, hogy semmilyen más napon nem bírta volna a hajszát. De ma este ismét vele volt az Isten. Amikor Robert Langdon már-már erőt vett a *camerlengón*, közbelépett Chartrand, aki kötelességtudóan és hűségesen engedelmeskedett a *camerlengo* felszólításának: *higgyetek!* A két riportert pedig a túlzott álmélkodás és a sok felszerelés akadályozta meg a beavatkozásban.

Isten útjai kifürkészhetetlenek.

A *camerlengo* most meghallotta a háta mögött a többiek közeledését... és már látta is őket a kivetítőn. Összeszedve utolsó erejét magasan a feje fölé emelte az antianyagot. Azután, kihívóan hátrafeszítve mezítelen vállát, hogy mellkasán láthatóvá váljon az Illuminátusok bélyege, rohanni kezdett lefelé a lépcsőn.

Már csak a végső tett volt hátra.

Isten nevében, gondolta. *Isten nevében.*

Négy perc...

Langdon alig látott valamit, amikor kirontott a bazilikából. A média tengernyi reflektora mintha kiégette volna a retináját. Pusztán a *camerlengo* elmosódott körvonalait tudta kivenni, ahogy lefelé futott a lépcsőn, közvetlenül Langdon előtt. Egy pillanatra glóriaként fogták körül alakját a fények, olyan volt, akár egy égi tünemény, valamiféle modernkori istenség. Reverendája úgy borult a derekára, mint egy csuklya. Megkínzott, sebhelyes teste ellenségeinek keze nyomát mutatta, de azt is, hogy mi mindent kellett kiállnia. A *camerlengo* futott tovább, felmagasodva, hitet követelve a világtól, szaladt a sokaság felé a pusztító fegyverrel a kezében.

Langdon lerohant utána a lépcsőn. *Mit csinál? Mindenkit meg fog ölni!*

– A Sátán művének – sikoltotta a *camerlengo* – nincsen helye Isten házában! – És csak futott a most már megrettent tömeg felé.

– Atyám! – kiáltotta Langdon a háta mögött. – Nincs hová menni!

– Nézzetek az egekbe! Elfelejtünk fölnézni az égbe!

Abban a pillanatban Langdon megértette, hová tart a *camerlengo*, és elárasztotta a nagyszerű igazság ragyogása. Noha Langdon nem láthatott el odáig a reflektorok miatt, tudta, hogy közvetlenül felettük van a megváltás.

A csillagos itáliai égbolt. A menekülési útvonal.

A helikopter, amelyet a *camerlengo* rendelt azért, hogy kórházba szállítsa, ott állt pontosan az orruk előtt, a pilóta már benn ült a fülkében, már kerepeltek a rotorok. Ahogy a *camerlengo* a gép felé futott, Langdont váratlan ujjongás ragadta magával.

Áradatként zúdultak elméjére a gondolatok...

Először a Tirrén-tenger végtelen tükrét képzelte maga elé. Milyen messze lehet? Öt mérföld? Tíz? Tudta, hogy a fiumicinói strand csupán hétperces vonatút. De helikopterrel, amely 200 mérföldet tesz meg óránként, megállók nélkül... Ha elég messzire tudnának repülni a tenger fölött a tárolóedénnyel, és ott a vízbe dobnák... De vannak más lehetőségek is, ebredt rá, szinte súlytalannak érezve magát futás közben. *La Cava Romana?* A márványbányák kevesebb mint három mérföldre a város északi határától. Mekkora a területük? Két négyzetmérföld? Ebben az órában bizonyára nem tartózkodik ott senki. Ha ott dobnák le a tárolóedényt...

– Hátra mindenki! – üvöltötte a *camerlengo*. Sajgott a mellkasa futás közben. – El innen! Azonnal!

A svájci testőrség pihenj állásban sorakozott a helikopter körül, amikor a *camerlengo* megindult feléjük.

– Vissza! – sikoltotta a pap.

A testőrök hátraléptek.

Miközben az egész világ ámultan figyelt, a *camerlengo* futva megkerülte a gépet és felrántotta a pilótafülke ajtaját. – Kifelé, fiam! Gyorsan!

A férfi kiugrott.

A *camerlengo* fölnézett a magas pilótaülésre, és tudta, hogy ilyen kimerült állapotban mindkét kezére szüksége lesz ahhoz, hogy felhúzza magát. A pilótához fordult, aki remegve állt mellette, és a kezébe nyomta a tárolóedényt. – Fogd meg, és majd add fel nekem, amikor beszálltam.

Miközben a *camerlengo* felhúzta magát, meghallotta a gép felé rohanó Robert Langdon izgatott kiabálását. *Végre megértette*, gondolta a *camerlengo*. *Végre van hite!*

A *camerlengo* felhúzódzkodott a pilótafülkébe, beállította az ismerős kapcsolókat, aztán kihajolt az ablakon a tárolóedényért.

De a férfi, akinek átadta az antianyagot, üres kézzel állt odalent. – Elvette! – üvöltötte.

A *camerlengo* érezte, hogy összeszorul a szíve. – Kicsoda?

A férfi odamutatott. – Ő!

Robert Langdont meglepte, milyen nehéz a tárolóedény. Átfutott a helikopter túloldalára, és beszállt a hátsó részbe, ahol Vittoriával együtt utazott néhány órával ezelőtt. Az ajtót nyitva hagyta, és becsatolta magát. Azután előrekiáltott a *camerlengó*nak.

– Szálljon fel, atyám!

A *camerlengo* hátrafordult Langdonhoz, és felé fordította a rémülettől elsápadt arcát. – Mit csinál?

– Ön repül! Én pedig kidobom! – vetette oda Langdon.

– Nincs vesztenivaló időnk! Indítsa már el ezt az áldott masinát!

A *camerlengo* egy pillanatra mintha lebénult volna, a pilótafülkét bevilágító reflektorok fénye elsötétítette az arcán a ráncokat. – Egyedül is meg tudom csinálni – suttogta.

– Az volt az eredeti szándék, hogy egyedül teszem meg.

Langdon oda sem figyelt. – Szálljon fel! – hallotta saját, sikoltó hangját. – Azonnal! Azért vagyok itt, hogy segítsek! – Langdon lenézett a tárolóedényre, és érezte, hogy elakad a lélegzete, amikor meglátta a számokat. – Három perc, atyám! Három!

A szám mintha visszarántotta volna a *camerlengót* a valóságba. Habozás nélkül fordult a műszerfal felé. A helikopter sivító bömböléssel fölemelkedett.

Langdon a porfelhőn keresztül megpillantotta a gép felé rohanó Vittoriát. Találkozott a tekintetük, azután úgy merült alá a lány, akár a süllyedő kő.

122

A helikopter belsejében a motorok bömbölése és a nyitott ajtón bezúduló széllökések fülsiketítő káoszként rohanták meg Langdon érzékszerveit. Nekifeszült a gravitáció növekvő húzóerejének, miközben a *camerlengo* egyre gyorsabban emelte magasba a gépet. Zsugorodni kezdett alattuk a ragyogó Szent Péter tér, míg nem maradt belőle más, mint egy amorf, derengő ellipszis a városi fények tengerében.

Langdon holtsúlynak érezte az antianyag-tároló edényt a kezében. Még szorosabban markolta, mert a tenyere csúszós volt az izzadtságtól és a vértől. Bent a csapdában nyugodtan lebegett az antianyag cseppje, vörösen pulzálva a viszszaszámláló óra folyadékkristályos kijelzőjének fényében.

– Két perc! – üvöltötte Langdon, azon tűnődve, vajon hol akarja kidobni a *camerlengo* az antianyagot.

Alattuk, amerre csak a szem ellátott, városi fények világítottak. Nyugat felé, a messzeségben Langdon már ki tudta venni a Tirrén-tenger pislákoló partvonalát – villódzó fényekkel meghúzott, szabálytalan határ, s azon túl a feketén elnyúló, végtelen semmi. A tenger távolibbnak tűnt annál, ahogyan Langdon elképzelte. Ráadásul a parti fények sűrűsége kínosan emlékeztette arra, hogy egy robbanás, akármilyen messze, a nyílt tengeren megy is végbe, pusztító hatásokkal járhat. Langdon elmulasztotta számításba venni, hogy mi történik, ha egy tíz kilotonnás árhullám nekicsapódik a partnak.

Amikor Langdon megfordult és egyenesen maga elé nézett a pilótafülke ablakán át, reménytelibb képet látott. Közvetlenül előttük Róma árnyékos dombjai magasodtak az éjszakában. Fényekkel voltak teleszórva – a nagyon gazdagok villái álltak ott –, de úgy egy mérfölddel északabbra már sötétbe borultak a dombok. Arrafelé egyáltalán nem látszottak fények – csak egy óriási kiterjedésű fekete folt. A semmi.

A kőfejtők! – gondolta Langdon. *La Cava Romana!*

Langdon feszülten bámulta a puszta földterületet, és éppen

elég nagynak becsülte. És közel is volt. Közelebb, mint a tenger. Langdont elfogta az izgalom. Nyilvánvaló most már, hogy hol akarja ledobni az antianyagot a *camerlengo!* A helikopter orra pontosan abba az irányba néz! A kőfejtők! Ám különös módon hiába zúgtak egyre erősebben a motorok, miközben a gép a levegőt szelte, Langdon úgy érzékelte, hogy a bánya sehogyan sem akar közeledni. Értetlenül lesett ki az oldalajtón, hogy felmérje a helyzetüket. A látvány hatására az izgatottsága átadta helyét a pániknak. Közvetlenül alattuk, több ezer méter mélységben, ott derengett a média reflektoraival megvilágított Szent Péter tér.

Még mindig a Vatikán fölött vagyunk!

– Camerlengo! – hadarta Langdon elfulladva. – Menjen előre! Már elég magasan vagyunk! El kell indulnia előre! Nem dobhatjuk vissza a tárolóedényt a Vatikánra!

A *camerlengo* nem válaszolt. Úgy tűnt, hogy minden figyelmével a repülésre koncentrál.

– Már csak alig két percünk maradt! – kiáltotta Langdon, fölemelve a tárolóedényt. – Már látom a kőfejtőt! *La Cava Romana!* Csak egy-két mérföld északnak! Nem maradhatunk itt...

– Nem – mondta a *camerlengo.* – Az túl veszélyes lenne. Sajnálom. – Miközben a helikopter tovább kapaszkodott a mennyek felé, a *camerlengo* visszafordult, és gyászos mosollyal nézett Langdonra. – Bárcsak ne jött volna velem, barátom. A legnagyobb áldozatot hozza meg.

Langdon belenézett a *camerlengo* fáradt szemébe, és egyszerre megértette. És megfagyott benne a vér. – De... de hát csak van olyan hely, ahová mehetnénk!

– Odafönt – válaszolta a *camerlengo* eltökélt hangon.

– Csak az a biztos.

Langdon jóformán képtelen volt gondolkozni. Tökéletesen félreértelmezte a *camerlengo* tervét. *Nézzetek az egekbe!* Az ég, ismerte föl most Langdon, az a hely, szó szerint, ahová a *camerlengo* tart. A *camerlengónak* meg sem fordult a fejében, hogy ledobja az antianyagot. Egyszerűen csak a lehető legmesszebbre akarta vinni a Vatikántól.

És erről az útról nem lesz visszatérés.

123

Vittoria Vetra fölfelé bámult a Szent Péter téren. A helikopter már csak egy pontnak látszott ott, ahová nem hatottak el többé a média fényei. Még a rotorok dübörgése is távoli zümmögéssé enyészett. Abban a pillanatban úgy tetszett, hogy az egész világ fölfelé tekint, néma várakozással, mindenki az egek felé nyújtogatja a nyakát... minden ember, minden hit... minden szív egy ütemre ver.

Vittoriát szinte szétszaggatták gyötrelmes érzelmei. Ahogy eltűnt szem elől a helikopter, maga elé képzelte a magasba emelkedő Robert arcát. Mire gondolhatott? Hát nem értette meg?

A tér körül televíziós kamerák tapogatták várakozón a sötétséget. Arcok tengere fordult az ég felé, néma visszaszámlálásban egyesülve. A videokivetítők mindegyike ugyanazt a békés képet közvetítette... Róma egét, telehintve fénylő csillagokkal. Vittoria érezte, hogy feltörnek belőle a könynyek.

Háta mögött, a márvány rézsűn 161 bíboros bámult fölfelé szótlan döbbenetben. Néhányan imára kulcsolták kezüket. A többség megbűvölten, mozdulatlanul állt. Páran sírtak. Peregtek a másodpercek.

Szerte a világon, otthonokban, vendéglőkben, repülőtereken, kórházakban, a lelkek egy emberként osztoztak ugyanabban az élményben. A férfiak és a nők megfogták egymás kezét. Mások fölemelték a gyermeküket. Az idő kitágult, a szívek egy ritmusra feszültek.

Aztán könyörtelenül kongatni kezdtek a Szent Péter harangjai.

Vittoria szabad folyást engedett a könnyeinek.

Aztán... az egész világ figyelő szeme előtt... betelt az idő.

Az eseményben a halotti csend volt a legrettenetesebb.

Magasan Vatikánváros felett gombostűfejnyi fénypont jelent meg az égbolton. Egy tünékeny pillanatra új égitest született... egy soha nem látott tisztaságú és fehérségű fénypont.

Aztán megtörtént.

Egy villanás. A pont megnőtt, mintha önmagából táplálkozna, és vakítóan fehér, egyre nagyobb sugarú körben terjeszkedett szét az égen. Minden irányban kilövellt, felfoghatatlan sebességgel gyorsulva: felfalta a sötétséget. A fénygömb nőttön-nőtt, s úgy erősödött, akár egy palackból szabaduló gonosz szellem, amely el akarja nyelni az egész égboltot. Aztán elindult lefelé, egyre sebesebben közeledve a téren állókhoz.

Az éles fénnyel megvilágított és elvakított emberi arcok sokasága egyszerre kapott levegő után, takarta el a szemét és kiáltott fel szörnyű félelmében.

Ahogy a fény minden irányban kitört, bekövetkezett az elképzelhetetlen. Mintha maga Isten akarata parancsolna neki, a terjeszkedő sugár egy látszólagos falba ütközött. Úgy tűnt, mintha egy óriási üveggömbben ment volna végbe a robbanás. A fény önmagába omlott, felfokozva, felkorbácsolva önmagát. Olybá tűnt, mintha a hullám, miután elért egy előre meghatározott átmérőt, ott maradna egy helyben lebegve. Abban az egy pillanatban tökéletes és néma fénygömbként tündökölt Róma fölött. Az éjszaka nappallá változott.

Aztán elpattant.

A megrázkódtatás kongó, mély hangot – egy mennydörgésszerű lökéshullámot – keltett odafönt. Úgy ereszkedett fölébük, mint a pokol dühe, megremegtetve Vatikánváros gránit alapjait, kiszorítva a levegőt az emberek tüdejéből. Voltak, akik hátratántorodtak tőle. A visszaverődést megsokszorozta az oszlopcsarnok, majd váratlanul forró levegő áramlott a nyomában. A szél végigsöpört a téren, síri sóhajt hallatva fütyült az oszlopok között és nekicsapódott a falaknak. Porfelhőt kavart az összebújó emberek feje fölött, akik tanúi voltak ennek az Armageddonnak.

Azután, ugyanolyan gyorsan, ahogyan jött, a gömb összeomlott, magába zuhant, és olyan apró ponttá zsugorodott, mint amelyből megszületett.

124

Soha azelőtt nem némultak el olyan sokan. A Szent Péter téri arcok egyenként elfordultak az elsötétülő égtől, lesütötték a szemüket, és mindenki saját magába nézett egy pillanatra. A média reflektorai követték az emberek példáját, visszairányították fénycsóváikat a földre, mintegy tiszteletet adva a rájuk boruló sötétségnek. Egy másodpercig úgy tűnt, mintha az egész világ egyszerre hajtaná le a fejét.

Mortati bíboros letérdelt imádkozni, és a többi kardinális csatlakozott hozzá. A svájci testőrök lefelé fordították hosszú kardjukat, és mozdulatlanná merevedtek. Senki sem szólalt meg. Senki sem mozdult. Spontán érzelmek borzongatták meg mindenütt a szíveket. Gyász. Félelem. Csodálkozás. Hit. És rettegéssel teli tisztelet az új és bámulatos erő előtt, amelynek az imént tanúi voltak.

Vittoria Vetra reszketve állt a bazilika széles lépcsősorának lábánál. Behunyta a szemét. A szívében dúló érzelmi viharból egyetlen szó vált ki, mint távoli harangzúgás. Elemi. Kegyetlen. Elűzte magától. De a szó továbbra is ott visszhangzott benne. Túlságosan nagy volt a fájdalma. Megpróbált szabadulni a képektől, amelyek valamennyiük agyába beleégtek... az antianyag észveszejtő ereje... a Vatikán megmenekülése... a bátorság hőstettei... csodák... önzetlenség. De az a szó még mindig visszhangzott... mardosó magányossággal vált ki a káoszból.

Robert.

Eljött értem az Angyalvárba.

Megmentett.

És most az én teremtményem pusztította el.

Miközben Mortati bíboros imádkozott, azon tűnődött, vajon ő is meghallaná-e Isten hangját, miként a *camerlengo*. Hinni kell ahhoz a csodákban, hogy átélhessük őket? Mortati egy ősi hit modern embere volt. Hitében soha nem játszottak szerepet a csodák. Ez a hit persze csodákról regélt... vérző tenyerekről, halottaikból föltámadottakról, lepleken megjelenő lenyomatokról... és mégis, Mortati racionális elméje mindig úgy intézte el ezeket a beszámolókat, mint a mítosz tartozékait. Az ember legnagyobb gyarlósága – a bizonyítékra való igény – miatt volt rájuk szükség. A csodák nem mások, mint mesék, amelyekbe mindannyian belekapaszkodunk, azt kívánva, bár igazak volnának.

És mégis...

Annyira modern lennék, hogy nem tudom elfogadni azt, ami a saját szemem előtt játszódott le az imént? Ez csoda volt, vagy nem? Igen! Isten, a camerlengo fülébe suttogott, néhány szavával beavatkozott az eseményekbe, és megmentette az egyházat. Miért olyan nehéz ezt elhinni? Milyen színben tűnt volna fel az Isten, ha nem tesz semmit? Hogy a Mindenható nem törődött velünk? Hogy nem volt hatalma megállítani? Itt a csoda volt az egyetlen lehetséges válasz!

Miközben Mortati ezen tűnödött, elmondott egy imát a *camerlengo* lelkéért. Hálát adott a fiatal kamarásnak, aki fiatalsága ellenére fel tudta nyitni egy öregember szemét a kételkedés nélküli hit csodáira.

Mortati sohasem gondolta volna, hogy egyszer még próbára teszik hitének nagyságát...

A Szent Péter tér csendjét először egy mormolás törte meg. A mormolás zúgássá erősödött. Azután, hirtelen, morajlássá. Minden előzetes figyelmeztetés nélkül egyszerre kiáltott fel az egész sokadalom.

– Nézzétek! Nézzétek!

Mortati összezavarodva fordult meg, követve a kinyújtott kezek irányát. A székesegyház legmagasabb pontjára mutattak, a tetőteraszra, ahonnan Krisztus és az apostolok hatalmas szobrai néztek le a tömegre.

Odafönt, Jézus jobbján, a világ felé terjesztett karral, ott állt Carlo Ventresca *camerlengo.*

125

Robert Langdon nem zuhant tovább.

Nem volt több rettegés. Sem fájdalom. Még a szél süvítése is megszűnt. Csak a csapkodó víz lágy hangja hallatszott, mintha kényelmesen aludna a tengerparton.

Az öntudat paradoxonaként Langdon úgy érzékelte, hogy ez a halál. Örült neki. Hagyta, hogy teljesen birtokba vegye ez a lebegő tompultság. Hagyta, hogy oda vigye, ahová csak akarja. Mintha érzéstelenítéssel iktatták volna ki belőle a fájdalmat és a félelmet, ő pedig semmi esetre sem akarta, hogy visszatérjenek. Utolsó emléke olyan volt, amely csupán a pokolból származhatott.

Vigyél el. Kérlek...
De a víz csapkodása, amely a béke távoli érzésébe ringatta, most visszahúzta. Mintha egy álomból próbálta volna felébreszteni. *Ne! Hadd maradjak!* Nem akart fölébredni. Démonok gyülekezését észlelte az öntudatlansága peremén, arra készültek, hogy kiragadják bűvöletéből. Homályos képek kavarogtak. Hangok üvöltöttek. Szél zúgott. *Ne, kérlek!* Minél inkább küzdött, annál közelebb jött a téboly.
Azután újra rátört a nyers valóság...

A helikopter szédítő magasságba kapaszkodott. És ő csapdába esett odabent. A nyitott ajtón túl minden eltelő másodperccel távolibbnak látszottak Róma fényei. Az életösztöne azt súgta, hogy most rögtön hajítsa ki a tárolóedényt. Langdon tudta, hogy a tárolóedény fél mérföldet zuhanna nem egészen húsz másodperc alatt. De egy város felé zuhanna, amely tele van emberekkel.

Magasabbra! Még magasabbra!

Langdon tudni szerette volna, milyen magasan lehetnek most. Úgy emlékezett, hogy a kis, propelleres gépek úgy négymérföldes magasságban repülnek. A helikopterük ennek jó részét megtehette már. Két mérföldet? Hármat? Még mindig maradt egy esély. Ha tökéletesen időzítik a dobást, a tárolóedény nem érne földet, hanem biztonságos magasságban, a levegőben robbanna fel, elég távol a helikoptertől is. Langdon lenézett az alatta elterülő városra.

– És ha elszámítja magát? – kérdezte a *camerlengo*.

Langdon megütközve fordult felé. A *camerlengo* még csak nem is nézett rá, nyilván a szélvédőn megjelenő homályos tükörképéből olvasta ki Langdon gondolatait. Furcsa módon a *camerlengo* már nem figyelte a műszerfalat. A gázkarról is levette a kezét. Úgy tűnt, hogy a helikopter robotpilóta üzemmódra van állítva, amely egyre magasabbra emeli a gépet.

A *camerlengo* felnyúlt a feje fölé, a pilótafülke tetejére, egy kábelház mögött kotorászott, majd előhúzott egy kulcsot, amelyet egy ragasztószalaggal rögzítettek a láthatatlan helyre. Langdon értetlenül figyelte, ahogy a *camerlengo* gyorsan kinyitja vele az ülések közé csavarozott fémtartályt. Valami nagy, fekete, nejloncsomagot vett ki belőle. Letette a mellette lévő ülésre. Langdon fejében egymást kergették a gondolatok. A *camerlengo* mozdulatai rendezetteknek tűntek, mintha ismerné a megoldást.

– Adja ide a tárolóedényt – mondta a *camerlengo* derűs hangon.

Langdon már maga sem tudta, hogy mit gondoljon. Odatolta a tárolóedényt a *camerlengóhoz*. – Kilencven másodperc!

Langdont teljes meglepetésként érte az, amit most a *camerlengo* az antianyaggal csinált. Óvatosan a kezébe vette a tárolóedényt és betette a fémdobozba. Aztán rácsukta a nehéz fedelet, és a kulccsal bezárta.

– Mit csinál? – kérdezte döbbenten Langdon.

– Elzárom magunkat a kísértéstől – mondta a *camerlengo*, és kidobta a kulcsot a nyitott ablakon.

Miközben ott hánykolódtak az éjszakában, Langdon úgy érezte, a lelke együtt zuhan a kulccsal.

A *camerlengo* ezután fogta a nejloncsomagot és becsúsztatta karjait a szíjakba. Becsatolt a hasán egy kapcsot, és úgy rendezte el magán az egészet, mint egy hátizsákot. Majd a megkövült Robert Langdonhoz fordult.

– Sajnálom – mondta a *camerlengo*. – Nem így volt eltervezve. – És kinyitva a pilótafülke ajtaját kivetette magát az éjszakába.

A kép beleégett Langdon tudatalattijába, és vele megérkezett a fájdalom is. Igazi fájdalom. Fizikai fájdalom. Sajgás. Égő lüktetés. Könyörgött, hogy múljon el, legyen vége, de ahogy a víz egyre hangosabban csapkodott a fülénél, új képek villantak fel. A pokol még csak most kezdődött. Töredékeket és darabkákat látott. A színtiszta pánik széthasadt kereteit. Félig a halálban, félig egy rémálomban feküdt, szabadulásért könyörögve, de a képek egyre élesebbek lettek az elméjében.

Az antianyag tárolóedénye el volt zárva. Szünet nélkül számlált visszafelé, miközben a helikopter fölfelé tört. Ötven másodperc. Magasabbra. Még magasabbra. Langdon vadul forgolódott a kabinban, és megpróbálta értelmezni, amit az imént látott. Negyvenöt másodperc. Másik ejtőernyő után kotorászott az ülések alatt. Negyven másodperc. *Nincs másik. Kell lennie valamilyen megoldásnak!* Harmincöt másodperc. Odarohant a helikopter nyitott ajtajához, megállt a dühöngő szélben és lenézett Róma fényeire. Harminckét másodperc.

És döntött.

És hihetetlen döntést hozott...

Robert Langdon, ejtőernyő nélkül kiugrott az ajtón. Ahogy az éjszaka magába nyelte bukdácsoló testét, a helikoptert mintha kilőtték volna a feje fölött, a rotorok zúgása elenyészett saját szabadesésének fülsiketítő zajában.

Miközben Robert Langdon a föld felé bucskázott, olyasmit érzett, amit toronyugró évei óta nem tapasztalt – a gravitáció feltartóztathatatlan húzóerejét a zuhanás közben. Minél gyorsabban esett, annál erősebb lett a föld vonzása, szinte szívta a testét maga felé. Ezúttal azonban nem tizenöt méter magasból ugrott egy medencébe. Hanem több ezer méterről egy városba – végtelen kiterjedésű kövezet és beton felé.

Valahol, a szél és a kétségbeesés viharán át, Kohler hangja jutott el hozzá a sírból... azok a szavak, amelyeket ma délelőtt mondott a CERN szabadeséskamrája előtt állva. Egy négyzetméter anyag csaknem húsz százalékkal lassítja a zuhanó testet. A húsz százalék, ébredt most rá Langdon, meg sem közelíti azt, amihez egy ilyen zuhanás túléléséhez szükség volna. Mégis, inkább tehetetlenségből, mintsem reménykedve, ott szorongatta a kezében azt az egyetlen tárgyat, amelyet a helikopter ajtajához menet felragadott. Különös memento volt, de egy röpke pillanatra mégis reményt adott neki.

A helikopter hátsó ülésén ott feküdt a szélvédő napellenzője. Egy homorú téglalap – mintegy négyszer kétméteres –, akár egy méretre szabott, óriási papírlap... egy ejtőernyő lehető legtávolabbi hasonmása. Nem voltak szíjai, csak kötélhurkok a két végén, hogy a szélvédő görbületéhez rögzíthessék. Langdon megragadta, bedugta a kezét a hurkokba, belekapaszkodott és kiugrott az űrbe.

Ifjúsága kihívásainak utolsó nagy vállalkozásaként.

Nem voltak illúziói, hogy túléli ezt a pillanatot.

Langdon úgy zuhant lefelé, mint a kő. Lábbal előre. Felemelt karral. Keze a hurkokba akasztva. A napellenzőt megdagasztotta a belekapó vad szél a feje fölött: úgy festett, mint egy gomba kalapja.

Ahogy bukdácsolt lefelé, hatalmas robbanás következett be valahol a magasban. Távolibbnak tűnt, mint amire számított. Szinte ugyanabban a pillanatban telibe találta a lökéshullám. Úgy érezte, mintha az összes levegőt kipréselték volna a tüdejéből. Hirtelen minden felforrósodott körülötte. A napellenző teteje felparázslott... de kitartott.

Langdon süvített lefelé, egy felpúposodó fénylepel peremén, úgy érezve magát, mint a szörfös, aki egy több száz méteres hullámot próbál meglovagolni. Aztán egyszerre csökkenni kezdett a forróság.

Ismét a hideg sötétségben zuhant.

Langdonban egy pillanatra feltámadt a remény. Egy másodperccel később azonban úgy enyészett el, ahogy az imént a forróság. Noha kifeszített karja gondoskodott arról, hogy a napellenző lelassítsa a zuhanását, a szél még így is fülsiketítő sebességgel zúgott el a teste mellett. Langdonnak semmi kétsége nem volt afelől, hogy még mindig túl gyorsan esik ahhoz, hogysem túlélhetné. Össze fog zúzódni, amikor földet ér.

Matematikai számítások futottak át az agyán, de túl eltompult volt ahhoz, hogy értelmezni tudja őket... egy négyzetméter anyag... húszszázalékos sebességcsökkenés. Langdon mindössze annyit volt képes megállapítani, hogy ez a napellenző a feje fölött elég nagy ahhoz, hogy húsz százaléknál is többel lassítsa a zuhanását. Ám sajnos azt is észlelhette a teste körül csapkodó szélből, hogy bármilyen jótékony hatása is van a napellenzőnek, az itt nem lesz elég. Még mindig túl gyorsan zuhan... lehetetlen túlélnie a találkozást az odalent várakozó betontengerrel.

Alatta minden irányban Róma fényei világítottak. Olyannak látszott a város, akár a csillagokkal telehímzett, hatalmas égbolt, amelybe Langdon belezuhan. A csillagok tökéletes mezejét csak egy sötét sáv szakította meg, amely kettévágta a várost – egy széles, kivilágítatlan szalag, amely úgy kanyargott a fénypontok között, mint egy kövér kígyó. Langdon lebámult arra a kígyózó, fekete sávra.

Egyszerre, akár egy váratlanul felcsapó hullám taraja, ismét meglegyintette a remény.

Szinte mániákus életerővel keményen megrántotta a jobb kezével a napellenzőt. A ponyva egyszerre hangosabban csapkodott, megdagadt és jobbra húzott, a legkisebb légellenállás irányában. Langdon érezte, hogy oldalra sodródik. Újra rántott egyet a napellenzőn, még keményebben, nem törődve a fájdalommal a tenyerében. A ponyva lobogni kezdett, és Langdon érezte, ahogy a teste irányt változtat. Nem sokat. De valamelyest! Újra lenézett arra a feketén hullámzó kígyóra. Jobbra esett tőle, de ő még mindig meglehetősen magasan volt. Túlságosan sokáig várt volna? Minden erejét beleadta a húzásba, és közben belenyugodott, hogy innentől Isten kezében van a sorsa. A kígyó legszélesebb szakaszára szögezte a tekintetét és... életében először, csodáért imádkozott.

A többi ködbe veszett.

Felcsap körülötte a sötétség... visszatérnek a merülés ösztönös mozdulatai... a gerincoszlop reflexszerű zárása és a lábujjak kinyújtása... a tüdő teleszívása a létfontosságú szervek védelmében... a lábak faltörő kosként való hajlítása... és végül... a hálaadás, amiért olyan gyorsan vágtat a kanyargós Tiberis... amitől tajtékos és légbuborékos a vize... és háromszor lágyabb, mint az állóvíz.

Aztán az ütközés... és a sötétség.

A csapkodó ponyva mennydörgő hangja volt az, amely elvonta a csapat figyelmét az égi tűzgolyóról. Róma ege számos látványosságot kínált ma este... egy magasba törő helikoptert, egy hatalmas robbanást, és most ezt a különös tárgyat, amely belevágódott a Tiberis folyó rohanó vizébe, közvetlenül az aprócska sziget, az *Isola Tiberina* partja mentén.

Amióta ezen a szigeten létesítettek karantént az 1656-os római pestisjárvány betegeinek, misztikus gyógyító hatást tulajdonítottak a szigetnek. Ezért kapott éppen itt helyet a későbbiekben a római Tiberina kórház.

Az emberek egy zúzódásokkal teli testet húztak ki a partra. A férfinak még kivehető volt a pulzusa, amit elég döbbenetesnek találtak. Eltűnődtek azon, vajon nem az *Isola Tiberina* legendás gyógyító hírnevének köszönhető-e, hogy a férfinak még mindig ver a szíve. Néhány perc múlva, amikor a férfi köhögni kezdett és fokozatosan visszanyerte az öntudatát, a csapat már biztosra vette a sziget varázserejét.

ortati bíboros tudta, hogy egyetlen nyelvnek sincs olyan szava, amely felülmúlhatná eme pillanat misztériumát. A Szent Péter tér fölötti látomás némasága hangosabban szólt az angyalok minden kórusánál.

Ahogy felnézett Ventresca *camerlengóra*, Mortati bénító összeütközést érzett a szíve és az agya között. A látomás valóságosnak, kézzelfoghatónak tetszett. És mégis... hogy volna ez lehetséges? Mindenki látta beszállni a *camerlengót* a helikopterbe. Mindannyian tanúi voltak a fénygömbnek az égbolton. És most a *camerlengo* mégis ott állt valahogyan a tetőteraszon, a magasban. Az angyalok vitték oda? Isten keze által reinkarnálódott?

Ez lehetetlen...

Mortati szíve semmit sem akart erősebben, mint hinni, de az agya magyarázatot követelt. Ám körülötte mindenütt fölfelé bámultak a kardinálisok, a csodálattól bénán, nyilvánvalóan ugyanazt látva, amit ő.

A *camerlengo* volt az. Semmi kétség. De most valahogy másmilyennek tűnt. Isteninek. Mintha megtisztult volna. Szellem? Vagy ember? Fehér teste anyagtalanul világított a reflektorfényben.

A téren kiabálás, ünneplés, spontán éljenzés tört ki. Egy csapat apáca térdre hullott és vallásos énekeket kezdett skandálni. A tömegen lüktetés futott végig. Egyszerre az egész tér a *camerlengo* nevét kántálta. A bíborosok, akik közül többeknek könnyek csorogtak az arcán, csatlakoztak a tömeghez. Mortati körülnézett és megpróbálta felfogni a dolgot. Megpróbált hinni a szemének.

Carlo Ventresca *camerlengo* ott állt a Szent Péter-székesegyház tetőteraszán és letekintett az őt bámuló sokaságra. Ébren van vagy álmodik? Úgy érezte, mintha átváltozott, egy másik világba került volna. Azon tűnődött, vajon a teste vagy a szelleme szállt-e alá a mennyekből a Vatikán kertjének puha, sötéten elnyúló gyepére... néma angyalként ereszkedve alá az elhagyatott pázsitra; fekete ejtőernyőjét elrejtette az őrület elől a Szent Péter-bazilika hatalmas árnyéka... Azon tűnődött, vajon a teste vagy a szelleme adta-e az erőt, hogy felkapaszkodjon az ősrégi Medalion lépcsőn a tetőteraszra, ahol most áll.

Olyan könnyűnek érezte magát, akár egy szellemalak.

Noha odalent az emberek az ő nevét kántálták, tudta, hogy nem neki szól az ünneplés. Kitörő örömükben éljeneztek, ugyanazt az örömöt élték át, amit ő, életének minden egyes napján, a Mindenhatóról elmélkedve. Most végre megtapasztalták azt, amely után mindig vágyakoztak... bizonyosságot egy magasabb erőről... a Teremtő hatalmának végső igazolását.

Ventresca *camerlengo* egész életében ezért a pillanatért imádkozott, és még így sem bírta felfogni, hogy Isten megtalálta módját a valóra váltásnak. Szeretett volna odakiáltani az embereknek. *Az Istenetek élő Isten! Lássátok meg a csodákat magatok körül!*

Ott állt még egy ideig, tompán, mégis nagyszerű érzésekkel eltöltve. Amikor végül visszatért belé a lélek, lehajtotta a fejét és visszalépett a peremről.

Magára maradva a tetőn letérdelt és imádkozott.

Elmosódtak a képek körülötte, ide-oda lebegtek. Langdonnak lassan sikerült fokuszálnia a tekintetét. Fájt a lába, és úgy érezte, mintha keresztül hajtott volna rajta egy teherautó. Az oldalára fordítva feküdt a földön. Valami olyan büdös volt, mint az epe. Még mindig hallotta a víz szűnni nem akaró csapkodását. De már egyáltalán nem találta békésnek. Más hangokat is észlelt – beszélgetést a közvetlen közelében. Homályos, fehér alakokat látott. Itt mindenki fehér ruhát visel? Langdon arra jutott, hogy vagy egy kórházban van, vagy a mennyországban. Az égő érzés a torkában amellett szólt, hogy ez nem lehet a mennyország.

– Már nem hány – mondta egy ember olaszul. – Fordítsuk meg. – A hang határozott és magabiztos volt.

Langdon kezeket érzett a testén, amelyek lassan a hátára fordították. Szédült. Megpróbált felülni, de a kezek gyöngéden visszanyomták. Megadta magát. Ezután Langdon érezte, hogy valaki végigkutatja a zsebeit és tárgyakat vesz ki belőlük.

Aztán elájult.

Dr. Jacobus nem volt vallásos ember; az orvostudomány már rég kiölte belőle a hitet. És mégis, azok az események, amelyek a mai estén történtek Vatikánvárosban, próbára tették a logikai rendszerét. Testek hullanak az égből?

Dr. Jacobus kitapintotta a férfi pulzusát, akit az imént húztak ki a Tiberisből. Az orvos kénytelen volt arra gondolni, hogy Isten saját kezűleg mentette ki ezt az embert. A vízbe csapódás okozta ütközéstől az áldozat eszméletét vesztette, és ha Jacobus nem áll ott a parton a munkatársaival az égi látványosságot figyelve, a zuhanó test minden bizonnyal észrevétlen marad és a férfi megfullad a vízben.

– Amerikai – mondta az egyik ápolónő, aki megnézte a kimentett férfi levéltárcáját.

Amerikai? A rómaiak gyakran tréfálkoztak azon, hogy ha ilyen sok az amerikai a városban, akkor hamarosan a hamburger lesz az olasz nemzeti étel. De hogy már az égből is amerikaiak potyogjanak? Jacobus belevilágított a férfi szemébe egy ceruza zseblámpával, ellenőrizve a pupilla összehúzódását. – Uram! Hall engem? Tudja, hogy hol van?

Az ember megint elájult. Jacobus nem lepődött meg. A férfi rengeteg vizet hányt ki, miután az orvos mesterségesen újraindította a légzését.

– *Si chiama Robert Langdon* – mondta az ápolónő, áttanulmányozva a férfi jogosítványát.

A parton gyülekező csapat egy emberként hökkent meg.

– *Impossibile!* – jelentette ki Jacobus. Robert Langdon volt az a férfi a televízióban, az amerikai professzor, aki segítséget nyújtott a Vatikánnak. Jacobus csak percekkel ezelőtt látta, hogy Mr. Langdon beszáll egy helikopterbe a Szent Péter téren és több kilométeres magasságba emelkedik. Jacobus és a többiek kirohantak a partra, hogy tanúi legyenek az antianyag felrobbanásának: a hatalmas tűzgömb semmihez sem fogható látványt nyújtott. Hogyan lehetne ez ugyanaz az ember?

– Ő az! – kiáltott fel az ápolónő, kisimítva Langdon arcából a vizes hajat. – Megismerem a tweed zakóját!

Váratlanul üvöltözni kezdett valaki a kórház bejáratánál. Az egyik nőbeteg volt az. Eszelősen sikoltozva emelte magasba a hordozható rádióját és Istent áldotta. Ventresca camerlengo csodálatos módon megjelent a Vatikán tetején. Dr. Jacobus eldöntötte, hogy amikor reggel 8-kor lejár az ügyelete, egyenesen a templomba fog menni.

Most még erősebben, steril fénnyel világítottak a lámpák Langdon feje fölött. Valamilyen vizsgálóasztalon feküdt. Vérzéscsillapítók és idegen vegyszerek szagát érezte. Valaki beadott neki egy injekciót és megszabadították a ruháitól.

– Semmi esetre sem cigányok – állapította meg félájult delíriumában. – Talán földönkívüliek? Igen, hallott már ilyesmiről. Szerencsére ezek a lények nem akarták őt bántani. Csak el akarták venni...

– Nem engedem! – Langdon ülő helyzetbe pattant, felnyitva a szemét.

– Attento! – kiáltotta az egyik lény, és megtámasztotta Langdont. A dr. Jacobus név állt a kitűzőjén. És nagyon is ember formájú volt.

Langdon összeroskadt. – Én... azt hittem...

– Nyugodjon meg, Mr. Langdon. Egy kórházban van.

Lassan felszállt a köd. Langdont elöntötte a megkönnyebbülés. Gyűlölte a kórházakat, de kétségtelenül vonzóbbak, mint a földönkívüliek, akik a nemzőképességére törnek.

– Dr. Jacobus vagyok – mondta a férfi. Elmagyarázta neki, hogy mi történt. – Nagy szerencséje van, hogy életben maradt.

Langdon nem érezte magát szerencsésnek. Jóformán képtelen volt értelmezni az emlékeit... a helikopter... a *camerlengo*. Fájt az egész teste. Vizet adtak neki, és ő kiöblítette a száját. Új kötést tettek a tenyerére.

– Hol vannak a ruháim? – kérdezte Langdon. Kórházi hálóing volt rajta.

Az egyik ápolónő odamutatott egy víztől csepegő khaki és tweed kupacra a pulton. – Átáztak. Úgy kellett levágnunk önről.

Langdon homlokráncolva nézte a ronggyá lett Harris zakót.

– Volt valami papírszalvéta a zsebében – mondta az ápolónő.

És amikor Langdon odanézett, azt látta, hogy mindenütt ázott papírcafatok tapadnak a zakója bélésére. Galilei *Diagrammájának* fóliánsa. Szétfoszlott a földkerekségen az utolsó példány. Langdon túlságosan eltompult volt ahhoz, hogysem reagálni tudott volna. Csak bámult.

– Megmentettük a személyes tárgyait. – Az ápolónő fölemelt egy műanyag vödröt. – Levéltárca, camcorder, toll. Amennyire tudtam, megtörölgettem a kamerát.

– Nekem nincsen kamerám.

Az ápolónő összevont szemöldökkel tartotta oda a vödröt. Langdon megnézte a tartalmát. A levéltárcája és a tolla mellett ott volt egy parányi Sony RUVI camcorder. Most már emlékezett. Kohler adta át neki, és azt kérte, hogy juttassa el a médiának.

– A zsebében találtuk. Bár azt hiszem, vennie kell egy másikat. – Az ápolónő felnyitotta az ötcentis képernyőt a hátlapon. – Összetört a nézőkéje. – Aztán felderült az arca. – De a hang még működik. Éppen hogy csak. – Odatartotta a kamerát a füléhez. – Ugyanazt játssza újra meg újra. – Hallgatta egy másodpercig, majd mogorva képpel átnyújtotta Langdonnak. – Mintha két fickó vitatkozna rajta.

Langdon zavartan vette át a kamerát, és a füléhez emelte. A hangok elnyújtottan, fémesen szóltak, de ki lehetett venni a szavakat. Az egyik hang közelről, a másik távolról hallatszott. Mindkettőt felismerte.

Langdon ült a kórházi köntösben egy széken, és döbbenten hallgatta a beszélgetést. Noha nem láthatta, mi történik, amikor eljött a megrendítő befejezés, még hálás is volt azért, hogy megmenekült a látványától.

Istenem!

Ahogy a beszélgetés újraindult az elejéről, elvette a camcordert a fülétől, és csak ült ott hideglelős értetlenséggel. Az antianyag... a helikopter... Langdon agya végül beindult.

Hiszen ez azt jelenti...

Újra émelygés fogta el. Elhatalmasodó zavarában és dühében felugrott az asztaltól és remegő lábára állt.

– Mr. Langdon! – mondta az orvos, és meg akarta állítani.

– Ruhákra van szükségem! – követelte Langdon, érezve a huzatot a hátul nyitott kórházi hálóingen át.

– De most pihennie kell.

– Kijelentkezem. Most rögtön. Ruhákra van szükségem.

– De uram...

– Most rögtön!

Az emberek zavartan néztek egymásra. – Nincsenek ruháink – mondta az orvos. – Talán holnap behozhat önnek valamit egy barátja.

Langdon lassan vett egy nagy levegőt és farkasszemet nézett a doktorral. – Dr. Jacobus, én most rögtön kimegyek ezen az ajtón. Ruhákra van szükségem. Vatikánvárosba megyek. Az ember nem sétálhat be a Vatikánba kilógó fenékkel. Érthető voltam? Dr. Jacobus nyelt egyet. – Kerítsenek valami ruhát ennek az embernek.

Amikor Langdon kibotorkált a Tiberina kórházból, úgy érezte magát, mint egy túlkoros kiscserkész. Kék színű, elöl cipzáras mentőápolói kezeslábast viselt, amelyen rátétek ékeskedtek, nyilván számos rangját és beosztását adva tudtul. Egy testes doktornő kísérte, ugyanilyen öltözékben. Az orvos biztosította Langdont, hogy rekordsebességgel fog eljutni Vatikánvárosba.

– *Molto traffico* – akadékoskodott Langdon, felidézve, hogy a Vatikán környéke tele van kocsikkal és emberekkel.

A nőt ez nem látszott aggasztani. Büszkén mutatott oda az egyik rátétjére. – *Sono conducente di ambulanza.*

Tehát mentőautó-sofőr? Ez persze mindent megmagyaráz. Langdon nagyon is az állapotához illőnek találta, hogy mentőkocsival fog utazni.

A nő az épület oldalához vezette. A víz fölé nyúló emelvény lebetonozott mólóján várakozott a járművük. Amikor Langdon megpillantotta a mentőt, lecövekelt. Egy régi mentőhelikopter volt az, *Aero-Ambulanza* felirattal az oldalán.

Lecsüggesztette a fejét.

A nő rámosolygott. – A vatikánvárosi járat. Nagyon gyors.

128

A bíborosok kollégiuma forrongva és felvillanyozva igyekezett vissza a Sixtus-kápolnába. Velük ellentétben, Mortati növekvő zavart érzett magában, legszívesebben felemelkedett volna a kövezetről, hogy eltűnjön innen. Hitt a Szentírás csodáiban, ám aminek most személyesen tanúja volt, azt nem volt képes felfogni. Az egyháznak szentelt élet után a hetvenkilenc éves Mortati jól tudta, hogy ezeknek az eseményeknek áhítatos érzéseket kellene ébreszteniük benne... lángoló és eleven hitet. Ám ő egyre erősebb rossz érzést tapasztalt magában. Valami nem volt itt rendben.

– *Signore* Mortati! – üvöltötte egy svájci testőr, aki felé rohant a folyosón. – Fölmentünk a tetőre, ahogyan kérte. A *camerlengo*... ő az! Hús-vér ember! Nem szellem! És ugyanolyan, mint volt!

– Beszéltél vele?

– Ott térdel és imádkozik. Nem mertük megérinteni!

Mortati tanácstalan volt. – Mondjátok meg neki... hogy várják a bíborosai.

– *Signore*, mivel hogy ember... – a testőr habozott.

– Mondd csak ki bátran!

– A mellkasa... megégett. Ne kötözzük be a sebeit? Fájdalmai lehetnek.

Mortati fontolóra vette a dolgot. Az egyház szolgálatában eltöltött hosszú pályája során semmi sem készítette föl erre a helyzetre. – Mivel ember, úgy kell bánni vele, mint egy emberrel. Mosdassátok meg. Kötözzétek be a sebeit. Adjatok rá tiszta reverendát. Mi a Sixtus-kápolnában várjuk, hogy megérkezzen.

A testőr elfutott.

Mortati elindult a kápolnába. A többi bíboros már odabent volt. Ahogy végigment az előtéren, Vittoria Vetrát pillantotta meg magába roskadva, egyedül egy padon a Királyi Lépcső lábánál. Látta rajta, hogy szenved, hogy magányos, és szeretett volna odamenni hozzá, de tudta, hogy ezzel várnia kell. Most más dolga van... noha fogalma sem volt arról, mi is lehet ez a dolog. Mortati belépett a kápolnába. Lázas izgalom fogadta. Becsukta az ajtót. *Istenem, segíts.*

A Tiberina kórház kétmotoros légimentője Vatikánváros mögött körözött, és Langdon összeszorított foggal megesküdött az élő Istenre, hogy ez volt a legutolsó helikopteres út az életében.

Miután meggyőzte a pilótát, hogy a Vatikán légterére vonatkozó törvények e pillanatban a legkevésbé sem érdekesek, vakon átkalauzolta a nőt a hátsó fal fölött a Vatikán helikopter-leszállópályájára.

– *Grazie* – mondta, miközben kínlódva kimászott a gépből. A nő csókot dobott neki, majd gyorsan felemelkedett, és eltűnt a fal mögött az éjszakában.

Langdon vett egy nagy levegőt, és megpróbálta kitisztítani a fejét, azt remélve, hogy akkor értelmesnek fog tűnni az, amit tenni készült. A camcorderrel a kezében felült ugyanarra a golfautóra, amelyen már korábban is utazott. Nem tankolták meg, és a mutató közel állt a nullához. Langdon nem kapcsolta fel a lámpákat, hogy spóroljon az energiával. Különben sem szerette volna, ha bárki meglátja.

Mortati bíboros kábán állt meg a Sixtus-kápolna hátsó részében, és figyelte a szeme előtt zajló parázs jelenetet.

– Csoda történt! – kiáltotta az egyik kardinális. – Ez Isten műve volt!

– Igen! – csatlakoztak többen is. – Isten kinyilvánította az akaratát!

– A *camerlengo* legyen a pápánk! – kiáltotta egy másik hang.

– Nem bíboros ugyan, de Isten csodás jelet küldött!

– Igen! – helyeselt valaki. – A konklávé törvényeit emberek hozták. De Isten akarata előbbre való! Azonnali szavazást rendelek el!

– Szavazást? – kérdezte Mortati, és elindult feléjük. – Azt hittem, hogy ez az én dolgom.

Mindenki megfordult.

Mortati érezte, hogy a bíborosok őt vizslatják. Idegennek, távolinak tűntek, és mintha sértette volna őket a józansága. Mortati azt kívánta, bárcsak az ő szívét is eltöltené az a csodálatos lelkesültség, amelyet a körülötte lévő arcokon látott. De nem tudott osztozni az érzéseikben. Az ő lelkében valami megmagyarázhatatlan fájdalom volt... sajgó szomorúság, amelyet nem tudott megindokolni. Felesküdött arra, hogy tiszta szívvel teljesíti itteni kötelességeit, de nem tudta letagadni a bizonytalanságát.

– Barátaim – mondta Mortati az oltárhoz lépve. Alig ismert rá a saját hangjára. – Attól félek, életem végéig küszködni fogok mindannak az értelmezésével, amelynek ma este tanúja voltam. És mégis, amit ti a *camerlengóval* kapcsolatban javasoltok... az nem lehet Isten akarata.

Csend borult a teremre.

– Hogyan? Hogy mondhatsz ilyet? – szögezte neki a kérdést végül az egyik bíboros. – A *camerlengo* megmentette az egyházat. Isten közvetlenül szólt a *camerlengóhoz!* Az az ember túlélte a halált is! Milyen jelet várunk még?

– A *camerlengo* ide fog jönni hozzánk – mondta Mortati. – Várjuk meg. Hallgassuk meg, mielőtt szavazunk. Talán megkapjuk a magyarázatot.

– Magyarázatot?

– Mint Nagy Választótok felesküdtem arra, hogy megtartom a konklávé törvényeit. Minden bizonnyal tisztában vagytok vele, hogy a szent törvény értelmében a *camerlengo* nem lehet jelölt a pápaválasztáson. Nem bíboros. Hanem pap... kamarás. Az életkora sem felel meg. – Mortati érezte, hogy a tekintetek megkeményednek. – Ha engedélyezném ezt a szavazást, azzal arra vennélek rá benneteket, hogy olyan embert jelöljetek, akinek a megválasztását tiltja a Vatikán. Mintha én magam kérném azt tőletek, hogy megszegjétek szent eskütöket.

– De ami itt ma este történt – vetette ellen valaki –, az mindenképpen meghaladja a törvényeinket!

– Valóban? – harsogta Mortati, már maga sem tudva, honnan erednek a szavai. – Isten akarata volna az, hogy felrúgjuk az egyház törvényeit? Isten akarata volna az, hogy elveszítsük az eszünket és átengedjük magunkat a tébolynak?

– Hát te nem láttad azt, amit mi láttunk? – szegezte neki a kérdést dühösen egy másik bíboros. – Hogyan tudsz kételkedni egy ilyen erőben?

Mortati hangja eddig ismeretlen regiszterben zengett. – Én

nem kételkedem Isten erejében! Isten adta nekünk az észt és a mérlegelés képességét! Istent szolgáljuk azzal, ha körültekintően cselekszünk!

A Sixtus-kápolna előterében Vittoria Vetra tompán ült egy padon a Királyi Lépcső lábánál. Amikor meglátta a hátsó ajtón belépő alakot, azon tűnődött, vajon ez is csak szellem-e. Be volt kötözve, sántított és valamilyen orvosi egyenruhát viselt.

Vittoria felállt... nem mert hinni a szemének. – Ro... Robert?

A férfi nem válaszolt. Csak odament hozzá és a karjába zárta. Vittoria érezte, hogy elerednek a könnyei. – Jaj, Istenem... jaj, hála Istennek...

A lány már nem érzett félelmet, sem fájdalmat. Szemét lehunyta, belefeledkezett a pillanatba.

– Ez Isten akarata! – üvöltötte valaki, és a szavak visszaverődtek a Sixtus-kápolnában. – Ki más élhette volna túl azt az ördögi robbanást, ha nem a kiválasztott?

– Én – csendült fel egy hang a kápolna hátsó részében. Mortati és a többiek csodálkozva fordultak a középső utcán közeledő viharvert alak felé. – Mr. ... Langdon?

Langdon szó nélkül a kápolna közepe felé tartott. Vittoria Vetra is belépett az ajtón. A nyomukban két testőr szaladt; egy kocsit toltak maguk előtt, rajta egy nagy televízió.

Langdon megvárta, amíg csatlakoztatják a készüléket, és szembe állítják a bíborosokkal. Ekkor Langdon intett a testőröknek, hogy távozhatnak. A testőrök kimentek és bezárták maguk után az ajtót.

Most már csak Langdon, Vittoria és a bíborosok voltak odabent. Langdon összekötötte a Sony RUVI kamerát a tévékészülékkel, és megnyomta a lejátszás gombot.

A képernyő kivilágosodott.

A kardinálisok szeme előtt megjelenő képen feltűnt a pápai iroda. A filmet ügyetlenül rögzítették, mintha rejtett kamerával készült volna. A képernyő szélén a *camerlengo* állt a homályban, a tűz mellett. Noha eleinte úgy tetszett, mintha egyenesen a kamerának címezné a szavait, hamarosan kiderült, hogy valaki máshoz beszél – ahhoz, aki a videofelvételt készítette. Langdon közölte a kardinálisokkal, hogy Maximilian Kohler az, a CERN igazgatója. Alig egy órával ezelőtt Kohler titokban rögzítette a *camerlengóval* történt találkozóját egy kisméretű camcorder segítségével, amelyet beépítettek a kerekes széke karfájába.

Mortati és a bíborosok a legteljesebb zavarban figyeltek. Noha a beszélgetés már javában zajlott, Langdon nem bajlódott a visszacsévéléssel. Nyilván most kellett következnie annak, amit meg akart mutatni a kardinálisoknak…

– Leonardo Vetra naplót vezetett? – kérdezte a *camerlengo*.

– Gondolom, ez jó hír a CERN-nek. Ha a naplóban benne van az antianyag előállításának folyamata…

– Nincs benne – mondta Kohler. – Megnyugodhat, Leonardo magával vitte az eljárást a sírba. Ám valami másról említést tesz a naplójában. Önről.

A *camerlengo* mintha zavarba jött volna. – Nem értem.

– Leonardo leírja egy találkozóját, amely a múlt hónapban volt. Önnel.

A *camerlengo* tétovázott, azután az ajtó felé nézett.

– Rocher-nak nem lett volna szabad bebocsátania önt ide az én megkérdezésem nélkül. Hogy jutott be?

– Rocher mindent tud. Felhívtam, és elmondtam neki az ön tetteit.

– Az én tetteimet? Bármit mesélt is neki, Rocher a svájci testőrség tagja, és sokkal hűségesebb az egyházhoz, mintsem hogy egy megkeseredett tudósnak higgyen a *camerlengóval* szemben.

– Pontosabban, sokkal hűségesebb annál, hogy ne higygyen. Annyira hűséges, hogy hiába bizonyítottam be az egyik lojális testőréről, hogy elárulta az egyházat, nem volt hajlandó belátni. Egész nap valamilyen más magyarázatot keresett.

– És öntől megkapta a magyarázatot.

– Az igazságot. Akármilyen megrázó is volt.

– Ha Rocher hitt önnek, akkor letartóztatott volna engem.

– Nem. Nem engedtem volna. Titoktartást fogadtam neki ennek a találkozónak a fejében.

A *camerlengo* különös nevetést hallatott. – Arra készül, hogy megzsarolja az egyházat egy olyan történettel, amelyet senki sem hinne el?

– Nincs szükségem zsarolásra. Pusztán az ön szájából szeretném hallani az igazságot. Leonardo Vetra a barátom volt.

A *camerlengo* nem válaszolt. Csak merően nézte Kohlert.

– Ehhez mit szól? – vetette oda Kohler. – Úgy egy hónappal ezelőtt Leonardo Vetra kapcsolatba lépett önnel és sürgős audienciát kért a pápától. Ön megadta neki, mert a pápa csodálta Leonardo munkáját, és mert Leonardo elmondta, hogy vészhelyzet van.

A *camerlengo* a tűz felé fordult. Még mindig nem szólt semmit.

– Leonardo a legnagyobb titokban Vatikánvárosba jött. Ezzel visszaélt a lánya bizalmával, ami rendkívül bántotta, de úgy érezte, hogy nincs más választása. A kutatásai mély konfliktusba sodorták, és spirituális iránymutatásra volt szüksége az egyháztól. Magánkihallgatáson elmondta önnek és a pápának, hogy olyan tudományos felfedezést tett, amelynek súlyos vallási kihatásai vannak. Sikerült bizonyítania, hogy a teremtés fizikailag lehetséges, és hogy az a mélységes energiaforrás, amelyet Vetra Istennek nevezett, még egyszer megismételheti a Teremtés pillanatát.

Csönd.

– A pápa megdöbbent – folytatta Kohler. – Azt akarta, hogy Leonardo lépjen a nyilvánosság elé. Őszentsége úgy vélekedett, hogy ez a felfedezés hidat verhet a tudomány és a vallás között, ami a pápa egyik legnagyobb álma volt. Azután Leonardo elmagyarázta a hátulütőket: azokat az okokat, amiért az egyház iránymutatását kérte. Úgy tűnt, hogy a teremtés kísérlete során, pontosan a Bibliában leírtak szerint, minden párosával keletkezik. Az ellentétével együtt. Fény és sötétség. Vetrának rá kellett döbbennie, hogy az anyag teremtése közben antianyagot is teremtett. Folytassam?

A *camerlengo* hallgatott. Lehajolt és megpiszkálta a szenet.

– Miután Leonardo eljött ide – mondta Kohler –, legközelebb ön ment el a CERN-be, hogy megnézze a munkáját. Leonardo naplójában benne van, hogy ön személyes látogatást tett a laboratóriumában.

A *camerlengo* felnézett.

Kohler folytatta. – A pápa nem utazhatott úgy, hogy magára ne vonja a média figyelmét, tehát önt küldte maga helyett. Leonardo titokban végigkalauzolta a laborján. Megmutatta az antianyag megsemmisülését: az Ősrobbanást, avagy a teremtés erejét. Megmutatta azt az elzárva tartott példányt is, amely igazolta, hogy az új eljárás nagy mennyiségben is képes antianyagot előállítani. Ön csak ámult. Visszatérve Vatikánvárosba, beszámolt a pápának arról, aminek tanúja volt.

A *camerlengo* felsóhajtott. – És önnek mi baja ezzel? Talán az, hogy nem akartam megcsúfolni Leonardo belém vetett bizalmát, és úgy tettem ma este a világ előtt, mintha semmit sem tudnék az antianyagról?

– Nem. Nekem az a bajom, hogy Leonardo Vetra gyakorlatilag bizonyította az önök Istenének a létezését, és ön meggyilkoltatta őt.

A *camerlengo* most megfordult, de az arca nem fejezett ki semmit.

Nem hallatszott más, csak a tűz pattogása.

A kamera hirtelen megbillent, és Kohler karja tűnt fel a képen. Előrehajolt, mintha küszködne valamivel, ami a kerekes szék aljához volt rögzítve. Amikor ismét fölegyenesedett, egy pisztolyt tartott maga előtt. A kamera szöge hátborzongatóvá tette a látványt... hátulnézetből mutatta az előretartott fegyvert és a pisztoly csövét... amely egyenesen a *camerlengóra* szegeződött.

– Vallja meg bűneit, atyám. Most rögtön.

A *camerlengo* riadtnak tűnt. – Soha nem jut ki innen élve.

– A halál régen várt szabadulás lesz számomra abból a nyomorúságból, amelyre az önök hite kárhoztatott gyerekkorom

624

óta. – Kohler most már két kézzel fogta a pisztolyt. – Adok önnek egy választási lehetőséget: vagy bevallja a bűneit... vagy itt helyben meghal.

A *camerlengo* az ajtó felé pillantott.

– Rocher odakint áll – ütötte a vasat Kohler. – Ő is kész arra, hogy megölje önt.

– Rocher felesküdött védelmezője a ...

– Rocher engedett be ide. Fegyverrel. Megundorodott az ön hazugságaitól. Nincsen más választása. Vallomást kell tennie. A saját szájából akarom hallani.

A *camerlengo* tétovázott.

Kohler kibiztosította a fegyvert. – Tényleg kételkedik abban, hogy megölöm?

– Nem számít, mit mondok önnek – jelentette ki a *camerlengo*. – Egy magafajta ember ezt úgysem értheti.

– Próbálja meg.

A *camerlengo* szótlanul állt még egy másodpercig, erőteljes sziluettjét kirajzolta a tűz halvány fénye. Amikor megszólalt, olyan méltóság csendült ki a hangjából, amely inkább illett volna egy dicséretes, önzetlen jócselekedetről szóló beszámolóhoz, mint ehhez a vallomáshoz.

– Az idők kezdete óta – mondta a *camerlengo* –, ez az egyház harcban állt Isten ellenségeivel. Néha szavakkal harcolt. Néha karddal. És fennmaradtunk.

A *camerlengóból* meggyőződés sugárzott.

– De a múlt démonai – folytatta –, a tűz és a gyűlölet démonai voltak... olyan ellenségek, amelyeket le tudtunk győzni... olyan ellenségek, amelyek félelmet keltettek. Ám a Sátán fondorlatos. Ahogy múlt az idő, új arc mögé rejtette ördögi ábrázatát... a tiszta ész arca mögé. Átlátszó és alattomos, de akkor is lélektelen. – A *camerlengo* hangjában egyszerre harag lobbant, szinte eszelősre változott. – Mondja meg nekem, Mr. Kohler! Hogyan ítélheti el az egyház azt, amelyben az agyunk logikus értelmet talál? Hogyan szólhatnánk az ellen, ami ma már a társadalmunk alapját képezi? Valahányszor az egyház felemelte figyelmeztető hangját, önök visszavágtak, tudatlannak nevezve minket. Üldözési mániásnak. Kerékkötőnek! És egyre terjedt az önök gonoszsága. Az öntudatos értelem leplébe burkolózva. Úgy burjánzott el, akár a rák. Saját technológiájának csodáitól megszentelve. Önmagát istenítve! Míg végül csak a minden gyanú felett álló jóságot látták önökben. Eljött hozzánk a tudomány, hogy megmentsen minket a betegségektől, az éhezéstől és a fájdalomtól! Figyeljetek a tudományra... a csodák végtelen sorát teremtő új, mindenható és jóságos Istenre! Ne is törődjetek a fegyverekkel és a káosszal. Feledkezzetek meg az atomizálódott magányról és a számtalan veszélyről. Íme a tudomány!

– A *camerlengo* tett egy lépést a pisztoly felé. – De én láttam a Sátán kikandikáló arcát... én láttam a veszélyt...

– Miről beszél? Vetra tudománya gyakorlatilag bizonyította az önök Istenének létezését! Vetra az önök szövetségese volt!

– Szövetségesünk? A tudomány és a vallás nem járhat együtt! Nem ugyanazt az Istent keressük, önök és én! Ki az önök Istene? A protonok, tömegek és részecsketöltések Istene? Hogyan inspirálhatna minket egy ilyen Isten? Hogyan érinthetné meg az ember szívét, és hogyan emlékeztethetné arra, hogy felelnie kell egy nála magasabb hatalom előtt? Hogy felelnie kell az embertársai előtt! Vetra tévedésben volt.

Nem szent volt a munkája, hanem szentségtörő! Az ember nem teheti be Isten teremtő művét egy kémcsőbe, hogy körbemutogassa a világban! Ez nem dicsőíti, hanem a sárba rántja Istent! – A *camerlengo* már a saját testét karmolászta, hangja eszelőssé vált.

– És ezért ölette meg Leonardo Vetrát?

– Az egyházért! Az egész emberiségért! Mert őrültség, amit felfedezett! Az ember nem készült fel arra, hogy a kezébe vegye a teremtés hatalmát. Isten a kémcsőben? Egy folyadékcsepp, amely megsemmisíthet egy egész várost? Meg kellett őt állítani! – A *camerlengo* hirtelen elhallgatott. Elfordította a tekintetét, vissza a tűzre. Úgy tűnt, mintha a lehetőségein elmélkedne.

Kohler megcélozta a fegyverrel. – Mindent bevallott. Nem lesz menekvése.

A *camerlengo* szomorúan felnevetett. – Nem érti. A bűnök megvallása maga a menekvés. – Az ajtó felé pillantott. – Ha veled az Isten, akkor olyan lehetőségeid vannak, amit a magafajta ember fel sem tud fogni. – Még el sem haltak a levegőben a szavak, amikor a *camerlengo* megragadta a reverendája nyakát és nagy erővel széttépte, feltárva csupasz mellkasát.

Kohler látható riadalommal hátrahőkölt. – Mit csinál?

A *camerlengo* nem válaszolt. Odalépett a kandallóhoz és kiemelt egy tárgyat az izzó szén alól.

– Állj! – kiáltott rá Kohler, még mindig neki szegezve a pisztoly. – Mire készül?

Amikor a *camerlengo* visszafordult, egy vörösre hevített billog volt nála. Az *Illuminátusok gyémántja*. A férfi szemében egyszerre vad fény villant. – Úgy terveztem, hogy ezt egyedül viszem véghez. – A hangjában vadállati erő fortyogott. – De most… már látom, Isten úgy akarta, hogy ön is itt legyen. Ön az én feloldozásom.

Mielőtt Kohler reagálhatott volna, a *camerlengo* behunyta a szemét, és a mellkasa közepébe nyomta a vörösen izzó billogot. A húsa sistergett. – Miasszonyunk Szűz Mária! Áldott anyánk… tekints le fiadra! – És felüvöltött kínjában.

Egyszerre Kohler jelent meg a képen… esetlenül lábra állt, a pisztoly vadul reszketett a kezében.

A *camerlengo* még hangosabbat sikoltott, egyensúlyát vesztve tántorgott sokkos állapotában. Kohler lába elé dobta a billogot. Aztán összeesett a padlón, és fetrengett görcsös fájdalmában.

Ami ezután történt, azt nem lehetett kivenni a felvételen. Nagy kavarodás támadt a képsíkon kívül, ahogy a svájci testőrség betört a terembe. A hangsávon pisztolylövések dörögtek. Kohler a melléhez kapott, és véresen hanyatlott hátra a kerekes székébe.

– Nem! – kiáltotta Rocher, hogy megállítsa a Kohlerre tüzelő testőröket.

A *camerlengo*, aki még mindig a földön vonaglott, most az oldalára gurult, és vadul mutogatott az ujjával a kapitányra.

– Illuminátus!

– Te gazember! – üvöltötte Rocher, és futni kezdett felé.

– Te szenteskedő gaz…

Chartrand három golyót eresztett belé. Rocher holtan rogyott a földre.

Ekkor a testőrök odarohantak a sebesült *camerlengóhoz*, és

körbevették. Miközben ők vele foglalkoztak, a videón megjelent Robert Langdon értetlen arca: a kerekes szék mellett térdelt és a billogot nézegette. Ekkor az egész kép vadul rángatózni kezdett. Kohler visszanyerte az öntudatát, és kirángatta a kis camcordert a kerekes szék karfája alól. Majd megpróbálta átadni a kamerát Langdonnak.

– Adja… hörögte Kohler. – … Adja át ezt… a médiának. És itt elsötétült a képernyő.

130

A camerlengo érezte, hogy lassan feloszlik a csoda, és az adrenalin okozta köd. Miközben a svájci testőrök letámogatták a Királyi Lépcsőn, hogy a Sixtus-kápolnába vezessék, a *camerlengo* meghallotta az éneklést a Szent Péter térről, és tudta, hogy megmozdultak a hegyek.

Grazie Dio.

Erőért imádkozott, és Isten erőt adott neki. A kételkedés pillanataiban Isten mindig szólott hozzá. *Szent küldetésed van,* mondta neki Isten. *Erőt adok hozzá.* A camerlengo még Isten erejével eltelve is félelmet érzett, kételkedett a választott út helyességében.

Ha nem te, vonta kérdőre Isten, *akkor KI?*

Ha nem most, akkor MIKOR?

Ha nem így, akkor HOGYAN?

Jézus, emlékeztette őt Isten, mindenkit megmentett…

megmentette őket saját apátiájuktól. Két cselekedetével nyitotta fel az emberek szemét Jézus. *Rettegés és remény.* A keresztre feszítés és a feltámadás. Megváltoztatta a világot. De ez két évezreddel ezelőtt történt. Az idő elnyűtte a csodát. Az emberek felejtenek. Hamis bálványokhoz fordultak — a technoistenségekhez és az elme csodáihoz. De hol maradnak a szív csodái?

A *camerlengo* gyakran könyörgött Istennek, hogy mutassa meg neki, miként téríthetné megint hitre az embereket. De Isten hallgatott. Csak a legsötétebb kétségbeesésének órájában jött el hozzá. Mennyire rettegett azon az éjszakán!

A *camerlengo* még most is fel tudta idézni, hogyan feküdt a padlón rongyos hálóruhájában, a saját húsát tépve, hogy kiűzze a lelkéből a fájdalmat, amelyet az imént megtudott szörnyű igazság ébresztett benne. Az nem lehet! — sikoltotta. De közben tudta, hogy igen. Úgy égette az árulás, mint a pokol tüze. A püspök, aki maga mellé vette, az az ember, aki apja helyett apja volt, az a pap, aki mellett ott állt, amikor pápaságra emelkedett... csaló volt. Közönséges bűnös. Hazudott a világnak egy olyan, velejéig sötét tettről, hogy a *camerlengo* abban is kételkedett, vajon maga Isten képes lehet-e megbocsátani. — Az eskü! — sikoltotta a *camerlengo* a pápának. — Megszegted Istennek tett esküdet! Te vagy az utolsó, aki ilyet tehetett volna!

A pápa megpróbált kimagyarázkodni, de a *camerlengo* meg sem hallgatta. Elrohant. Vakon tántorgott végig a folyosókon, öklendezett, véresre kaparta magát, és végül arra tért magához, hogy ott fekszik a hideg, földes padlón Szent Péter sírja előtt. Szűzanyám, mit tegyek? A szenvedés és az árulás ama

. órájában, amikor a *camerlengo* feldúlva feküdt a Necropolisban, azért imádkozva Istenhez, hogy váltsa meg ettől a hitetlen világtól, akkor jelent meg neki Isten.

A hang mennydörgésszerű robajjal szólalt meg a fejében.

– Arra esküdtél, hogy szolgálni fogod Istent?

– Igen! – kiáltott fel a *camerlengo*.

– Meg tudnál halni az Istenedért?

– Igen! Vegyél magadhoz most rögtön!

– Meg tudnál halni az egyházadért?

– Igen! Válts meg engem!

– Meghalnál az... emberiségért?

A rá következő csendben a *camerlengo* úgy érezte, hogy belezuhan a szakadékba. Tovább botorkált, egyre gyorsabban, vakon és süketen. De már tudta a választ.

– Igen! – kiáltotta bele az őrületbe. – Meg tudnék halni az emberekért! Meghalnék értük, ahogyan a fiad.

Órákkal később a *camerlengo* még mindig ott reszketett a földön. Az anyja arca jelent meg előtte. *Istennek tervei vannak veled*, mondta az anyja. A *camerlengo* még mélyebbre merült az őrületben. És ekkor Isten újra szólott hozzá. Ezúttal némán. De a *camerlengo* megértette. *Add vissza a hitüket.*

Ki... ha én nem?

Mikor... ha nem most?

Miközben a testőrök kinyitották a Sixtus-kápolna ajtaját, Carlo Ventresca *camerlengo* érezte az ereiben áramló erőt... pontosan úgy, mint gyerekkorában. Isten kiválasztotta őt. Már régen.

Legyen meg az ő akarata.

A *camerlengo* érezte, hogy újjászületik. A svájci testőrök bekötözték a mellkasát, megfürdették, tiszta fehér vászoncsuhát adtak rá. Egy morfiuminjekciót is kapott az égési sérülése miatt. A *camerlengo* most azt kívánta, bárcsak ne kapott volna fájdalomcsillapítót. Jézus három napon át szenvedett, mielőtt felment volna a mennyországba. Már érezte is, hogy a gyógyszer hatni kezd az érzékeire... enyhe bódulat fogta el.

Ahogy belépett a kápolnába, egyáltalán nem lepte meg, hogy a bíborosok csodálkozva bámulnak rá. *Félik az Istent,* emlékeztette magát. *Nem engem csodálnak, hanem Isten művét, amelyet ÁLTALAM vitt véghez.* Ahogy haladt előre a középső sorban, zavart látott az arcokon. Ám valamennyi arcon, amely eléje került, valami mást is érzékelt a tekintetekben. *Mi lehet az?* A *camerlengo* korábban már megpróbálta elképzelni, hogyan fogadják majd itt ma este. Örvendezve? Tisztelettel? Megpróbált olvasni a szemekben, de nem látott bennük sem örömet, sem tiszteletet.

A *camerlengo* ekkor odapillantott az oltárra, és felfedezte Robert Langdont.

131

(C)arlo Ventresca *camerlengo* megállt a Sixtus-kápolna közepén. Valamennyi bíboros a templom első részében gyülekezett, és most megfordulva bámultak rá. Robert Langdon az oltárnál állt egy televíziókészülék mellett, amely egy végtelenített felvételt játszott: a *camerlengo* felismerte a jelenetet, csak azt nem tudta elképzelni, hogyan vehették fel. Vittoria szomorú arccal állt Langdon mellett.

A *camerlengo* egy pillanatra becsukta a szemét, azt remélve, hogy csak hallucinál a morfiumtól, és ha ismét kinyitja a szemét, egészen más képet fog látni. De tévedett.

Tudják.

Különös módon, a *camerlengo* nem érzett félelmet. *Mutass nekem utat, Atyám. Add számba azokat a szavakat, amelyekkel eléjük tárhatom a látomásodat.*

De nem kapott választ.

Atyám, ahhoz már túl messzire mentünk el, mi ketten együtt, hogy most kudarcot valljunk.

Csend.

Nem értik, amit cselekedtünk.

A *camerlengo* nem tudta, kinek a hangját hallja a saját elméjében, de az üzenet világos volt.

És az igazság szabaddá tesz minket...

Így történt, hogy Carlo Ventresca *camerlengo* fölvetette a fejét, és úgy ment tovább a Sixtus-kápolna szentélyéig. Ahogy elhaladt a bíborosok mellett, még a gyertyák szórt fénye sem tudta meglágyítani a belé fúródó tekinteteket. *Magyarázd meg,* mondták az arcok. *Győzz meg minket, hogy alaptalanok a félelmeink!*

Az igazat, mondta magának a *camerlengo. Csakis az igazat.* Túl sok titkot rejtenek már ezek a falak... az egyik annyira sötét, hogy az őrületbe kergette a *camerlengót.* De az őrületből született meg a fény.

– Ha megadatna a lelketeknek, hogy milliókat mentsetek meg – mondta a *camerlengo*, miközben az oltár felé haladt –, megtennétek?

Az arcok a kápolnában csak bámultak rá. Senki sem mozdult. Senki sem szólalt meg. A falakon túl örömteli ének hangjai hallatszottak a Szent Péter térről.

A *camerlengo* közelebb lépett a bíborosokhoz. – Melyik a nagyobb bűn? Megölni az ellenséget? Vagy tétlenül nézni, ahogy megfojtják legnagyobb szerelmedet? – Énekelnek a Szent Péter téren! A *camerlengo* egy pillanatra megállt és felnézett a kápolna mennyezetére. Michelangelo Istene letekintett a sötét boltozatról... és elégedettnek tűnt.

– Nem tudtam többé félreállni – mondta a *camerlengo*. Még így, egészen közelről sem látta a megértés szikráját senki szemében. *Hát nem fogják fel tetteinek sugárzó egyszerűségét? Nem fogják fel, hogy végszükségben cselekedtem?*

Annyira tiszta volt minden.

Az Illuminátusok. A tudomány és a Sátán azonossága.

Ébreszd fel az ősi félelmet. Aztán roppantsd össze.

Rettegés és remény. Érd el, hogy újra higgyenek.

Ma éjszaka megint elszabadult az Illuminátusok hatalma... és dicsőséges volt a végkifejlet. Az apátia semmivé foszlott. A félelem úgy futott végig a világon, akár a villámcsapás, egyesítve az embereket. És aztán Isten nagysága legyőzte a sötétséget.

Nem nézhettem tovább tétlenül!

Az ihlet Istentől jött – jelzőtűzként lobbant fel a *camerlengo* kétségbeesésének éjszakájában. *Ó, ez a hitetlen világ! Valakinek meg kell váltania őket. Neked. Ki, ha nem te? Hogy életben*

maradtál, annak megvolt az oka. Mutasd meg nekik a régi démonokat. Juttasd eszükbe a félelmüket. Az apátia maga a halál. Sötétség nélkül nincsen fény sem. Gonosz nélkül nincsen jó. Állítsd őket választás elé. Sötétség vagy fény. Hol van a félelem? Hol vannak a hősök? Mikor, ha nem most?

A camerlengo a kápolna középső során haladt, egyenesen a bíborosok sokasága felé. Úgy érezte magát, mint Mózes, ahogy szétnyílt előtte az övek és kalapok vörös tengere, utat engedve neki. Robert Langdon az oltárnál kikapcsolta a televíziót, megfogta Vittoria kezét és lelépett az emelvényről. A camerlengo tudta: az, hogy Robert Langdon életben maradt, csak Isten akarata lehetett. Az Isten megmentette Robert Langdont. A camerlengo elgondolkodott rajta, hogy vajon miért.

A csöndet megtörő hang a Sixtus-kápolnában tartózkodó egyetlen nőtől származott. – Maga ölte meg az apámat? – kérdezte a lány előrelépve.

Amikor a camerlengo Vittoria Vetra felé fordult, nem egészen értette a lány arckifejezését – a fájdalmat igen, de a haragot? Az nem lehet, hogy a lány nem érti! Az apja lángelméje halálos veszélyt jelentett. Meg kellett őt állítani. Az emberiség érdekében.

– Megalkotta Isten művét – mondta Vittoria.

– Isten műve nem egy laboratóriumban készül. Hanem a szívekben.

– Az apám szíve tiszta volt! És a kutatásaival azt bizonyította, hogy…

– A kutatásai ismét bizonyították, hogy az ember agya gyorsabban fejlődik, mint a lelke! – A camerlengo hangja élesebb volt a kelleténél. Halkabbra fogta. – Ha egy olyan szellemi ember, mint az apja, olyan fegyvert tud létrehozni, mint amilyet ma este láttunk, akkor képzeljétek csak el, mihez kezd egy közönséges ember ezzel a technológiával.

– Egy olyan ember, mint ön?

A *camerlengo* vett egy mély lélegzetet. Hát nem érti? Az ember erkölcsisége nem halad olyan gyorsan, mint az emberi tudomány. Az emberiség még nem készült fel spirituálisan annak az erőnek a felhasználására, amelynek birtokában van. Soha nem alkottunk még úgy fegyvert, hogy ki ne próbáltuk volna. És ő akkor is tudta, hogy az antianyag semmi – csak egy újabb fegyver az ember ez idáig felhalmozott arzenáljában. Az ember már így is tud pusztítani. Az ember már régen megtanult ölni. És az anyja vére esőként hullott alá. Leonardo Vetra más okból volt veszélyes.

– Évszázadokon keresztül – mondta a *camerlengo* –, állt félre egyre inkább az egyház, miközben a tudomány apránként kikezdte a vallást. Leleplezte a csodákat. Pallérozta az elmét, amely legyőzte a szívet. A tömegek ópiumának bélyegezte a vallást. Hallucinációnak minősítette Istent... elképzelt mankónak, amelyre azoknak van szükségük, akiknek nincs elég erejük elfogadni az élet értelmetlenségét. Nem nézhettem tétlenül, ahogy a tudomány arra készült, hogy saját igájába fogja Isten erejét! Bizonyítékot követeltek? Igen, a tudomány bebizonyította saját tudatlanságát! Mi rossz van abban, ha elismerjük, hogy létezik valami, ami meghaladja az értelmünket? Azon a napon, amelyen a tudomány Isten helyébe lép a laboratóriumban, az embereknek nem lesz többé szükségük a hitre!

– Úgy érti, hogy attól a naptól nem lesz többé szükségük az egyházra? – vetette oda Vittoria, a *camerlengo* felé lépve.

– A kétely az önök utolsó menedéke. A kételkedés viszi önökhöz a lelkeket. Szükségünk van arra a tudásra, hogy az életnek értelme van. Az ember bizonytalansága és egy megvilágosodott lélek felé fordulása, aki megnyugvást ad neki, mind része egy mesteri tervnek. De nem az egyház az egyedüli megvilágosodott lélek ezen a földgolyón! Mindannyian Istent keressük, csak különböző utakon. Mitől fél? Attól, hogy Isten valahol másutt mutatja meg magát, és nem ezeken a falakon belül? Hogy az emberek a saját életükben is megtalálják őt, és hátat fordítanak az önök ósdi szertartásainak? A vallások fejlődnek! Az értelem válaszokat talál, és a szív megbirkózik az új igazságokkal. Az apám ugyanazt kereste, amit ön is! Egy párhuzamos ösvényen! Miért nem tudta ezt megérteni? Isten nem valami mindenható tekintély, aki lenéz ránk odafentről, és azzal fenyegetőzik, hogy egy tüzes lyukba vet bennünket, ha nem engedelmeskedünk. Isten nem más, mint az energia, amely az idegrendszerünk szinapszisain és a szívünk kamráin keresztül áramlik bennünk! Mindenben ott van Isten!

– Kivéve a tudományban – vágott vissza a *camerlengo*, és nem volt más a szemében, csak szánalom. – A tudomány természete szerint lélektelen. Elszakadt a szívtől. Az intellektuális csodák, mint az antianyag, úgy érkeznek meg erre a világra, hogy nem mellékelnek hozzájuk erkölcsi utasításokat. Ez már önmagában is veszélyes! Hát még amikor a tudomány úgy harangozza be istentelen vívmányait, mint a megvilágosodás útját! Válaszokat ígér az olyan kérdésekre, amelyekben éppen az a szép, hogy nincsen rájuk válasz. – Megrázta a fejét. – Nem.

Pillanatnyi csend támadt. A *camerlengót* hirtelen fáradtság fogta el, miközben viszonozta Vittoria hajthatatlan pillantását. Nem így tervezte el. Ez volna Isten végső próbatétele? Mortati törte meg a csendet. – A *preferiti* – mondta elborzadt suttogással. – Baggia és a többiek. Mondd azt, könyörgök, hogy nem te...

A *camerlengo* a bíboros felé fordult, meglepődve a hangjából érződő fájdalmon. De hát Mortatinak csak meg kellene értenie! Az újságok szalagcímei naponta adnak hírt a tudomány csodáiról. Mennyi ideig kapott ekkora jelentőséget a vallás? Évszázadokig? A vallásnak is csodákra volt szüksége. Valamire, ami felébreszti az alvó világot. Visszatéríti az embereket a helyes útra. Helyreállítja a hitet. A négy *preferiti* nem volt vezetőnek való – ők átalakítók voltak, olyan liberálisok, akik arra készültek, hogy keblükre öleljék az új világot, és hátat fordítsanak a régi utaknak! Ez volt az egyetlen lehetőség. Egy új vezető. Fiatal. Erős. Élénk. Csodálatos. A négy *preferiti* sokkal nagyobb szolgálatot tett az egyháznak a halálával, mint elevenen tettek volna. Rettegés és remény. Feláldozni négy lelket milliók megmentése érdekében. A világ az idők végezetéig mártírokként fog emlékezni rájuk. Az egyház nagyszerű emlékművön örökíti meg a nevüket. Hány ezren haltak már meg Isten dicsőségéért? Ők csak négyen voltak.

– A *preferiti* – ismételte meg Mortati.

– Osztoztam a fájdalmukban – védekezett a *camerlengo* a mellkasára mutatva. – És magam is kész vagyok meghalni Istenért, de az én munkám még csak most kezdődött. *Énekelnek a Szent Péter téren!*

A *camerlengo* látta az iszonyatot Mortati szemében, és ez

megint megzavarta. A morfium okozza? Mortati úgy nézett rá, mintha a *camerlengo* maga ölte volna meg azokat az embereket a puszta kezével. Istenért még ezt is megtenném, gondolta a *camerlengo*, de hát nem én tettem. Ezeket a Hasszasszin hajtotta végre – egy pogány lélek, akivel sikerült elhitetnem, hogy az Illuminátusoknak dolgozik. Én vagyok Janus, mondta magának a *camerlengo*. Be fogom bizonyítani a hatalmamat. És így is tettem. A Hasszasszin Isten eszközévé vált a gyűlöletével.

– Hallgassátok, hogyan énekelnek – mondta mosolyogva a *camerlengo*, a szívében ujjongva. – Semmi sem egyesíti úgy a szíveket, mint a gonosz jelenléte. Gyújts föl egy templomot, és a közösség felkel, összekapaszkodik és dacos himnuszokat énekelve újjáépíti. Nézzétek, hogy idegyűltek ma este. A félelem hazahozta őket. Alkoss modern démonokat a modern embernek. Elmúlt az apátia. Mutasd meg nekik a gonosz arcát... sátánisták ólálkodnak közöttünk, befurakodtak a kormányokba, a bankokba, az iskolákba, az a veszély fenyeget, hogy elpusztítják Isten legszentebb házát a félresiklott tudományukkal. Eluralkodott a romlottság. Most éberaknek kell lennünk. Keressétek a jóságot. Legyetek jók!

A beálló csendben a *camerlengo* azt remélte, hogy végre megértették. Az Illuminátusok nem jöttek fel a föld alól. Az Illuminátusok már rég kihaltak. Csak a legendájuk eleven. A *camerlengo* támasztotta fel az Illuminátusokat – mementóként. Akik ismerték az Illuminátusok történetét, azok felelevenítették a gonoszságukat. Akik nem ismerték őket, most döbbenten szembesültek vele, hogy mennyire vakok voltak. Föltámadtak az ősi démonok, hogy felrázzák a közönyös világot.

– De… a billogok! – Mortati hangját reszelőssé tette a harag. A *camerlengo* nem válaszolt. Mortati persze nem tudhatta, de a billogokat egy évszázaddal ezelőtt elkobozta az egyház. Elzárva tartották, feledésre ítélve és porlepetten, a pápai páncélteremben – a pápa saját széfjében, a Borgia-lakosztály mélyén. A pápa páncéltermében őrizték azokat a tárgyakat, amelyeket túlságosan veszélyesnek ítéltek ahhoz, hogy a pápán kívül más is láthassa őket.

Miért rejtették el azt, ami félelmet ébreszt? A félelem Istenhez tereli az embereket!

A páncélterem kulcsa pápáról pápára szállt. Carlo Ventresca *camerlengo* ellopta a kulcsát és bemerészkedett; csábító volt a legenda a széf kincseiről: a Biblia tizennégy kiadatlan könyvének eredeti kézirata, amelyet Apokrifek néven emlegetnek, Fatima harmadik próféciája, amelyből az első kettő már beteljesült, a harmadik pedig annyira félelmetes, hogy az egyház sohasem fogja felfedni. Ráadásnak a *camerlengo* megtalálta az illuminátus gyűjteményt – mindazt a titkot, amit az egyház felfedezett, miután kiűzték a testvériséget Rómából… a Megvilágosodás nevetséges ösvényét… a Vatikán vezető művészének, Bernininek ravasz csalását… Európa legnagyobb tudósainak a vallást kigúnyoló titkos összejöveteleit a Vatikán saját birtokán, az Angyalvárban. A gyűjteményhez tartozott egy ötszögletű ládika is a vasbillogokkal, köztük az Illuminátusok legendás gyémántjával. Ez volt az a része a Vatikán történetének, amelyről a régiek úgy gondolták, jobb lenne elfelejteni. A *camerlengo* azonban nem értett egyet velük.

– De az antianyag… – vonta kérdőre Vittoria. – Ön azt kockáztatta, hogy elpusztul a Vatikán!

– Nincsen ott kockázat, ahol Isten a te oldaladon áll – mondta a *camerlengo*. – Én az Ő ügyét képviseltem.

– Maga őrült! – háborgott a lány.

– Milliók menekültek meg.

– Embereket öltek!

– Lelkeket mentettem.

– Mondja ezt az apámnak és Max Kohlernek!

– A CERN arroganciáját le kellett leplezni. Egyetlen folyadékcsepp, ami félmérföldes körzetben mindent megsemmisít? És még én vagyok őrült? – A *camerlengo* érezte, hogy elhatalmasodik rajta a harag. Ezek azt hiszik, hogy neki annyira könnyű volt a dolga? – Annak, aki hisz, nehéz próbákat kell kiállnia Istenért! Isten azt kérte Ábrahámtól, hogy áldozza fel a saját gyermekét! Isten azt parancsolta Jézusnak, hogy viselje el a keresztre feszítést! És most itt van a szemünk előtt a keresztre feszítés szimbóluma. Véres, fájdalmas és gyötrelmes, hogy emlékeztessen bennünket a gonosz hatalmára. Hogy éberségre intse a szívünket! Hogy Jézus sebei örökké eszünkbe juttassák a sötétség hatalmát! A gonosz közöttünk van, de Isten erősebb nála!

Kiáltásait visszaverték a falak, azután mélységes csend borult a Sixtus-kápolnára. Mintha megállt volna az idő. Michelangelo *Utolsó ítélete* kísértetiesen derengett föl a *camerlengo* háta mögött... Jézus pokolra veti a bűnösöket. Mortati szemébe könnyek gyűltek.

– Mit tettél, Carlo? – kérdezte Mortati suttogva. Behunyta a szemét, és egy könnycsepp gördült le az arcán.

– Őszentsége?

Minden jelenlévőből egyszerre szakadt fel a fájdalmas sóhaj, mintha mostanáig megfeledkeztek volna róla. A pápáról, akit megmérgeztek.

– Hitvány hazudozó – mondta a camerlengo.

Mortati megrendült. – Miért mondod ezt? Igaz ember volt. És… szeretett téged.

– Én is őt. – Ó, mennyire szerettem! De az az árulás! Megszegte Istennek tett esküjét!

A camerlengo tudta, hogy most még nem értik ők, de hamarosan megértik. Ha elmondja nekik, ők is be fogják látni! Őszentsége a legalávalóbb csaló volt, akit az egyház valaha látott. A camerlengo tisztán emlékezett arra a borzalmas éjszakára. Vetra teremtő kutatásainak és az antianyag rettentő erejének hírével tért vissza a CERN-ben tett látogatásáról. A camerlengo bizonyos volt abban, hogy a pápa felismeri a veszélyeket, de a Szentatya reménytelinek látta Vetra felfedezését. Egyenesen azt javasolta, hogy a Vatikán nyújtson anyagi támogatást Vetra munkájához, kimutatván jóindulatát a tudományos kutatáson alapuló spiritualitás iránt.

Őrület! Az egyház pénzeli azt a kutatást, amely az egyház elsorvasztásával fenyeget! A tömegpusztító fegyverek előállításának munkáját! A bombát, amely megölte az anyját…

– De… ezt nem teheti! – kiáltott fel a camerlengo.

– Sokkal tartozom a tudománynak – válaszolta a pápa. – Valamiért, amit egész életemben eltitkoltam. Még fiatal koromban nagy ajándékot kaptam a tudománytól. Amit azóta sem felejtettem el.

– Nem értem. Mit adhatott a tudomány az Isten emberének?

– Bonyolult – mondta a pápa. – Idő kell hozzá, hogy elmagyarázzam neked. Először is, van egy egyszerű dolog, amit tudnod kell rólam. Amit sok-sok éven át eltitkoltam. Azt hiszem, itt van az ideje, hogy elmondjam neked.

És ekkor a pápa közölte vele a döbbenetes igazságot.

132

A camerlengo összegömbölyödve feküdt a földes padlón Szent Péter sírja előtt. A Necropolis hideg volt, de a hidegben legalább megalvadt a saját testén szaggatott sebekből szivárgó vér. Őszentsége itt nem talál rá. Senki sem találhat rá...

– Bonyolult – visszhangzott a pápa hangja a fejében. – Idő kell hozzá, hogy elmagyarázzam neked...

De a camerlengo tudta, hogy nincs a világon annyi idő, amennyi alatt ezt meg lehetne magyarázni.

Hazudozó! Én hittem benned! ISTEN hitt benned!

A pápa egyetlen mondatával porrá zúzta a camerlengo egész világát. Mindaz, amit eddig a mentoráról hitt, a szeme előtt foszlott semmivé. Az igazság olyan erővel fúródott a camerlengo szívébe, hogy kitántorogva a pápa irodájából, hánynia kellett a folyosón.

– Várj! – kiáltotta az utánasiető pápa. – Engedd, hogy megmagyarázzam!

De a camerlengo elrohant. Hogyan képzelheti Őszentsége,

hogy még többet is el bírna viselni? Ó, milyen nyomorult hitványság! És mi lesz, ha valaki rájön? Mekkora gyalázatot hozna az egyházra! Hát a pápa szent esküje semmit sem ér? Sebesen jött az őrület, addig sikoltozott a fülében, míg végül Szent Péter sírja előtt tért magához. Ekkor jelent meg neki Isten ádáz haragjában.

ÉN VAGYOK A TE BOSSZÚÁLLÓ ISTENED!

Együtt szőtték a tervet. Együtt készültek megvédelmezni az egyházat. Együtt készültek új hitet adni ennek a hitetlen világnak. Eluralkodott a gonosz. A világnak mégis védettnek kell lennie tőle! Együtt fogják leleplezni a sötétség erőit a világ szeme előtt... és Isten győzni fog! Rettegés és remény. És a világ újra hinni fog!

Isten első próbatétele nem is volt annyira borzasztó, mint a *camerlengo* elképzelte. Belopózni a pápa hálószobájába... megtölteni a fecskendőt... befogni az áruló száját, miközben a teste görcsös vonaglásokkal megadja magát a halálnak. A *camerlengo* látta a hold fényénél a pápa vadul forgó szemén, hogy mondani akar valamit.

De már késő volt.

A pápa már eleget mondott.

133

– A pápa gyermeket nemzett.

A *camerlengo* rezzenéstelenül állt a Sixtus-kápolnában, miközben kimondta ezeket a szavakat. Négy szót mindössze, amely döbbenetes hatást tett. Az egész gyülekezet egy emberként hőkölt hátra. A bíborosok vádló arckifejezése elborzadt tekintetnek adta át helyét, mintha mindenki azért imádkozna a teremben, hogy a *camerlengo* tévedésben legyen.

A pápa gyermeket nemzett.

Langdon érezte, hogy őt is megrendíti a közlés. Vittoria keze megrándult az övében, miközben Langdon agya, amelyet már elkábítottak a megválaszolatlan kérdések, kétségbeesetten keresett valamit, amiben megkapaszkodhat.

A *camerlengo* bejelentése mintha örökre ott akart volna visszhangozni a fejük felett a levegőben. Langdon még a *camerlengo* őrülettől lángoló szemében is tisztán látta a szilárd meggyőződést. Szeretett volna kikapcsolni, eltávolodni, meggyőzni önmagát, hogy ez csak egy lidérces álom, amelyből hamarosan felébred a józan világra.

– Ez csak hazugság lehet! – üvöltötte az egyik bíboros.

– Nem hiszem el! – tiltakozott egy másik. – Őszentsége egész életében jámbor ember volt!

Utánuk Mortati szólalt meg, hangját erőtlenné tette a kétségbeesés. – Barátaim, a *camerlengo* igazat mondott.

Valamennyi kardinális úgy rándult össze, mintha Mortati valami obszcén dolgot kiáltott volna. – A pápa valóban nemzett egy gyermeket.

A bíborosok elsápadtak az iszonyattól.

A *camerlengo* csak ámuldozott. – Te tudtad? De… honnan tudhattál róla?

Mortati felsóhajtott. – Amikor Őszentségét megválasztották… én voltam az ördög ügyvédje.

Mindenki eltátotta a száját.

Langdon megértette. Ez azt jelentette, hogy a bejelentés nagy valószínűséggel igaz. A hírhedt *ördög ügyvédje* az a hatóság volt, amely elé a botrányos információk kerültek a Vatikánon belül. A választások előtt egyetlen bíboros – az *ördög ügyvédje*, akinek az volt a dolga, hogy feltárja azokat az okokat, amelyek miatt a jelölt nem választható pápává – titkos információszerzést folytatott a kiválasztott bíboros múltjáról. Az *ördög ügyvédjét* még az előző pápa választotta ki jóval korábban, a saját halálára tett előkészületek részeként. Az *ördög ügyvédje* sohasem fedte fel a kilétét. Mostanáig.

– Én voltam az *ördög ügyvédje* – ismételte meg Mortati. – Így derítettem ki.

Mindenkinek leesett az álla. Semmi kétség: olyan éjszaka volt ez, amelyen minden törvény érvényét veszti.

†††

A *camerlengo* érezte, hogy a szívét betölti a harag. – És te...
nem mondtad el senkinek?

– Szembesítettem vele Őszentségét – mondta Mortati. –
És ő bevallotta. Elmagyarázta az egész históriát, és csak any-
nyit kért, hogy hallgassak a szívemre, amikor döntök abban,
hogy leleplezzem-e a titkát.

– És a szíved azt súgta, hogy hallgasd el ezt az értesülést?

– Ő volt a legesélyesebb jelölt a pápaságra. Az emberek sze-
rették. A botrány sokat ártott volna az egyháznak.

– De gyermeket nemzett! Megszegte a cölibátus szent es-
küjét! – A *camerlengo* most már visított. Az anyja hangját vél-
te hallani: *az Istennek tett fogadalom a legfontosabb minden fo-
gadalom között. Sohase szegd meg azt, amit Istennek ígértél.*

– A pápa megszegte az esküjét!

Mortati magánkívül volt dühében. – Carlo, az ő szerel-
me... tiszta volt. Nem szegte meg az esküjét. Hát nem ma-
gyarázta el neked?

– Mit kellett volna elmagyarázni? – A *camerlengo* emléke-
zett rá, hogyan rohant ki a pápa irodájából, miközben a pápa
utánakiáltott: *engedd, hogy megmagyarázzam!*

Mortati lassan, szomorúan elmesélte a történetet. Sok év-
vel ezelőtt a pápa, aki akkor még csak egyszerű pap volt, bele-
szeretett egy fiatal apácába. Mindketten cölibátust fogadtak,
és még csak fel sem merült bennük, hogy megszegjék az Is-
tennel kötött szerződésüket. Ám ahogy egyre erősebb lett
a szerelmük, jóllehet ellen tudtak állni a test kísértéseinek,
úgy fedezték fel, hogy vágynak valamire, ami sohasem lehet az
övék – részesülni szeretnének az isteni teremtés legnagyobb
csodájában. Gyermekre vágytak. Egy saját gyermekre. A vá-

gyakozás idővel elhatalmasodott rajtuk, különösen az apácán. De Isten mindkettőjüknek előbbre való volt. Egy év elteltével, amikor a beteljesületlen vágy már szinte elviselhetetlenné vált, az apáca lázas izgalomban kereste fel a papot. Olvasott egy cikket a tudomány egyik legújabb csodájáról – egy eljárásról, amelynek révén két embernek úgy is lehet gyermeke, hogy sohasem volt közöttük szexuális kapcsolat. Az apáca úgy érezte, hogy Isten küldte ezt a jelet. A pap látta az örömet a szemében, és beleegyezett. Egy év múlva a nőnek gyermeke született – hála a mesterséges megtermékenyítés csodájának.

– Ez nem lehet... igaz – mondta a *camerlengo*. Pánikba esett, és már csak azt remélhette, hogy a morfium játszik az érzékeivel. Nyilvánvaló, hogy hallucinál.

Mortatinak könnyes lett a szeme. – Carlo, ez volt az oka annak, hogy Őszentsége mindig jó szívvel volt a tudomány iránt. Úgy érezte, hogy adósa a tudománynak. A tudomány tette lehetővé számára, hogy átélhesse az apaság örömeit anélkül, hogy megsértené a cölibátus fogadalmát. Őszentsége elmondta nekem, hogy nem bánt meg semmit, csak azt sajnálja, hogy előrehaladása az egyházi ranglétrán megakadályozta, hogy a szeretett nő mellett maradjon és láthassa felnőni a gyermekét.

Carlo Ventresca *camerlengo* érezte, hogy visszatér az őrület. Szeretett volna saját húsába tépni. *Honnan tudhattam volna?*

– A pápa nem követett el bűnt, Carlo. Tiszta maradt.

– De... – A *camerlengo* észérvek után kutatott zaklatott elméjében. – Gondolj a kockázatra... a lehetséges következményekre. – Érezte, hogy erőtlen a hangja. – Mi történik, ha színre lép az a cafka? Vagy, Isten ne adja, a gyermeke? Képzeld el, milyen szégyent hozott volna az egyházra.

Mortati hangja megremegett. – A gyermek már színre is lépett.

Mindenki megdermedt.

– Carlo... – motyogta Mortati. – Őszentsége gyermeke... te vagy.

Abban a pillanatban a *camerlengo* úgy érezte, hogy elhamvad a hit tüze a szívében. Remegve állt az oltárnál, Michelangelo fölébe tornyosuló *Utolsó ítélete* előtt. Tudta, hogy magába a pokolba tekintett bele. Kinyitotta a száját, hogy mondjon valamit, de reszkető ajkait cserbenhagyták a szavak.

– Hát nem érted? – hörögte Mortati. – Ezért ment el hozzád gyerekkorodban Őszentsége a palermói kórházba. Ezért vett maga mellé és nevelt fel. Az az apáca, akit szeretett, Maria volt... az anyád. Kilépett a zárdából, hogy nevelhessen, de azután is Isten hű szolgálóleánya maradt. Amikor a pápa értesült arról, hogy életét vesztette egy robbantásban, amelyet te, a fia, csodás módon túléltél... megesküdött Istennek, hogy soha többé nem hagy magadra. Carlo, a te mindkét szülőd szűz volt. Megtartották Istennek tett fogadalmukat. Ám annak is megtalálták a módját, hogy téged világra hozzanak. Te voltál az ő csodagyermekük.

A *camerlengo* bedugta a fülét, hogy ne kelljen hallania ezeket a szavakat. Bénultan állt az oltárnál. Azután, hogy az egész világ összeomlott benne, kétségbeesetten térdre vetette magát és nyüszített kínjában.

Másodpercek. Percek. Órák.

Az idő mintha értelmét veszítette volna a kápolna négy fala között. Vittoria érezte, hogy lassan kiszakad abból a dermedt állapotból, amely valamennyiüket lenyűgözte. Elengedte Langdon kezét és elindult a bíborosok sorai között. A kápolna ajtaja mintha mérföldekre lett volna, és ő úgy érezte magát, mint aki a víz alatt próbál előrehaladni... lelassult mozdulatokkal.

Ahogy a reverendák között manőverezett, a mozgása mintha a többieket is felrázta volna bénult állapotukból. A bíborosok egy része imádkozni kezdett. Mások sírtak. Voltak, akik Vittoria után fordultak, és ahogy egyre közelebb ért az ajtóhoz, az üres tekinteteket fokozatosan aggodalmas felismerés váltotta föl. A lány már csaknem a gyülekezet utolsó csoportjánál járt, amikor egy kéz megfogta a karját. Az érintés gyenge volt, de határozott. Vittoria megfordult, és szembetalálta magát az egyik kardinális aszott arcával. Félelem ült az öregember szemében.

– Ne – suttogta a férfi. – Nem teheti.

Vittoria hitetlenkedve bámult rá.

Már egy másik bíboros is hozzá lépett. – Meg kell gondolnunk, mielőtt cselekszünk.

– Akkora fájdalmat okozhatunk ezzel... – mondta egy harmadik.

Közrefogták Vittoriát. A lány csodálkozva nézett végig rajtuk. – De olyan dolgok történtek itt ma... a világnak feltétlenül meg kell tudnia az igazságot.

– Szívem szerint egyetértek – mondta az aszott kardinális, még mindig nem engedve el Vittoria karját. – De ez az út, amelyről nincsen visszatérés. Tekintettel kell lennünk a megcsúfolt reményekre. A cinizmusra. Ezek után hogyan tudnának újra bízni az emberek?

Egyszerre még több bíboros állta el az útját. Reverendák fala emelkedett előtte. – Hallgassa csak az embereket a téren – mondta az egyik. – Milyen hatással lenne ez a szívekre? Körültekintően kell eljárnunk.

– Gondolkoznunk és imádkoznunk kell – mondta egy másik. – Előrelátóan kell cselekednünk. A következmények...

– Megölte az apámat! – kiáltotta Vittoria. – Megölte a saját apját!

– Bizonyos vagyok abban, hogy meg fog fizetni a bűneiért – mondta szomorúan a karját fogó bíboros.

Ebben Vittoria is bizonyos volt, és a maga részéről mindent meg akart tenni ezért. Megpróbált az ajtó felé furakodni, de a kardinálisok ijedt arccal közelebb nyomultak.

– Mit akarnak tenni? – követelte Vittoria. – Megölnek?

Az öregemberek elsápadtak, és Vittoria azon nyomban megbánta a szavait. Látta, hogy ezek itt jólelkű emberek. Már túl sok erőszak történt ma este. Nem fenyegetőzni akarnak. Egyszerűen csak csapdába estek. Rémültek. Szeretnék megőrizni a méltóságukat.

– Én azt akarom tenni – mondta az aszott bíboros –, ami helyes.

– Akkor engedje el – szólalt meg egy mély hang a háttérből. Nyugodtan, de eltökélten beszélt. Robert Langdon odalépett Vittoria mellé, és megfogta a lány kezét. – Ms. Vetra és én most távozunk a kápolnából.

A bíborosok habozva, bizonytalanul utat engedtek nekik.

– Várjanak! – szólt utánuk Mortati. Elindult feléjük a középső utcában, magára hagyva az oltárnál a megsemmisült *camerlengót*. Mortati egyszerre öregebbnek, megviseltebbnek látszott a koránál. A szégyen rettentő súllyal nyomta a vállát. Odaérve átkarolta Langdont és Vittoriát. Vittoria őszintének érezte a mozdulatát. Az öregember szemében könnyek ragyogtak.

– Természetesen szabadon elmehetnek – mondta Mortati. – Természetesen. – Elhallgatott, a szomorúsága szinte tapintható volt. – Csak annyit kérek... – egy hosszú másodpercig a földet nézte a lába előtt, majd újra Vittoriára és Langdonra emelte a tekintetét. – Engedjék, hogy én tegyem meg. Most rögtön kimegyek a térre, és megtalálom a módját. Elmondom nekik. Azt még nem tudom, hogyan... de megtalálom a módját. Az egyház vallomásának belülről kell jönnie. Nekünk magunknak kell napvilágra hozni a kudarcainkat.

Mortati keserűen fordult vissza az oltár felé. – Carlo, katasztrofális helyzetbe hoztad az egyházat. – Elhallgatott, és körülnézett. Az oltár üres volt.

A kápolna oldalfala mentén ruhasuhogás hallatszott, majd kinyitottak egy ajtót.

A *camerlengo* eltűnt.

134

entresca *camerlengo* fehér csuhája lobogott, ahogy a Sixtus-kápolnából kifelé menet végighaladt a folyosón. A svájci testőrök zavartan bámulták, ahogy teljesen egyedül távozik a kápolnából, közölve velük, hogy szüksége van egy pillanatnyi magányra. De engedelmeskedtek neki, és továbbengedték.

Amint befordult a sarkon és eltűnt szem elől, a *camerlengót* az érzelmek olyan örvénye ragadta magával, amelyről sosem hitte volna, hogy ember valaha is átélheti. Megmérgezte azt a férfit, akit ő „Szentatyának" nevezett, és aki „fiamnak" szólította őt. A *camerlengo* mindig úgy gondolta, hogy az „atya" és a „fiú" megszólítás vallási hagyomány, de most már tudta, az ördögi igazságot – ezek a kifejezések a szó szoros értelmében szerepeltek.

Akár azon a végzetes éjszakán, hetekkel ezelőtt, a *camerlengo* most is azon kapta magát, hogy őrülten bolyong a sötétségben.

Másnap reggel, amikor a Vatikán személyzete bekopogott a *camerlengo* ajtaján, hogy felébressze zaklatott álmából, esett az eső. A pápa, mondták neki, nem nyit ajtót, és nem veszi föl a telefont. A klérus meg van rémülve. A *camerlengo* volt az egyetlen személy, aki bejelentés nélkül léphetett be a pápa magánlakosztályába.

A *camerlengo* tehát egyedül ment be a hálószobába, ahol úgy találta a pápát, ahogyan előző éjjel otthagyta: görcsbe rándulva, holtan feküdt az ágyában. Őszentsége arca olyan volt, mint a Sátáné. A nyelve fekete, mint a halál. Maga az ördög aludt a pápa ágyában.

A camerlengo nem érzett megbánást. Isten akarta így. Senki sem tudhatja meg az árulást... még nem. Annak majd később jön el az ideje.

Közölte a rettenes hírt: Őszentsége szélütésben elhunyt. Ezután a camerlengo megkezdte a felkészülést a konklávéra.

Anyja, Maria hangja sugdosott a fülében. – Sose szegd meg az Istennek tett ígéretedet.

– Hallak, anyám – válaszolta a camerlengo. – Hitetlen világ ez. Vissza kell téríteni őket a helyes útra. Rettegés és remény. Ez az egyetlen módja.

– Igen – felelte az asszony. – Ki, ha nem te? Ki más vezetné ki az egyházat a sötétségből?

A négy preferiti biztosan nem. Ők már öregek... élőhalottak... liberálisok, akik az előző pápa követőiként, az ő emlékére támogatnák a tudományt, és elhagyva a régi utakat, modern híveket keresnének. Öreg emberek, akik szánalomra méltóan megpróbálnak úgy tenni, mintha haladnának a korral. Természetesen kudarcot vallanának. Az egyház ereje a hagyományban rejlik, nem a változásban. Az egész világ átalakulóban van. Az egyháznak nem kell megváltoznia, pusztán emlékeztetnie kell a világot arra, hogy tanítása még mindig érvényes! Létezik a gonosz! De Isten legyőzi! Az egyháznak vezetőre van szüksége. Öreg emberek nem lelkesítenek. Jézus lelkesített! Fiatal volt, erős és élettel teli... csodálatos.

– Parancsoljanak teát – mondta a *camerlengo* a négy *preferitinek* a konklávé előtt, magukra hagyva őket a pápa magánkönyvtárában. – Rövidesen megérkezik a kísérőjük.

A bíborosok megköszönték: valamennyien izgatottak voltak, hogy módjuk lesz belépni a híres *Passettóba*. Ritka alkalom! A *camerlengo*, mielőtt elbúcsúzott volna tőlük, belülről kinyitotta a Pasetto zárjait, és pontosan a megbeszélt időben feltárult az ajtó: egy idegennek tűnő pap fáklyával a kezében beterelte a négy izgatott *preferitit*.

Soha nem tértek vissza.

Ők jelentik a rettegést. És én leszek a remény.

Nem... én a rettegés vagyok.

A *camerlengo* már a Szent Péter-székesegyház sötétjében botladozott. Valamiképp, az őrület és a bűnbánat, az apjáról őrzött képek, a fájdalom és a felismerés, sőt a morfium bódító hatása révén... eljutott az átható világosságig. A sorsa tudatosításáig. Tudom, mi a célom, gondolta, elámulva saját tisztánlátásán.

A mai este kezdetétől fogva semmi nem ment úgy, ahogyan eltervezte. Előre nem látható akadályok merültek fel, de a *camerlengo* alkalmazkodott hozzájuk, merész húzásokkal változtatva az eredeti elképzeléseken. De azt soha nem gondolta volna, hogy így ér majd véget ez az éjszaka, ám immáron felismerte benne a nagyszabású eleve elrendelést.

Nem végződhetett másképp.

Ó, micsoda rémület fogta el a Sixtus-kápolnában, amikor azt érezte, hogy Isten cserbenhagyta! Ó, micsoda tettek!

Ő rendelte így! A *camerlengo* kételyektől gyötörve hullott térdre, feszülten fülelt Isten hangjára, de csak süket csöndet hallott. Egy jelért könyörgött. Támogatásért. Iránymutatásért. Ez volt Isten akarata? A botrány és a gyalázat, amely elpusztítja az egyházat? Nem! Isten akarta mindazt, amit a *camerlengo* tett! Vagy nem?

És akkor meglátta. Ott volt az oltáron. Egy jel. Az isteni megnyilatkozás – valami mindennapi, ami most rendkívüli fényben tűnt föl. A kereszt. Egy szerény fakereszt. És Jézus a kereszten. Abban a pillanatban egyszerre minden világossá vált... a *camerlengo* nem volt egyedül. És soha többé nem lesz egyedül.

Ez volt az Ő akarata... ez volt a szándéka vele.

Isten mindig is nagy áldozatokat követelt azoktól, akiket a legjobban szeretett. Miért tartott ilyen sokáig, hogy ezt megértse? Túlságosan félt? Túlságosan szerény volt? Mindegy. Isten megtalálta a módját. A *camerlengo* most már azt is értette, miért menekült meg Robert Langdon. Hogy ráébressze az igazságra. Hogy kikényszerítse ezt a véget.

Ez az egyetlen mód az egyház megváltására!

A *camerlengo* könnyűnek érezte magát, miközben leereszkedett a *palliumok* fülkéjébe. A morfium hatása egyre erősebb lett, de tudta, hogy már Isten vezeti a lépteit.

A messzeségből ide szűrődött a bíborosok kaotikus lármája, amint kizúdulnak a kápolnából, és parancsokat kiáltanak a svájci testőrségnek.

Úgysem fognak rátalálni. Csak amikor már késő lesz.

A *camerlengo* úgy érezte, mintha vonzaná valami... gyorsabban... leereszkedett a lépcsőn a föld alá süllyesztett térségbe, ahol ragyogó fényt árasztott a 99 olajmécses. Isten visszaadja őt a megszentelt földnek. A *camerlengo* a Necropolisba levezető aknát fedő rostély felé tartott. A Necropolisban fog véget érni ez az éjszaka. Odalent, a szent sötétségben. Fölemelt egy olajmécsest, és felkészült az alászállásra.

De ahogy a *camerlengo* átvágott a fülkén, megtorpant útjában. Valami nem hagyta nyugodni. Hogyan szolgálná ezzel Istent? Ezzel a magányos és néma véggel? Jézus az egész világ színe előtt szenvedett. A *camerlengo* az ő Istenének hangjára fülelt, de csak a kábítószer érzékeket elködösítő zúgását hallotta.

– Carlo! – Az anyja szólította. – Istennek tervei vannak veled.

Az összezavarodott *camerlengo* továbbhaladt.

És akkor, minden előzetes figyelmeztetés nélkül, megjelent Isten.

A *camerlengo* ámultan megállt. A 99 olajmécses fénye a mellette lévő márványfalra vetítette a *camerlengo* árnyékát. Óriási volt és félelmetes. Aranyló fénnyel körülvett homályos alak. A reszkető lángok ölelésében úgy tetszett, mintha a *camerlengo* angyallá változva emelkedne a mennyekbe. Állt ott egy pillanatig, fölemelt karral, a saját árnyképét bámulva. Azután megfordult, és fölnézett a lépcsőre.

Isten szándéka kristálytiszta volt.

Három percen át zajlottak a kaotikus események a Sixtus-kápolna előtti folyosón, de a *camerlengónak* nyomát sem látta senki. Mintha elnyelte volna az éjszaka. Mortati már azon volt, hogy elrendelje az egész Vatikánváros átkutatását, amikor örömujjongás tört ki a Szent Péter téren. A spontán ünneplés nagy kavarodást idézett elő a tömegben. A kardinálisok ijedt pillantásokat váltottak egymással.

Mortati lehunyta a szemét. – Isten irgalmazzon nekünk.

Aznap este már másodízben, a bíborosok kollégiuma kiözönlött a Szent Péter térre. Langdont és Vittoriát is elsöpörte a kardinálisok kirajzó tömege, és ott találták magukat a szabad levegőn az éjszakában. A média reflektorai és kamerái mind a székesegyház felé fordultak. A hatalmas homlokzati fal közepén elhelyezett szent pápai balkonra éppen az imént lépett ki Carlo Ventresca *camerlengo*, és most ott állt, a menynyek felé emelve karját. Még ilyen messziről nézve is testetlen jelenésnek tűnt. Szellemalaknak. Fehérbe öltözötten. Fénnyel elárasztva.

Az energia úgy csapott fel a téren, akár egy tarajos hullám, és átszakította a svájci testőrség barikádjait. A tömeg euforikus emberáradatként özönlött a bazilika felé. A sokaság előrezúdult – az emberek sírtak, kiabáltak, énekeltek, a média kamerái villogtak. Pokoli zűrzavar támadt. Ahogy a sokadalom körülfolyta a bazilika homlokzatát, a káosz nőttön-nőtt, amíg már úgy tűnt: többé semmi sem állíthatja meg.

Ám valami mégis megállította.

Odafönt a magasban a *camerlengo* tett egy apró mozdulatot. Összekulcsolta a kezét maga előtt. Aztán hangtalan imába kezdve lehajtotta a fejét. Előbb egyenként, majd tízesével, majd százasával az emberek is követték a példáját, és fejet hajtottak.

A tér elnémult... mintha varázslat nyűgözné.

658

A *camerlengo* zaklatott és kába elméjében reménység és bánat kavargott, miközben imádkozott: – ... bocsáss meg nekem, Atyám... Anyám... malaszttal teljes... te vagy az egyház... te talán megérted egyszülött fiad áldozatát. Ó, édes Jézusom... szabadíts meg minket a pokol tüzétől... végy magadhoz minden lelket a mennyországban, de különösen azokat, akiknek a legnagyobb szükségük van a könyörületedre...

A *camerlengo* nem nyitotta ki a szemét, hogy lássa odalent a sokaságot, a televíziós kamerákat, a rá figyelő világot. Csukott szemmel is érezte a lelkében. Még kínjai közepette is szédítő volt a pillanat egysége. Mintha egy összekapcsolódó hálót vetettek volna ki minden irányban a földgolyón. Az otthonokban az egész világ egy emberként imádkozott a tévékészülékek előtt. Akár egy óriási agynak az ingerületet egymásnak továbbító szinapszisai, úgy folyamodtak Istenhez az emberek, több tucat nyelven, több száz országban. Újonnan alkotott szavakat suttogtak, amelyek mégis olyan ismerősen csengtek a fülükben, mint saját hangjuk... ősrégi igazságok... belevésődtek a lélekbe.

Öröknek tűnt az összhang.

Ahogy megtört a csend, újra felszárnyaltak az örömteli énekhangok.

Tudta, hogy eljött a pillanat.

Isteni Szentháromság, Neked ajánlom fel a legdrágább húst, vért és lelket... jóvátételül az erőszakért, a szentségtörésért és a közönyért...

A *camerlengo* már érezte a fizikai fájdalom közeledtét. Úgy terjedt szét a bőrén, akár a pestis, arra ösztökélve, hogy saját testét szaggassa, mint hetekkel ezelőtt, amikor először jelent

meg neki Isten. *Ne felejtsd el, milyen szenvedéseket állt ki Jézus.*
Már ott érezte a torkában maró gőzét. Még a morfium sem
volt képes eltompítani. *Ezzel végzem be művemet.*
Enyém a rettegés. Övék a remény.

A *palliumok* fülkéjében a *camerlengo* Isten akaratát követve
bekente olajjal a testét. A haját. Az arcát. A vászoncsuháját.
A bőrét. A mécsesek megszentelt, csípős olajában fürdött.
Édes volt az illata, mint az anyjáé, de égetett. Könyörületes
mennybemenetel lesz az övé. Csodálatos és gyors. És nem
hagy maga után botrányt… csak újult erőt és csodát.

Becsúsztatta a kezét a csuhája zsebébe, ujjai ráfonódtak
a kis, arany öngyújtóra, amelyet a *Pallium incendiarió*jából
hozott magával.

Elsuttogott egy szakaszt a *Bírák könyvéből*. …*mikor a láng
felcsapott az oltárról az ég felé, az oltár lángjában felszállott az
Úrnak angyala.*

Rányomta a hüvelykujját.

Énekelnek a Szent Péter téren…

A látomást, amelynek a világ tanúja volt, soha senki nem
fogja elfelejteni.

Odafönt, a balkon magasában, mint a földi porhüvely
kötélekeiből kiszabaduló lélek, halotti máglya lobbant ki
a *camerlengo* testéből. A tűz fölfelé terjedt, azonnal lángba bo-
rítva egész alakját. A *camerlengo* nem sikoltozott. A feje fölé
emelte a karját és feltekintett a mennyekbe. Tombolt körülöt-
te a tűzvész, és tetőtől talpig fényoszlopba zárta. Úgy tűnt,
soha nem akar már lelohadni, miközben az egész világ erre

a látványra szegezte a tekintetét. A láng egyre fényesebben lobogott. Azután fokozatosan csillapodni kezdett a hevessége. A *camerlengo* eltűnt. Vagy összeesett a balusztrád takarásában, vagy porrá égve megsemmisült a levegőben. Senki sem tudta. Nem maradt utána más, csak egy füstfelhő, amely az ég felé kígyózott Vatikánváros felett.

135

Rómában későn érkezett a hajnal.

Egy viharos eső kisöpörte a tömeget a Szent Péter térről. A média képviselői még ott maradtak, esernyők alatt vagy a közvetítőkocsikban meghúzódva kommentálták az előző esti eseményeket. Az egész világon zsúfolásig megteltek a templomok... vallástól függetlenül. Egymást érték a kérdések, ám a válaszok csak még súlyosabb kérdéseket vetettek föl. A Vatikán mind ez idáig néma maradt, nem adott ki semmilyen nyilatkozatot.

A mélyben, a Vatikán altemplomában, Mortati bíboros egyedül térdelt a nyitott szarkofág előtt. Belenyúlva a koporsóba, összecsukta az öregember megfeketedett száját. Őszentsége most megbékéltnek látszott. *Nyugodjék békében az idők végezetéig.* Mortati lábánál egy hamvakkal teli aranyurna állt. Mortati maga gyűjtötte össze a hamvakat, hogy idehozza őket. – Hogy módod legyen megbocsátani – mondta Őszentségének, miközben elhelyezte az urnát a pápa mellett, a szarkofágban. – Nincs nagyobb szeretet, mint amelyet az atya érez az ő fia iránt.

– Mortati elrejtette az urnát a pápa ornátusa alatt. Tudta, hogy ez a szent altemplom kizárólag a pápa földi maradványainak van fenntartva, mégis így látta helyesnek.

– Signore? – szólították, és valaki belépett az altemplomba. Chartrand hadnagy volt az. Három svájci testőr kísérte.

– A konklávé már várja önt.

Mortati bólintott. – Egy pillanat. – Vetett még egy utolsó pillantást a szarkofágra, azután fölállt. A testőrökhöz fordult. – Itt az ideje, hogy átengedjük Őszentségét a megérdemelt nyugalomnak.

A testőrök előreléptek, és minden erejüket megfeszítve visszatolták a pápa szarkofágjának fedelét. A márványlap menynydörgő robajjal, végérvényességet sugallva csapódott a helyére.

Mortati egyedül vágott keresztül a Borgia-udvaron a Sixtuskápolna felé. Nyirkos szél cibálta a reverendáját. Az Apostoli Palotából egy kardinális társa lépett ki, és csatlakozott hozzá.

– Megengeded, hogy melléd szegődjem és elkísérjelek a konklávéra, signore?

– Megtisztelsz vele.

– Signore – kezdte a mondókáját a bíboros zavart arckifejezéssel. – A kollégium bocsánatkéréssel tartozik neked a tegnapi éjszakáért. Elvakított minket a…

– Kérlek – válaszolta Mortati. – Az elménk néha olyasmit láttat velünk, amit a szívünk igaznak szeretne hinni.

A kardinális sokáig hallgatott. Végül megszólalt. – Közölték már veled? Mostantól nem te vagy a Nagy Választó.

Mortati elmosolyodott. – Igen. Hálás vagyok Istennek az apró kegyekért.

– A kollégium ragaszkodott ahhoz, hogy rád is lehessen szavazni.

– Úgy látszik, még nem veszett ki a jótékonyság az egyházból.

– Bölcs ember vagy. Jó vezetőnk lennél.

– Öregember vagyok. Rövid ideig vezetnélek benneteket. Mindketten elnevették magukat.

Amikor elérték a Borgia-udvar végét, a bíboros elbizonytalanodott. Majd a legteljesebb értetlenséggel az arcán fordult Mortati felé, mintha a tegnapi éjszaka kétes csodái lopakodtak volna vissza a szívébe.

– Tudtad – suttogta a bíboros –, hogy nem találtunk maradványokat a balkonon?

Mortati mosolygott. – Talán az eső elmosta őket.

A férfi fölnézett a viharos égre. – Igen, talán…

136

A délelőtti eget még mindig nehéz felhők borították, amikor a Sixtus-kápolna kéményéből felszállt az első kis fehér füstgomoly. A gyöngyszínű foszlányok fölfelé tekeregtek, majd lassan szétoszlottak.

Messze odalent, a Szent Péter téren Gunther Glick némán merengve figyelte. Az utolsó fejezet…

Chinita Macri hátulról közeledett a riporter felé, vállán egyensúlyozva a kameráját. – Idő van – mondta.

Glick szomorúan bólintott. Szembefordult a kolléganőjével, hátrasimította a haját és vett egy nagy levegőt. Az utolsó adásom, gondolta. Kisebb tömeg gyűlt köréjük és bámulta őket.

– Élő adás hatvan másodpercben – jelentette be Macri.

Glick hátrapillantott a válla felett, fel a Sixtus-kápolna tetejére. – Vetted a füstöt?

Macri türelmesen bólogatott. – Tudom, hogyan kell felvenni valamit, Gunther.

Glick kábának érezte magát. Hát persze hogy tudja. Macri tegnap esti teljesítménye a kamera mögött minden bizonnyal Pulitzer-díjat fog hozni neki. Másfelől Glick teljesítménye... gondolni sem akart rá. Biztos volt benne, hogy elbocsátják a BBC-től; semmi kétség, hogy jogi bonyodalmaknak néznek elébe, jó néhány nagy hatalmú intézménnyel... köztük a CERN-nel és George Bushsal.

– Jól nézel ki – anyáskodott Chinita, majd aggodalmasan tekintett ki a kamerája mögül. – Azon gondolkozom, adhatnék-e neked... – Macri tétovázott, hogy ne tartsa-e inkább a száját.

– Valamilyen tanácsot?

Macri sóhajtott. – Csak azt akartam mondani, hogy nem kell előállnod semmilyen szenzációval.

– Tudom – felelte Glick. – Egyszerű hírközlést akarsz.

– A világ legegyszerűbb hírközlését. Megbízom benned.

Glick elmosolyodott. *Egyszerű hírközlés? Megőrült ez?* A tegnap esti sztoriban jóval több van ennél. Egy megrázó igazság váratlan lelepleződése.

Szerencsére Glicknek most is ott volt egy ász a kabátujjában.

– Adásban vagy... öt... négy... három...

Ahogy Chinita Macri belenézett a kamerába, ravasz fényt látott megvillanni Glick szemében. Bolond voltam, hogy megengedtem neki, gondolta. Mi a fenét képzeltem? De nem maradt ideje ezen töprengeni. Adásban voltak.

– Vatikánvárosból jelentkezem – kezdte végszóra Glick –, Gunther Glick beszámolóját hallják. – Ünnepélyesen tekintett bele a kamerába, miközben a háta mögött fehér füst szállt fel a Sixtus-kápolna kéményéből. – Hölgyeim és uraim, megvan a hivatalos eredmény. Az imént a hetvenkilenc éves Saverio Mortati bíboros személyében megválasztották a Vatikán következő pápáját. Noha Mortati esélytelen jelöltnek számított, példa nélkül álló módon, egyhangúan szavazott mellette a bíborosok kollégiuma.

Macri kezdett fellélegezni, miközben Glicket figyelte. Úgy tűnt, hogy ezúttal betartja a szakmai követelményeket. Méghozzá szigorúan. Életében először Glick tényleg úgy festett és úgy beszélt, akár egy hivatásos újságíró.

– Mint arról korábban már beszámoltunk – tette hozzá Glick kellőképpen nyomatékosan –, a Vatikán még nem nyilatkozott a tegnap este történt csodás eseményekkel kapcsolatban.

Jó. Chinita idegessége szinte teljesen elmúlt. Csak így tovább.

Glick most gyászos arckifejezést öltött. – A tegnapi éjszaka a csodák éjszakája volt, ám egyben a tragédiák éjszakája is. Négy bíboros vesztette életét a konfliktus során, továbbá a svájci testőrség parancsnoka, Olivetti és Rocher kapitány, mindketten szolgálatteljesítés közben. Az áldozatok között van Leonardo Vetra, a CERN elismert fizikusa és az antianyag-technológia feltalálója, valamint Maximilian Kohler, a CERN igazgatója, aki azért érkezett Vatikánvárosba, hogy segítséget nyújtson a válság megoldásában, de a jelentések szerint eközben életét vesztette. Mr. Kohler halálának okáról még nem adtak ki hivatalos közleményt, de a feltételezések szerint hoszszan tartó betegségének szövődményeiben hunyt el.

Macri bólintott. A bejelentkezés tökéletesen ment. Pontosan úgy, ahogyan megbeszélték.

– A tegnap éjjel a Vatikán fölött, a levegőben bekövetkezett robbanás nyomán a CERN antianyag-technológiája lázas izgalmat és élénk vitákat indított el a tudósok között. A Mr. Kohler asszisztense, Sylvie Baudeloque által Genfben kiadott közlemény szerint a CERN igazgatótanácsa, bár ígéretes lehetőségeket lát az antianyagban, minden további kutatást és licencszerződést leállít, amíg ki nem vizsgálják, mennyire biztonságos a technológia.

Remek, gondolta Macri. *Mindjárt végzünk.*

– A mai adásból feltűnően hiányzik Robert Langdon, a Harvard professzora, aki tegnap érkezett Vatikánvárosba, hogy az Illuminátusok szakértőjeként segítséget nyújtson a válságos helyzetben. Noha eredetileg úgy vélték, hogy életét vesztette az antianyag-robbanásban, a legújabb jelentések szerint a detonáció után is látták őt a Szent Péter téren. Egyelőre nem tudni, hogyan került oda, de a Tiberina kórház szóvivője azt közölte, hogy Mr. Langdon röviddel éjfél után a levegőből a Tiberis folyóba zuhant, kórházi kezelésben részesült, majd elbocsátották. – Glick felvont szemöldökkel nézett a kamerába. – És ha ez igaz… akkor valóban a csodák éjszakája volt tegnap.

Tökéletes befejezés! Macri érezte, hogy boldogan mosolyog magában. *Hibátlan bejelentkezés! És most lépj ki!*

De Glick nem lépett ki. Ehelyett pillanatnyi szünetet tartott, majd közelebb lépett a kamerához. Titokzatos mosoly jelent meg az ajkán. – De mielőtt elköszönnénk...

Nem!

– ... szeretném megkérni a vendégünket, hogy csatlakozzon hozzánk.

Chinita keze megdermedt a kamerán. *Vendég? Mi az ördögöt művel ez? Milyen vendég? Lépj ki!* De tudta, hogy már késő. Glick már mindent elrendezett.

– Bemutatok önöknek – mondta Glick –, egy neves amerikai... tudóst.

Chinita elbizonytalanodott. Visszatartotta a lélegzetét, miközben Glick hátrafordult a körülötte gyülekező kisebb csoporthoz, és intett a vendégének, hogy lépjen közelebb. Macri hangtalanul imádkozott. Istenem, bárcsak rátalált volna valahogy Robert Langdonra... és ne valamilyen Illuminátus-összeesküvés őrültet vezessen elő.

De ahogy Glick vendége előlépett, Macri minden reménye odalett. Nem Robert Langdon volt az. Hanem egy kopasz férfi farmerban és flanelingben. Sétabottal és vastag szemüveggel. Macri halálra rémült. *Egy őrült!*

– Hadd mutassam be – mondta Glick –, a chicagói De Paul Egyetem elismert Vatikán-kutatóját. Dr. Joseph Vanek.

Macri bizonytalanul méregette a férfit, aki csatlakozott Glickhez a kamera előtt. Nem az összeesküvések bolondja volt; Macri tulajdonképpen már találkozott is vele.

– Dr. Vanek – kezdte Glick –, megosztaná velünk meglehetősen elképesztő ismereteit a tegnap esti konklávét illetően?

– Az eset valóban megdöbbentő – mondta Vanek.

– A meglepetések éjszakája után talán nehéz elképzelni, hogy még mindig érhetnek minket meglepetések... pedig igen... – A férfi szünetet tartott.

Glick mosolygott. – Van itt még egy dupla csavar.

Vanek bólintott. – Igen. Bármilyen hihetetlenül hangzik, én úgy vélem, hogy a bíborosok kollégiuma akaratlanul is két pápát választott meg ezen a hétvégén.

Macri kis híján elejtette a kameráját.

Glick ajkán ravasz mosoly játszott. – Két pápát, jól értettem?

A tudós bólogatott. – Igen. Először is el kell mondanom, hogy én egy életen át tanulmányoztam a pápaválasztás törvényeit. A konklávék szabályozása rendkívül bonyolult, és az előírások jó része mára idejét múlta, ezért feledésbe merült, nem is tudnak róla. Valószínűleg még maga a Nagy Választó sincs tisztában azzal, amit most közölni fogok... a már elfeledett *Romano Pontifici Eligendo* 63. szakaszában lefektetett ősi törvények értelmében... a szavazás nem az egyetlen módja a pápaválasztásnak. Van egy másik, az isteni törvényhez közelebb álló eljárás is. *Közfelkiáltás*nak nevezik. – A professzor itt szünetet tartott. – Ez történt tegnap este.

Glick a vendégére szegezte a tekintetét. – Kérem, folytassa.

– Talán emlékeznek rá – vette vissza a szót a tudós –, hogy tegnap éjjel, amikor Carlo Ventresca *camerlengo* fönt állt a bazilika tetején, valamennyi bíboros odalent volt a téren és egy emberként az ő nevét kiáltotta.

– Igen, emlékszem.

– Magunk elé idézve ezt a jelenetet, engedjék meg, hogy szó szerint idézzek az ősi választási törvényekből. – A férfi kivett néhány papírlapot a zsebéből, megköszörülte a torkát és olvasni kezdett: *Közfelkiáltás akkor történik, amikor ... valamennyi bíboros, mintegy a Szentlélek ösztönzésére, szabadon és spontán módon, egyhangúlag és hangosan kiáltja egyazon személy nevét.*

Glick mosolygott. – Tehát azt állítja, hogy tegnap este, amikor a bíborosok együtt kántálták Carlo Ventresca nevét, valójában pápává választották őt?

– Pontosan ez történt. A törvény továbbá kimondja, hogy a *közfelkiáltás* érvényteleníti azt a kikötést, hogy a jelöltnek bíborosnak kell lennie, és lehetővé teszi, hogy a klérus bármely tagját, legyen az egyszerű pap, püspök vagy kardinális, pápává választhassák. Következésképpen a *camerlengo* tökéletesen alkalmas volt arra, hogy *közfelkiáltással* pápának választ-szák. – Dr. Vanek most egyenesen belenézett a kamerába. – Ezek a tények... Carlo Ventrescát tehát tegnap este pápává választották. Alig tizenhét percig uralkodott. És ha nem emelkedett volna csodálatos módon tűzoszlopként az égbe, akkor most a Vatikán altemplomaiban temetnék el, a többi pápa mellett.

– Köszönöm, professzor. – Glick egy huncut kacsintással Macri felé fordult. – Igazán megvilágosító közlés volt...

137

Robert Langdon rémülten riadt fel álmából.

Sötétség.

Még sokáig feküdt mozdulatlanul az idegen ágy puhaságában, és képtelen volt rájönni, hogy hol van. Hatalmas, csodálatos párnák libatollal töltve. A levegőben potpourri illata. A szobából két sarkig tárt üvegajtó nyílt a pazar balkonra, odakint könnyű szél játszott a hold előtt úszó felhőkkel. Langdon megpróbált visszaemlékezni arra, hogyan is került ide... és egyáltalán hol van.

Szürreális emlékfoszlányok szivárogtak vissza a tudatába...

Egy misztikus halotti máglya... egy angyal válik ki a tömegből... puha kezébe fogja a kezét és kivezeti őt az éjszakába... utcák során át kormányozza kimerült, megviselt testét... ide hozza... ebbe a lakosztályba... félálmában beállítja a forró zuhany alá... ide vezeti az ágyhoz... és vigyáz rá, amíg ájult álomba nem zuhan.

Langdon most egy másik ágyat vett ki a homályban. Az ágynemű gyűrött volt, de az ágy üres. Az egyik szomszédos helyiségből egy zuhany távoli, egyenletes zaja hallatszott.

Miközben Vittoria ágyát bámulta, észrevette a párnahuzatába hímzett mintát a felirattal: HOTEL BERNINI. Langdon nem állta meg mosolygás nélkül. Vittoria jól választott. Óvilági luxus, kilátással Bernini Triton-kútjára... egész Rómában nem találhattak volna ennél megfelelőbb szállodát.

Langdon merengése közben dörömbölést hallott, és rájött, hogy mi ébresztette fel. Valaki kopogott az ajtón. És egyre hangosabban.

Langdon zavartan kászálódott ki az ágyból. Senki sem tudja, hogy itt vagyunk, gondolta, és rossz érzés fogta el. Belebújt a luxusszálló fürdőköpenyébe, és a hálószobából átment az előtérbe. Egy másodpercig csak állt a nehéz tölgyfa ajtó előtt, azután kinyitotta.

Hatalmas férfi nézett le rá, aki sárga jelvényekkel díszített, pompás bíborszínű öltözéket viselt. – Chartrand hadnagy vagyok – mondta a férfi. – A Vatikán svájci testőrségétől.

Langdon pontosan tudta, hogy kicsoda. – De hogyan... hogyan talált meg minket?

– Tegnap éjjel láttam, ahogy távoznak a térről. Követtem önöket. Nagy megkönnyebbülés, hogy még mindig itt vannak.

Langdont hirtelen szorongás fogta el, mert az jutott eszébe, hátha a bíborosok küldték ide Chartrand-t, hogy vigye viszsza Langdont és Vittoriát Vatikánvárosba. Végtére is a bíborosok kollégiumán kívül csak ők ketten ismerik az igazságot. És ezért kockázatot jelentenek.

– Őszentsége kért meg, hogy adjam át ezt önöknek – mondta Chartrand, és átnyújtott egy borítékot, amely a Vatikán címerével volt lepecsételve. Langdon felbontotta, és elolvasta a kézzel írott levelet.

Mr. Langdon és Ms. Vetra!

Jóllehet nagyon szeretném a diszkréciójukat kérni az el-múlt huszonnégy óra történéseit illetően, még sincsen jogom annál is többet kérni, mint amennyit már így is megtettek. Ennélfogva csak azzal az alázatos kéréssel hozakodom elő, hogy hallgassanak a szívükre ebben az ügyben. A világ ma már jobb helynek tűnik... Bár meglehet, a kérdések nehezeb-bek, mint a válaszok.

Az ajtóm mindig nyitva áll Önök előtt.

Őszentsége, Saverio Mortati

Langdon kétszer is elolvasta az üzenetet. A bíborosok kol-légiuma láthatóan kitűnő és nagylelkű vezetőt választott.

Mielőtt még Langdon válaszolhatott volna, Char-trand elővett egy kis csomagot. – Őszentségétől, hálá-ja jeléül.

Langdon átvette a csomagot. Nehéz volt, barna csomagoló-papírba burkolva.

– Őszentsége úgy rendelkezett – mondta Chartrand –, hogy meghatározatlan időre kikölcsönzi önnek ezt a tárgyat a szent pápai páncélteremből. Őszentsége csak annyit kért, hogy a végrendeletében gondoskodjon a tárgy visszaszármaz-tatásáról eredeti helyére.

Langdon kinyitotta a csomagot és elakadt a szava. Az *Illu-minátusok gyémántja.*

Chartrand mosolygott. – Nyugodjék békében önnél. – Az-zal már indult is.

– Köszönöm – nyögte ki Langdon, miközben reszkető kézzel szorongatta a becses ajándékot.

A testőr tétovázva megállt a folyosón. – Mr. Langdon, kérdezhetnék öntől valamit?

– Természetesen.

– A bajtársaim és én kíváncsiak vagyunk. Az az utolsó néhány perc... mi történt odafönt a helikopterrel?

Langdont nyugtalanság fogta el. Tudta, hogy el fog jönni ez a pillanat – az igazság pillanata. Beszéltek erről tegnap éjjel Vittoriával, amikor megszöktek a Szent Péter térről. És meghozták a végső döntésüket. Még a pápa üzenete előtt. Vittoria apjának az volt az álma, hogy az antianyag felfedezése elhozza a spirituális megújulást. Kétség nem fér hozzá, hogy az elmúlt éjszaka történései ellentétesek voltak a szándékával, de attól még tagadhatatlan a tény... e pillanatban, szerte a világon az emberek úgy tekintenek Istenre, mint még soha. Hogy hány napig tart a csoda, azt Langdon és Vittoria nem sejtette, de azt tudták, hogy semmiképpen sem szeretnék botránnyal és kétellyel elpusztítani a reményt. Isten útjai kifürkészhetetlenek, mondta magának Langdon, némileg kesernyésen tűnődve azon, hogy nem lehetséges-e... ...csak tegyük fel... hogy tegnap este végül is Isten akarata érvényesült.

– Mr. Langdon! – ismételte meg Chartrand. – A helikopterről kérdeztem.

Langdon szomorúan mosolygott. – Igen, tudom... – Úgy érezte, hogy nem az agyából, hanem a szívéből szólnak a szavak. – Talán a zuhanás okozta megrázkódtatás... de az emlékezetem... tudja... minden olyan homályos.

Chartrand csalódott képet vágott. – Nem emlékszik semmire?

Langdon felsóhajtott. – Attól félek, ez már örökre titok marad.

Amikor Robert Langdon visszament a hálószobába, Vittoria a balkonon állt, háttal a korlátnak, és Langdonra emelte tekintetét. A háttérben halvány párafolt derengett glóriaként Bernini Triton-kútja felett.

Langdon halkan letette az Illuminátusok gyémántját és a pápa üzenetét az éjjeliszekrényre. Később lesz még idő mindent elmagyarázni. Kiment a lányhoz a balkonra.

Vittorián látszott, hogy megörül neki. – Most pedig... gondolom, várja a jutalmát.

A megjegyzés váratlanul érte Langdont. – Tessék? Hogy mondta?

– Felnőtt emberek vagyunk, Robert. Nyugodtan bevallhatja. Vágyat érez. Látom a szemében. Mardosó, fizikai éhséget.

– Vittoria rámosolygott. – Én is. És az étvágyat ki kell elégíteni.

– Valóban? – Langdon nekibátorodott és közelebb lépett a lányhoz.

– Abszolúte – nyújtotta felé Vittoria a szobaszerviz étlapját. – Mindenből rendeltem, amijük csak van.

A lakoma pompás volt. Együtt vacsoráztak a holdfénynél... a szobájuk balkonján ülve... frisée-t, szarvasgombát és rizottót. Édes bort szürcsöltek mellé, és késő éjszakáig beszélgettek.

Langdonnak nem kellett szimbólumkutatónak lennie ahhoz, hogy értelmezni tudja Vittoria felé küldött jelzéseit. A savoiardival tálalt szederkrémből és Romcafféból álló desszert elfogyasztása közben Vittoria az asztal alatt Langdon lábához nyomta meztelen lábát és forró pillantást vetett rá. De Langdon tökéletes úriemberként viselkedett. Ezt a játékot párosan játsszák, gondolta, elrejtve egy betyáros mosolyt.

Miután mindent megettek, Langdon visszament a szobába, leült az ágya szélére és ide-oda forgatta a kezében az Illuminátusok gyémántját, miközben különböző megjegyzéseket tett csodálatos szimmetriájára. Vittoria csak bámult rá, amíg növekvő zavara nyílt bosszúsággá nem változott.

– Rettentően izgalmasnak találja azt az ambigrammát, ugye? – kérdezte.

Langdon bólintott: – Lenyűgöző.

– Mondhatni, hogy nincs is annál izgalmasabb dolog ebben a szobában?

Langdon megvakarta a fejét, és úgy tett, mintha eltűnődne a kérdésen. – Nos, van valami, ami még ennél is jobban izgat.

Vittoria elmosolyodott, és közelebb lépett. – Mi volna az?

– Hogyan cáfolta meg a tonhalakkal Einstennek azt az elméletét?

Vittoria széttárta a karját. – Dio mio! Elég a tonhalakból! Figyelmeztetem, hogy ne szórakozzon velem!

Langdon elvigyorodott. – A következő kísérletében esetleg lepényhalakat tanulmányozhatna, és bebizonyíthatná, hogy a föld lapos.

Vittoria most már komolyan feldühödött, de az ajkán már ott játszott egy bosszús mosoly halvány ígérete. – Csak hogy tudja, professzor, a következő kísérletemmel történelmet fogok írni. Azt akarom bizonyítani, hogy a neutrínónak tömege van.

– A neutrínónak tömege van? – Langdon megdöbbent arcot vágott. – Én még annyit sem tudtam róla, hogy katolikus!

Vittoria villámgyors mozdulattal rávetette magát Langdonra, és két vállra fektette az ágyon. – Remélem, hisz a halál utáni életben, Robert Langdon. – Vittoria nevetett, miközben meglovagolta Langdont.

– Valójában – nyögte ki Langdon hangos nevetés közepette –, mindig is nehezemre esett bármit elképzelni, ami túlmutat ezen a világon.

– Tényleg? Tehát soha nem volt még vallásos élménye? Nem élte még át a mennyei elragadtatás nagy pillanatát?

Langdon megrázta a fejét. – Nem, és őszintén kétlem, hogy az a fajta ember vagyok, akinek valaha is része lehet vallásos élményben.

Vittoria kibújt a köntöséből. – Ezek szerint még soha nem bújt ágyba egy jógamesterrel, igaz?

Köszönetnyilvánítás

Hálával tartozom Emily Bestlernek, Jason Kaufmannek, Ben Kaplannek és a *Pocket Books* minden munkatársának, akik hittek ebben a könyvben.

Barátomnak és ügynökömnek, Jake Elwellnek, lelkes és fáradhatatlan erőfeszítéseiért.

A legendás George Wiesernek, aki rávett arra, hogy regényeket írjak.

Legkedvesebb barátomnak, Irv Sittlernek, aki közbenjárt azért, hogy audienciát kapjak a pápától, aki bevezetett Vatikánváros azon részeibe, amelyeket csak nagyon kevesek láthatnak, és feledhetetlenné tette római tartózkodásomat.

Az egyik legeredetibb és legtehetségesebb kortárs képzőművésznek, John Langdonnak, aki ragyogóan oldotta meg azt a lehetetlen feladatot, hogy megrajzolja ennek a regénynek az ambigrammáit.

Stan Plantonnak, az *Ohio University-Chillicothe* főkönyvtárosának, aki számtalan témában a legfőbb információforrásom volt.

Sylvia Cavazzininek, aki volt olyan szíves és végigkalauzolt a titkos *Passettón*.

És a legjobb szülőknek, akikről egy gyerek csak álmodhat, Dick és Connie Brownnak... mindenért.

Köszönetet mondok továbbá a *CERN*-nek, Henry Beckettnek, Brett Trotternek, a Pápai Tudományos Akadémiának, a Brookhaven Intézetnek, a *FermiLab* könyvtárának, Olga

Wiesernek, Don Ulsch-nak a Nemzetbiztonsági Intézettől, Caroline H. Thompsonnak a Walesi Egyetemtől, Kathryn Gerhardnak és Omar Al Kindinek, John Pike-nak és az Amerikai Tudósok Szövetségének, Heimlich Viserholdernek, Corinna és Davis Hammondnak, Aizaz Alinak, a Rice Egyetem *Galileo Projectjének*, Julie Lynn-nek és Charlie Ryannek a *Mockingbird Picturestől*, Gary Goldsteinnek, Dave (Vilas) Arnoldnak és Andra Crawfordnak, a *Global Fraternal Networknek*, a *Phillips Exeter* Akadémiai Könyvtárnak, Jim Barringtonnak, John Maiernek, a kivételesen éles szemű Margie Wachtelnek, az *alt.masonic.membersnek*, Alan Wooleynak, a Kongresszusi Könyvtár *Vatikáni kódexek* kiállításának, Lisa Callamarónak és a *Callamaro ügynökségnek*, Jon A. Stowellnek, a Vatikáni múzeumoknak, Aldo Baggiának, Noah Alirezának, Harriet Walkernek, Charles Terrynek, a *Micron Electronicsnak*, Mindy Renselaernek, Nancy és Dick Curtinnek, Thomas D. Nadeau-nak, a *NuvoMediának* és a *Rocket E-booksnak*, Frank és Sylvia Kennedynek, a római turistahivatalnak, Maestro Gregory Brownnak, Val Brownnak, Werner Brandesnek, Paul Krupinnak a *Direct Contacttól*, Paul Starknak, Tom Kingnek a *Computalk Networktől*, Sandy és Jerry Nolannek, Linda George webgurunak, a római Nemzeti Művészeti Akadémiának, Steve Howe fizikusnak és írótársnak, Robert Westonnek, a *Water Street* könyvesboltnak a New Hampshire-i Exeterben és a vatikáni csillagvizsgálónak.

Készült a Borsodi Nyomda Kft.-ben
Felelős vezető: Ducsai György igazgató